新潮文庫

罪と罰

下巻

ドストエフスキー
工藤精一郎訳

新潮社版

3718

罪と罰

下巻

第四部

1

《はて、これも夢のつづきだろうか？》ラスコーリニコフはまたふとそんな気がした。用心深く、怪しむような目で、彼はこの不意の客をじろじろ見まわした。

「スヴィドリガイロフ？　何をばかばかしい！　そんなはずがあるものか！」と彼は、とうとう、信じられぬ様子で声にだして言った。

　客はこのはげしい言葉にすこしもおどろいた様子はなかった。

「二つの理由があってあなたをお訪ねしました。一つは、個人的にあなたとお近づきになりたいと思いましてな。もうまえまえから実に興味ある、しかもあなたに有利なお噂《うわさ》をいろいろとうかがっておりましたので。も一つは、あなたの妹さんのアヴドーチヤ・ロマーノヴナの身に直接関係のある一つの計画をもっているのですが、そのことでわたしにお力添えくださることを、おそらくおことわりになることはあるまい、とこう空だのみしましてな。わたし一人だけで、お口ききがなかったら、妹さんはおそらくわたしを庭へも通してくださらんだろう。それもある誤解がもとなんですがね。だが、あなたのお力添えがあれば、その反対に……とこう読んだわけですよ……」

「わるい読みですね」とラスコーリニコフはさえぎった。

「うかがいますが、あの方たちは昨日お着きになったばかりですね？」

ラスコーリニコフは答えなかった。

「昨日でしょう、知ってますよ。わたしもまだ着いて三日目なんですよ。ところで、ロジオン・ロマーヌイチ、わたしはあの件についてあなたに申しあげておきたいことがあるんですよ。弁解は余計なことだと思いますが、まあひとつ、わたしの言い分も聞いてくださいな。あの場合、あの問題を通してですね、正直にいって、いったいわたしにそれほどの罪があるのだろうか、つまり偏見をぬきにして、正当に判断してですな？」

ラスコーリニコフはやはり無言で相手の顔をじっと見つめていた。

「自分の家でかよわい娘を追いまわし、《いまわしい申し出によってその娘を辱《はずか》しめた》ということ、――それですかな（どうもこっちが先まわりしますな！）、でも、わたしだって人間ですよ、et nihil humanum《エット・ニヒル・フマヌム》（訳注「人間的なことは何によらず私に無縁でない」ローマのテレンチウスの言葉）……

要するに、わたしだって心をうばわれることもあるし、愛することもできます（これはむろん、命令されてそうなるものじゃありませんがね）、そこをひとつ考えてもらいたいのですよ、そしたらすべてがごく自然に説明がつきます。そこで問題は、わたしが人非人か、それとも犠牲者か？　ということにしぼられるわけです。それなら、どうして犠牲者なのか？　だってわたしは、相手にアメリカかスイスへいっしょに逃げようとすすめたとき、おそらく、ほんとうに心底から尊敬の気持をもっていただろうし、さらに二人の幸福を築くことを考えていたにちがいないんですよ！……理性なんてものは情熱の奴隷《どれい》ですからな。わたしのほうがかえって被害者かもしれませんよ、失礼ですがね！……」

「そんなことはどうでもいいことですよ」とラスコーリニコフははきすてるように言った。「ただ無性《むしょう》にあなたがいやなんです。あなたが正しかろうが、正しくなかろうが、とにかくあなたとは近づきになりたくないのです。顔も見たくありません、帰ってください！……」

スヴィドリガイロフはとつぜん大声で笑いだした。

「しかしあなたも……なかなかのしろものですな！」と彼は大口をあいて笑いながら、言葉をつづけた。「うまくごまかしてやろうと思ったのだが、どうして、どうして、あなたはするりとかわして本筋に立っておられる！」

「そんなことを言いながら、あなたはまだごまかそうとしている」

「それがどうしました？　それがどうしました？」とスヴィドリガイロフは腹の底から笑いながら、くりかえした。「これがいわゆる bonne guerre（訳注　フェア・プレー）というやつじゃありませんか、もっとも罪のないかけひきですよ！……でもやはり、あなたはわたしの出鼻をくじいてしまった。とにかく、もう一度はっきりと言いますが、庭先の一件さえなかったら、ちっともいやな思いをせずにすんだんですよ。マルファ・ペトローヴナが……」

「そのマルファ・ペトローヴナだって、あなたが殺したそうじゃありませんか？」とラスコーリニコフは乱暴にさえぎった。

「じゃあなたはそれもお聞きでしたか？　もっとも、聞かないはずがないでしょうがね……さて、このご質問については、まったく、あなたになんと答えたものか、困りましたな。とは言っても、この件については、わたしの良心にはいささかもやましいところはありませんがね。だから、わたしがそのそういったことを危《あや》ぶんでいたなどとは、思わないでいただきたい。あれは当然起るべくして、まさしくそのとおりに起ったというだけのことでしてな。検死の結果、ぶどう酒をほぼ一びんたいらげ、腹いっぱい食べた直後に水浴したために起った脳溢血《のういっけつ》、と証明されましたよ。ほかの理由は発見したくも、ないものはどうにもなりませんからな……でも、わたしも一時は考えました、特にここへ来る途中の汽車の中で、じっと坐《すわ》りながら考えましたよ。わたしはこの……不幸を助長しなかったろうか、精神的な面で苛々《いらいら》させるとか、あるいは何かそうしたことで、不幸を早めはしなかったろうか？　しかし、そうしたこともぜったいなかったはずだ、という結論に達したんですよ」

ラスコーリニコフは笑いだした。

「好きですねえ、そんなことを気にするなんて！」

「あなたは何をお笑いです？　いいですか、わたしが鞭《むち》でなぐったのはあとにも先にもたった二度です、痕《あと》ものこらなかったほどです……わたしを恥知らずなんて思わないでもらいたいですな。そりゃわたしだって、それがいまわしいことで、どうだこうだぐらいは、よく知ってますよ。だがそれと同時に、マルファ・ペトローヴナがそうしたわたしの、いわば狂憤をですな、おそらく喜んでいたらしいことも、ちゃんと知ってるんですよ。あなたの妹さんについての一件は、もうすっかり使い古されてしまって、マルファ・ペトローヴナはしかたなしに三日も家にこもっていましたよ。町へもってゆくざんその種もないし、例の手紙の披露《ひろう》もさすがにあきたと見えましてな

（手紙の朗読についてはお聞きになりましたでしょう？）。そこへとつぜん、この二つの鞭がまるで天の恵みみたいにおちたわけです！　あれは早速、馬車の支度をいいつけました！……いまさらいうまでもありませんが、女には外見《そとみ》はどんなに怒っているようでも、辱しめられたことが内心はうれしくてたまらないという、そんな場合があるものですよ。それは誰《だれ》にでもあります。人間はだいたい辱しめられることを、ひどく好きがる傾向さえありましてな、あなたはそれにお気づきになったことがありますか？　ところが女にはそれが特に強いんですな。それだけを望んでいる、といってもいいほどです」

一時ラスコーリニコフは席をけって出て行き、この会見を打ち切りにしてしまおうかと思いかけた。が、ある好奇心と、加えて打算のようなものが、一瞬彼をひきとめた。

「あなたは喧嘩《けんか》が好きですか？」と彼は何気なく聞いた。

「いいえ、それほど」とスヴィドリガイロフは落ち着いて答えた。「マルファ・ペトローヴナとはほとんど喧嘩したことがないくらいですよ。わたしたちはほんとに睦《むつま》じく暮しておりましたし、あれはいつもわたしに満足していましたからな。わたしが鞭をつかいましたのは、わたしたちの七年間の生活で、たった二度です（もう一度ありますが、しかしそれは別な意味もありますので、かぞえないことにして）。一度は——結婚後二月《ふたつき》ほどのときでした。村に来てすぐの頃《ころ》です、それとこの間です。あなたは、わたしがひどい人非人で、反動派で、農奴制支持者だと、思っておられたでしょうな？　ヘッヘ……ついでだが、おぼえていますかな、ロジオン・ロマーヌイチ、もう何年になりますか、まだ言論が自由だった頃、名前は忘れたが、ある貴族が汽車の中で、一人のドイツ女を鞭でなぐったというので、新聞やら雑誌やらでさんざんたたかれたことがありましたねえ、おぼえてますか？　あの頃さらに、ちょうどあれと同じ年だったと思いますが、《雑誌「世紀」の醜悪な行為》が起りましたな（そら、《エジプトの夜》（プーシキン）の公開朗読ですよ。おぼえてるでしょう？　黒き瞳《ひとみ》！　おお、いずこに去れるや、わが青春のかがやける日々よ！）。それはさて、わたしの意見はこうです。ドイツ女を鞭でなぐった旦那《だんな》には、あんまり同情しませんな、だってどう見てもそれは……同情に値しませんよ！　とはいうものの、この際どうしても言っておきたいのは、どんな進歩的な人々でも、おそらく、完全に自制できるとはいいきれないような、そうした生意気な《ドイツ女》がままいるものだ、ということですよ。この観点からこの事件を見た者は、当時一人もいませんでした、しかしこの観点こそ、ほんとうの人間味のある立場ですよ、そうですとも！」

こう言うと、スヴィドリガイロフは不意にまた大声で笑った。この男が何かかたい決意をもった腹のすわった人間であることを、ラスコーリニコフははっきりと見てとった。

「あなたは、きっと、もう何日か誰とも話していませんね？」と彼は聞いた。

「まあそうです。それがどうかしましたか、どうやら、わたしがよくしゃべるんでおどろいたらしいですな？」

「いいえ、ぼくがおどろいたのは、あなたがあまりに人間ができすぎているからです」

「あなたの質問の無礼さに、腹を立てなかったからかな？　そうでしょう？　でも……いったい何を怒るんです？　聞かれたから、答えたまでですよ」と彼はびっくりするほど素朴《そぼく》な表情でつけ加えた。「わたしはもともと何ごとにもおよそ興味というものを持たない人間でしてな、嘘《うそ》じゃありません」と彼は何か考えこんだ様子でつづけた。「特にこの頃は、まったく何もしていません……もっともあなたに、嘘いえ、おれにとり入ろうとしてるじゃないか、と思われてもしかたがありませんがね。あなたの妹さんに用があるなんて、自分で言ったほどですからな。だが、正直のところ、退屈しきってるんですよ。わけても、この三日ほどはですな。だからあなたに会ったことさえ、嬉《うれ》しかったほどで……怒らないでください、ロジオン・ロマーヌイチ、でもあなただって、どういうわけかおそろしくへんな様子に見えますよ。なんとおっしゃろうと、あなたには何かがあります。それもいま、といってもいまこの瞬間というのじゃなく、まあこの頃という意味ですがね……おや、どうしました、やめます、そんないやな顔をしないでください！　わたしはあなたが思ってるほどの、熊《くま》じゃありませんよ」

ラスコーリニコフは暗い目で相手を見た。

「それどころか、おそらく、ぜんぜん熊じゃないでしょう」と彼は言った。「ぼくにはむしろ、あなたは上流社会の出か、あるいは少なくとも折りがあればりっぱな人間にもなれるひとだと思われます」

「なにしろわたしは、誰の意見にもべつに興味をもちませんのでな」とスヴィドリガイロフはそっけなく、高慢と思える態度をさえちょっぴり見せて、答えた。「だからって、俗物になってわるいことはないでしょう。それにこの服装はわが国の気候には実に好都合ですし、それに……それに、まあ、生れつきこういうのが好きなんですよ」彼はまたにやりと笑って、こうつけ加えた。

「でも、あなたはここに知人が多いって、聞いてますよ。いわゆる《まあつて、、のある》ほうじゃありませんか。こんなとき、何か目的がないとしたら、いったいどうしてぼくのとこへなんか来たんです？」

「わたしに知人があると言われましたが、たしかにそのとおりです」とスヴィドリガイロフは肝心なところにはふれないで、急いで言った。「もう会いましたよ。なにしろ一昨日《おととい》からぶらぶらしてるんでね。わたしも気がついたし、先方だって気がついてるはずですよ。そりゃむろん、わたしも身なりは悪くないし、貧しいほうじゃありません。農奴制改革だってわたしたちをよけて通りましたもんな。森としょっちゅう氾《はん》濫《らん》する草地がやられたくらいで、収入はかわりませんよ。でも……そういうところへは行きませんよ。まえからもうあきあきしてましたからねえ。三日歩きまわって、誰にも言葉をかけませんよ……それにこの町をごらんなさいよ！　まったく、わがロシアにどうしてこんなものができたんでしょうねえ！　役人と学生どもの町ですよ！まったく、八年ほどまえ、ぶらぶら遊びまわっていたころは、ずいぶんいろんなことを見おとしていたものですよ……いまはただひとつ解剖学だけがたよりです、ほんとです！」

「解剖学といいますと？」

「だが、いろんなクラブとか、デュッソー（訳注　当時の有名なレストランの経営者）のレストランとか、あなた方のたまり場とか、あるいはまあ、その進歩とかいうものも、――なあに、こんなものはわたしらがいなくてもなくなりはしないでしょうがね」と彼はまた質問を無視して、つづけた。「それにいくらなんでも、カルタのペテン師にもねえ?」

「じゃあなたは、カルタのペテン師をやったことがあるんですか?」

「もちろん、ありますとも！　八年まえには、わたしたちの仲間がありましてねえ、最高にりっぱな仲間でしたよ、よく暇をつぶしたものです。いずれも態度の堂々たる連中ばかりでしてねえ、詩人もいれば、資本家もいましたよ。もっとも、だいたいわがロシアの社会では、もっとも態度のりっぱなのは、よくかもにされる連中なんですよ、――あなたはそれに気がつきましたか？　わたしがこんななのはその後ずっと田舎にこもっていたからですよ。ところでその頃わたしも監獄にぶちこまれかけたことがあるんですよ、借金をためましてな。相手はネージン(訳注　ウクライナの町)のギリシャ人でしたよ。そこへひょっこりマルファ・ペトローヴナが現われましてね、三万ルーブリにまけさせて、わたしを身請けしてくれたってわけですよ(借金は全部で、七万ルーブリもあったんですよ)。わたしたちは正式に結婚しました、そして妻はわたしを宝ものみたいにして、すぐに自分の村へ連れかえりました。妻はわたしより五つ年上だったんですよ。ひどくわたしを愛しましてな、七年間というものわたしは村から出ませんでした。いいですか、妻は死ぬまで三万ルーブリのわたしの借用書を、他人の名義にして、がっちりにぎっていたんですよ、だからわたしがちょっとでも反逆しようとすれば、——すぐにわなにおとしこむしくみです！　また実際にしたでしょうよ。まったく女の胸には、さまざまな要素がごっちゃに住みついていますからなあ」

「じゃ、もし証書がなかったら、あなたは逃げましたか？」

「なんとも言えませんな。そんな証書はちっとも気になりませんでしたよ。わたしはべつにどこへ行きたいという気持もなかったし、外国へは、わたしが退屈してるのを見て、マルファ・ペトローヴナのほうから二度ほど誘ってくれましたよ！　でもつまりませんよ！　外国へはまえにも何度か行きましたが、いつも胸がむかむかしましてねえ。むかむかというと何ですが、その、夜明けとか、ナポリ湾とか、海とか、そういうものをながめていると、なんだか悲しくなってくるんですよ！　実際に何につけ悲しい気持になるということは、いちばんいやなことですよ！　いやいや、なんといっても自分の国がいちばんですよ！　自分の国にいれば少なくとも何かにつけ他人を悪者にして、自分はいい子になれますからなあ。それがいまなら北極探検にでも行きたいくらいですよ、何しろ j'ai le vin mauvais（酔うとみっともなくなるんでねえ）、だから飲むのはいやなんですが、酒をとったらあとに何ものこらんのですよ。もうやってみたんです。とところで、話によると、ベルグ（訳注 当時の興行師）が日曜にユスポフ公園で大きな気球をとばすんで、いくらとか払えば誰でも乗せてくれるそうですが、ほんとですか？」

「じゃなんです、あなたは乗りたいんですか？」

「わたしが？　いや……ただちょっと……」とほんとうに考えこんだ様子で、スヴィドリガイロフは呟《つぶや》いた。

《この男はなにを言っているのだ、まじめなのだろうか？》とラスコーリニコフは考えた。

「いや、証書はちっとも気になりませんでした」とスヴィドリガイロフは考えこんだ様子で言った。「村から出なかったのは、自分が出たくなかったからですよ。それにもう一年になりますが、マルファ・ペトローヴナはわたしの命名日にその証書をかえしてくれて、おまけにそれにかなりの金までそえてくれましてな。あれは金持でしたからねえ。《そらね、わたしこんなにあなたを信用してるんですよ、アルカージイ・イワーノヴィチ》——ほんとにこう言ったんですよ。あれがこう言ったなんて、あなたには信じられんでしょうな？　ところが、わたしは村で相当の旦那になって、あたりに知られるようになったんですよ。本もとりよせました。マルファ・ペトローヴナははじめは喜んですすめてくれましたが、そのうちにわたしが勉強するのを恐《こわ》がるようになりましてねえ」

「あなたはマルファ・ペトローヴナをひどくなつかしがっているようですね？」

「わたしですか？　あるいはね。大いにそうかもしれません。ついでですが、あなたは亡霊を信じますか？」

「亡霊といいますと？」

「あたりまえの亡霊ですよ、ごく普通の！」

「じゃ、あなたは信じるんですか？」

「え、まあね、でも信じないといってもいいんですよ、pour vous plaire（おいやでしたら）……といって、そうともいいきれないのですが……」

「じゃ、現われるんですか？」

スヴィドリガイロフは何か妙な目で彼を見た。

「マルファ・ペトローヴナが訪ねてくるんですよ」と彼は口をゆがめて異様なうす笑いをもらしながら、言った。

「訪ねてくるって、どういうことです？」

「ええ、もう三度きましたよ。最初に見たのは葬式の当日、そう埋葬がおわって一時間ほどしたときでした。二度目は一昨日、旅の途中で、マーラヤ・ヴィシェーラ駅で明け方。三度目は、二時間ほどまえ、わたしが泊っている宿の部屋でです。わたしが一人きりでいたとき」

「夢じゃないんですか?」

「いや。三度とも現《うつつ》です。来て、一分ほど話して、戸口から出て行く。そう、いつも戸口から出て行くんですよ。足音さえ聞えるほどです」

「なぜだかぼくはそんな気がしていたんですよ、あなたにはきっと何かそうしたことがあるにちがいないって!」と不意にラスコーリニコフは言った、そして同時に自分が言ったことに、びっくりした。彼はひどく興奮していた。

「へーえ? あなたはそう思いましたか?」とスヴィドリガイロフはびっくりして聞き返した。「ほんとですか? だからわたしがさっき言ったでしょう、わたしたちには何か共通したところがあるって、ねえ?」

「あなたはそんなこと一度も言いませんでしたよ」とラスコーリニコフはむっとして、つっかかるように答えた。

「言わなかった?」

「そうですよ!」

「言ったような気がしたが。さっき、わたしがこの部屋に入って、あなたが目をつぶって横になっているが、実は寝た振りをしているのを見たとき、――《これこそあの男だ！》ととっさに自分に言い聞かせたんですよ」

「なんですそれは、あの男とはなんのことです？」とラスコーリニコフは叫んだ。

「なんのこと？　それがまったく、なんのことか自分でもわからないんですよ……」

と率直に、自分でもまごついた様子で、スヴィドリガイロフは口ごもった。

一分ほど沈黙がつづいた。二人は目をいっぱいに見はってにらみ合っていた。

「何をばかばかしい！」とラスコーリニコフは腹立たしげに叫んだ。「それで、奥さんは現われて、何を言うんです？」

「妻ですか？　それがあなた、くだらないことばかりなんですよ、そしてわれながらあきれたものですが、それがしゃくにさわりましてねえ。最初のときには（葬式のお勤め、冥福《めいふく》を祈る祈禱《きとう》、さらにまた短いお祈り、それから会食とつづきまして、わたしはひどく疲れましてね、――やっと書斎に一人きりになれて、葉巻を吸いつけ、ぼんやり考えこんでいたときですよ）、すっと戸口から入ってきて、《ねえ、アルカージイ・イワーノヴィチ、あなた今日は忙しさにとりまぎれて、食堂の時計を巻くのをお忘れになりましたわね》と言うんですよ。この時計は、実際、七年間わたしが自分で週に一度ずつ巻いておりましてねえ、忘れたりすると、いつも妻に注意されたものでした。その翌日わたしはもうこちらへ発《た》ってきたわけですが、明け方駅の食堂へ入って、――何しろ一晩中まんじりともしないで、身体《からだ》はくたくたに疲れておりましたし、目がしぶくてはっきりしないものですからね、――コーヒーをたのみました。ふと見ると――どこからどう現われたのか、すぐよこにマルファ・ペトローヴナがトランプを手にして坐っておりましてね、《ねえ、アルカージイ・イワーノヴィチ、あなたの道中を占ってあげましょうか？》と言うんです。妻は占いが得意だったんですよ。まったく、どうして占わせなかったろうと、残念でなりません！　ぎょっとして、逃げ出したんですよ、もっとも、ちょうど発車のベルもなりましたが。また今日は店屋《てんや》ものの昼食がひどいやつで、胃が重苦しくてしようがないから、ぼんやり坐って、煙草《たばこ》をふかしていると、不意にまたマルファ・ペトローヴナが入ってきたんですよ。すっかりおめかしをして、長いしっぽのついた新しいみどり色の絹の衣装を着て、《こんにちは、アルカージイ・イワーノヴィチ！　この服どうお、あなたの好みにあいまして？　アニーシカじゃとてもこんなふうには縫えなくてよ》（アニーシカというのはね、わたしたちの村のお針ッ娘《はりこ》で、農奴の出ですが、モスクワで勉強したとってもいい娘なんですよ）。そう言いながら、わたしのまえでまわって見せるんですよ。わたしは衣装を見まわしてから、じっと注意深く妻の顔を見ました。《ねえ、マルファ・

ペトローヴナ、おまえもものの好きだねえ、こんなつまらんことでわたしのところへ来て、わたしをわずらわせるなんて》と言ってやりました。すると、《あら、そんな、じゃ、もうちょっとでもお邪魔しちゃいけませんの!》そこでわたしはからかってやりました。《わたしはね、マルファ・ペトローヴナ、結婚しようと思うんだよ》するとあれは《それはあなたの気持しだいでしょうけどね、アルカージイ・イワーノヴィチ、でも妻の葬式もろくにすませないうちに、もう新しい妻をもらいに出かけるなんて、あんまり聞えがよくありませんよ。それに申し分のないひとを選んだのならともかく、そうでなかったら、わたしは知ってますけど、あの娘も、あなたも、世間のもの笑いになるだけですよ》そう言うと、プイと出て行ってしまいました。しっぽのさらさらという音が聞えるようでしたよ。まったく、ばかな話じゃありませんか、ねえ?」

「まあ、おそらく、それもあなたの作り話でしょうね!」とラスコーリニコフは応じた。

「わたしはめったに嘘は言いません」とスヴィドリガイロフは相手の言葉の無礼さにはぜんぜん気づかない様子で、考えこみながら言った。

「じゃまえには、それまでは、一度も亡霊を見たことがありませんでしたか?」

「い……いや、見ました、たった一度だけ、六年まえです。うちにフィリカという下男がいました。それが死んで、野辺送りをすませた直後、わたしがうっかりして、《フィリカ、パイプをもってこい》とどなったんですよ。すると入って来て、パイプのおいてある飾《かざ》り棚《だな》のほうへまっすぐ歩いて行くじゃありませんか。わたしは坐ったまま、考えました。《これはやつが仕返しに来たんだな》というのは、死ぬちょっとまえに、わたしはやつと猛烈な口喧嘩をしたんですよ。そこでわたしはどなりつけました。《よくもそんな肘《ひじ》のぬけたぼろを着ておれの部屋へ来《こ》れたな、――出てけ、役立たず！》すると、くるりと向き直って、すたすたと出て行き、それっきり現われませんでした。マルファ・ペトローヴナには黙っていましたがね、やつの供養《くよう》をしてやろうと思いましたが、てれくさくなってやめましたよ」

「医者にみてもらうんですね」

「それは、言われるまでもなく知ってますよ、正常じゃないくらいはね。でも、正直のところ、どこが悪いのかわからないのですよ。でも、まあ、あなたよりは五倍も健康だと思いますね。わたしがあなたに聞いたのは、亡霊が現われるのを信じるかどうか、ということじゃありませんよ。亡霊が存在することを信じるか、ということです」

「いや、ぜったいに信じませんね！」とラスコーリニコフは敵意をさえ見せて叫んだ。

「でも、世間ではどうですかな？」とスヴィドリガイロフはややうなだれて、よこのほうを見ながら、ひとりごとのように呟いた。「世間の人は言います、《おまえは病気だ、だからおまえの目に見えるものは、実在しないまぼろしにすぎないのさ》これじゃ厳密な論理がないじゃありませんか。亡霊が病人にだけ現われるということは、わたしも認めます。しかしこれは、亡霊が現われ得るのは病人にだけだ、ということを証明するだけで、亡霊そのものが存在しないということの証明にはなりません」

「もちろん、存在しませんよ！」とラスコーリニコフはじりじりしながら言いはった。

「存在しない？　あなたはそう思いますか？」スヴィドリガイロフはゆっくり彼に目を上げて、つづけた。

「じゃ、こういう考えに立ったらどうでしょう（まあひとつ、知恵を貸してくださいな）。《亡霊は――いわば他の世界の小さな断片、他の世界の要素である。健康な人には、むろん、それが見える理由がない。なぜなら健康な人は完全な地上の人間である。従って、充実のために、さらに秩序のために、この地上の生活だけをしなければならない。ところが、ちょっとでも病気になると、つまりオルガニズムの中でノーマルな地上の秩序がちょっとでも破壊されると、ただちに他の世界の可能性があらわれはじめる、そして病気が重くなるにつれて、他の世界との接触が大きくなり、このようにして、人間が完全に死ぬと、そのまますぐに他の世界へ移る》わたしはこのことをもうまええまえから考えていましてな。もし来世の生活を信じていれば、この考察も信じられるわけです」

「ぼくは来世の生活なんて信じませんね」とラスコーリニコフは言った。

スヴィドリガイロフは坐ったままじっと考えこんでいた。

「来世には蜘蛛《くも》かそんなものしかいないとしたら、どうだろう」と彼はとつぜん言った。

《この男は気ちがいだ》とラスコーリニコフは思った。

「われわれはつねに永遠というものを、理解できない観念、何か途方もなく大きなもの、として考えています。それならなぜどうしても大きなものでなければならないのか？　そこでいきなり、そうしたものの代りに、ちっぽけな一つの部屋を考えてみたらどうでしょう。田舎の風呂場《ふろば》みたいなすすだらけの小さな部屋で、どこを見ても蜘蛛ばかり、これが永遠だとしたら。わたしはね、ときどきそんなようなものが目先にちらつくんですよ」

「それじゃほんとに、ほんとにあなたの頭には、それよりは救いになる、もうすこし正当なものは、ぜんぜん浮ばないのですか？」とラスコーリニコフは痛ましい思いで叫んだ。

「もっと正当な？　だが、どうしてわかります、これこそ正当なものかもしれませんよ。それに、わたしはなんとしても強引にそうしたいのですよ！」とスヴィドリガイロフはあいまいに笑いながら、答えた。

この乱暴な答えを聞くと、ラスコーリニコフは不意にぞうッとした。スヴィドリガイロフは顔を上げて、じっと彼を見ると、いきなりけたたましく笑った。

「いやはや、どうでしょう」と彼は大声で言った。「三十分ほどまえにはまだ会ったこともなく、敵《かたき》同士と思っていたし、それにわたしたちの間にはまだ解決のつかない問題があるんですよ。それなのにその肝心の問題をそっちのけにして、ばかみたいな文学談義にふけるとはねえ！　だから、言ったでしょう。わたしたちは同じ畑の苺《いちご》だって、どうです？」

「恐れいりますが」とラスコーリニコフは苛々しながら言った。「早く用件をおっしゃっていただけませんか、どうしてぼくごとき者をお訪ねくださったのか、それを聞かせてくださいませんか……それに……それに……ぼくは急いでいるんです、時間がありません、出かけなきゃなりませんので……」

「ごもっともです、ごもっともです。あなたの妹さんの、アヴドーチヤ・ロマーノヴナは、ルージン氏と、ピョートル・ペトローヴィチですね、結婚なさるのですか？」

「なんとか妹についてのいっさいの問題をさけて、あれの名前を出さないようには願えないものでしょうか。あなたが実際にスヴィドリガイロフなら、どうしてぼくのまえで妹の名前を口にしたりできるのか、ぼくは理解に苦しむほどです」

「だってわたしはあの方のことでお話があってここへ伺ったのですよ、名前を出さないわけにはいかないじゃありませんか！」

「いいでしょう。どうぞ、ただしなるたけ簡単に願います」

「わたしの妻方の親戚《しんせき》にあたるあのルージン氏については、あなたはもうきっとご自分の意見を組み立てられたことと思います。もし三十分でもお会いになるか、あるいはどんな噂にせよ、まちがいのない確かな話をお聞きになるかされたらですね。あれはアヴドーチヤ・ロマーノヴナにふさわしい男じゃありません。わたしの考えでは、この問題ではアヴドーチヤ・ロマーノヴナはまったく寛大な気持で、打算をぬきにして、その家族のために、自分を犠牲にしていられると思います。あなたについて聞いたかぎりから、わたしの勝手な推測ですが、あなたとしては、この縁談が利害をそこなわれずに破談になれば、これにこしたことはないと思っておられるはずです。いま、親しくあなたを知って、わたしはむしろそれを確信しました」

「あなたとしては、それはあまりに素朴すぎますね。失礼ですが、図々《ずうずう》しすぎる、と言おうとしたんですよ」とラスコーリニコフは言った。

「つまりあなたは、わたしが自分の利益のために奔走していると言いたいのですね。その心配はご無用です、ロジオン・ロマーヌイチ、もしわたしが自分の利益のために奔走しているのなら、こうずばりと言いだしはしませんよ。わたしだってそれほどばかじゃありませんからな。このことについてひとつ心理上の不思議な変化を打ち明けましょう。さっきわたしは、アヴドーチヤ・ロマーノヴナに対する自分の愛を弁解して、自分のほうが犠牲者だと言いましたね。ところがはっきり言いますが、わたしはいまぜんぜん愛というものを感じていないのですよ、ぜんぜん、自分でも不思議なほどです、だって実際に何かを感じたことがあったんですからねえ……」

「無為と淫蕩《いんとう》のためにね」とラスコーリニコフはさえぎった。

「たしかに、わたしは無為で淫蕩な男です。しかし、そんなわたしでもまあ心をうごかさざるを得なかったのは、妹さんがあまりにもすぐれたところをお持ちだからですよ。でもそんなことはみなくだらんことです。いまは自分でもそれがわかります」

「まえからおわかりでしたか？」

「すこしまえから気づきはじめていましたが、はっきりと確かめたのは一昨日、ペテルブルグに着くと同時といっていいでしょう。しかし、モスクワにいた頃はまだ、ルージン氏とはりあって、なんとしてもアヴドーチヤ・ロマーノヴナの愛をかちとろうと思っていたんですよ」

「途中で口出ししてすみませんが、お願いですから、なんとか話をはしょって、すぐに来訪の目的に移ってもらうわけにはいきませんか。ぼく急いでおりますので、出かける用事があって……」

「結構ですとも。こちらへまいりまして、今度ある……航海に出ようと思いたちましたので、そのまえにいろいろしておかなければならないことを処理したいと思ったわけです。子供たちは伯母のもとにあずけました。子供たちにはそれぞれ財産がありますし、わたしなんかいないほうがいいくらいのものです。ろくな父親でもありませんしな！　わたしが持ってきたのは、一年まえマルファ・ペトローヴナにもらったものだけです。わたしにはそれで十分ですよ。すみません、すぐ用件に移りますから。旅に出るまえに、これは多分実現するだろうと思いますが、わたしはルージン氏とも話をつけたいのです。あの男がどうにもがまんができないというのじゃありませんが、しかしあの男のことで、わたしとマルファ・ペトローヴナのあの争いがもち上がったんですよ。妻がこの縁談の口ききをしていることがわかったものでね。わたしはいまあなたのお世話で、できたらあなたにもいてもらって、アヴドーチヤ・ロマーノヴナに会って、何よりもまず、ルージン氏からはこれっぽっちの利益も期待できないばかりか、かえって損失をこうむることは確実だということを、直接ご説明したいのです。それから、先日の不快なごたごたの失礼をわびたうえで、妹さんに一万ルーブリを差し上げる許しをこい、それによってルージン氏との破談による損害を軽くしてあげられたらと願っているわけです。この破談には、その可能な条件さえあらわれたら、妹さんだって決して反対ではないはずです」

「あなたはまさしく、まさしく気ちがいです！」とラスコーリニコフは怒るというよりは、いっそあきれて、思わず叫んだ。「よくもそんなことが言えたものだ！」

「あなたにそうどなられることは、ちゃんと承知していました。でも、第一に、わたしは金持じゃありませんが、この一万ルーブリは遊んでいる金です。つまりわたしにはまったく、まったく不要のものです。アヴドーチヤ・ロマーノヴナが受け取ってくれなかったら、わたしは、おそらく、もっともっとばかなつかい方をするでしょう。これがひとつです。第二に、わたしの良心にはこれっぽっちもやましいところはありません。わたしはいっさいの打算をぬきにして提供するのです。信じなさろうがなさるまいが、いずれはあなたにも、アヴドーチヤ・ロマーノヴナにもわかっていただけるでしょう。要するに、わたしは尊敬するあなたの妹さんに実際にかなりのご迷惑をおかけしたし、いやな思いをさせたためなのです。つまり、心底から後悔していますので、心をこめて望んでいるわけです、——何も罪のつぐないとか、不快の代償とかじゃなく、ただ妹さんのために何か利益になることをしてあげたいだけです。底を言えば、悪いことをするばかりが能じゃないことを、事実によって証明したいだけですよ。もしわたしの申し出にたとえ百万分の一でも打算があったら、わたしは一万ルーブリ程度を申し出はしませんよ。つい五週間まえにはもっと多額の金を提供すると申しあげたんですからねえ。そのうえ、わたしは、たぶん、もうじきある娘さんと結婚することになるはずですよ。ですからこの一事によってもアヴドーチヤ・ロマーノヴナにある野心があるなんて疑いは消えてしまうはずです。結論として申しあげますが、ルージン氏と結婚することによって、アヴドーチヤ・ロマーノヴナはこれと同額の金をお受けになるわけです。ただし筋のちがう金ですがね——まあ、怒っちゃいけませんよ、ロジオン・ロマーヌイチ、落ち着いて冷静に判断してください」

そういうスヴィドリガイロフ自身がきわめて冷静で落ち着きはらっていた。

「おやめください」とラスコーリニコフは言った。「とにかく、これは許しがたい不《ふ》遜《そん》な言葉です」

「とんでもない。そんなことをおっしゃったら世の中で人間が人間に対して行い得るのは悪だけだということになります。それどころか、つまらない世間の体裁のために、これっぽっちの善を行う権利ももてないことになりますよ。ばかげたことです。じゃ例えばですね、わたしが死んで、遺言によって妹さんにそれだけの金をのこしたとしたら、それでも妹さんは受け取ることを拒むでしょうか？」

「大いに考えられますね」

「まあそんなことはありますまい。しかし、いやならいやで、別にかまいませんがね。だが、一万ぽっちでも——いざという場合には、ありがたいものですよ。まあとにかく、いま言ったことをアヴドーチヤ・ロマーノヴナにお伝えください」

「おことわりします」

「とおっしゃられると、ロジオン・ロマーヌイチ、わたしがやむを得ずなんとか会う機会をもとめる、したがって、おさわがせするということになりますね」

「じゃぼくが伝えれば、あなたは直接会う機会をもとめないわけですね？」

「それは、正直のところ、なんとも言えませんね。一度だけどうしてもお目にかかりたいと思うんですが」

「期待しないほうがいいでしょう」

「残念です。しかし、あなたはわたしという人間を知らないようですな。いまに、おそらく、もっとうちとけるようになるでしょうよ」

「ほう、もっとうちとけるようになる、とお思いですか？」

「思っちゃいけませんか？」スヴィドリガイロフはにやりと笑って、こう言うと、立ち上がって、帽子を手にもった。「わたしはあなたをわずらわすことをそれほど望んでいたというわけでもありませんし、ここへ来るときだって、それほど当てにしていたわけじゃありませんよ、もっとも、今朝ほどお見かけしたときは、あなたの顔にぎくっとしましたがね……」

「今朝ほどといいますと、いったいどこでぼくを見かけたんです？」とラスコーリニコフは不安そうに聞いた。

「偶然ですよ……それからは、あなたにはわたしに似た何かがある、どうもそんな気がしましてねえ……まあご心配なく、わたしは退屈な男じゃありませんよ。インチキカルタの仲間たちとも結構仲よくやりましたし、遠い親戚で高官のスヴィルベイ公爵《こうしゃく》にもあきられなかったし、プリルコーワヤ夫人のアルバムにラファエルのマドンナを讃《たた》える詩を書きこむ小才もありましたし、マルファ・ペトローヴナみたいな女とも七年間こもりきりの生活をしてきましたし、昔センナヤ広場のヴャゼムスキー公爵の邸宅（訳注　木賃宿の意味）に泊ったこともありますし、おまけに、もしかしたら、ベルグといっしょに気球にも乗りかねない男ですよ」

「まあ、わかりました。ところでうかがいますが、旅行には間もなくお発ちですか？」

「旅行といいますと？」

「ほら、その《航海》とやらですよ……自分でおっしゃったじゃありませんか」

「航海？　ああ、そうですか！……たしかに、航海のことを話しましたね……でも、あれは広い意味があるんですよ……お知らせしましょうかな、あなたのお聞きになっていることの意味を？」と彼は言いたして、とつぜん大きな声で短く笑った。「わたしは、ひょっとしたら、航海の代りに結婚するかもしれませんよ。花嫁を世話してくれるひとがいるんですよ」

「ここでですか？」

「そうです」

「そんなひまがありましたか？」

「それはともかく、アヴドーチヤ・ロマーノヴナとなんとしても一度お会いしたいですな。まじめなお願いですよ。じゃ、また……あッ、そうそう！　だいじなことを忘れてましたよ！　ロジオン・ロマーヌイチ、マルファ・ペトローヴナの遺言書に三千ルーブリおくるように書いてあったと、妹さんに伝えてください。これはぜったいに本当ですよ。マルファ・ペトローヴナは死ぬ一週間まえに、わたしの見ているまえで、それを作成したんですから。二、三週間したらアヴドーチヤ・ロマーノヴナはその金を受け取ることになるはずです」

「それは本当ですか？」

「本当ですよ。伝えてください。じゃ、よろしく。宿はここのすぐ近くです」

出しなに、スヴィドリガイロフは戸口でラズミーヒンと出会った。

2

もう八時になろうとしていた。二人はルージンの先をこそうと、バカレーエフのアパートへ急いだ。

「おい、あれはいったい誰《だれ》だね？」と通りへ出るとすぐ、ラズミーヒンは聞いた。

「スヴィドリガイロフだよ。家庭教師として住みこんでいた妹に、恥をかかせた例の地主だよ。あいつがしつこくどいたために、妹はあいつの女房のマルファ・ペトローヴナに追い出されて、あいつの家を出たんだよ。そのマルファ・ペトローヴナがあとでドゥーニャにあやまったんだが、このあいだぽっくり亡《な》くなったのさ。いまその話をしてたんだよ。どういうわけか知らんが、おれはあの男がひどく恐《こわ》いんだ。やつは女房の葬式をすますとすぐに出てきた。ひどく変った男で何ごとか決意しているらしい……何か知っているふうだ……やつからドゥーニャを守ってやらにゃ……これをぼくはきみに言いたかったんだよ、わかるかい？」

「守ってやる？　じゃ何だ、そいつはアヴドーチヤ・ロマーノヴナに危険を加えるかもしれんのか？　よし、ありがとう、ロージャ、ぼくによくそれを言ってくれた……いいとも、守ってやろうよ！……そいつはどこに住んでるんだ？」

「知らんな」

「どうして聞かなかったんだ？　くそ、惜しいことをしたな！　まあいいさ、さぐり出すよ！」

「きみはやつを見たかい？」としばらくしてラスコーリニコフが聞いた。

「うん、見たよ。しっかり目に入れたよ」

「正確に見たのか？　はっきり見たのか？」とラスコーリニコフはしつこく聞いた。

「うん、はっきりおぼえてるよ。千人の中からだって見わけられるよ。ぼくは顔のおぼえがいいんだ」

またしばらく沈黙がつづいた。

「フム……それなんだ……」とラスコーリニコフは呟《つぶや》いた。「でもねえ……ぼくはふとそんな気がしたんだ……しょっちゅうそんな気がするんだが……これはひょっとしたら幻覚かもしれないな」

「おい、何のことだ？　きみの言うことがどうもよくわからんよ」

「そら、きみらはいつも言うじゃないか」とラスコーリニコフは口をゆがめてうす笑いをもらしながら、つづけた。「ぼくを気ちがいだって。もしかしたら、ぼくはほんとに気ちがいで、まぼろしを見ただけかもしれん、いまふっとそんな気がしたんだよ！」

「おい、きみは何を言ってんだ？」

「だって、誰がわかる！　ぼくはほんとに気ちがいかもしれんよ。そしてこの数日のあいだにあったことは、みんな、ただそんなふうに思われただけかもしれない……」

「おい、ロージャ！　また神経をみだされたな！……いったいあの男は何を言ったんだ、何しにきたんだ？」

ラスコーリニコフは答えなかった。ラズミーヒンは一分ほど考えていた。

「まあ、ぼくの報告を聞いてくれ」と彼は語りだした。「ぼくはきみの部屋へ寄ったが、きみは眠っていた。それで食事をして、ポルフィーリイのところへ出かけた。ザミョートフがまだいた。ぼくは早速あの話をきりだそうと思ったが、さっぱり埒《らち》があかん。どうも思うように言えないんだ。やつらは何のことやらまるでわからんという顔つきをしていたが、べつにあわてる様子もなくけろりとしている。そこでぼくはポルフィーリイを窓のそばへ連れてって、話しだしたが、どういうのかまた尻《しり》きれとんぼになってしまうんだ。やつはそっぽを向いてるし、こっちもそっぽを向いてるというぐあいだ。とうとう業《ごう》を煮やして、拳骨《げんこつ》をやつの鼻先へつきだし、親類として、頭をたたきわるぞと言ってやった。やつはじろりとおれを見ただけで、ものも言わん。おれはペッと唾《つば》をはいて、とびだしたよ。それでおしまいさ。ばかばかしいったらないよ。ザミョートフのやつとは口もきかなかった。ただね、ぼくはぶちこわしをやってしまったと、くさったが、階段を下りしなに、一つの考えがうかんだんだよ、まさにひらめきってやつさ。なんだってぼくらは気をもんでいるんだ？　きみに危険なことが何かあるというのなら、そりゃむろん、じっとしてはおれんさ。ところが何もないじゃないか！　きみはあの事件になんのかかわりもないんだから、あんなやつら屁《へ》でもない。あとで嘲笑《あざわら》ってやるさ。おれだったらこれ幸いとやつらを振りまわしてやるよ。あとでいい恥かくぜ！　ざまあみろ。あとではぶんなぐってもいいが、いまは笑っていようよ！」

「むろん、そうさ！」とラスコーリニコフは答えた。《だが明日になったら、きみはなんと言うだろう？》と彼は腹の中で考えた。不思議なことに、《わかったら、ラズミーヒンはどう思うだろう？》という考えが、いままで一度も彼の頭にうかばなかった。そう思うと、ラスコーリニコフはじっと相手の顔を見つめた。ポルフィーリイを訪ねたといういまのラズミーヒンの報告には、彼はほんのちょっとしか関心をもたなかった。あのとき以来ひくと見ればよせ、事情の変化があまりにもめまぐるしかったためだ！……

廊下で二人はルージンに出会った。彼はちょうど八時に来て、部屋をさがしていたのである。三人いっしょに入ったが、どちらからも見向きもしなければ、会釈《えしゃく》もしなかった。若い二人はかまわず先へ通ったが、ピョートル・ペトローヴィチは礼儀として、間をおいて、わざわざゆっくり控室で外套《がいとう》をぬいだ。プリヘーリヤ・アレクサンドロヴナはすぐにしきいのところに出て彼を迎えた。ドゥーニャは兄と挨拶《あいさつ》をしていた。

ピョートル・ペトローヴィチは部屋へ通ると、ひどくもったいぶった様子だが、かなり愛想よく婦人たちと挨拶を交わした。しかし、いくらかどぎまぎして、まだ気持がしずまらない様子だった。プリヘーリヤ・アレクサンドロヴナもうろたえ気味で、あわてて一同をサモワールがたぎっている円テーブルのまわりにかけさせた。ドゥーニャとルージンはテーブルの両端に向いあいに席をしめた。ラズミーヒンとラスコーリニコフはプリヘーリヤ・アレクサンドロヴナと向きあうことになったが、――ラズミーヒンはルージンに近く、ラスコーリニコフは妹のそばに坐《すわ》った。

短い沈黙が訪れた。ピョートル・ペトローヴィチはゆっくり香水の匂《にお》う麻のハンカチをとりだして、はなをかんだ。その態度はおだやかではあるが、しかしいささか人格を傷つけられ、その釈明を求めることをかたく決意している様子がうかがわれた。彼はもう控室にいるときに、このまま外套をぬがずに立ち去り、それによって二人の婦人をきびしく、十分に胸にこたえるようにこらしめて、ひと思いにすべてを思い知らせてやろうかとも思ってみた。しかしさすがにそれはできなかった。しかもこの男はものごとをわからぬままにしておくことが嫌《きら》いで、この際、はっきりさせなければならなかった。これほど露骨に彼の指図《さしず》が破られるとすれば、何かあるにちがいない、とすれば、まずそれを知るのが得策だ。こらしめるのはいつでもできるし、しかも彼の意のままなのである。

「道中はべつにお変りもなかったことと思いますが?」と彼は型どおりにプリヘーリ

ヤ・アレクサンドロヴナに尋ねた。

「おかげさまで、ピョートル・ペトローヴィチ」

「それは何よりでした。アヴドーチヤ・ロマーノヴナもお疲れになりませんでしたか？」

「わたしは若いし、丈夫ですから、疲れませんけど、母はかなりこたえたようでした」とドゥーネチカは答えた。

「こまりますよ、わが国の道路はなにしろ長いですからなあ。いわゆる《母なるロシア》は広大ですよ……わたしはなんとか時間をくりあわせてと思ったのですが、昨日はどうしてもお出迎えすることができませんで失礼しました。しかし、べつにこれといった面倒もなくすんだことと思いますが？」

「まあ、とんでもない、ピョートル・ペトローヴィチ、わたしたちすっかりおろおろしてしまったんですよ」とプリヘーリヤ・アレクサンドロヴナはいかにも意味ありげな口調で、急いで言った。「そしてもし神さまがこのドミートリイ・プロコーフィチを、昨日わたしたちにおつかわしくださらなかったら、それこそわたしたちはどうなっていたことやら。こちらがそのドミートリイ・プロコーフィチ・ラズミーヒンですわ」と彼女は言いそえて、彼をルージンに紹介した。

「ああ、もうお目にかかりました……昨日」とルージンは気色わるそうに横目でじろりとラズミーヒンを見て、呟いた。そして顔をしかめて、黙りこんだ。だいたいピョートル・ペトローヴィチは、見たところ人まえではひどく愛想がよく、また愛想のいいのをことさらに売りものにしているくせに、ちょっとおもしろくないことがあると、たちまち策を失ってしまって、座をにぎやかにする気さくな紳士というよりは、まるで粉袋みたいな存在になりかわってしまう、そういう種類の人間に属していた。みんなはまた黙ってしまった。ラスコーリニコフはかたくなに黙りこくっていた。アヴドーチヤ・ロマーノヴナはいよいよというときまで沈黙を破りたくなかった。ラズミーヒンは何も話すことがなかった。そこでプリヘーリヤ・アレクサンドロヴナがまたしてもおろおろしだした。

「マルファ・ペトローヴナが亡くなりましたのよ、お聞きになりまして」と彼女はとっておきの話の種をもちだした。

「もちろん、聞きました。真っ先に知らされましたよ、それどころか今日こちらへ伺ったのもひとつは、アルカージイ・イワーノヴィチ・スヴィドリガイロフが、妻の埋葬をすませるとすぐに急いでペテルブルグに向ったことを、あなた方にお知らせしたかったからですよ。これはわたしが受けた確実な情報ですから、まずまちがいはありますまい」

「ペテルブルグへ？　ここへ？」とドゥーネチカは不安そうに聞きかえし、母と顔を見あわせた。

「そのとおりです、そして出発を急いだことと、だいたいのいままでの事情を思いあわせますと、何か目的があることはたしかです」

「ああ！　ほんとにあの男はここでまで、ドゥーネチカを困らせるつもりかしら？」とプリヘーリヤ・アレクサンドロヴナは叫んだ。

「わたしは、あなたも、アヴドーチヤ・ロマーノヴナも、何も特別に心配なさることはないと思いますね。もっともあなた方のほうから、あの男とすこしでも関係を持とうとなされば別ですが。わたしとしても、気をつけていまあの男の止宿先をさがしておるわけです……」

「ああ、ピョートル・ペトローヴィチ、まさかとお笑いでしょうが、いまあなたはわたしを死ぬほどおびえさせたんですよ！」とプリヘーリヤ・アレクサンドロヴナはつづけた。「わたしがあの男を見ましたのは二度きりですが、おそろしい、おそろしい男だと思いました！　マルファ・ペトローヴナが亡くなったのも、きっとあの男のせいですよ、そうですとも！」

「そうとばかりも言いきれません。わたしは正確な情報をもっています。あの男がいわば侮辱という精神的影響をあたえることによって、事態の進行を早めたかもしれないということについては、別に異をたてません。が、あの男の行状と大ざっぱな精神的特徴に関しましては、たしかにあなたのおっしゃるとおりだと思います。いま彼が裕福かどうか、マルファ・ペトローヴナが何をどれだけ彼にのこしたかということは、わかりませんが、これについてはもうじきわたしに通知があるはずです。しかしもうこのペテルブルグに来ていることですし、たとえわずかでも金はもっているでしょうから、すぐに昔と同じことをやりはじめることはたしかです。彼は放蕩《ほうとう》のかぎりを尽し、悪事に身をもちくずした連中の中でももっともたちの悪い男です。わたしは十分な根拠があって申しあげるのですが、マルファ・ペトローヴナは不幸にもあの男を熱愛して、八年まえに借金の肩代りをしてあの男を救ってやりましたが、それだけじゃないのです。もうひとつ別なことでもあの男に尽しているのです。と申しますのは、もうまちがいなくシベリア送りになるような、残忍で、しかもいわば怪奇な殺人という付録までついたある刑事事件が、ひとえにマルファ・ペトローヴナの尽力と犠牲のおかげで、ほんの初期のうちにもみ消されてしまったのです。まあ、あれはこういう男なんですよ、ご参考までに申しあげますが」

「まあ、おそろしい！」とプリヘーリヤ・アレクサンドロヴナは叫んだ。ラスコーリニコフはじっと耳をかたむけていた。

「その正確な情報をもっているとおっしゃいましたが、それはほんとうですの？」とドゥーニャは相手の胸にじかに問いかけるように、きびしい調子で尋ねた。

「わたしは、亡くなったマルファ・ペトローヴナからこっそり聞かされていたことを、言っただけです。法律的に見ると、この事件が実にあいまいなものであることは、たしかです。ここにレスリッヒとかいう女が住んでいました。いまでもおそらくいると思いますが、外国人で、小金を貸したり、そのほかにもいろんなことをやっていた女です。そのレスリッヒという女とスヴィドリガイロフ氏は、まえまえからあるきわめて親密な、しかも不可思議な関係にあったわけです。その女のところに遠い親戚《しんせき》で、たしか姪《めい》だと思いましたが、唖でつんぼの十五歳くらいの、いやまだ十四だったかもしれません、一人の少女が住んでいたんですが、その少女をレスリッヒがひどくにくみまして、ごく些細《ささい》なことでも叱《しか》りつけ、そのうえ残酷にうちすえたりまでしたそうです。ある日その少女が屋根裏で首つり死体となって発見されました。自殺ということに判定されて、型どおりの手続きがすんで、この事件は一応のかたがついたわけです。ところがあとになって、少女が……スヴィドリガイロフにむごたらしい凌辱《りょうじょく》を受けていた、と密告する者があらわれたのです。もっとも、密告したのがやはりドイツ女で、誰も信用しない札つきのあばずれでしたから、どうもあやしいものでしたがね。で、結局は、マルファ・ペトローヴナの尽力と金のおかげで、実際には密告はなかったということにして、ただの噂《うわさ》にしてしまったわけです。しかし、そうはいっても、この噂はなかなか深い意味がありました。アヴドーチヤ・ロマーノヴナ、むろんあなたは、六年ほどまえ、まだ農奴制の時代のことですが、あの男の屋敷でフィリップという下男が責め殺された事件を、お聞きになりましたでしょうな」

「わたしが聞いたのは、まるでちがいますわ、そのフィリップとかいう下男が自分で首をくくったとか」

「たしかにそのとおりです、しかしその男を自殺させたのは、いや自殺に追いやったといったほうがいいでしょう、それはスヴィドリガイロフ氏のたえまない虐待《ぎゃくたい》と処罰のシステムなのです」

「そんなことは知りませんわ」とドゥーニャはそっけなく答えた。「わたしが聞いたのはなんだかとても奇妙な話だけですの。なんでもそのフィリップという下男はヒポコンデリーじみたところがあって、独学の哲学者とでもいうのですか、人々の噂では《本の毒にあたった》んだそうですわ。そして自殺したのもスヴィドリガイロフさんになぐられたためよりは、嘲笑《わら》われたためだとか。それにわたしがいました頃《ころ》は、あの方はとても召使いたちに当りがよくて、召使いたちにも好かれていたほどですわ。もっともフィリップが死んだことでは、たしかにみんなあの方を責めていましたけれど」

「アヴドーチヤ・ロマーノヴナ、どうやらあなたは、急にあの男の弁護にまわられたようですな」とルージンは口もとをゆがめてどっちともとれるうす笑いをうかべながら、言った。「たしかに、彼は女をまよわすつぼを心得た男ですよ。そのみじめな例があんな奇怪な死に方をしたマルファ・ペトローヴナです。わたしはただ、もう確実に目のまえにせまっている新しい彼の企てを考えて、わたしなりの忠告を申しあげて、あなたとあなたのお母さんのお役に立ちたいと思ったまでです。わたし個人の考えとしては、あの男はまた借金をつくって留置場にぶちこまれることはまちがいないと、確信しています。マルファ・ペトローヴナは子供たちのことを考えていましたから、あの男にいくらかでも財産を譲渡するつもりは毛頭もっておりませんでしたし、よしんば何かのこしたにしても、どうせさしあたって必要なものだけで、まああまり値打ちのない、ほんの一時しのぎのものでしょうから、あの男の生活態度では一年ともたないでしょうな」

「ピョートル・ペトローヴィチ、お願いですから」とドゥーニャは言った。「スヴィドリガイロフ氏の話はやめてください。聞いていると気がふさぐばかりです」

「彼はさっきぼくのところへ来ましたよ」とラスコーリニコフははじめて沈黙をやぶって、だしぬけに言った。

四方からおどろきの叫びが起り、みんなの顔がラスコーリニコフを見た。ピョートル・ペトローヴィチさえどきっとした。

「一時間半ほどまえ、ぼくが眠っていると、入ってきて、ぼくを起して、自己紹介をしましたよ」とラスコーリニコフはつづけた。「いやになれなれしく、ほがらかで、あなたとはきっとうまがあいますよなんて、いかにも自信ありげでしたよ。特に、おまえとはひどく会いたがってね、ドゥーニャ、ぼくに仲立ちしてくれと頼むんだ。おまえにひとつ提案があるそうだ。その内容は、ぼくにおしえてくれたよ。それから、確実な知らせとしてぼくに語ったんだが、マルファ・ペトローヴナがね、ドゥーニャ、死ぬ一週間まえに遺言状を作成して、おまえに三千ルーブリのこしてくれたそうで、その金はもうじきおまえの手にわたるそうだよ」

「まあ、よかったわねえ！」とプリヘーリヤ・アレクサンドロヴナは思わず歓声をあげて、十字を切った。「あのひとのためにお祈りをしなさい、ドゥーニャ、お祈りをしなさい！」

「それはたしかに本当です」とルージンはうっかり口をすべらせてしまった。

「それから、ねえ、それからどうしたの？」とドゥーネチカはせきたてた。

「それから、自分はあまり金持じゃない、財産はすっかりいま伯母のところにあずけてある子供たちのものになるだろう、なんて言ってたよ。また、どこかぼくの家の近所に宿をとってるそうだが、どこだったか？　知らないな、聞きもしなかった……」

「で、いったいどんなことなの、どんなことをドゥーネチカに提案したいというの？」とおびえきったプリヘーリヤ・アレクサンドロヴナが尋ねた。「あの男はおまえに言ったんだろう？」

「ええ、言いました」

「それで、どんなことなの？」

「あとで言います」ラスコーリニコフは口をつぐんで、自分の茶へ手をのばした。

ピョートル・ペトローヴィチは時計をだして、ちらと見た。

「用事ででかけなければなりませんので。そうすればお邪魔にもならないでしょうし」と彼はいくぶん皮肉な調子でつけ加えると、席を立ちかけた。

「お待ちください、ピョートル・ペトローヴィチ」とドゥーニャは言った。「今夜はゆっくりなさるおつもりでおいでくだすったのでしょう。それにお手紙でも、何か母と話しあって得心したいことがおありなさるとか」

「たしかにそのとおりです、アヴドーチヤ・ロマーノヴナ」ピョートル・ペトローヴィチはまた椅子《いす》に腰をもどしたが、帽子はやはり手にもったままで、意味ありげに言った。「わたしはたしかにあなたとも、尊敬するあなたのお母さんとも、じっくり話しあいたいと思っていました。しかもひじょうに大切なことをです。しかしあなたのお兄さんもわたしのいるところでは、スヴィドリガイロフ氏のある提案を話すことがおできにならないように、わたしも……他人のいるところでは……あるきわめて重要ないくつかの問題について……話しあうことを望まないし、またできません。しかもわたしの主要な、もっとも切なる願いが実行されませんでした……」

ルージンはにがにがしい顔をつくって、思い入れよろしく口をつぐんだ。

「兄がわたしたちの話しあいに同席しないように、というあなたのお願いは、わたしが主張したために実行されなかったのです、ほかに理由はありませんわ」とドゥーニャは言った。「あなたのお手紙に、兄に侮辱されたと書いてありました。こういうことはぜひともよく話しあって、あなた方お二人に仲直りをしてもらいたい、と思いますの。そしてもしロージャがほんとうにあなたを侮辱したのならば、兄はあなたに許しを請《こ》うべきですし、きっと請うはずですわ」

ピョートル・ペトローヴィチはとたんにぐっと大きく構えた。

「アヴドーチヤ・ロマーノヴナ、どんなに善意に解釈しても、忘れることのできない侮辱というものがあります。何ごとにも踏みこえることが危険な一線があります、それを踏みこえたら、もうもどることができないのですよ」

「わたしは何もそんなことを言ってはおりませんわ、ピョートル・ペトローヴィチ」とドゥーニャはすこしじりじりしながらさえぎった。「わたしようく考えていただきたいの、わたしたちの未来はひとえに、こんなことがすっかりはっきりして、うまくおさまるかどうか、ということにかかっているのじゃありません？　わたしははじめに、はっきりおことわりしますけど、それ以外には考えられませんわ。だからもし、あなたがすこしでもわたしを大切に思ってくださるなら、おいやかもしれませんが、こんなことは今日でおしまいにしていただきたいの。重ねて申しますけど、兄が悪いのなら、兄に謝罪してもらいますわ」

「おどろきましたよ、アヴドーチヤ・ロマーノヴナ、あなたが問題をそんなふうに設定なさるとは」ルージンはしだいに神経がたかぶってきた。「わたしはあなたの人格を重んじ、いわば尊敬しておりますよ。だからといって、あなたのご家族の誰かを嫌いだということとは、すこしも矛盾しないと思いますがねえ。あなたのお手をいただく幸福は望んでおりますが、だからといって、同意の得られぬ義務をひきうけることはできませんな……」

「まあ、そんな短気はおっしゃらないで、ね、ピョートル・ペトローヴィチ」とドゥーニャはやさしい気持をこめてさえぎった。「わたしがいつも考えていたような、そしてそうあってほしいと思っているような、あのものわかりのいい、気品のある人になっていただきたいの。わたしはあなたに神聖な約束をあたえました。わたしはあなたの許嫁《いいなずけ》ですわ。だからこの話はわたしにおまかせになっていただきたいの、信じていただきたいの、わたしはできるかぎり公平に判断いたしますわ。わたしが裁判官の役をひきうけるなんて、あなたにも意外でしょうけど、兄にだってずいぶん思いがけないことですわ。あなたのお手紙を拝見してから、今日のこの席にどうしても来てくれるようにと兄にたのんだとき、わたしは自分の考えを一言も兄におしえませんでしたわ。おわかりになってくださいね、もしあなた方が仲直りをしてくださらなかったら、わたしはあなた方のうちのどちらかを選ばなければなりませんのよ。あなたか、兄か。兄も、あなたも、問題をそういうふうにしてしまったんですもの。わたしは選択をあやまりたくありませんし、あやまることは許されませんわ。あなたにつけば兄と縁をきらねばなりませんし、兄につけばあなたと別れなければなりません。わたしがいま確実に知りたいし、そして知ることができるのは、わたしにとってこのひとは兄だろうかということ、それからあなたについては、あなたにとってわたしが大切な人間だろうか、あなたがわたしの人格を重んじてくださるだろうか、つまりあなたがわたしにとって良人《おっと》たるべき人だろうか？　ということですわ」

「アヴドーチヤ・ロマーノヴナ」とルージンはむずかしい顔になって、言った。「あなたのお言葉はわたしにとってあまりにも意味深長ですな。もっと言えば、わたしがあなたに対する関係において占めさせていただいている立場を考えるとき、それはむしろ侮辱ですね。わたしと……傲慢《ごうまん》無礼な青年を一枚の板の上におきならべるという、この奇怪きわまる侮辱については、いまさら何も言うことはありませんが、あなたはいまのお言葉によって、わたしにあたえた約束を破棄する可能を認められたわけですな。あなたは《わたしか、兄か？》と言われる、つまりその言葉によって、わたしがあなたにとってたいした意味のない存在であることを、わたしにさとらせようとしていなさるわけだ……わたしたちの間に存在する関係と……義務を考えるとき、わたしはそのようなことは許すことができません」

「何をおっしゃいます！」とドゥーニャはきっとなった。「わたしはあなたとの関係を、これまでの生活でわたしに大切だったもの、これまでのわたしの生活のすべてだったものと、並べておきましたのよ。それなのにいきなり、あなたにあまり重きをおかないなんて、お怒りになったりして！」

ラスコーリニコフは黙って、針をふくんだうす笑いをもらした。ラズミーヒンの全身にふるえがはしった。しかし、ピョートル・ペトローヴィチはこの抗議をうけつけなかった。それどころか、彼は一言一言がひっかかり、ますます神経をかきたてられて、いよいよ話に身が入ってきたようだ。

「将来の生活の伴侶《はんりよ》たる良人に対する愛は、兄に対する愛にまさらなければなりません」と彼はいましめさとすように言った。「とにかく、わたしは同列におかれることはごめんです……さっきわたしは、あなたの兄さんのおられるところでは、来訪の用件をぜんぜん話したくないし、話すことはできない、と言い張りましたが、それはともかくとして、わたしはいま尊敬するあなたのお母さんに、一つのきわめて重要な、しかもわたしにとって屈辱的な問題のしかるべき釈明をおねがいするつもりです。あなたの息子さんは」と彼はプリヘーリヤ・アレクサンドロヴナのほうを向いた。「昨日、ラスードキン氏のおられるまえで（いや……ちがいましたかな？　どうも失礼しました、お名前を忘れたりして、——と彼は愛想よくラズミーヒンに一礼した）、わたしの考えをゆがめてわたしに侮辱を加えたのです。それはあの当時コーヒーの席でくつろいだ話のついでにあなたに申しあげたことですが、つまり、もう生活の苦労を知っている貧しい娘と結婚したほうが、何不自由なく育った娘と結婚するよりは、道徳という点から見てもいいことだし、従って夫婦生活をいとなむうえにおいてもずっと有利だと思う、と申しあげたあのことなのです。あなたの息子さんはわざと言葉の意味をあきれるほどに誇張して、わたしが何か陰険な下心でももっているように非難しましたが、わたしが思うのには、あなたのお書きになった手紙にその原因があるような気がするのですが。そこでプリヘーリヤ・アレクサンドロヴナ、もしあなたがこの疑念をくつがえして、わたしをすっかり安心させてくだされば、わたしとしてはこんな嬉《うれ》しいことはありません。おおしえいただけないでしょうか。ロジオン・ロマーヌイチへのお手紙の中で、あなたはどういう用語をおつかいになってわたしの言葉をお伝えになりましたか？」

「おぼえておりませんよ」とプリヘーリヤ・アレクサンドロヴナはうろたえた。「自分で納得したとおりに、伝えましたよ。ロージャがあなたにどう言ったか、知りませんが……すこしは誇張したかもわかりませんね」

「あなたの暗示がなかったら誇張はできないはずですね」

「ピョートル・ペトローヴィチ」とプリヘーリヤ・アレクサンドロヴナはきっと居ずまいを正した。「わたしとドゥーニャがあなたの言葉をひどくわるいほうにとらなかった証拠は、わたしたちがここに来ていることです」

「そうよ、お母さん！」とドゥーニャははげますように言った。

「つまり、これもわたしがわるいということですな！」とルージンはむっとした。

「そうよ、ピョートル・ペトローヴィチ、あなたは何もかもロジオンがわるいようにおっしゃいますけど、あなただって昨日の手紙に、ロジオンのことでまちがったことをお書きになったじゃありませんか」とプリヘーリヤ・アレクサンドロヴナは、元気づいて、つけ加えた。

「何かまちがいを書きましたか、さあおぼえがありませんな」

「あなたはこう書いていますよ」とルージンのほうを見向きもしないで、ラスコーリニコフがたたきつけるように言った。「ぼくが昨日お金を轢死《れきし》した官吏の未亡人にではなく、その娘にやった、とね。ところが実際は、ぼくは未亡人にやったのですよ。何しろその娘というのは昨日まで一度も会ったことがないんだから。あなたがあんなことを書いたのは、ぼくと家族を喧嘩《けんか》させるためです。だから、けがらわしい表現で、知りもしない娘の行状をわざわざつけ加えたりしたんだ。あんなものはみな中傷です、実に卑劣です」

「失礼ですが、あなた」と憎悪《ぞうお》に身をふるわせながら、ルージンはやり返した。「わたしがあの手紙にあなたの人柄《ひとがら》や行為についてまで書いたのは、わたしがあなたをどう見たか、どんな印象をうけたかを、ぜひ知らせてほしいというあなたの妹さんとお母さんのご依頼を果したまでです。わたしの手紙であなたが指摘された点については、一行でもまちがいがあったら見つけてもらいましょう、つまり、あなたが金を浪費しなかったか、たしかに気の毒な家庭にはちがいないが、あの家庭にけがれた人間はいなかったか、ということですがね？」

「ぼくにいわせれば、あなたなんか、もっている価値を全部あわせても、あなたが石を投げつけたあの不幸な娘の小指の先にも値しませんね」

「なるほど、ではあなたはあの娘を、あなたのお母さんや妹さんの仲間に入れるつもりがあるというわけですな？」

「お望みなら言いましょう、それはもう、しましたよ。今日母や妹と同席させました」

「ロージャ！」とプリヘーリヤ・アレクサンドロヴナは叫んだ。

ドゥーネチカは顔を赤らめた。ラズミーヒンは眉根《まゆね》をよせた。ルージンは毒々しく傲慢ににやりと笑った。

「おわかりになりましたでしょうな、アヴドーチヤ・ロマーノヴナ」と彼は言った。「これじゃ意見があうわけがありませんよ！　これでこの問題ははっきりかたがついたものとして、もう二度とむしかえしたくありませんな。じゃわたしは、家族のつどいのこれからの楽しみと秘密の話を邪魔しないために、このへんで引きさがることにしましょう」彼は腰をあげて、帽子を手にもった。「ところで、去るにあたって、一言申しあげておきますが、今後このような集まりと、示談とでもいいますか、そういうものはごめんこうむりたいものですな。それから、尊敬するプリヘーリヤ・アレクサンドロヴナ、あなたには特にお願いしたいですな、こんなことのぜったいにないように。ましてあの手紙は、ほかの誰にでもなく、あなたにあてたものですからな」

プリヘーリヤ・アレクサンドロヴナはいささかむっとした。

「おやまあ、あなたはもうすっかりわたしたちを召使いあつかいだわね、ピョートル・ペトローヴィチ。ドゥーニャはどうしてあなたの希望が果されなかったか、その理由をあなたに説明したんですよ。この娘はりっぱな意向をもっていました。それにあなたがわたしによこした手紙の書きぶりは、まるで命令です。いったいわたしたちは、あなたのどんな希望でも命令と思わなければなりませんの？　わたしならその反対に、いまのあなたこそわたしたちに特にやさしい心づかいで、思いやりをかけてく

だ さるのが本当だと言いたいですよ。だってわたしたちは何もかもすてて、あなたをたよりにして、こちらへ来たんですもの。だからそれでなくてももうあなたの支配下に入っているみたいなものですよ」

「いちがいにそうとも言えませんな、プリヘーリヤ・アレクサンドロヴナ、特にいまはね、なにしろマルファ・ペトローヴナに三千ルーブリのこされたことを知らされたことでもありますし、それもタイミングが実によかったらしいですな、わたしに対する話しぶりががらりと変ったところを見ますとね」と彼は毒々しくつけ加えた。

「そういう言葉を聞かされますと、あなたがわたしたちの無力を期待していたということが、たしかに考えられますわね」とドゥーニャは苛々《いらいら》しながら言った。

「しかしいまは少なくともそれを当てにはできませんな。それにわたしはアルカージイ・イワーノヴィチ・スヴィドリガイロフの秘密の申し出の伝達を邪魔したくありませんよ。あなたのお兄さんがその全権を委任されているようですし、どうやらそれはあなたにとって重要な、しかも実に楽しいらしい意味をもっているようですからね」

「まあ、なんてことを!」とプリヘーリヤ・アレクサンドロヴナは叫んだ。

ラズミーヒンは椅子にじっと坐っていられなかった。

「おい妹、おまえはこれほどまで言われて恥ずかしくないのか?」とラスコーリニコフは尋ねた。

「恥ずかしいわ、ロージャ」とドゥーニャは言った。「ピョートル・ペトローヴィチ、おかえりください！」彼女は怒りに蒼《あお》ざめて、ルージンをきっと見た。

ピョートル・ペトローヴィチはこのような結末はぜんぜん予期しなかったらしい。彼は自分と、自分の権力と、自分の犠牲者たちの無力をあまりにも当てにしすぎていたのである。いまもまだ信じられなかった。顔がさっと蒼ざめ、唇《くちびる》がひくひくふるえだした。

「アヴドーチヤ・ロマーノヴナ、もしわたしがいま、このような門出の言葉をうけてこのドアを出ていったら、いいですか、わたしはもう二度ともどりませんぞ。よくよく考えることですな！　わたしの言葉はかたいですぞ」

「なんという無礼な！」と叫ぶと、ドゥーニャはさっと席を立った。「わたしだって、あなたになんかもどってきてもらいたくありません！」

「なんですと？　なあるほどそうですか！」ルージンは最後の一瞬までこのような幕切れはゆめにも思っていなかっただけに、完全に度を失って、思わず叫んだ。「なるほど、そういうわけですか！　でもご存じでしょうな、アヴドーチヤ・ロマーノヴナ、わたしは抗議することもできるんですよ」

「あなたはどんな権利があって娘にそんな口がきけますの！」とプリヘーリヤ・アレクサンドロヴナがかっとなって割りこんだ。「どんな抗議ができますか？　え、それはどんな権利ですの？　無礼な、あなたのような男に、うちのドゥーニャをやれますか？　出て行ってもらいます、二度と来《こ》ないでください！　こんなまちがった道にふみこんだのは、わたしたちが悪かったのです、誰よりもわたしが……」

「しかし、プリヘーリヤ・アレクサンドロヴナ」ルージンは憤然とした。「あなたは約束でわたしをしばっておきながら、いまになってそれを破棄するなんて……しかも、結局……結局は、そのためにわたしは、いわば、金をつかわされたんだ……」

　この最後の苦情がピョートル・ペトローヴィチの性格にあまりにもぴったりしていたので、怒りとそれをおさえる努力のために真《ま》っ蒼《さお》になっていたラスコーリニコフは、不意にこらえきれなくなって、——大声で笑いだした。だが、プリヘーリヤ・アレクサンドロヴナは逆上してしまった。

「金をつかわされたって？　それはいったいどんな金なの？　まさかわたしたちのトランクのことじゃないでしょうね？　あれは車掌さんがただにしてくれたはずですよ。わたしたちがあなたをしばったって、なんてことを言うんです！　頭はたしかですの、ピョートル・ペトローヴィチ、あなたがわたしたちの手足をしばったんじゃありませんか、わたしたちがあなたをしばったなんてとんでもない！」

「もういいわよ、お母さん、どうか、おやめになって！」とアヴドーチヤ・ロマーノヴナは母にたのんだ。「ピョートル・ペトローヴィチ、どうぞお帰りください！」

「帰りましょう、だがそのまえに一言だけ言わせてもらいます！」と彼はもうほとんど自分をおさえる力を失って、かみつくように言った。「あなたのお母さんはすっかり忘れていなさるようだが、わたしがあなたをもらう決意をしたのは、あなたの名誉を傷つけるあの噂《うわさ》が町中にたてられたそのあとですよ。あなたのために世評を無視して、あなたの名誉を回復してやったのだから、もちろん、わたしは至極当然の権利として、報酬を期待していいはずだし、あなたの感謝を要求することだってできるはずですがねえ……いまやっと目があきましたよ！　世間の声を無視したことは、まったく軽率な行為だったかもしれないということが、よくわかりましたよ……」

「こいつ、頭がどうかしているのか！」とラズミーヒンは椅子をけって、いまにもなぐり倒そうと身がまえながら、叫んだ。

「あなたは品性下劣な悪い人です！」とドゥーニャは言った。

「何も言うな！　うごくな！」とラスコーリニコフはラズミーヒンをおさえながら叫んだ。そして、いまにも額をつきあわせるほどに、ルージンのまえへつめよった。

「出て行ってください！」と彼は声を殺してゆっくり言った。「これ以上一言も口をきかないでもらいたい、さもないと……」

ピョートル・ペトローヴィチは数秒のあいだ憎悪にゆがんだ蒼白《そうはく》な顔で彼をにらんでいた。それからくるりと背を向けて、出て行った。もちろん、いまこの男がラスコーリニコフにいだいたほどのうらみと憎悪で心を煮えたぎらせて、誰かと別れた経験をもつ者は、めったにいまい。彼に、彼一人に、ルージンはすべての罪をきせた。おどろいたことに、もう階段を下りながら、彼はまだ、これですっかりだめになってしまったわけではあるまい、女たちだけなら、まだまだ《十分に》もとへもどせると考えていたのである。

3

最大の誤算は、彼は最後の瞬間までこのような幕切れをぜんぜん予期しなかったことである。彼は二人の貧しい頼りのない女が彼の支配下からぬけだすことができるなどとは、そういうことがあり得《う》るということすら予想しないで、最後までいばりかえっていたのだった。その確信を大いに助長したのは虚栄心と、自惚《うぬぼ》れとよぶのがもっともいいほどにこうじた自己過信だった。ピョートル・ペトローヴィチは、貧から身を起しただけに、病的なまでに自惚れのくせがつき、自分の頭脳と才能を高く評価していて、ときには、一人きりのときなど、自分の顔を鏡にうつして見惚《みと》れていることさえあった。しかし彼がこの世の中でもっとも愛し、そして大切にしていたものは、苦労をし、あらゆる手段をつかってたくわえた財産だった。それが彼に自分よりも上のすべての人々と肩を並べさせてくれたのである。

さっき苦々しい気持で、悪い噂《うわさ》を無視して娶《めと》る決意をしたのだと、ドゥーニャに言ったとき、ピョートル・ペトローヴィチは本気でそう思っていたし、このような《憎むべき忘恩》に対して深いいきどおりをさえ感じたのだった。しかしあの当時でも、彼はドゥーニャをかばってはいたが、同時に、当のマルファ・ペトローヴナがみんなのまえで、くつがえしたことではあるし、ドゥーニャを熱心に弁護した町中の人々が、もうとっくに忘れてしまったことであるから、そのかげ口がばかばかしいものであることは、完全に確信していたのである。それに彼は自分でも、そんなことはすっかりあの当時でも知っていたということを、いまさら否定もできないはずである。それにもかかわらず、彼はやはりドゥーニャを自分の位置まで上げるという自分の決意を高く評価し、それを自分の功績と考えていた。いまそれをドゥーニャに言ったとき、彼は胸の中でひそかに甘やかしてきた考えを述べたのだった。彼はその考えをもう何度となくとろけるような目でながめてきたし、どうして他《ほか》の人々がこの彼の功績を喜びの目でながめることができないのか、のみこめなかった。ラスコーリニコフを訪ねたときも、彼は恩人が自分の善行の果実を味わい、このうえなく甘いお世辞を聞くような気持で入って行ったのだった。だからいま、階段を下りながら、彼が極度に侮辱され、好意を無視されたと考えたのは無理もなかった。

ドゥーニャは彼にとってどこまでも必要な女性だった。彼女を思いきることは考えられなかった。もうまえまえから、もう何年もまえから、彼はとろけるような思いで結婚を夢に描き、せっせと金をためて、その日のくるのを待っていたのだった。彼は心の奥深くで、品行がよくて貧しい（ぜったいに貧しくなくてはいけなかった）、ひじょうに若く、ひじょうに美しい、上品で教養のある、ひどくおびえやすい娘、そして世の中の苦労という苦労をなめつくして、彼にぜったいの恩を感じ、生涯《しようがい》彼を救いの神と考えて、感謝し、服従し、彼を、彼一人だけをおそれるような娘、そういう娘をわくわくしながら思い描いていたのだった。彼はしごとのひまに一人でしずかに憩《いこ》いながら、頭の中で、この魅惑的な浮わついたテーマについて、どれほどのシーン、どれほどの甘いエピソードを創《つく》りあげたことだろう！　そしてこの何年もの空想《ゆめ》がもうほとんど実ろうとしていた。彼はアヴドーチヤ・ロマーノヴナの美しさと教養にうたれた。彼女の頼りない境遇が彼を有頂天にした。そこには彼が空想していたよりも、以上のものさえあった。気位の高い、個性の強い、心の美しい、教育も知識も彼よりも上の（彼はそれを感じていた）娘があらわれたのだ、そしてこれほどの娘が生涯奴《ど》隷《れい》のように彼の恩に感謝し、喜んで彼のいけにえとなる、そして彼はぜったいの支配者として君臨するのだ！……おあつらえむきに、そのすこしまえから、機を見ながら長いことあれやこれや考えた末に、彼はついに、思いきって職場を変えて、もっと広い活動の場に踏み出し、そして同時にもうまえまえからしびれる思いで夢に見ていた上流社会にも移って行こうと、決意していた……要するに、彼はペテルブルグに乗りだしてみようと決意したのだった。彼は女をつかえば《実に、実に》多くのものを勝ち得られることを知っていた。チャーミングな、心の美しい、しかも教養の高い女の魅力は、おどろくほど彼の前途を飾り、彼の周囲をにぎわし、彼の栄誉を創りあげるはずだった……それがいま、すっかりだめになってしまった！　このいましがたの思いがけぬみにくい決裂は、落雷のように彼を打った。それは一種の不作法な悪ふざけだった。愚にもつかぬことだった！　彼はちょっと力んでみただけだ。十分に意見をのべるひまもなかった。ただちょっとふざけて、いい気になっただけなのに、こんな重大な結果になってしまった！　それに、実のところ彼はもう自分なりにドゥーニャを愛していて、空想の中でもう彼女を思うままにしていたのだった。——それが不意に！……こんなことってあるものか！　明日こそ、明日こそこれをすっかりたて直し、手当てを加え、修正しなければ、そして要は——あの鼻もちならぬ青二才を抹殺《まっさつ》して、病根をたつことだ。彼は不快な気持で、これも気になるらしく、ラズミーヒンのことを思い出していた……しかし、そのほうの不安はすぐに消えた、《もちろん、あいつも並べて成敗《せいばい》だ！》しかし彼が実際に本気でおそれていたのは、——ほかでもないスヴィドリガイロフだった……要するに、いろいろな苦労が彼のまえに立ちふさがっていた

……………………………………………………………………………………………

「いいえ、わたしが、わたしがいちばんわるいのよ！」とドゥーネチカは母を抱いて接吻《せっぷん》しながら、言った。「わたしがあの男のお金にまよったのよ、でも誓って言いますけど、兄さん、わたしあのひとがあんななさけない人間だとは、思いもよらなかったわ。もしもっとまえに見ぬいていたら、わたし何にも目をくれなかったはずよ！　わたしを責めないでね、兄さん！」

「神さまのおかげだよ！　神さまのおかげだよ！」とプリヘーリヤ・アレクサンドロヴナは呟《つぶや》いたが、まだ何かぼんやりしていて、起ったことの意味がよくのみこめてい

ないふうだった。

みな喜んでいた。五分後には笑い声さえ聞かれた。ドゥーネチカだけはときどき蒼《あお》ざめて、いましがたのできごとを思い出しながら、眉根《まゆね》をよせた。プリヘーリヤ・アレクサンドロヴナには、自分も喜ばしい気持になるだろうなどとは、想像もできなかった。つい今朝ほどはまだ、ルージンときれることを恐ろしい不幸のように思っていたのだった。それにひきかえ、ラズミーヒンは有頂天になっていた。彼はまだその喜びを露骨に出す勇気はなかったが、まるでおこりにつかれたようにがたがたふるえていた。心にのしかかっていた五ポンドの分銅がとれたような気持だった。いまこそ彼には一生を彼女たちにささげて、彼女たちに仕える権利があるのだ……それにこれからはいろいろなことがあるにちがいない！　しかし、彼はうれしさよりこわさが先に立って、走りすぎる考えを追いはらい、自分の想像をおそれた。ラスコーリニコフだけはやはり同じ場所に坐《すわ》ったまま憂鬱《ゆううつ》そうな顔をして、放心したようなふうにさえ見えた。彼はルージンを遠ざけることを誰《だれ》よりも主張しながら、いまのできごとに誰よりも関心をもっていないようだった。ドゥーニャは、彼がまだ自分にひどく腹を立てているのではあるまいかと思った。プリヘーリヤ・アレクサンドロヴナはびくびくしながら彼の顔色をうかがっていた。

「スヴィドリガイロフさんはいったいどんなことを言ったの？」とドゥーニャは兄のそばへ行った。

「あッ、そう、それを聞くんだったわね！」とプリヘーリヤ・アレクサンドロヴナは叫んだ。

ラスコーリニコフは顔をあげた。

「彼はどうしてもおまえに一万ルーブリやりたいというんだよ、そしてぼくをオブザーバーにしてぜひ一度おまえに会いたいそうだ」

「会うって！　そんなことさせるもんですか！」とプリヘーリヤ・アレクサンドロヴナは叫んだ。「この娘にお金を申し出るなんて、よくもそんな図々《ずうずう》しいことが！」

つづいてラスコーリニコフはスヴィドリガイロフとの話をかなりそっけなく伝えた、しかし脇道《わきみち》にそれたくなかったし、どうしても必要なこと以外はどんなことも話すのが嫌《いや》だったので、マルファ・ペトローヴナの亡霊のところはぬいた。

「それで兄さんは何と答えたの？」とドゥーニャは尋ねた。

「はじめは、おまえにぜったいに伝えないって言ってやったよ。そしたら彼は、どんなことをしてでも、自分で会う機会を見つけ出すと言うんだ。彼は断言していたよ、おまえに対する情熱はたわけた一時の迷いで、いまではもう何も感じていないって……彼はおまえをルージンにやりたくないんだよ……ぜんたいとして話の調子がおかしかったよ」

「ね、兄さん自身はあの男をどう思いました？　どんなふうに見えました？」

「正直のところ、さっぱりわからんのだよ。一万ルーブリをやると言うかと思うと、あまり金がないなんて言ってみたり。どこかへ旅行に出かけるつもりだなんて言っておいて、十分もすると、自分の言ったことを忘れているんだ。そうかと思うととつぜん、結婚しようと思う、ある娘を世話されているんだ、なんて言いだしたり……彼に何か目的があることは、たしかだ。しかもどうみても——よくない目的だ。しかしおまえに対して何かよくないたくらみを持っているとすれば、まさかあんなばかな出方をしようとは思われないし、おかしいよ……ぼくは、むろん、おまえのために、そんな金はきっぱりことわったよ。どことなくひどく奇妙な感じだった。それに……狂人と思われるようなふしさえあった。しかしぼくだってまちがいはある。一種の錯覚にすぎないかもしれん。どうも、マルファ・ペトローヴナの死がかなりこたえたらしい……」

「主よ、あの方の霊に安らぎをあたえたまえ！」とプリヘーリヤ・アレクサンドロヴナは言った。「いつまでも、いつまでもあの方のためにお祈りをしましょう！　だってドゥーニャ、その三千ルーブリがなかったら、わたしたちはいまどんな気持だったろうねえ！　ほんとに、まるで天からの下さりものみたいだよ！　まあお聞きよ、ロージャ、わたしたちは今朝たった三ルーブリしか手もとにのこってなかったんだよ。そしてドゥーネチカと早く時計をどこかにあずけて、向うから気がつくまでは、あの男に金のことは言い出さないようにしようって、話しあっていたところだったんだよ」

ドゥーニャはどうやらスヴィドリガイロフの申し出があまりにも大きなショックだったらしい。彼女は立ったまま考えこんでいた。

「あの男は何か恐ろしいことをたくらんでいるんだわ！」と彼女はいまにもふるえあがりそうに、ほとんど囁《ささや》くような声でひとりごとを言った。

ラスコーリニコフはこの極度の恐怖を見てとった。

「ぼくはもう何度か彼に会うことになりそうだよ」と彼はドゥーニャに言った。

「監視しようじゃないか！　ぼくはやつをつけまわすよ！」とラズミーヒンは力強く言った。「目をはなすものか！　ロージャがぼくに許したんだ。彼は自分でさっきぼくに《妹を守ってくれ》と言ったんですよ。あなたもそれを許してくださいますか、アヴドーチヤ・ロマーノヴナ？」

ドゥーニャはにっこり笑って、彼に手をさしだしたが、顔の不安は消えなかった。プリヘーリヤ・アレクサンドロヴナはときどきおずおずと娘の顔に目をやった。しかし、三千ルーブリは明らかに彼女をほっとさせたらしかった。

十五分後にはみんなひどくにぎやかに話しあっていた。ラスコーリニコフでさえ話はしなかったが、しばらくは熱心に聞いていた。熱弁をふるっているのはラズミーヒンだった。

「いったいどうして、どうして帰る必要があるんです！」と彼はうれしさのあまり酔ったようになってしゃべりつづけた。「それに田舎で何をしようというのです？　要するに、ここにみんないっしょに暮すことですよ、そのほうがおたがいに役に立てて、いいんです、どれほどいいかわかりませんよ、――ぼくの言うことがわかりますね！　そして、ときどきでいいですから……ぼくも仲間に入れてください。ぼくはもうすてきなプランを考えているんです。ほんとですとも。お聞きください、いまからそれを、――そのプランをすっかり説明しましょう！　それは今朝、まだ何も起らないうちにですよ、ぼくの頭にひらめいたんです……そのプランというのはこうなんです。ぼくに伯父が一人います（いずれご紹介しますが、実によくできたいいお爺《じい》ちゃんですよ）。その伯父に千ルーブリの貯金があるんですが、恩給暮しで、要《い》らないんです。

もう二年ごし伯父は、六パーセントの利息をはらってくれればいいから、その千ルーブリを借りてくれって、うるさくぼくに言うんですよ。ぼくはわかってますが、要するに伯父はぼくを援助したいんですよ。去年は要らなかったけど、今年は伯父の出てくるのを待って、借りる決心をしました。そこであなたにも三千ルーブリのうちから千ルーブリだけ出資してもらいたいのです。それだけあれば先《ま》ずスタートは大丈夫です。こうして共同経営をやるわけですが、それじゃ何をやろうというのか？」

そこでラズミーヒンは自分のプランの説明に移り、ほとんどの本屋や出版業者が本のことをさっぱり知らないから、一般に出版は割りがあわないと言われているが、しかしいいものを出せばおおむね採算がとれるし、利益がでる、ときにはかなりもうかることがあるということを、口をすっぱくして述べたてた。もう二年手伝ってきたし、ヨーロッパの三カ国語にかなり通じていたので、出版をやることはラズミーヒンの空《ゆ》想《め》だった。六日ほどまえに、彼はラスコーリニコフにドイツ語は《さっぱりだ》と言ったが、あれは翻訳料の半分と手付けの三ルーブリをとらせるために嘘《うそ》をついたので、ラスコーリニコフもそれが嘘であることは知っていた。

「もっとも肝要な手段の一つである自分たちの資本ができたのに、どうして、いったいどうしてせっかくのこの機会を逃がす必要があるのです？」とラズミーヒンは熱くなった。「そりゃむろん、苦労は多いでしょうが、いっしょに苦しもうじゃありませんか、アヴドーチヤ・ロマーノヴナ、あなたと、ぼくとロジオンと……いまひじょうに当っている出版物もあるんですよ！　このしごとのいちばんだいじな基礎は、何を訳したらいいかということをよく知ることです。翻訳と、発行と、勉強を、みんなでいっしょにやろうじゃありませんか。さしあたってぼくが役に立てます。経験がありますから。もう二年近く出版社をわたり歩きましたから、楽屋裏はすっかり知ってます。みんないいかげんなものですよ、ほんとです！　まったく、ごちそうを目のまえに見ながら、食わないっててはありませんよ！　それにぼくは、翻訳出版の案を提供するだけで一冊につき百ルーブリはもらえるという作品を二、三点知ってるんですよ。そっと胸にしまってあるんです。そのうちの一点などは五百ルーブリ出すからおしえてくれといわれても、ことわりますね。あなたはどう思います？　誰かにこんな話をしたら、あんなばかがなんて、相手にされないかもしれませんね！　でも、特に印刷所とか、紙とか、販売とか、そうしたしごとの奔走については、ぼくにまかしてください！　裏の裏まで知ってますから！　はじめはささやかにやって、そのうちに大きくしましょう。少なくとも食うだけは大丈夫ですよ。どうまちがっても出した金ぐらいはもどります」

ドゥーニャの目がかがやいた。

「あなたのおっしゃることが、わたしすっかり気に入りましたわ、ドミートリイ・プロコーフィチ」と彼女は言った。

「わたしは、むろん、そういうことは何もわかりませんけど」とプリヘーリヤ・アレクサンドロヴナは応じた。「でも、きっといいことでしょうね、もっとも先のことは神さまだけしかご存じありませんけど。新しいことだと何か不安な気がしてねえ。しばらくでも、わたしたちがこちらにとどまらなくちゃいけないのは、そりゃむろんでしょうけど……」

彼女はロージャを見た。

「どう思います、兄さん？」とドゥーニャは言った。

「彼の考えはひじょうにいい、と思うな」と彼は答えた。「会社のことは、もちろん、いまから考えるのは早いが、五、六冊はたしかに必ず当るやつを出せるよ。ぼく自身も確実に当る作品を一つ知っている。で、彼は実務の能力があるかということだが、この点についてはまちがいはない。彼はしごとを理解している……しかし、きみたちはこれからよく相談するがいい……」

「ウラー！」とラズミーヒンはおどりあがった。「そこでさっそくだが、このアパートにひとつ住居《すまい》があるんですよ、同じ持ち主の。それはひとつだけ離れていて、これらの部屋とはつづいていません。しかも家具つきで、家賃も手頃《てごろ》で、小さな部屋が三間あります。先ずそれを借りなさい。時計は明日曲げて、金にしてあげましょう。それで万事オーケーです。要は、三人がいっしょに暮せるということですよ、ロージャとあなたと……おい、いったいどこへ行くんだ、ロージャ？」

「おや、ロージャ、もう帰るの？」プリヘーリヤ・アレクサンドロヴナはぎょっとした様子をさえみせた。

「こんないい機会に！」とラズミーヒンは叫んだ。

ドゥーニャは信じられぬようなおどろきの目で兄を見つめた。彼の手は帽子をにぎっていた。彼は出て行こうとしていた。

「なんだい、みんなまるでぼくを葬《ほうむ》るか、あるいは二度と会えないみたいに」と彼はなんとなく落ち着かない様子で妙なことを言った。

彼はにやりと笑ったようだったが、それがどうやら笑いにならなかったらしい。

「もっとも、これが最後かもしれんがね」と彼は何気なく言いそえた。

彼は心の中でふとそう思いかけたのだが、どういうわけかひとりでに口に出てしまったのだった。

「まあ、何を言うの！」と母は叫んだ。

「どこへ行くの、ロージャ？」となんとなく妙な胸さわぎがして、ドゥーニャは尋ねた。

「うん、ちょっと、どうしても行かにゃならん用事があるんだよ」と、彼は何か言おうとしかけて、思いまどったように、あいまいに答えた。しかしその蒼白い顔にはかたい決意のようなものがあった。

「ぼくが言おうと思ったのは……ここへ来る途中……母さん、あなたと……ドゥーニャ、おまえに、言おうと考えてきたのは、ぼくたちはしばらく別れて暮したほうがいいということなんです。ぼくはいま気分がすぐれないんです。気持が落ち着かないんです……ぼくはあとで来ます。自分から来ます。いずれ……来《こ》られるようになったら。あなた方のことは忘れません、愛しています……ぼくをそっとしておいてください！ ぼくを一人きりにしてください！ ぼくはこう決心していたんです。もうまえからです……かたく決意したんです……ぼくの身にどんなことが起ろうと、たとえだめになってしまおうと、ぼくは一人でいたいんです。ぼくをすっかり忘れてください。そのほうがいいんです……ぼくのことはさがさないでください。用のあるときは、自分で来るか……あなた方を呼びます。あるいは、すっかりもとどおりになるかもしれない……だがいまは、ぼくを愛しているなら、かまわないでください……でないとぼくはあなた方を憎みます、ぼくにはそれがわかるんです……さようなら！」

「ああ、どうしよう！」とプリヘーリヤ・アレクサンドロヴナは叫んだ。

母も妹もあまりのことに呆然《ぼうぜん》としてしまった。ラズミーヒンにしても同様だった。

「ロージャ、ロージャ！　仲直りしておくれ、昔どおりにしようよ！」と哀れな母は悲痛な声で哀願した。

彼はゆっくりドアのほうへ向き直って、ゆっくり部屋から出て行こうとした。ドゥーニャが追いすがった。

「兄さん！　お母さんになんてことをなさるの！」と彼女は怒りにもえる目で兄をにらみながら、声を殺して言った。

彼は苦しそうに妹を見た。

「なんでもないよ、来るよ、ときどき来るよ！」彼は何を言おうとしているのか、自分でもよく意識していないように、低声《こごえ》でこう呟くと、部屋を出て行った。

「情知らず、意地わるのエゴイスト！」とドゥーニャは叫んだ。

「彼は頭がどうかしてるんですよ。人でなしじゃない！　気ちがいです！　それがわかりませんか？　わからなければ、あなたが情知らずです！……」とラズミーヒンはかたく彼女の手をにぎりしめ、耳もとに熱く囁いた。

「すぐもどります！」と彼は呆然としているプリヘーリヤ・アレクサンドロヴナに叫んで、部屋をとびだした。

ラスコーリニコフは廊下の外れで彼を待っていた。

「きみがとびだしてくるのは、知っていたんだよ」と彼は言った。「母と妹のところへもどって、いっしょにいてやってくれ……明日も……いつまでも。ぼくは……来る、かもしれん……できたら。じゃ、これで！」

そう言うと、握手ももとめないで、彼ははなれて行った。

「でも、どこへ行くんだ？　何を言うんだ？　いったいどうしたというんだ？　こんなことをしていいのか！……」ラズミーヒンはすっかりうろたえて口走った。

ラスコーリニコフはもう一度立ちどまった。

「これが最後だ。ぜったいに何も聞くな。きみに答える何もない……ぼくのところへ来るな。ぼくのほうからここへ来るかもしれん……ぼくを見捨てろ、だがあの二人は……見捨てないでくれ。ぼくの言うことがわかるかい？」

廊下は暗かった。彼らはランプのそばに立っていた。一分ほど黙って顔を見あっていた。ラズミーヒンは生涯この瞬間を忘れなかった。ぎらぎら燃えたひたむきなラスコーリニコフの視線が、刻一刻鋭さをまし、彼の心と意識につきささってくるようだった。不意にラズミーヒンはぎくっとした。何か異様なものが彼らのあいだを通りぬけたようだ……ある考えが、暗示のように、すべりぬけた。おそろしい、醜悪なあるもの、そして二人はとっさにそれをさとった……ラズミーヒンは死人のように真っ蒼《まさお》になった。

「やっとわかったか？……」不意にラスコーリニコフは病的に顔をひきゆがめて言った。

「もどって、二人のところへ行ってくれ」と彼はだしぬけに言いそえると、くるりと振り向いて、すたすたと出て行った……

その晩プリヘーリヤ・アレクサンドロヴナの部屋で起ったことを、いまここに書きたてることはよそう。とにかくラズミーヒンはもどると、二人をなぐさめ、ロージャは病気だから休息が必要だと、口をすっぱくして説明し、ロージャはきっと来る、毎日来る、神経がひどくみだれているから、刺激してはいけないなどと、くどくどと言いきかせ、きっと目をはなさず注意していて、いいりっぱな医者を見つけて、立ち会い診察をさせる等々と誓った……要するに、その晩からラズミーヒンは二人の婦人の息子とも兄ともなったのである。

4

ラスコーリニコフはその足でソーニャが住んでいる運河ぞいのアパートに向った。アパートは三階建てで、古いみどり色の建物だった。彼は庭番を見つけて、仕立屋のカペルナウモフの住居《すまい》を聞くと、大ざっぱな見当をおしえてくれた。彼は内庭の隅《すみ》にせまく、暗い階段へ通じる入口を見つけて、どうにか二階までのぼると、庭に面して建物を巻いている廊下にでた。カペルナウモフの住居の入口はどこだろうと、なんだか狐《きつね》につままれたような気持で、真っ暗い中をしばらくうろうろしていると、不意に、三歩ばかりのところで、誰《だれ》かのドアが開《あ》いた。彼は思わずそのドアをつかんだ。

「どなた、そこにいるの?」とびっくりしたような女の声が聞いた。

「ぼくですよ……あなたのところへ来たんです」と答えて、ラスコーリニコフはおそろしくせまい控えの間へ入った。そこには、つぶれた椅子《いす》の上のゆがんだ銅の燭台《しょくだい》に、ろうそくがともっていた。

「あなたでしたの！　まあ！」とソーニャは声を殺して叫ぶと、その場に釘《くぎ》づけになった。

「あなたの部屋へはどう行くんです?　こちらですか?」

ラスコーリニコフは、彼女を見ないようにして、急いで部屋へ通った。一分ほどするとソーニャもろうそくを持って入って来て、それを置くと、彼の思いがけぬ訪問にびっくりしてしまったらしく、言いようのない興奮につつまれて、どうしていいかわからない様子で彼のまえに立った。不意に蒼白《あおじろ》い顔に赤味がさし、目には涙さえあふれでた……彼女はいやな気もした、恥ずかしくもあった、しかし同時にうれしい気持もあった……ラスコーリニコフは急いで顔をそむけると、机のまえの椅子に坐《すわ》った。彼はちらと素早い目で室内の様子を見てとった。

それはだだッ広いが、おそろしく天井《てんじょう》の低い部屋で、カペルナウモフが貸しているたった一つの部屋だった。左手の壁に住居に通じるドアがしまっていた。反対側の右手の壁に、もうひとつドアがあったが、それはいつもしめきってあった。そちらはもう隣の住居で、部屋番号も別だった。ソーニャの部屋はなんとなく物置きみたいで、まるでひっつぶしたような四角形で、それがいかにも部屋をみにくくしていた。運河に面した壁は、窓が三つあって、部屋を斜めにたち切っていた、そのためにひとつの角がおそろしくとがって深くえぐれこみ、あわいあかりでは奥のほうがよく見えないほどだった。その反対側の角は逆にぶざまなほど鈍かった。このだだッ広い部屋に家具らしいものはほとんどなかった。右隅にベッドがひとつおいてあり、そのそばに、ドアに近く椅子が一脚あった。ベッドのある壁際《かべぎわ》の隣の住居に通じるドアのそばに、青っぽいクロースをかけた粗末な薄板のテーブルがあって、そのそばに二脚の籐椅子《とういす》がおいてあった。それから、反対側の壁際のとがった角のそばに、小さな安物のタンスがひとつ、がらんとした中に忘れられたようにおいてあった。これが室内にある全部だった。すれた黄色っぽいぼろぼろの壁紙が四隅は黒くなっていた。きっと冬はじめじめして、石炭のガスがこもるにちがいなかった。貧しさが一目でわかった。ベッドのそばにさえカーテンがなかった。

ソーニャはこんなにじろじろと無遠慮に室内を見まわしている客を、黙って見まもっていたが、しまいに、自分の運命を決する裁判官のまえに立たされているような気がして、おそろしさのあまりぶるぶるふるえだした。

「おそく伺って……十一時になりましたか？」と彼はやはり彼女へ目をあげようとはしないで、尋ねた。

「はい」とソーニャは呟《つぶや》くように言った。

「あ、そう、なりましたわ！」と彼女は不意に、まるでその一言にすべての解決の道があるように、急いで言いたした。「いましがた家主の時計が打ったばかりですわ……わたしはっきり聞きました……そうですわ」

「これはぼくの最後の訪問です」とラスコーリニコフは今日はじめてここを訪ねたばかりなのに、暗い声で言った。「おそらく、もう二度と会うことはないでしょう……」

「あなたは……どこか遠いところへ？」

「わかりません……すべては明日……」

「それじゃ、明日カテリーナ・イワーノヴナのところへはいらしていただけないのですか？」ソーニャの声がふるえた。

「わかりません。すべては明日の朝です……そのことではありません、ぼくは一言あなたに言いのこしたいことがあってきたのです……」

彼はもの思いにしずんだ目を彼女にあげた、そしてはじめて、自分が坐っているのに、彼女はまだまえに立っているのに気がついた。

「どうして立っているんです？　おかけなさい」と彼は急に、しずかなやさしい声にかわって、言った。

彼女は腰をおろした。彼はやさしく、まるであわれむように、しばらく彼女を見つめていた。

「ひどく痩《や》せてますねえ！　この手はどうでしょう！　まるで透きとおるようだ。指は、死んだ人の指みたいだ」

彼はソーニャの手をとった。ソーニャは弱々しく笑った。

「わたしはいつもこんなでしたわ」と彼女は言った。

「家にいたころも？」

「ええ」

「まあ、そりゃ、そうだろうさ！」と彼はとぎれとぎれに言った、そして顔の表情と声の調子がまた急にかわった。彼はもう一度あたりを見まわした。

「これはあなたがカペルナウモフから借りているんですか？」

「はい……」

「家主は、このドアの向うですか？」

「はい……あちらにもこれと同じような部屋があります」

「みんな一部屋に住んでいるんですか？」

「そうですわ」

「ぼくならこの部屋に住んだら、夜が怖いでしょうね」と彼は暗い声で言った。

「みんなとてもいい人たちですし、とてもやさしくしてくれますわ」と、ソーニャはまだ自分をとりもどせないで、考えをうまくまとめられない様子で、答えた。「家具も、何もかも……すっかり家主さんのですの。二人ともとてもいい人ですし、子供たちもしょっちゅうあそびに来ますわ……」

「それはどもりの子供たちでしょう？」

「そうですわ……主人はどもりで、それにびっこです。おかみさんも……どもりというほどでもないのですが、なんだかしまいまではっきりものが言えないみたいで。おかみさんはいい方ですわ、とっても。主人はもと屋敷奉公の農奴でしたの。子供は七人います……いちばん上の男の子一人だけがどもりで、あとは弱いだけで……べつにどもりじゃありませんわ……あなたはどこからそんなことをお聞きになりまして？」

と彼女はいくらかおどろいた様子でつけ加えた。

「あのころあなたのお父さんがすっかり話してくれたんですよ。あなたのこともすっかり話してくれました……あなたが六時に出て行って、八時すぎにもどってきたことも、カテリーナ・イワーノヴナがあなたのベッドのそばにひざまずいたことも」

ソーニャは赤くなった。

「わたしあのひとを今日見たような気がしましたの」と彼女はあやふやな調子で言った。

「誰を？」

「父ですの。わたしが通りを歩いていると、すぐまえの、角のところで、九時すぎでしたわ、まえを歩いて行くの、父そっくりのひとが。わたしもうカテリーナ・イワーノヴナのところへ知らせに寄ろうかと思いましたわ……」

「あなたは散歩していたんですか？」

「そうです」ソーニャはまた赤くなって、目を伏せると、とぎれとぎれに囁《ささや》くように言った。

「カテリーナ・イワーノヴナはあなたをぶちそうになったことがよくあったそうですね、家にいたころ？」

「まあ、そんなこと、あなたはなんてことを、どうしてあなたはそんなことを、ちがいますわ！」なぜかおどろきの色をさえうかべて、ソーニャは彼を見つめた。

「じゃあなたはあの女《ひと》を愛しているんですか？」

「あの女《ひと》を？　ええ、そんなこと、きまってるじゃありませんか！」ソーニャは不意に、苦しそうに両手で胸をおさえ、哀訴するように言葉を長くひいた。「ああ！　あの女《ひと》がどんなひとか……ちょっとでも知ってくだすったら、ほんとにまるで赤ちゃんみたいですのよ……それに頭がすっかりみだれてしまって……悲しみのあまり。むかしはほんとに利口なひとでしたわ……ほんとに気持がおおらかで……心のやさしいひとでしたわ！　あなたは何も、何もご存じないのよ……ああ！」

ソーニャは絶望にとらわれたように、不安と苦悩に両手をもみしだきながら、こう言った。蒼白い頰《ほお》にまた赤味がさし、目に苦悩の色がうかんだ。彼女は胸の数知れぬ痛みにふれられて、何かを言葉にあらわし、はっきり言って、弁護したくてたまらない様子であることは、すぐにわかった。もしこんな表現ができるなら、飽くことを知らぬ同情とでもいうものが、不意に彼女の顔中にみなぎった。

「ぶったなんて！　でも、どうしてあなたはそんなことを！　ひどいわ、ぶったなんて！　たとえぶったとしても、それがどうしたというの！　ね、それがどうしたというの？　あなたは何も、何も知らないのよ……あれはそれは不幸なひとなのよ、ああ、なんて不幸なひとかしら！　それに病気で……あのひとは正しさを求めているのよ……心の清らかなひとなのよ。どんなことにも正しさというものがあるはずだと、すっかり信じこんでいるから、だから要求するんだわ……どんなに苦しくとも、正しくないことはしないわ。世の人々がみんな正しいなんて、そんなことがあり得ないってことが、あのひとにはわからないのよ、だから苛々《いらいら》するんだわ……まるで赤ちゃん、赤ちゃんそっくりなのよ！　あのひとは正しいひとよ、正しいひとですわ！」

「だが、あなたはどうなるんです？」

ソーニャはけげんそうに彼を見た。

「あのひとたちがみなあなたにのこされたじゃありませんか。もっとも、これまでだってあなたにおんぶしていたんでしょうがね、亡《な》くなったお父さんがあなたに酒代をねだってたくらいですから。ところで、これからはどういうことになるんです？」

「わかりませんわ」とソーニャは悲しそうに言った。

「あのひとたちはあそこにとどまりますか？」

「わかりませんわ、でもあの部屋は間代がたまっていますもの。おかみさんが今日ことわりたいと言ったら、カテリーナ・イワーノヴナは、こんなところに一秒だっていたくないなんて言ったそうですけど」

「いったいどうしてあのひとはそんな強がりを言うんでしょう？　あなたを当てにしてるんですか？」

「まあ、ちがいますわ、そんな言い方をしないでください！……わたしたちはいっしょに、力を合わせて暮していますのよ」ソーニャは不意にまた興奮して、苛々した様子をさえ見せはじめた。それはまるでカナリヤか何か小鳥が怒ったとそっくりだった。「だって、あのひとはいったいどうしたらいいのです？　ねえ、どうしたらいいの、どうしたらいいの？」と彼女は興奮して、はげしく問いつめた。「それにあのひとは今日どんなに、どんなに泣いたことでしょう！　頭がすっかりみだれているんですわ、あなたはお気づきになりませんでした？　普通じゃないのよ、明日は何もかもきちんとしなくちゃ、料理もそろえて、それから……なんて子供みたいにそわそわしてるかと思えば、急に手をもみしだいて、血を吐いて、泣きながら、とつぜんやけくそみたいに壁に頭をうちつけはじめたり。しばらくするとまた気がしずまって。あのひとはあなただけがたよりなのよ。これからはあなたが助けてくださるなんて言って、それからまたこんなことも言うのよ、どこかでお金をすこし借りて、わたしも連れて故郷の町へかえり、そこで上流階級のお嬢さんたちの寄宿学校をひらき、わたしを舎監にする、そしてあたしたちのまったく新しいすばらしい生活がはじまるんだなんて。そしてわたしを抱きしめ、接吻《せっぷん》し、なぐさめてくれるの。そう信じているのよ！　空想をすっかり信じこんでいるの！　でも、そうじゃないと言えて？　今日は一日中洗ったり、ふいたり、つくろったり、あの弱い力でたらいを部屋の中へもちこんだりして、息をきらして、いきなり寝床に倒れてしまったわ。でもまだ朝のうちわたしもいっしょに出かけて、ポーレチカとレーナに靴《くつ》を買ってやろうと思いましたの、だってあの子たちの靴はもうすっかりぼろぼろでしょう、ところが計算してみたらお金が足りないの、ひどく足りないのよ。だってあのひとったらそれはそれはかわいらしい靴を選ぶんですもの、あのひとは好みがいいからなの、あなたはご存じないでしょうけど……そして店先で、番頭たちのいるまえで、お金が足りないって、いきなり泣きだしてしまって……ほんとに、かわいそうで見ていられませんでしたわ——

「まあ、そうでしょうね、あなたたちの……暮しぶりを見れば」とラスコーリニコフは苦々しいうす笑いをうかべて、言った。

「じゃ、あなたはかわいそうだと思いませんの？　かわいそうじゃありませんの？」とソーニャはまた叫ぶように言った。「だってあなたは、あなたは、まだ何も知らないのに、最後のお金をくれてやったじゃありませんか。ああ、もしあなたがすっかり知ってくだすったら！　わたしはほんとに、何度あのひとを泣かせたことでしょう！　そう、つい先週も！　ああ、いやなわたし！　父が死ぬ一週間まえに。わたしひどいことをしたのよ！　それに何度、いったい何度わたしはあんなことをしたかしら！　ああ、いまだってそうよ、思い出すと一日中苦しかったわ！」

ソーニャはそう言いながらも、思い出の苦しさに、両手をもみしだきさえした。

「あなたがひどい女だというのかね？」

「そうよ、わたしよ、わたしよ！　あのとき家へかえったら」と彼女は泣きながら、語りつづけた。「父がわたしに言ったの、《ソーニャ、これを読んでくれんか、わしはなんだか頭が痛むんだよ、ね、読んでくれ……ほらこの本だよ》って。なんでしたか、アンドレイ・セミョーノヴィチから借りた本でしたわ。レベジャートニコフさんといって、同じアパートに住んでいる人で、いつも父におもしろい本を貸してくれましたの。それをわたしったら、《だめよ、すぐ出かけるんだから》なんてことわったのよ。わたし読みたくなかったの。家へよったのは、カテリーナ・イワーノヴナに襟《えり》を見せたいためだったんだもの。古着屋のリザヴェータが襟と袖当《そであて》を安くもってきてくれたの。とっても素敵で、新品そっくりで、きれいな模様までついてるの。カテリーナ・イワーノヴナはすっかり気に入ってしまって、それをつけて、鏡をのぞきこんでいましたわ、そしてもうますます気に入って、《ねえ、ソーニャ、これをちょうだいな、おねがいよ》なんて言ったわ。おねがい、なんて頼むのは、よっぽどほしかったんだわ。だって、そんなものを着てどうするつもりかしら？　ただ、昔の幸福だった時代を思い出すだけだわ！　鏡の自分をながめて、うっとりしているだけなの、だってもう何年も、衣装なんて一枚もないし、装身具だってひとつもないんだもの！　それにあのひとは一度だって、何ひとつ、誰にもくれなんて言ったことがないのよ。気位が高くて、いっそ自分が最後のものをくれてやるようなひとなの、それがこんなことを頼むなんて――よくよくのことだったんだわ！　ところがわたしもくれるのが惜しくなって、《カテリーナ・イワーノヴナ、こんなものをもらってどうするのよ？》そうよ、《どうするのよ?》なんて言ってしまったの。こんなことはあのひとに言っちゃいけなかったんだわ! あのひとはじっとわたしを見つめましたわ。わたしにことわられたのが、どれほどつらく悲しいことだったか、ほんとにかわいそうで見ていられないくらいでしたわ……それも襟が惜しいのじゃなく、わたしにことわられたのがくやしいの。それはすぐにわかりましたわ。ああ、いまこうしたことがすっかりひっくりかえせたら、こうしたまえの言葉をすっかり言い直せたら、としみじみ思いますわ……ああ、わたしったら……何を言ってるのかしら!……こんなこと、あなたにはどうでもいいことですものね!」

「あの古着屋のリザヴェータをあなたは知っていたんですか?」

「ええ……じゃあなたも知ってましたの?」とソーニャはいくらかおどろいた様子で聞きかえした。

「カテリーナ・イワーノヴナは肺をやられています、かなりひどく。もう長いことはないでしょう」とラスコーリニコフはしばらくして、問われたことには答えないで、言った。

「まあ、ちがいます、ちがいます、ちがいますわ!」

そう言ってソーニャは、ちがうことを哀願するように、無意識に彼の両手にすがりついた。

「でも、死んだほうがいいじゃありませんか」

「いいえ、よくありません、よくありません、ちっともよくありませんわ！」と彼女はおびえきって、無意識にくりかえした。

「じゃ、子供たちは？　そうなったら、あなたが引き取らなかったら、いったいどこへやるつもりです？」

「ああ、そんなことわかりませんわ！」とソーニャはほとんど絶望的に叫んで、頭をかかえた。この考えはもう何度となく彼女の頭にうかんだもので、彼がいままた改めてそれをつつきだしたにすぎないことは、明らかだった。

「ところで、もしあなたが、まだカテリーナ・イワーノヴナが生きているあいだに、病気になって、病院に収容されたとしたら、いったいどうなるでしょう？」と彼は残酷に問いつめた。

「ああ、何を言うんです、なんてことを言うんです！　そんなことってあるものですか！」

そう言ったが、ソーニャの顔はおそろしい恐怖にゆがんだ。

「どうしてあり得ないのです？」とラスコーリニコフはこわばったうす笑いをうかべ

ながら、つづけた。「あなたには保険がかかっているわけじゃないでしょう？　だから、そうなったら、あのひとたちはどうなるでしょう？　一家そろって街へめぐみを乞《こ》いにでかける、カテリーナ・イワーノヴナはごほんごほん咳《せき》をしながら、袖を乞い、どこかで今日みたいに壁に頭をうちつける、子供たちは泣く……そのうち道ばたに倒れて、交番にはこばれ、病院に送られて、死ぬ、子供たちはあとにのこされて……」

「おお、やめて！……神さまがそんなことを許しませんわ！」という叫びが、とうとう、しめつけられたソーニャの胸からほとばしった。彼女は祈るような目で彼を見ながら、彼にすべての運命がかかっているように、組みあわせた手に無言の哀願をこめて、じっと聞いていたのだった。

ラスコーリニコフは立ちあがって、部屋の中を歩きまわりはじめた。一分ばかりすぎた。ソーニャは両手と頭を力なく垂れ、寒々とした気持で、しょんぼり立っていた。

「お金を貯《たくわ》えることはできませんか？　万一の場合にそなえて？」ととつぜん彼女のまえに立ちどまって、彼は尋ねた。

「だめですわ」とソーニャは蚊の鳴くような声で言った。

「むろん、だめでしょうね！　でも、やってみたことはありますか？」と彼はほとんどあざけるようにつけ加えた。

「やってみましたわ」

「そして挫折《ざせつ》したというわけか！　まあ、それがあたりまえでしょうな！　聞くまでもないですよ！」

そしてまた彼は部屋の中を歩きまわりはじめた。また一分ほどすぎた。

「毎日収入があるわけじゃないんでしょう？」

ソーニャはまえよりもいっそうどぎまぎして、またさっと赤くなった。

「ええ」と彼女は身を切られるような思いで、やっと囁くように言った。

「ポーレチカも、きっと、同じような運命になるでしょう」と彼はだしぬけに言った。

「ちがいます！　ちがいます！　そんなことあってたまるもんですか、ちがいますとも！」とソーニャは、まるでナイフでぐさりとえぐられたように、悲鳴に近い声で、必死に叫んだ。「神さまが、神さまが、そんなおそろしいことを許しません！……」

「ほかの人には許してますよ」

「いいえ、ちがいます！　あの娘《こ》は神さまが守ってくださいます、神さまが！……」

と彼女はわれを忘れて、くりかえした。

「だが、神なんてぜんぜん存在しないかもしれないよ」かえってひとの不幸を喜ぶような意地わるさで、ラスコーリニコフはこう答えると、にやりと笑って、彼女を見た。

ソーニャの顔はさっと変り、ひくひくと痙攣《けいれん》がはしった。彼女は言葉につくせぬ叱《しっ》責《せき》をこめてじっと彼を見つめた、そして何か言おうとしたが、言葉にならず、不意に両手で顔をおおって、なんとも言えぬ悲痛な声でわっと泣き伏した。

「あなたは、カテリーナ・イワーノヴナの頭がみだれている、といったが、あなた自身も頭がみだれていますよ」と彼はしばらくの沈黙ののちに言った。

五分ほどすぎた。彼はやはり無言のまま、彼女のほうを見ようともせずに、部屋の中を行き来していた。とうとう、彼女のまえへ近よった。目がぎらぎら光っていた。彼は両手で彼女の肩をつかんで、泣きぬれた顔をじいっと見た。彼の目は乾《かが》いて、充血して、鋭く光り、唇《くちびる》がはげしくふるえた……不意に彼は、いきなり身を屈めると、床にひれ伏して、彼女の足に接吻した。ソーニャはぎょっとして、あわてて後退《あとずさ》った。彼が気がふれたかと思ったのだ。たしかに、彼は完全な気ちがいに見えた。

「何をなさいます、何をなさるんです？　わたしなんかのまえに！」と彼女は蒼白《そうはく》になって、呟いた、そして急に心臓が痛いほどぎゅっとしめつけられた。

彼はすぐに立ちあがった。

「ぼくはきみに頭を下げたんじゃない、人類のすべての苦悩に頭を下げたんだ」彼は妙に荒っぽくこう言うと、ついと窓のほうへ行った。

「ねえきみ」と彼はしばらくするとソーニャのほうを向いて、つけ加えた。「ぼくはさっきある無礼者に言ってやったよ、やつなんかきみの小指にも値しないって……それからまた、今日はもったいなくも妹を、きみと並んでかけさせてやったって」

「まあ、あなたはそんなことをそのひとたちにおっしゃいましたの！　しかも妹さんのまえで？」とソーニャはびっくりして叫んだ。「わたしと並んでかけさせたって！　もったいないって！　なんてことを、わたしは……恥ずべき女ですわ、ひじょうに、ひじょうに罪深い女ですわ！　ああ、あなたはなんてことを言ってくれたんでしょう！」

「ぼくがきみのことでそう言ったのは、恥とか罪のためではない、きみの深い大きな苦悩のためだ。きみはひじょうに罪深い女だというが、たしかにそのとおりだ」彼は自分の言葉に酔ったようにこうつけ加えた。「きみが罪深い女だという最大の理由は、いわれもなく自分を殺し、自分を売りわたしたことだ。これが恐ろしいことでなかったらどうかしてるよ！　きみは自分でこれほど憎んでいる泥沼《どろぬま》の中に生きながら、同時に自分でも、そんなことをしても誰の助けにもならないし、誰をどこからも救いだしはしないことを知っている。ちょっと目を開ければわからないはずがない。これが恐ろしいことでなくて何だろう！　さあ、ぼくは、きみに聞きたいんだ」と彼は激昂《げっこう》さのあまりほとんどわれを忘れかけて叫んだ。「きみの内部には、こんなけがらわしさやいやらしさが、まるで正反対の数々の神聖な感情と、いったいどうしていっしょに宿っていられるのだ？　いきなりまっさかさまに河へとびこんで、ひと思いにきりをつけてしまうほうが、どれほど正しいか、千倍も正しいよ、よっぽど利口だよ、そう思わないか！」

「じゃ、あのひとたちはどうなります？」とソーニャは苦悩にみちた目でじっと彼を見つめて、しかし彼の言葉にはすこしのおどろいた様子もなく、弱々しい声で尋ねた。

彼はその目の中にすべてを読みとった。つまり、実際に彼女自身にすでにこの考えがあったのだ。おそらく、何度となく真剣に、どうしたらひと思いにかたがつけられるかと、絶望にしずみながら思いめぐらしたにちがいない。そしてそれがあまりにも真剣なために、いま彼の言葉を聞いてもすこしもおどろかないほどになっていたのであろう。彼女は彼の言葉の残酷さにさえ気づかなかった（彼の非難の意味も、彼女の汚辱を見る彼の特別な視線の意味も、むろん、彼女は気づかなかった。そしてそれが彼にははっきりわかった）。しかし彼は、このいやしい汚辱の境遇を恥じる思いが、もうまえまえから、どれほどのおそろしい苦痛となって彼女をさいなみつづけてきたかを、はっきりとさとった。いったい何が、彼は考えた、いったい何が、ひと思いに死のうとする彼女の決意を、これまでおさえてくることができたのだろう？　そしていまはじめて彼は、父を失った哀れな小さな子供たちと、肺を病み、頭を壁にうちつけたりする、みじめな半狂人のカテリーナ・イワーノヴナが、彼女にとってどれほどの意味をもっているかを、はっきりとさとったのである。

　しかしそれと同時に、あんな気性《きしょう》をもち、多少とも教育を受けているソーニャが、ぜったいにこのままでいられるわけがないことも、彼にはわかっていた。河に身を投じることができなかったとすれば、いったいどうしてこんなに長いあいだ気ちがいにもならずに、こんな境遇にとどまっていることができたのか？　これはやはり彼にとって疑問だった。もちろん彼は、ソーニャの境遇が、たったひとつの例外というにははるかに遠いのはくやしいが、とにかく社会の偶然な現象であることは知っていた。しかしこの偶然そのものが、このある程度の教育とそれまでの生活のすべてが、このいまわしい道へ一歩ふみだしたところで、たちまち彼女を死へ追いやることができたはずではなかったか。彼女を支えていたのは、いったい何だろう？　まさか淫蕩《いんとう》ではあるまい。この汚辱は、明らかに、機械的に彼女にふれただけだ。ほんものの淫蕩はまだ一しずくも彼女の心にしみこんでいない。彼にはそれがわかった。現に彼女は彼のまえに立っているではないか……

《彼女には三つの道がある》と彼は考えた。《運河に身を投げるか、精神病院に入るか、あるいは……あるいは、ついに、理性をにぶらせ、心を石にする淫蕩な生活におちこむかだ》最後の想定は彼にとってもっともいまわしかった。しかし、彼はもともと懐疑的だし、若いし、理論的だった。だから残酷でもあったわけで、最後の出口、つまり淫蕩な生活がもっとも確率が高いことを、信じないわけにはいかなかった。

《だが、いったいこれが本当だろうか》と彼は腹の中で叫んだ。《まだ魂の清らかさを保っているこの女が、そうと知りながら、ついには、あのけがらわしい悪臭にみちた穴の中へひきこまれて行くのだろうか？　この転落がもうはじまっているのではなかろうか、だからこそ罪がそれほどいまわしいものに感じられず、それで今日まで堪えて来《こ》られたのではなかろうか？　いや、いや、そんなはずはない！》と彼は、さっきのソーニャのように、叫んだ。《今日まで彼女を河にとびこませなかったのは、罪の意識だ、あの人たちだ、……じゃ、今日まで気が狂わずにいられたのは……だが、気が狂わなかったと、誰が言った？　果していまノーマルな理性をもっているだろうか？　彼女のような、あんなものの言い方ができるものだろうか？　ノーマルな理性をもっていたら、彼女のようなあんな考え方ができるだろうか？　破滅の上に坐って、もうひきこまれかけている悪臭にみちた穴の真上に坐って、その危険を知らされても、あきらめたように手を振り、耳をふさぐなんて、そんなことが果してできるだろうか？　彼女はどうしたというのだ、奇跡でも待っているのか？　きっとそうだ。果してこうしたことがみな発狂の徴候でないと言えようか？》

彼はこの考えにしつこくこだわっていた。むしろこの出口が、ほかのどんな出口よりも彼には気に入った。彼はますます目に力をこめてソーニャを凝視しはじめた。

「それじゃ、ソーニャ、きみは真剣に神にお祈りをする？」と彼は聞いた。

ソーニャは黙っていた。彼はそばに立って、返事を待った。

「神さまがなかったら、わたしはどうなっていたでしょう？」彼女は不意にきらっと光った目をちらと彼に投げて、早口に力強くこう囁くと、彼の手をはげしくにぎりしめた。

《やっぱり、そうだった！》と彼は思った。

「だが、それで神はきみに何をしてくれた？」と彼は更に問いつめた。

ソーニャは返事につまったように、長いこと黙っていた。彼女のかよわい胸ははげしい動揺のためにぶるぶるふるえていた。

「言わないで！　何も聞かないで！　あなたにはそんな資格がありません！」と、怒りにもえる目できびしく彼を見すえながら、彼女はとつぜん叫んだ。

《そうだろうとも！　そうだろうとも！》と彼は腹の中でしつこくくりかえした。

「何でもすっかりしてくださいますわ！」と彼女はまた目を伏せて、早口に囁いた。

《これが出口なんだ！　これが出口の告白なんだ！》彼はむさぼるような好奇の目で彼女を見まわしながら、こう結論をくだした。

新しい、奇妙な、痛々しいような気持で、彼はこの蒼白い、痩せた、ととのわないとがった顔や、あのようなはげしい火花をちらし、きびしい力強い感情をむきだしてぎらぎら光ることもあるやさしい空色の目や、まだ怒りといきどおりにふるえている小さな身体《からだ》を見つめていた。そしてこうしたことすべてがいよいよ不思議な、ほとんどあり得ないことに思われてくるのだった。

《ばかな女だ！　狂信者だ！》と彼は腹の中でくりかえした。

タンスの上に本が一冊のっていた。彼はそのそばを行き来するごとに、それに目をやっていたが、今度は手にとって見た。それはロシア語訳の新約聖書だった。古いよごれた皮表紙の本だった。

「これはどこで？」と彼は部屋の向う隅から彼女に声をかけた。彼女はやはりもとのまま、机から三歩ばかりのところに立っていた。

「持ってきてくれましたの」彼女は気がすすまぬらしく、そちらを見もせずに答えた。

「誰が？」

「リザヴェータですわ、わたしが頼んだので」

《リザヴェータ！　不思議だ！》と彼は考えた。ソーニャのまわりのすべてのものが、どうしたわけか、しだいにますます不思議な奇妙なものに思われてきた。彼は聖書をろうそくのそばへ持って行って、ページをめくりはじめた。

「ラザロのところはどのへんかね！」と彼は不意に聞いた。

ソーニャはかたくなに床へ目をおとしたまま、黙りこくっていた。彼女は机にすこし横向きかげんに立っていた。

「ラザロの復活はどこかね？　さがしてくれ、ソーニャ」

ソーニャは横目でちらと彼を見た。

「そんなところじゃないわ……第四の福音書よ……」と彼女はその場を動こうともせずに、けわしく小声で言った。

「さがして、読んでくれ」と言って、彼は椅子に腰を下ろし、机に肘をついて、片手で頭を支え、暗い目を横のほうの一点にすえて、聞く姿勢をとった。

《三週間もしたら第七天国へ、どうぞだ！　おれも、おそらく、行くだろうよ、それより悪いことがなければな！》と彼は腹の中で呟いた。

ソーニャはラスコーリニコフの奇妙なねがいを不審な思いで聞いて、ためらいながら机のそばへ近よった。それでも、聖書は手にとった。

「ほんとにあなたは読んだことがありませんの？」彼女は机の向うから上目でちらと彼を見て、こう尋ねた。彼女の声はますますけわしくなった。

「ずっとまえに……学校にいた頃《ころ》。読んでくれ！」

「教会で聞いたこともないの？」

「ぼくは……行ったことがないよ。きみはときどき行くの？」

「う、ううん」とソーニャは囁いた。

ラスコーリニコフは苦笑した。

「わかるよ……それじゃ、明日お父さんの葬式にも行かないわけだな？」

「行きますわ。先週も行って……供養《くよう》をしましたわ」

「誰の？」

「リザヴェータの。あのひとは斧《おの》で殺されたのよ」

彼の神経はしだいにますます苛立ってきた。頭がくらくらしはじめた。

「きみはリザヴェータと仲がよかったのかい？」

「ええ……あのひとはまちがったことのきらいなひとでしたわ……ここへは……たま

にしか……だって来れなかったんですもの。わたしたちはいっしょに読んだり……お話したりしたわ。あのひとは神さまにお会いになるでしょう」

この聖書の文句のような言葉が彼の耳には異様に感じられた。そしてまた、彼女とリザヴェータの奇妙なつきあい、そして二人とも――ばかな狂信者だという、新しい事実を知った。

《こんなことをしていると、こっちまでばかな狂信者になりかねないぞ！　伝染病みたいだ！》と彼は考えた。「読んでくれ！」と彼はとつぜんじれったそうに、しつこく叫んだ。

ソーニャはまだためらっていた。胸がどきどきした。どういうわけか、彼に読んでやる勇気がなかった。彼はほとんど苦痛の表情で《不幸な狂女》を見つめていた。

「どうしてあなたに？　だってあなたは信じていないじゃありませんか？……」と彼女はしずかに、なぜかあえぎながら、囁いた。

「読んでくれ！　ぼくは読んでもらいたいんだ！」と彼は言いはった。「リザヴェータには読んでやったんだろう」

ソーニャは聖書をひらいて、そのページをさがした。手がふるえて、声がもたなかった。彼女は二度読みかけたが、二度ともはじめの一節を読み終えることができなかった。

《さて、ひとりの病人がいた。ラザロといい、ベタニヤの人であった……》と、彼女はとうとうやっとの思いで読みだしたが、急に、第三節のところで声がうわずり、張りすぎた弦のようにプツンときれてしまった。息がきれて、胸がしめつけられたのだ。

ソーニャがなぜ彼に読んでやることをためらうのか、ラスコーリニコフにはうすうすわかっていた、そしてそれがはっきりわかってくるにつれて、彼はますます苛立ち、乱暴に読ませようとした。いま彼女には自分のすべてをさらけ出すことがどれほど辛《つら》かったか、彼はわかりすぎるほどわかっていた。こうした感情が実際に彼女のほんとうの、しかもおそらく、もうまえまえからの秘密となっていたらしいことを、彼はさとった。もしかしたらまだ少女の頃から、不幸な父の家で、悲しみのあまり気のふれた義母や飢えた子供たちにかこまれ、みにくいわめき声や叱責ばかり聞かされていた頃から、彼女の胸の中にあったのかもしれぬ。しかし同時に彼はいま、しかも確実に、彼女は読みかけて、何ものかをひどくおそれ、心を痛めてはいるが、その半面、どんなに心が痛もうが、どんな不安におびやかされようが、なんとしても読みたい、しかも彼に読んでやりたい、彼に聞かせたい、しかもどうしてもいま——《あとでどんなことになろうと！》……というせつないまでの気持があることを、はっきりとさとった。彼はそれを彼女の目の中に読んだ、彼女の狂喜ともいえる興奮からさとった……彼女は自分をはげまし、朗読のはじめに彼女の声をとぎらせたのどのふるえをおさえて、ヨハネによる福音書の第十一章の朗読をつづけた。こうして彼女は十九節まで読んだ。

《大ぜいのユダヤ人が、その兄弟のことで、マルタとマリヤとを慰めようとしてきていた。マルタはイエスがこられたと聞いて、出迎えに行ったが、マリヤは家ですわっていた。マルタはイエスに言った、「主よ、もしあなたがここにいてくださったなら、わたしの兄弟は死ななかったでしょう。しかし、あなたがどんなことをお願いになっても、神はかなえてくださることを、わたしはいまでも存じています」》

そこで彼女はまた朗読をとめた。ふるえて、また声がとぎれそうな気がして、恥ずかしくなったのである……

《イエスはマルタに言われた、「あなたの兄弟はよみがえるであろう」マルタは言った、「終りの日のよみがえりの時よみがえることは、存じています」イエスは彼女に言われた、「わたしはよみがえりであり、命である。わたしを信じる者は、たとい死んでも生きる。また、生きていて、わたしを信じる者は、いつまでも死なない。あなたはこれを信じるか」マルタはイエスに言った》

（そして、苦しそうに息をつぎながら、ソーニャはまるで自分がみんなのまえで懺悔《ざんげ》しているように、一語一語はっきりと力をこめて読んだ）

《「主よ、信じます。あなたがこの世にきたるべきキリスト、神の御子《みこ》であることを信じております」》

彼女はそこで読むのをとめて、急いで彼に目を上げようとしたが、そのまえに自分をおさえて、先を読みはじめた。ラスコーリニコフはじっと坐って、机に肘をつき、わきのほうへ目をやったまま、身動きもせずに聞いていた。三十二節まで読んだ。

《マリヤは、イエスのおられる所に行ってお目にかかり、その足もとにひれ伏して言った、「主よ、もしあなたがここにいてくださったなら、わたしの兄弟は死ななかったでしょう」イエスは、彼女が泣き、また、彼女といっしょにきたユダヤ人たちも泣いているのをごらんになり、激しく感動し、また心を騒がせ、そして言われた、「彼をどこに置いたのか」彼らはイエスに言った、「主よ、きて、ごらんください」イエスは涙を流された。するとユダヤ人たちは言った、「ああ、なんと彼を愛しておられたことか」しかし、彼らのある人たちは言った、「あの盲人の目をあけたこの人でも、ラザロを死なせないようには、できなかったのか」》

ラスコーリニコフは彼女のほうを向いて、感動の目で彼女を見た。そうか、やはりそうだったのだ！　彼女はもうほんとうのおこりにかかったようにがくがくふるえていた。彼はそれを待っていたのだった。彼女はいまだ例のない偉大な奇跡の話に近づいた、そして偉大な勝利の感情が彼女をとらえた。彼女の声は金属音のように冴《さ》えわたった。勝利と喜びがその声にこもり、その声を強いものにした。目の前が暗くなって、行がかさなりあったが、彼女はそらでおぼえていた。《あの盲人の目をあけたこの人でも……》という最後の節で、彼女はちょっと声をおとして、信じない盲目のユダヤ人たちの疑惑と、非難と、誹謗《ひぼう》を、はげしい熱をこめてつたえた。彼らはもうじき、一分後には、雷にうたれたようにひれ伏し、号泣し、信じるようになるのだ……《彼も、彼も——信じない盲者だ、——彼ももうすぐこの先を聞いたら、信じるようになる、そうだ、それにきまっている！　もうじき、もうじきだ》こう思うと、彼女は喜びがもどかしくてがくがくふるえた。

《イエスはまた激しく感動して、墓にはいられた。それは洞穴《ほらあな》であって、そこに石がはめてあった。イエスは言われた、「石をとりのけなさい」死んだラザロの姉妹マルタが言った。「主よ、もう臭くなっております。四日もたっていますから」》

彼女は四日という言葉に力をこめて読んだ。

《イエスは彼女に言われた、「もし信じるなら神の栄光を見るであろうと、あなたに言ったではないか」人々は石をとりのけた。すると、イエスは目を天に向けて言われた、「父よ、わたしの願いをお聞きくださったことを感謝します。あなたがいつでもわたしの願いを聞きいれてくださることを、よく知っています。しかし、こう申しますのは、そばに立っている人々に、あなたがわたしをつかわされたことを信じさせるためであります」こう言いながら、大声で「ラザロよ、出てきなさい」と呼ばわれた。すると死人は》

（彼女は自分がその目で見たように、感激に身をふるわし、ぞくぞくしながら、勝ちほこったように声をはりあげて読んだ）

《手足を布でまかれ、顔を顔おおいで包まれたまま、出てきた。イエスは人々に言われた、「彼をほどいてやって、帰らせなさい」マリヤのところにきて、イエスのなさったことを見た多くのユダヤ人たちは、イエスを信じた》

彼女はその先は読まなかった、読むことができなかった。彼女は聖書をとじて、急いで立ちあがった。

「ラザロの復活はこれでおわりです」ととぎれとぎれにそっけなく囁くと、彼女は顔をそむけて、彼を見るのが恥ずかしいように、目をあげる勇気もなく、じっと身をかたくした。熱病のようなふるえはまだつづいていた。ひんまがった燭台の燃えのこりのろうそくはもうさっきから消えそうになっていて、不思議な因縁《いんねん》でこの貧しい部屋におちあい、永遠の書を読んでいる殺人者と娼婦《しょうふ》を、ぼんやり照らしだしていた。五分ほどすぎた。あるいはもっと経《た》ったかもしれぬ。

「ぼくは用事があって来たんですよ」ラスコーリニコフはとつぜん顔をしかめて、大きな声でこう言うと、立ちあがって、ソーニャのほうへ近よった。ソーニャは黙って彼に目をあげた。彼の目はひどくけわしく、何か異様な決意が顔にあらわれていた。

「ぼくは今日肉親をすてました」と彼は言った、「母と妹です。ぼくはもう彼らのところへ行きません。いっさいの縁をたちきってしまったのです」

「なぜですの？」とソーニャはあっけにとられてぼんやり尋ねた。先ほどの彼の母と妹との対面は、彼女自身はっきりはわからなかったが、彼女の胸に異常な感銘をのこしたのだった。縁をきったという知らせを、彼女は恐怖に近い気持で聞いた。

「いまのぼくにのこされたのはきみ一人だけだ」と彼はつけ加えた。「いっしょに行こう……そのためにぼくはここへきたのだ。ぼくらは二人とも呪《のろ》われた人間だ、いっしょに行こうよ！」

彼の目はぎらぎら光った。《半狂人みたいだ！》と、今度はソーニャがふと思った。

「どこへ行くの？」彼女はぎょっとしてこう聞くと、思わず後退《あとずさ》った。

「それがどうしてぼくにわかる？　ぼくが知ってるのは、道が同じだということだけだよ。それだけは確実に知っている、——それだけさ。目的も同じなんだ！」

ソーニャは彼を見つめていたが、何のことやらさっぱりわからなかった。彼がおそろしく、限りなく不幸だということだけが、わかった。

「きみがあの人たちに話しても、誰も何もわかるまい」と彼はつづけた。「だが、ぼくはわかった。きみはぼくに必要な人間なんだ。だからぼくはここへ来たんだ」

「わからないわ……」とソーニャは囁くように言った。

「そのうちにわかるよ。きみがしたのだって、同じことじゃないか？　きみだって踏みこえた……踏みこえることができたんだ。きみは自分に手を下した、自分の……生命を亡《ほろ》ぼした（これは同じことだ！）。きみは魂と理性で生きて行かれたはずだ、それをセンナヤ広場で果ててしまうのさ……だがきみにはそれを堪える力がない、だから一人きりになったら、発狂してしまうだろう。ぼくだって同じなんだ。きみはもうすでに気ちがいじみている。だから、ぼくたちはいっしょに行かなければならないんだよ、同じ道を！　さあ、行こうじゃないか！」

「どうしてなの？　どうしてあなたはそんなことを言うの！」ソーニャは彼の言葉に

あやしく胸を騒がせながら、呟くように言った。

「どうして？　このままではいられないからさ、――それが理由だよ！　もういいかげん、真剣に率直に考えなきゃいかんよ。いつまでも子供みたいに泣いたり、神さまが許さないなんてわめいたりしていたって、はじまらんさ。ええ、ほんとに明日きみが病院に収容されたら、どうなる？　あの女は頭がどうかしてるし、肺病だ、じきに死ぬだろうが、子供たちは？　ポーレチカが身を亡ぼさないと言えるかね？　いったいきみは、母親に袖乞《そでご》いに出されて、そこらここらにうろうろしている子供たちを、見たことがないのかい？　ぼくはよく知ってるよ、そういう母親たちがどこにどんな状態で住んでいるか。そういう境遇では子供たちが子供でいることはできないんだよ。わずか七歳で春を売るのも、泥棒《どろぼう》をするのもいるよ。だが、子供たちは――キリストの姿じゃないか。《天国はこのような者の国である》と教えてるじゃないか。彼は子供たちを敬い愛せよと命じた。子供たちは未来の人類なんだよ……」

「それじゃいったい、どうしろというの？」とソーニャはヒステリックに泣き、手をもみしだきながら、叫んだ。

「どうしろ？　砕くべきものは、ひと思いに砕いてしまう、それだけのことだよ。そして苦悩をわが身にになうんだ！　なに？　わからない？　いずれわかるよ……自由と力、特に大切なのは力だ！　すべてのおののける者どもとすべての蟻塚《ありづか》の上に立つのだ！……これが目的だ！　おぼえておきたまえ！　これがきみにおくるぼくの門出の言葉だよ！　もしかしたら、きみと話すのもこれが最後かもしれん。もし明日ぼくが来なかったら、いっさいのことがひとりでにきみの耳に入るだろう、そしたらいまのこの言葉を思い出してくれ。いずれ、何年か後に、生活をかさねるにつれて、この言葉の意味がわかるようになるだろう。もし明日来たら、誰がリザヴェータを殺したか、おしえるよ。さようなら！」

ソーニャはおどろきのあまり呆然《ぼうぜん》となった。

「じゃ、あなたは知ってるの、誰が殺したか？」と彼女はおそろしさにそそけだって、けわしい目で彼を見つめながら、尋ねた。

「知ってるから言うんだよ……きみにだけ、きみ一人だけに！　ぼくはきみを選んだ。ぼくはきみに許しを請いに来るのじゃない、ただ言いに来るだけだ。ぼくはそれを言う相手として、もうまえまえからきみを選んでいたのだ。きみのお父さんからきみのことを聞いたころから、まだリザヴェータが生きていたころから、ぼくはもうそれを考えていたんだよ。さようなら。握手はいらんよ。じゃ明日《あした》！」

彼は出て行った。彼女は気ちがいだと思って彼に目をみはっていた。しかし彼女自身も気ちがいじみていて、自分でもそれを感じていた。頭がくらくらした。《ああ！　リザヴェータを殺した人を、どうしてあの人が知っているんだろう？　あの言葉はどういう意味かしら？　おそろしいことだわ！》しかし、そう思いながらも、あの考えは彼女の頭にうかばなかった。けっして！　ゆめにも！……《おお、あのひとはきっとひどく不幸なひとなんだわ！……お母さんと妹さんを捨てたなんて。どうしてかしら？　何があったのかしら？　そしてあのひとは何をしようとしているのかしら？　どうしてあんなことを言ったのかしら？　あのひとはわたしの足に接吻して、言った……（そう、はっきりと言ったわ）、わたしがいなければもう生きていかれないって……ああ、どうしよう！》

ソーニャは一晩中熱にうかされ、うなされつづけた。彼女はときどきはね起きて、泣いたり、手をもみしだいたりするかと思うと、また熱病のような眠りにおち、ポーレチカや、カテリーナ・イワーノヴナや、リザヴェータや、福音書の朗読や、彼の夢を見る……彼の蒼白い顔、熱っぽい目……彼が彼女の足に接吻して、泣いている……おお、神さま！

右側のドア、ソーニャの部屋とゲルトルーダ・カルローヴナ・レスリッヒの住居を区切っているドアのかげは、レスリッヒ夫人の住居に属している細長い部屋になっていて、もういつからか空《あ》いたままで、貸間札が門の壁や、運河に面した窓ガラスに貼《は》られていた。ソーニャはもうまえからその部屋には人がいないものと思いこんでいた。ところが、さっきからずうっと、その空き室のドアのそばにスヴィドリガイロフが立っていて、息を殺して、盗み聞きをしていたのである。ラスコーリニコフが立ち去ると、彼はその場に立ったままちょっと思案していたが、やがて爪先立《つまさきだ》ちでその空き室につづいている自分の部屋にもどり、椅子をひとつもって、またそっともとの場所に引っ返し、ソーニャの部屋につづくドアのそばに音のしないようにおいた。話が彼には興味深く意味ありげに思われて、すっかり気に入ってしまった。——そこで彼は椅子をはこび、これからは、さしあたっては明日にも、また一時間も立たされる不愉快さをさけて、ぐあいよく聞けるような場所をつくり、あらゆる点において十分な満足を得ようとしたのである。

5

翌朝、ちょうど十一時に、ラスコーリニコフは警察署の捜査課に出頭して、ポルフィーリイ・ペトローヴィチに取り次ぎをたのんだが、あまり待たされたので、むしろ意外な気さえした。少なくとも十分はすぎたが、まだ彼は呼ばれなかった。彼の考えでは、待ちかまえていたようにいきなり連れこまれるはずだった。ところが、控室に突っ立っている彼のそばを、人々が忙しそうに行ったり来たりしているが、どうやら彼になど、何の用もなさそうだった。事務室らしい次の部屋には、何人かの書記が机に向って書きものをしていたが、ラスコーリニコフがどこの何者なのかなど、まるで知りもしないふうだった。彼は不安な疑いの目であたりを見まわしながら、そのへんのどこかに、彼を逃がさないように見張りを命じられたひそかな監視の目がかくされてはいないかと、さぐった。しかし、そのようなものはどこにもなかった。彼が見たものは、事務員たちのせかせかと気ぜわしそうな顔と、さらに何人かの人々の顔で、誰《だれ》も彼になど見向きもしなかった。いまならどこへ行こうと、彼を見とがめるものはなさそうだ。もしも地下からわいてでたまぼろしのようなあの昨日の謎《なぞ》の男が、実際にすべてを目撃していて、すべてを知っているとしたら、——果していま彼ラスコーリニコフをこんなところにぼんやり突っ立たせて、のんびり待たせておくようなことをするだろうか、という疑問が彼の頭の中でますます強くかたまってきた。それに、彼が自発的にでてくるのを、十一時までも手をこまねいて待っているだろうか？　そこで考えられるのは、あるいはあの男がぜんぜん密告しなかったか、あるいは……あるいは実はあの男も何も知らないで、自分がその目で何も見たわけではなかったか、

（それはそうだ、どこからどうして見ることができたのだ?）いずれかだ。とすると、昨日彼ラスコーリニコフの身辺に起ったことはみな、またしても、彼のたかぶった病的な想像によって誇張された幻覚だったのか。この推測は、まだ昨日不安と絶望の絶頂にあったころから、もう彼の内部にかたまりはじめていた。いまこうしたことすべてを思いかえして、新しいたたかいに対する腹をきめると、彼は不意に、自分がふるえているのを感じた、――そしてあの胸《むな》くそのわるいポルフィーリイ・ペトローヴィチに対する恐怖でふるえているのだと思うと、彼は憤怒《ふんぬ》で胸が煮えたぎった。彼にとって何よりおそろしいのは、あの男ともう一度会うということだった。彼はポルフィーリイ・ペトローヴィチをこれ以上憎めないほど憎んでいた、そして憎悪《ぞうお》のあまりうっかり自分を暴露してしまいはせぬかと、それを恐れたのだった。憤怒があまりにもはげしかったので、とっさにふるえがとまった。彼は冷たい傲慢《ごうまん》な態度でのぞむ腹をきめて、できるだけものを言わず、相手をよく見て言葉のうらをさぐることにしよう、せめて今度だけはどうあっても、病的に苛立《いらだ》つわるい癖をおさえつけよう、と自分に誓った。ちょうどそのとき彼はポルフィーリイ・ペトローヴィチの部屋に呼ばれた。彼行ってみると、事務室にはポルフィーリイ・ペトローヴィチが一人きりだった。彼の事務室は広くもせまくもなく、部屋の中には、大きな応接テーブル、そのまえに油布張りのソファ、事務卓、片隅《かたすみ》に戸棚《とだな》、それに椅子《いす》が数脚あるだけで――それがみな黄色いつや出しの木でつくった備えつけの用度品だった。うしろの壁、というよりは仕切りの隅にドアがあって、しまっていた。してみると、その向うには、まだいくつか部屋がつづいているにちがいなかった。ラスコーリニコフが入ると、ポルフィーリイ・ペトローヴィチはすぐにそのドアをしめて、二人きりになった。彼はいかにも愉快そうに愛想よく客を迎えた、そしてラスコーリニコフがどうやら相手がうろたえているらしいと気がついたのは、しばらくしてからだった。彼は不意をつかれて面くらったか、あるいは一人でこっそり何かしているところを見つかったというふうな様子だった。

「ああ、これはこれは！　あなたでしたか……わざわざこんなところへ……」とポルフィーリイは両手をさしのべて、言った。「さあ、おかけください、どうぞどうぞ！　おや、あなたはおいやですかな、こんな親しげに……下手《したて》にでられるのが、――tout court（なるほど）そうでしたか？　なれなれしすぎるなんて、どうか、気をわるくしないでください……さあ、どうぞ、こっちのソファのほうへ」

ラスコーリニコフは坐《すわ》ったが、その間も彼から目をはなさなかった。

《わざわざこんなところへ》とか、なれなれしさをあやまるとか、tout court（なるほど）

なんてフランス語をつかうとか、その他《ほか》かぞえたらいろいろあるが、——こうしたことはみな特異な徴候だった。《それにしてもやつは、わざわざ両手をさしだしたくせに、うまいぐあいにひっこめて、ぜんぜんにぎらせなかったじゃないか》という疑惑がちらと彼の頭をかすめた。二人は互いに相手をさぐりあったが、視線があうとすぐに、二人とも稲妻のような早さで目をそらした。

「ぼくは書類をもってきたんです……時計の……これです。これでいいですか、それともう一度書き直しましょうか?」

「何です? 書類ですか? ああ、どれ……ご心配なく、これで結構です」ポルフィーリイ・ペトローヴィチは、まるでどこかへ急いでいるみたいに、あわててこう言った。そしてそう言ってしまってから、書類を手にとって、目で読んだ。「たしかに、まちがいありません。何もつけ加えることはありません」彼は同じ早口でこう言いきると、それをテーブルの上においた。それから、しばらくして、彼はもうほかの話をしながら、またその書類をとりあげて、自分の事務卓へおき直した。

「あなたは、たしか、昨日ぼくに言いましたね、ぼくとあの……殺された老婆の関係について……正式に……尋ねたいとか……」とラスコーリニコフは改めて言いだした。《チエッ、なんだっておれはたしかなんて言葉をはさんだのだ?》という考えが彼の頭をかすめた。《だが、このたしかをはさんだのを、なぜおれはこんなに気にするのだ？》というもうひとつの考えが、すぐにそのあとから稲妻のようにひらめいた。

そして不意に彼は、自分の猜疑心《さいぎしん》が、ポルフィーリイにちょっと会って、一言二言ことばをかわし、一、二度視線をまじえただけで、一瞬のうちに早くもおそるべき大きさに成長してしまったことを感じた……これはおそろしく危険だ。神経が苛立ち、興奮がつよまるばかりだ。《まずい！……まずい……また口をすべらせるぞ》

「ああ、そうでしたね！　でもご心配なく！　急ぐことはありません、時間は十分にあります」とポルフィーリイはテーブルのそばを行き来しながら、呟《つぶや》くように言った。

彼はなんとなくぶらぶら歩いているというふうで、そそくさと窓のほうへ行くかと思うと、事務卓のほうへ行ったり、また窓のほうへもどってみたり、ラスコーリニコフの疑《うたぐ》るような目をさけているかと思えば、急に立ちどまって、まともに執拗《しつよう》に彼の目をのぞきこむのだった。しかもそうしている彼のころころふとった小さなまるい身体《からだ》が、まるでマリがあちらこちらへころがっては、すぐにはね返ってくるようで、なんとも奇妙な感じだった。

「大丈夫ですよ、あわてることはありませんよ！……して、煙草《たばこ》はすいます？　おもちですか？　さあどうぞ、巻き煙草ですが……」彼は客に巻き煙草をすすめながら、話をつづけた。「実は、あなたをここへお通ししましたが、すぐその仕切りのかげが、ぼくの住居《すまい》なんですよ……官舎ですがね、でもいまは当分の間、自宅から通いです。ちょっとした修理をしていたんでね。もうほとんどできあがりました……官舎ってやつは、ご存じでしょうが、いいものですよ、――そうじゃありません？　え、どう思います？」

「そう、いいものですね」と、ラスコーリニコフは嘲笑《あざわら》うような目で相手を見ながら答えた。

「いいものです、いいものですよ……」ポルフィーリイ・ペトローヴィチは急に何かぜんぜん別なことを考えだしたように、こうくりかえした。「そうです！　いいものです！」しばらくすると、不意にひたとラスコーリニコフを凝視しながら、二歩ほどのところに立ちどまって、ほとんど叫ぶように言った。官舎はいいものだというこの再三のくりかえしは、その俗っぽさからみて、いま彼がラスコーリニコフに向けた真剣な、思いつめた、謎のようなまなざしとは、あまりにも矛盾していた。

しかしこれはラスコーリニコフの憎悪をますますあおりたてた。そして彼は相手を愚弄《ぐろう》するかなりうかつな挑戦《ちょうせん》を、もうどうしてもこらえることができなかった。

「ところで、何ですか」彼はほとんど不敵といえる目で相手をにらみながら、しかも自分の不敵さによろこびを感じているような態度で、こう尋ねた。「およそ検事と名のつくものには、はじめは遠い些細《ささい》なことか、重要でも、まるで無関係なことからはじめて、いわば、容疑者を元気づけ、というよりは油断させ、注意をそらしておいて、不意に、まったく思いがけぬところで、何かぜったいのきめ手となる危険な質問をいきなりあびせかけて、相手の度胆《どぎも》をぬくという、捜査の規則というか方法というか、そういうものがあるそうですね、そうですか？　そのことは、あらゆる法規や判例にいまでもちゃんと述べてあるそうじゃありませんか？」

「それはまあ、そうですが……どうしたんです、あなたはどうやら、わたしが官舎の話をしたのを、その……え？」

そう言うと、ポルフィーリイ・ペトローヴィチは目をそばめて、ぱちッと目配せした。何か愉快そうなずるい表情がちらと彼の顔をはしり、額のしわがのび、目が細くなって、間のびのした顔になったかと思うと、とつぜんけたたましく笑いだした。彼は全身をふるわせながら大きくゆすぶり、まっすぐにラスコーリニコフの目を見つめたまま、笑いつづけた。ラスコーリニコフもいくらか無理に、作り笑いをしようとした。ところがポルフィーリイが、ラスコーリニコフも笑っているのを見て、いよいよおさえがきかなくなり、顔を真っ赤にして腹をかかえて笑いだしたとき、ついにラスコーリニコフの嫌悪《けんお》はいっさいの警戒心を踏みこえてしまった。彼は笑いをやめ、むずかしい顔をして、相手が何かふくむところありげに絶えまない笑いをつづけているあいだ中、その顔から目をはなさずに憎悪をこめてにらみつづけていた。しかし、うかつさは明らかに双方にあった。つまり、ポルフィーリイ・ペトローヴィチは面とむかって相手を嘲笑《ちょうしょう》し、相手がその嘲笑を憎悪の気持でうけとめているのを見ながら、それにほとんど気まずさを感じていない様子だった。これはラスコーリニコフにはひじょうな意味のあることだった。彼はさとった。きっと、さっきもポルフィーリイ・ペトローヴィチは気づまりなどぜんぜん感じはしなかったのだ、かえって、彼ラスコーリニコフのほうがわなにおちたのかもしれぬ。とすると、ここには明らかに彼の知らない何かがある、何かの目的がある。もしかしたら、もうすっかり手筈《てはず》ができていて、もうすぐそれが正体をあらわし、頭上におそいかかってくるのではなかろうか……

彼はただちに用件にとりかかるつもりで、立ちあがると、帽子をつかんだ。

「ポルフィーリイ・ペトローヴィチ」と彼は決然とした態度で言ったが、その声にはかなりはげしい苛立ちがあった。「あなたは昨日ある尋問のためにぼくが来ることを、希望しておられましたね（彼は尋問という言葉に特に力を入れた）。それで、ぼくは来たわけです。さあ何なりと、聞いてください。なかったら帰らせていただきます。ゆっくりしていられません、用があるんです……ぼくは、あなたも……ご存じの……あの馬車にひかれて死んだ官吏の葬式に行かなければならないのです……」と彼はつけ加えたが、すぐにそんなよけいなことを言った自分に腹がたって、ますます神経を苛立ててしまった。「こんなことはもううんざりです、おわかりですか、もう何日になります……ひとつにはこのために病気にもなったんです……くどいことは言いません」病気のことなど言ったのは、ますますまずかったと感じて、彼はほとんど叫ぶように言った。「要するに、尋問するか、いますぐ帰すか、どっちかにしてください……尋問なさるなら、形式《かた》どおりにねがいます！　それ以外はごめんです。だから今日のところはこれで失礼します、いまあなたとこうしていてもしようがないですよ」

「とんでもない！　どうしてそんなことを！　いったいあなたに何を尋問するんです」とっさに笑うのをやめて、調子も態度もがらりと変えて、ポルフィーリイ・ペトローヴィチはあわててのどをつまらせながら言った。「まあ、どうぞ、ご心配なく」彼はまたせかせかとあちらこちらへ歩きだしたかと思うと、とつぜんしつこくラスコーリニコフに椅子をすすめたりしながら、ちょこまかしだした。「時間はありますよ、時間はたっぷりあります。そんなことはみならちもないことですよ！　わたしは、それどころか、あなたにやっと来てもらえたことが、うれしくてたまらないんですよ……わたしはあなたをお客として迎えています。ロジオン・ロマーヌイチ、不躾《ぶしつけ》に笑ったことは、どうかかんべんしてください。ロジオン・ロマーヌイチ？　たしかこうでしたね、あなたの父称は？……わたしは神経質なものですから、あなたのピリッとわさびのきいた言葉にはすっかり笑わされてしまいましたよ。どうかすると、ほんと、ゴムまりみたいにはじきかえって、三十分も笑いつづけることがあるんですよ……笑いによわいんですな、脳溢血《のういっけつ》の体質のくせにね、まあ、おかけくださいな、どうしたんです？……さあ、どうぞ、さもないと、気にしますよ、ほんとに怒ったんですか……」

ラスコーリニコフはまだ怒ったしかめ面《つら》をしたまま、黙って相手の言葉を聞きながら、じっと様子をうかがっていた。それでも、彼は坐った。しかし帽子は手からはなさなかった。

「ねえ、ロジオン・ロマーヌイチ、ちょっと自分のことを言わしてもらいますが、まあ性格の説明としてですね」とポルフィーリイ・ペトローヴィチはせかせかと室内を歩きまわり、また客と目の合うのをさけるようにしながら、つづけた。「わたしは、ご存じのように、ひとり者で、社交界も知らないし、名もない人間です、しかももうできあがった人間、かたまった人間です、もうぬけがらになりかけています。で……それでですね……ね、ロジオン・ロマーヌイチ、お気づきと思いますが、われわれの周囲では、つまりわがロシアではですね、特にわがペテルブルグの社会では、もし二人の頭のいい人間が、それほど深い知り合いではないが、いわば、互いに尊敬しあっている、つまりいまのわたしとあなたみたいなですね、いっしょになると、まず三十分くらいはどうしても話のテーマを見つけることができないで、――互いにこちこちになって、坐ったまま気まずい思いをしている。誰にだって話のテーマはあるんですよ、例えば、婦人方とか……上流社会の人々なんかは、いつだって必ず話のテーマをもってます、C'est de rigueur（それがきまりみたいになってるんですよ）。ところが、わたしたちみたいな中流階級の人間は、みな恥ずかしがりやで、話下手で……つまりひっこみ思案なんですね。それはどこからくると思います？　社会的な関心がないとでもいうのでしょうか、それとも正直すぎて、互いに相手を欺《だま》すのがいやなんでしょうか、わたしにはわかりません。え？　あなたはどう思います？　まあ、帽子をおきなさいよ、まるでいますぐ帰りそうな格好をなさって、見ていても気が気じゃありませんよ……わたしがこんなに喜んでるのに……」

ラスコーリニコフは帽子はおいたが、あいかわらず黙りこくって、むずかしい顔をしたまま真剣にポルフィーリイの中身のない要領を得ないおしゃべりに耳をかたむけていた。《こいつ何を言っているのだ、本気で、こんなあほらしいおしゃべりでおれの注意をそらそうとでも思っているのか？》

「コーヒーは、こんな場所ですから、だせませんが、五分くらいいっしょにいてくれてもかまわんでしょう、気晴らしになりますよ」とポルフィーリイは休みなくしゃべりつづけた。「まったく、およそこうした職務というやつは……ところで、わたしがこうしてのべつ歩きまわっていることに、どうか気を悪くなさらんでください。すみません、あなたを怒らせるのがわたしはいちばん恐《こわ》いんですよ、わたしにはただ運動が必要なだけで、別に他意はありません。坐ってばかりいますと、こうして五分ほど歩くのがうれしくてねえ……それに痔《じ》がわるいんで……なんとか体操でなおそうと思いましてね。噂《うわさ》にきくと、五等官や四等官、さらに三等官なんておえら方でさえ、好んで縄《なわ》とびをやっているそうですよ。まったく、科学ですからな、現代は……ところで、ここの職務や、尋問や、その形式ということですがね、……そら、あなたはいま尋問のことをおっしゃったでしょう……これは実際、ロジオン・ロマーヌイチ、この尋問というやつはときによると、尋問されるほうよりも尋問するほうを迷わせることがあるものですよ……このことはいまあなたが、ずばりと皮肉に言ってのけましたが、まったくそのとおりです（ラスコーリニコフはそんなことはぜんぜん言わなかった）。迷ってしまいます！　実際、迷ってしまいますよ！　それにいつも同じことばかり、のべつ同じことのくりかえし、まるで太鼓をたたいているようなものですよ！　この頃《ごろ》は改革が行われているでしょう。われわれもせめて名称だけでも変えてもらいたいと思いますよ。へ！　へ！　へ！　ところでわれわれ司法官の方法ですが、——あなたの鋭い表現をかりればですな、——これはまったくあなたのご意見に賛成です。まあどんな被告でも、もっともにぶい百姓だって、例えば、はじめは無関係な質問をやつぎ早にあびせておいて（あなたのみごとな表現をかりればですな）、そのうちにとつぜん脳天にがんとくらわせるくらいのことは、ちゃんと承知してますよ。がんと、斧《おの》の背でね、へ！　へ！　へ！　脳天にですよ、あなたのみごとな比喩《ひゆ》によればね！　へ！　へ！　あなたは本気でそんなことを考えたんですか、つまりわたしが住居の話であなたを……へ！　へ！　皮肉な人ですよ、あなたも。まあ、そんなことはしませんよ！　あ、そうそう、ついでにひとつ、どうも、しゃべったり考えたりしていると、よくまあ次々と言葉や考えがでてくるものですねえ、——あなたはさっき形式のことも言われましたな、ほら、尋問のですよ……形式とはいったい何でしょう！　形式なんて、たいていの場合、くだらんものですよ。ときには、友だちとして話しあうだけのほうが、ずっと有利なこともあります。形式は決して逃げて行きません、その点はどうかご心配なく。それに、うかがいますが、本当のところ形式とは何でしょう？形式で予審判事の動きはしばしばられませんよ。予審判事のしごとは、いわば、自由な芸術ですからな、一種のね、いや似て非なるものかな！……へ！へ！へ！……」

ポルフィーリイ・ペトローヴィチはちょっと息をついだ。彼は疲れも知らずに、とめどなくしゃべった。意味もなくばかげたことを言っているかと思うと、不意に何か謎めいた言葉をもらし、すぐにまたばかげた話にまぎれこんでしまうというぐあいだった。彼はもうほとんど走るように部屋の中を歩きまわっていた。ふとった小さな足をますます早くちょこまかうごかし、うつむいたまま、右手を背にあて、左手をたえず振りまわしたり、さまざまなジェスチュアをしたりして、歩きまわった。そのジェスチュアがまたそのつど彼の言っていることとあきれるほどそぐわなかった。ラスコーリニコフは不意に、彼が部屋の中を走りまわりながら、二度ほどドアのそばにちょっと足をとめて、何かに耳をすますような様子をしたことに気づいた……《やつめ、何かを待っているのかな？》

「あれはたしかに、まったくあなたの言うとおりですよ」とポルフィーリイはまた、楽しそうに、異常なほど無邪気な目でラスコーリニコフを見ながら（そのためにこちらはぎょっとして、とっさに心を構えた)、急いで言った。「法律上の形式というやつを、あなたは実にしんらつに嘲笑されたが、まったくそのとおりですよ、へ、へ! どうもこの(もちろん、全部じゃありませんがね)われわれの深遠な心理的方法というやつは、まったく滑稽《こっけい》ですよ、それに、おそらく無益でしょうな、形式にあまりこだわれば。おや……また形式にもどってしまった。さて、わたしが担当を命じられたある事件の犯人として、誰でもいいですが、まあ仮に誰かを認めた、というよりは、むしろ疑いをかけたとします……たしかあなたは、法律をやっておられたはずでしたね、ロジオン・ロマーヌイチ?」

「ええ、勉強はしました……」

「じゃちょうどいい、あなたの将来の参考として、判例といったものをひとつ、——といって、図々《ずうずう》しいやつだ、おれに教える気か、なんて思われちゃこまりますよ。現に、あなたはあんなりっぱな犯罪論を発表しておられるんですからねえ! とんでもない、わたしはただ、事実として、判例を申しあげるだけですよ。——さて、わたしが誰かを容疑者と認めるとします。そこでひとつうかがいますが、たとえわたしが証拠をにぎっていたとしてもですよ、時機のこないうちに当人をさわがせる必要があるでしょうか? そりゃ、相手によっては早く逮捕しなきゃならん場合もありますが、そうでない性質の容疑者もいますよ、ほんとです。そんなやつはしばらく街を泳がせておいても、別にどうってことはありませんからな、へ、へ！　いやいや、どうやら、よくおわかりにならんようですな、じゃもっとはっきり申しあげましょう。例えばですよ、もしわたしがやつをあまり早く拘留すればですね、それによってやつに精神的な、いわば、支えをあたえることになるかもしれませんからねえ、へ、へ！　おや、あなたは笑ってますね？（ラスコーリニコフは笑うなど思いもよらなかった。彼は坐ったまま、口をかたく結んで、充血した目をポルフィーリイ・ペトローヴィチの目からはなさずに、じっとにらみつけていた）。ところが、そうなんですよ、相手によっては特にね、人はさまざまですからねえ、何ごとも要は経験ですよ。あなたはさっき証拠と言われましたな。そのとおりです、仮にそれが証拠としてもですね、証拠なんてものは、あなた、たいていはあいまいなものですよ。予審判事なんて弱いものです。告白しますが、そりゃ審理は、いわば、数学的にはっきりさせたいですよ。二たす二は――四になるような、そういう証拠を手に入れたいと思いますよ！　ずばり異論の余地ない証拠をね！　で、やつを時機を待たずに拘留すればですね、――たとえわたしがそれがやつであることを確信していてもですよ、――おそらくわたしは、さらにやつの罪証をあばく手段を自分で自分からうばうことになるでしょう。なぜ？　つまり、それによってわたしはやつに、いわば、ある一定の立場をあたえることになり、いわば心理的に安定させてしまうからです。そこでやつはわたしから逃れて、自分の殻《から》の中にとじこもってしまいます。ついに、自分が被拘束者だとさとるわけです。また噂に聞いたのですが、セワストーポリでは、アリマの戦争の直後、敵がいまにも正面攻撃をかけてきて、一挙にセワストーポリ要塞《ようさい》をおとすのではないかと、識者たちはびくびくしていたそうです。ところが、敵は正攻法の包囲作戦をえらび、前線に平行壕《ごう》を構築しているのを見て、彼らは大いに喜び、ほっとしたということです。正攻法の包囲作戦をやっていたのでは、少なく見ても二カ月は大丈夫というわけです！　おや、また笑ってますね？　また信じないんですね？　そりゃむろん、あなたも正しいですよ。正しいですよ、正しいですとも！　これはみな特殊の場合です、たしかにそのとおりですよ！　いまあげた例はたしかに特殊の場合です！　でも、ロジオン・ロマーヌイチ、この際つぎの事実に注視すべきではないでしょうか。つまり一般的な場合というものは、つまりあらゆる法律上の形式や規則が適用され、それらのものの考察の対象となり、判例として記録されるような、そうした場合のことですがね、ぜんぜん存在しませんね。というのはあらゆる事件は、まあどんな犯罪にしてもそうですが、それが現実に発生すると、たちまち完全に特殊な場合にかわってしまうからですよ。しかもときには特殊も特殊、まるで前例のないようなものにね。またこの種の例で、ときにはふきだしたくなるようなことが起ることもありますよ。まあ仮に、わたしがある男を勝手に泳がせておくとしましょう。拘束もしないし、邪魔もしません。が、その男にそれこそ四六時中、わたしがいっさいの秘密を知っていて、夜も昼もたえず尾行し、監視の目を光らせていると、知らせるか、あるいは少なくとも疑惑をもたせるようにしむけるわけです。つまり意識的にたえずわたしに狙《ねら》われているという疑惑と恐怖の下においておくわけです、すると頭がくらくらになって、ほんとですよ、向うからひっかかってきたり、それこそ二たす二は四みたいな何かをやらかして、はっきりした物証をのこしてくれたりするものです。――おもしろいですよ。これは頭の雑な百姓にさえあるんですから、ましてわれわれの仲間、つまり現代感覚をもつ頭脳明晰《めいせき》な人間、しかもある方向に発達している人間には、なおさらのことですよ！だから、その人間がどの方向に発達しているかってことを見ぬくのが、実に重大な意味をもつわけです。それから神経ですよ、神経という曲者《くせもの》、あなたはこいつをすっかり忘れていたようですね！まったくこいつは現代病ってやつで、やせこけて、苛々してますよ！……それも胆汁《たんじゅう》のせいですが、これがまた彼らにはどれほどあるやらわかりゃしない！まったくこいつは、まあ何ですな、ときによると一種の鉱脈みたいなものですよ！　だからわたしは、その男が縄もつけられないで勝手にぶらぶら街を歩きまわっていても、ちっとも心配はありませんよ！　なに、しばらく遊ばせておきゃいいんですよ。そうでなくともわたしは、そいつがわたしの獲物《えもの》で、どこへも逃げて行かないことを、ちゃんと知ってるんですよ！　それにどこへ逃げますかな、へ、へ！　外国へでも逃げますか？　外国へ逃げるのはポーランド人ですよ、やつじゃありませんな。ましてわたしが監視してるし、手をうってあるんでね。じゃ、祖国の奥深くへでも逃げこみますか？　ところがそこには百姓どもが住んでますよ、土の虫みたいなほんもののロシアの百姓がね。まあ教養ある現代人なら、わがロシアの百姓みたいな異国人といっしょに生活するくらいなら、いっそ監獄をえらぶでしょうな、へ、へ！　でもこんなことはみなつまらんことですよ、外面的なことです。逃げるとは、どういうことでしょう！　それは形の上のことです。実体はちがいます。逃げる先がないということだけで、逃げないんじゃありませんよ。その男は心理的にわたしから逃げないんですよ、へ、へ！　どうです、おもしろい表現でしょう！　その男は、たとえ逃げる先があっても、自然の法則によってわたしから逃げないんですよ。ろうそくの火によってくる蛾《が》を見たことがありますか？　まあ、あれですよ、蛾がろうそくの火のまわりをまわるみたいに、たえずわたしのまわりをぐるぐるまわっているんですよ。そのうちに自由が喜びでなくなる、考えこみはじめる、頭が混乱してくる、蜘《く》蛛《も》の巣にひっかかったみたいに、自分で自分をしばりあげ、自分を見つめるのが恐くなる！……そのうえ、二たす二は四みたいな何らかの物証を、自分からすすんでわたしに用意してくれるんですよ、——ただ幕間《まくあい》をちょっとだけ長くしてやりさえすればね……たえず、それこそ休みなく、わたしのまわりに円を描きながら、しだいに輪をせばめてきて、ついに——往生というわけです！　いきなりわたしの口にとびこんでくる、そこでわたしは呑《の》みこむ、これは実に愉快なものですよ、へ、へ、へ！　信じられませんかね？」

ラスコーリニコフは答えなかった。彼はやはり張りつめた目でじっとポルフィーリイの顔をにらみつけたまま、蒼白《そうはく》な顔をして身じろぎもせずに坐っていた。

《みごとな講義だ！》と彼は寒気をおぼえながら、考えた。《これはもはや昨日のように、猫《ねこ》がねずみをなぶっているどころじゃない。それにやつは意味もなく自分の力をおれにひけらかして……ひそかに暗示しているとは思われぬ。それには頭がよすぎる。これにはほかの目的があるのだ、ではどんな？　おい、くだらんぞ、きみ、おれをおどかして、ひっかけようとしても、そうはいかん！　きみには証拠がないし、昨日の男だってこの世にいやしないんだ！　きみはおれの頭を混乱させようとしているだけさ。まずおれを苛々させておいて、そこでとつぜんしっぽをおさえようというのだ。嘘《うそ》ばかりついてさ、そうはいかんよ、しくじるにきまってるね！　しかしなぜ、いったいなぜこれほどまでおれに暗示するのだろう？……おれの病的な神経に望みをかけているのか？……だめだよ、きみ、むだだよ、すこしぐらいの用意をしたところで、そうはいかんよ……どれひとつ、どんな用意をしたのか、見てやろう》

そこでラスコーリニコフはどうでるかわからぬおそろしい破局にそなえながら、全力をふりしぼって心をひきしめた。ときどき彼はいきなりポルフィーリイにとびかかって、ひと思いにしめ殺してやりたい衝動にかられた。彼はここへ来たときから、もうこの憎悪をおそれていたのだった。彼は唇《くちびる》がかさかさに乾いて、心臓がはげしく高鳴り、泡《あわ》が唇に焼けつくのを感じた。それでも彼は沈黙を通して、時がくるまで一言も口をきかぬ決意をした。彼は自分の置かれた立場としてこれが最良の策であることをさとった。なぜなら、うっかりへまなことを言う心配がないばかりか、かえって、沈黙によって敵を苛立たせて、向うが口をすべらせてくれるかもしれないからだ。少なくとも彼はそれを当てにしていた。

「いや、あなたは信じないようだ、わかりますよ。わたしが悪気のない冗談ばかりならべていると思っていなさるらしい」ポルフィーリイはますます陽気になり、満足そうにたえずヒヒと笑いながら、ひとりでうなずいて、また室内を歩きまわりはじめた。「そりゃむろん、そう思うのが当然ですよ。なにしろわたしは見てくれがこんなふうに神にさずかったのでねえ、他人に滑稽な感じしか起させないんですよ。道化ですな。でも、ねえ、ロジオン・ロマーヌイチ、何度も言うようですが、老人は大目に見てやるものですよ。あなたはお若い、いわば第一の青春だ、だからすべての若い人たちの例にもれず、人間の叡知《えいち》というものを何よりも高く評価しておられるはずだ。だから鋭い皮肉や抽象的な論拠に誘惑される。それは、例えばオーストリヤの三国同盟会議とまったく同じですね。もっともこれはわたしのとぼしい軍事知識による判断ですがね。紙の上では彼らはナポレオンを粉砕し、捕虜にしましたよ。そして作戦室では実に鋭い奇策を弄《ろう》して、敵を苦境においこみました。ところが実際はどうでしょう、マック将軍は全軍をひきいてもろくも降伏してるじゃありませんか、へ、へ、へ！　わかりますよ、わかりますよ、ロジオン・ロマーヌイチ、わたしがこんな文官のくせに、戦争の歴史からばかり例をひくんで、あなたは嘲笑《あざわら》っていますね。でもしようがないんですよ、困ったもので、どういうものか軍事問題が好きなんですよ、こうした戦闘報告を読むのがたまらなく好きなんです……わたしはまったく道の選択をあやまりましたよ。軍人になっていたらと思いますよ、まったく。まさかナポレオンまでいかんでしょうが、少佐くらいにはなったかもしれませんな、へ、へ、へ！冗談はさておいて、ロジオン・ロマーヌイチ、ここらでその、何ですか、つまり特殊な場合というものについて、くわしいありていをお話しましょう。現実と自然というものは、ですね、きわめて重要なものです、それはときによると底の底まで見通した計画をもいっぺんにくずしてしまうことがあります！まあまあ、年寄りの言うことを聞きなさいよ、まじめな話ですよ、ロジオン・ロマーヌイチ（こう言うと、やっと三十五になったばかりのポルフィーリイ・ペトローヴィチが実際に急に年寄りじみて、声まで変り、どういうものか身体ぜんたいが前屈《まえかが》みにちぢこまって見えた）、おまけにわたしはあけっぴろげな男でねえ……わたしはあけっぴろげな男でしょう、ちがいますか？どう思います？わたしはまるきりあけっぴろげだと思うのですがねえ。こんないいことをただであなたに教えて、お礼も要求しないのですからな、へ、へ！まあ、というわけで、先をつづけましょう。鋭い頭脳というものは、すばらしいものだと思います。それは、いわば、自然の装飾、生活の慰めです。そしてそれはまったくみごとな手品を見せてくれることがあります。そこらのみじめな予審判事にはとてもそのトリックは見破られそうにありません。まして自分でつくりあげた幻想に酔っていてはですね、もっともこれはよくあることです。なにしろ予審判事だって人間ですからねえ！　そこで自然というやつがあわれな予審判事を救い出してくれるんです、こいつが始末がわるいんですよ！　ところがここまでは、自分の鋭い頭脳に酔って、《いっさいの障害を踏みこえようとしている》（あなたの実に奇知に富んだ巧みな表現を借りればですな）青年も考えません。そこでその青年が、嘘をつくとしましょう。つまりある男のことですがね、特殊な場合の例ですよ、むろん名前は秘しますよ。実に巧みな方法で、みごとに嘘をつきます。そしてもう勝利を手にし、自分の鋭い頭脳の成果を楽しむことができそうに思われます。ところがその寸前、ばったり、というわけです！　しかももっとも気になる、もっとも恥ずべき場所で、失神してしまうのです。それは病気のせいとしましょう。まあ室内が息苦しいこともあるでしょう。それにしてもです！　やはりあるヒントはあたえたことになります！　類《たぐ》いなくみごとに嘘はついたが、自然の本性というものを計算に入れる能力がなかったのです。まあこれが、奸知《かんち》の限界ですね！　またあるときは、自分の頭脳の気まぐれに酔って、自分を疑っている男をからかいだし、わざと、芝居をしているみたいに、蒼白になってみせる、ところがその蒼白になり方があまりにも自然すぎて、あまりにもほんものらしく、これもまたあるヒントをあたえる！　一度は欺しても、こちらだってそうそう馬鹿《ばか》じゃないから、一晩かかってじっくり考える。まったく、一歩一歩がこういうことの連続です！　それに世話はありませんよ、勝手に先まわりしては、呼ばれもしないところへ顔を出してみたり、かえって黙っていなければならないようなことを、ぺらぺらしゃべりだしたり、いろんな謎みたいなことを言ったりしてくれるんでね、へ、へ！　そのうちに自分からやってきて、どうしていつまでもおれを逮捕しないんだ、なんて聞くようになりますよ。へ、へ、へ！　しかもこれはもっとも頭脳の鋭い人間にあり得ることなんですよ、心理学者とか、文学者とか！　自然は鏡ですよ、鏡ですよ、もっともよく澄んだね！　それに自分を映して、つくづく見惚《みと》れるんですな、それでいいんですよ！　おや、どうしました、真《ま》っ蒼《さお》ですね、ロジオン・ロマーヌイチ、空気がにごりましたか、窓でもあけましょうかね？」

「いや、ご心配なく、どうぞ」と叫ぶように言うと、ラスコーリニコフはとつぜんけたたましく笑いだした。「どうぞ、ご心配なく！」

ポルフィーリイは彼のまえに立ちどまると、ちょっと間をおいて、自分も不意に、彼につづいて、大声で笑いだした。ラスコーリニコフは急にそのまったく発作的な哄《こう》笑《しょう》をぴたっととめると、ソファから立ちあがった。

「ポルフィーリイ・ペトローヴィチ！」彼は足がふるえて立っているのがやっとだったが、大きな声ではっきりと言った。「ぼくはやっとはっきりわかりましたよ、あなたがあの老婆とその妹リザヴェータ殺害の件で、ぼくをはっきり黒とにらんでいることが。ぼくとしては、はっきり言いますが、そういうことはもうとうにうんざりしています。もし正当にぼくを追及する権利があると認めるなら、追及しなさい。逮捕するなら、逮捕しなさい。しかし面と向って嘲笑したり、苦しめたりすることは、許しません」

不意に彼の唇はふるえだし、目ははげしい憤《いきどお》りに燃えたって、それまでおさえていた声が甲高《かんだか》くうわずった。

「許しません！」不意にこう叫ぶと、彼はいきなり拳《こぶし》で力まかせにテーブルをたたいた。「聞いてるんですか、ポルフィーリイ・ペトローヴィチ？　許しませんぞ！」

「いやどうも、おどろきましたね、どうしたんです、また急に！」と、すっかり度胆をぬかれたらしく、ポルフィーリイ・ペトローヴィチは叫んだ。「ねえ！　ロジオン・ロマーヌイチ！　まあまあ！　落ち着いて！　いったいどうしたんです？」

「許さん！」ともう一度ラスコーリニコフは叫ぼうとした。

「まあまあ、もうちょっと静かに！　人が聞きつけて、とんで来ますぞ！　そしたら何と言います。すこしは考えなさい！」ポルフィーリイ・ペトローヴィチは自分の顔をラスコーリニコフの顔にふれあうほどに近よせて、びくびくしながら囁《ささや》いた。

「許さん、許さん！」とラスコーリニコフも急に声をひそめて、機械的にくりかえした。

ポルフィーリイはくるりと振りむいて、窓をあけに走って行った。

「空気を入れましょう、新鮮な空気を！　そう、水をすこし飲むといいですよ、軽い発作ですからね！」

そう言って彼は、水を言いつけに戸口にかけ出そうとしたが、いいぐあいに、すぐそこの隅に水を入れたフラスコがおいてあった。

「さあ、お飲みなさい」と彼はフラスコをもって彼のほうへかけよりながら、囁くように言った。「きっと楽になりますよ……」

ポルフィーリイ・ペトローヴィチのおどろきとこまかい思いやりがいかにも自然だったので、ラスコーリニコフは思わず口をつぐみ、はげしい好奇の目で相手を見まもりはじめた。しかし、水は飲もうとしなかった。

「ロジオン・ロマーヌイチ！　さあそんなことをしていると、自分を気ちがいにしてしまいますよ、ほんとですよ、さあ！　ね！　お飲みなさい！　お飲みなさいよ、ちょっぴりでもいいから！」

彼はこうして水のコップを無理にラスコーリニコフの手ににぎらせた。ラスコーリニコフは無意識にそれを口もとへもっていきかけたが、はっと気がついて、けがらわしそうにそれをテーブルの上においた。

「ねえ、うちでも発作を起しましたね！　こんなことをしてると、また病気をぶりかえしますよ」とポルフィーリイ・ペトローヴィチは親身の思いやりを示しながら、くどくどと言いだしたが、まだショックからぬけきらない様子だった。「やれやれ！　どうしてこうあなたは自分の身を粗末にするんでしょう？　そうそう、昨日ドミートリイ・プロコーフィチがうちへ来ましてね、――ええ、そうですとも、わたしがとげのあるいやな性分なことは、自分でも認めますよ。ところで、彼らがあれからどんな結論をだしたと思います！……まったく、おどろきましたよ！　昨日、あなたが帰ったあと、またやって来ましてね、いっしょにめしを食いながら、いやしゃべるしゃべる、わたしはあきれてぽかんとしてましたよ。こいつ、どうかしたんじゃないか……と思いましてね。あいつはあなたの使いで来たんですか？　どうしました、おかけください、まあちょっとだけ、どうぞ！」

「いや、ぼくはやりません！　でも彼があなたのところへ行ったことも、なぜ行ったかも、ぼくは知ってましたよ」とラスコーリニコフはたたきつけるように答えた。

「知っていたんですか？」

「知ってましたよ。で、それがどうかしましたか？」

「いやなに、わたしもね、ロジオン・ロマーヌイチ、そんなんじゃないもっと大きなあなたの行為を知ってますよ。何でも知っているんですよ！　あなたが部屋を借りに出かけたこともね。もう日が暮れて大分たった頃でしたね、呼鈴《よびりん》を鳴らしてみたり、血のことを聞いたりして、職人や庭番をびっくりさせましたね、そうでしょう。そのときのあなたの心理状態も、わかるんですよ……でもやはり、こんなことをしていると、あなたは自分を気ちがいにするだけです、ほんとですよ！　頭がくらくらしてきます！　はじめは運命から、次いで警察の連中からあたえられた侮辱のために、あなたの胸の中には憤りが、名を惜しむ憤りがはげしくたぎって、そのためにあなたはそこらじゅうを狂いまわって、いわば、早くみんなに口を割らせて、ひと思いにかたをつけてしまおうとします。だってこんなばかばかしいことや、疑いの目で見られることは、もううんざりだからです。どうです？　心理をうまく読みあてたでしょう？……ただあなたはこうして、わたしの家で、自分ばかりでなく、ラズミーヒンの頭までおかしくしたんですよ。ご存じのように、あの男はこうしたことに堪えるにはあまりにも善人すぎるんですよ。あなたには病気があり、あの男にはほとけ心があります。ところでこの病気ってやつがあの男にうるさくねばりつくんです……わたしは、あなたの気持が落ち着いたら、ゆっくり話すつもりですが……まあ、おかけなさいな、ええ、わるいことは言いません！　どうぞ、ちょっとお休みなさい、まるで顔色がありませんよ。ま、ちょっとおかけなさい」

ラスコーリニコフは腰をおろした。ふるえは去った。そして身体中が熱っぽくほてってきた。彼は深いおどろきにつつまれて、びくびくしながら親身に世話をやくポルフィーリイ・ペトローヴィチの言葉に、じっと耳をすましていた。しかし彼は、信じたいと思う不思議な誘惑を心のどこかに感じていたが、その言葉を一言も信じはしなかった。貸間云々《うんぬん》というポルフィーリイの思いがけぬ言葉は完全に彼の胆をつぶした。《どうしてあれを、さては、あそこへ行ったことを知ってるんだな？》という考えが不意にうかんだ。《それにしても、わざわざ自分から言い出すとは！》

「そうそう、わたしたちのあつかった判例の中に、ちょうど同じような事件がありましたよ、やはり心理的な、じめじめした事件ですがね」とポルフィーリイは早口につづけた。「これもある男が自分を殺人犯にしてしまったのですがね、そのやり方が念が入ってるんですよ。幻覚で見たことをすっかりならべたて、事実を述べ、殺人の状況を詳しく説明して、みんなを煙《けむ》にまき、一人のこらず迷わされてしまったんですよ、ところがどうでしょう？　その男は、まったく偶然に、殺人の原因の一部になっていたんです。ほんの一部にすぎないのですが、犯人たちに殺人の動機をあたえたことを知ると、その男はすっかりふさぎこんで、頭がおかしくなり、幻覚になやまされるようになり、完全に神経が犯されてしまって、自分で自分が殺人犯だと思いこんでしまったというわけです！　結局、最高裁判所が事件を解明して、あわれな男は無実を証明され、保護されることになりました。まったく、最高裁さまさまですよ！　実際、ありがたいものです！　あなたも、こんなことをしていたらどうなります？　もう神経を苛々させる傾向があらわれているんですから、毎夜呼鈴を鳴らしに出かけたり、血のことを聞くようになったりして、熱病にとりつかれるくらいがおちですよ！　この心理現象はわたしが実地に研究したんだから、まちがいありません。このまま放《ほう》っておくと、ややもすると窓や鐘楼からとびおりるようなことになるんですよ、ひきよせられるような気持になりましてね。呼鈴のことだって同じです……病気ですよ、ロジオン・ロマーヌイチ、病気ですよ！　あなたは自分の病気を軽く見すぎますよ。経験ある医者に相談してみることですね。あなたの友人のあのふとったの、あんなのじゃだめですよ！……あなたは幻覚にとらわれています！　あなたのしていることはみな幻覚のせいなんですよ！……」

急に、ラスコーリニコフのまわりのものがみな、ぐるぐるまわりだした。

《果して、果して、この男はいまも嘘をついているのだろうか？》という考えがちらと彼の頭をかすめた。《そんなことはあり得ない、あり得ない！》彼はあわててその考えをおしのけようとした。彼は、その考えが自分をどれほどの狂おしい憤怒につきおとすかもしれぬ、そうなったら発狂しかねない、と予感したのである。

「あれは幻覚じゃなかった、正気だった！」彼はポルフィーリイの腹を読もうと判断力のすべてを集中しながら、叫んだ。「正気だった、正気でやったんだ！　聞いてるんですか？」

「ええ、聞いてますとも、わかりますよ！　あなたは昨日も、幻覚じゃないと言ってましたね、幻覚ではないことを、特にしつこく強調しました！　あなたの言いそうなことは、すっかりわかりますよ！　ほんとですよ！……でもね、いいですか、ロジオン・ロマーヌイチ、まあこれだけでも聞いてください。いいですか、あなたが実際に、ほんとうにですよ、この呪《のろ》わしい事件の犯人か、あるいは何らかの関係があるとしたら、あれは幻覚にとらわれてやったのじゃない、完全に正気でやったことだなんて、自分でわざわざ強調するでしょうか？　それもことさらに、うるさいほどしつこく強調する、——そんなことがあり得るでしょうか、まさか、とても考えられませんね！　ぜんぜんその反対じゃないでしょうか、わたしはそう思いますね。もしあなたに何かうしろめたい気持があったとしたら、それこそ、あれはぜったいに幻覚にとらわれてやったことだ、と強調するのが当然でしょうね！　そうでしょう？　そうじゃありませんか？」

この問いには何かずるいものが感じられた。ラスコーリニコフはかがみこんだポルフィーリイからソファの背にくっつくほど身をのけぞらせて、黙ってじっと、疑いの目で相手を見まもっていた。

「あるいはまた、ラズミーヒン君のことにしても、つまり彼が昨日自分で勝手にあんなことを言いに来たのか、それともあなたにたのまれて来たのか、ということですね。これだって、あなたは勝手に来たんだと言いはって、たのんだことはかくすのが当然ですよ！　ところがあなたはそれをかくそうとしない！　かえって、たのんだのだと、強調している！」

ラスコーリニコフはぜんぜんそんなことを強調したおぼえはなかった。冷たいものが彼の背筋をはしった。

「あなたの言ってることは全部でたらめだ」彼は唇をゆがめて病的なうす笑いをもらしながら、ゆっくり弱々しく言った。「あなたはまた、ぼくの筋書きはすっかり見通しだ、ぼくの返答は聞かんでもわかっているということを、ぼくに見せたいのだ」彼は言葉を吟味しなければならぬことをもう忘れていることを、自分でも感じながら、こう言っていた。「ぼくの頭を混乱させようとしている……でなければ、ただぼくを愚弄しているのだ……」

彼はこう言いながら、執拗に相手をにらみつづけているうちに、不意にまた限りない憎悪が目にもえたった。

「あなたの言うのはみな嘘だ！」と彼は叫んだ。「犯人をごまかすのにもっともいいては、かくさんでもいいことはできるだけかくさぬことだ、くらいのことは、あなた自身十分に承知しているはずです。ぼくはあなたを信じません！」

「なんて移り気な人だ！」ポルフィーリイはひひひと笑った。「とても、あなたには合わせられませんな。あなたには何かこう偏執狂じみたところがありますよ。なるほど、わたしを信じないというんですね？　ところがわたしに言わせれば、もう信じてますよ、四分の一程度ね。いいでしょう、すっかり信じるようにしてあげましょう。それというのも、ほんとうにあなたが好きですし、心からあなたの幸福をねがっているからなんですよ」

ラスコーリニコフの唇はひくひくふるえだした。

「そうです、ねがっているんですよ、だからはっきり言いますが」と彼は親しげに、ラスコーリニコフの肘《ひじ》のすこし上のあたりを軽くおさえて、つづけた。「はっきり言いますが、病気に気をつけてください。それにいまあなたのところへは、家族の人たちが来てるんですよ、少しは考えてあげなさいよ。やさしくして、安心させてあげなくちゃいけないのに、おびえさせてばかりいるんじゃ……」

「そんなことがあなたになんの関係があるんです？　どうしてあなたはそれを知ってるんです？　どうしてそんなに気になるんです？　なるほど、あなたはぼくをつけまわしているんですね、それをぼくに見せたいんでしょう？」

「何を言うんです！　これはみなあなたじゃありませんか、あなたがわたしにおしえたんじゃありませんか！　興奮して、こちらから聞きもしないのに、わたしや他の連中にしゃべったことを、あなたは気がついていないんですね。ラズミーヒン君からも昨日いろんなおもしろいことを聞きました。いやいや、いまあなたに中断された話のつづきですが、あなたは猜疑心のために、せっかく鋭い頭脳をもっていながら、ものを見る健康な目まで失ってしまわれたのですよ。そら、例えば、また同じテーマにもどって、呼鈴のことにしてもそうです。こんな貴重な資料を、こんな事実を（まったくりっぱな事実ですよ！）、わたしはそっくりそのままあなたに打ち明けたじゃありませんか、予審判事のわたしがですよ！　それなのに、あなたはそれを何とも思っていない！　わたしがあなたを少しでも疑っていたら、わたしはこんな態度をとったでしょうか！　わたしは、反対に、まずあなたの疑惑をなくするために、この事実をもう知っているなんておくびにも出さなかったはずです。そして、あなたの注意をぜんぜん反対のほうへそらしておいて、不意に斧の背で脳天をなぐりつけ（あなたの表現を借りればですね）、矢つぎ早に《いったいあなたは夜の十時すぎ、もうほとんど十一時になろうという頃、殺された老婆の部屋へ何しに行きましたか？　どうして呼鈴を鳴らしました？　なぜ血のことを聞きました？　何のために庭番たちを面くらわせ、警察署の副署長のところへ行けなどとそそのかしました？》と問いつめて、狼狽《ろうばい》させたはずです。もしわたしがちょっぴりでもあなたに疑いをもっていたら、わたしはこういう態度をとったはずですよ。当然、形式にしたがって、あなたの調書をとり、家宅捜索をし、そのうえ、おそらく逮捕もしたでしょう……そうしなかったということは、つまり、あなたに嫌疑《けんぎ》をかけていないということですよ！　ところがあなたは健康な目を失っているので、くりかえして言いますが、何も見えないのです！」

ポルフィーリイ・ペトローヴィチにもはっきりわかったほど、ラスコーリニコフは全身をびくっとふるわせた。

「あなたの言ってるのはみな嘘だ！」と彼は叫んだ。「あなたが何をねらっているのかは、知らんが、言ってるのはみな嘘だ……さっきあなたが言ったのはそういう意味じゃなかった、ぼくはまちがうはずはない……あなたは嘘を言ってる！」

「わたしが嘘を言ってる？」とポルフィーリイは言葉をうけた。むかっとしたらしいが、いかにも楽しそうな皮肉っぽい顔はくずさず、ラスコーリニコフにどう思われようと、少しも気にしていないらしく見えた。「わたしが嘘を言ってる？……じゃ、わたしがさっきどんな態度をとったというのです（わたしは、予審判事ですよ）、そのわたしがあなたに弁護の方法をすっかり暗示して、おしえてやったじゃありませんか、《病気、幻覚、憂鬱症《ゆううつしょう》に加えて、警察の連中によるはげしい侮辱》といったぐあいに、心理的な根拠まですっかり説明してやったじゃありませんか？　え？　へ、へ、へ！　もっとも、この、——ついでだから言っておきますが、——心理的な弁護方法、言いのがれ、ごまかしというやつははなはだ根拠が薄弱で、どっちともとれるものなんですよ。《病気、幻覚、うわごと、見えたような気がした、おぼえていない》まあそれはそのとおりでしょう。ところがです、病気にかかり、熱にうかされると、どうしてほかのものじゃなく、こんな幻覚ばかり見えるんでしょう？　ほかのものも見えてもよさそうじゃありませんか？　そうでしょう？　へ、へ、へ、へ！」

ラスコーリニコフは傲然とさげすむように相手を見た。

「要するにです」ラスコーリニコフは立ちあがりながら、ちょっとポルフィーリイをおしのけて、声を荒げてかたくなに言った。「要するに、ぼくが知りたいのは、あなたがぼくを完全に嫌疑外と認めるか、否か、ですよ。それを言っていただきたい、ポルフィーリイ・ペトローヴィチ、明確にきっぱりと言っていただきたい、さあ、さあ！」

「まったく手の焼ける人だ！　実際、あなたにはかないませんな」とポルフィーリイはまったく楽しそうな、ずるそうな、すこしもあわてていない様子で叫んだ。「まったく、なんのためにあなたは知りたがるんです、なんのためにそんなにいろんなことを知りたがるんです。まだ別にあなたをわずらわしてはいないじゃありませんか！まったく、あなたはだだッ子みたいですよ。手を出して、火をくれ、くれと、だだをこねてるようなものだ！　それに、どうしてそんなに心配なんです？　どうしてわざわざおしかけて、うるさくせがむんです。何か理由があるんですか？　え？　へ、へ、へ！」

「くりかえして言うが」とラスコーリニコフは激怒して叫んだ。「もうこれ以上がまんがならん……」

「何をです？　わからないということを、ですか？」とポルフィーリイはさえぎった。

「からかうのはよしてくれ！　ぼくはいやだ！……いやだと言ってるんだ！……がまんがならんし、いやだ！……聞いてるのか！　聞いてるのか！」彼はまた拳でテーブルをなぐりつけて、叫んだ。

「まあ、しずかになさい、しずかに！　聞えるじゃありませんか！　わたしはまじめに注意するんですよ、自分をだいじにしなさい。いいかげんな気持で言ってるんじゃありませんよ！」とポルフィーリイはささやくように言ったが、今度は彼の顔に先ほどの女のように気のやさしいおびえた表情はもうなかった。それどころか、彼は眉《まゆ》をしかめ、一挙にすべての秘密とあいまいさをあばいてしまおうとでもするかのように、きびしく、ずばりと命令口調で言いきった。しかしそれも一瞬のことにすぎなかった。しかしとまどいかけたラスコーリニコフは、不意にほんものの狂憤におちいった。しかし不不思議なことに、もっとも強烈な激怒の発作にかられていたにもかかわらず、彼はまたしずかに話せという命令に従ったのである。

「ぼくはおとなしく苦しめられはしませんぞ」と彼は不意にさっきと同じおさえた口調でささやいたが、一瞬苦痛と憎悪のいりまじった気持で、命令に服従せざるを得ない自分を意識した、そしてそう思うとますますはげしい狂憤にかられてきた。「ぼくを逮捕しなさい、家宅捜索をしなさい、しかし形式にしたがってやってもらいたい、ぼくをなぶりものにすることは許しません！　笑うな……」

「まあ、形式のことはご心配なく」とポルフィーリイは先ほどのずるいうす笑いをうかべて、まるでラスコーリニコフをなぐさみものにして楽しんでいるように、言った。「わたしはね、今日はあなたを家へ招くようなつもりで招待したんですよ。ごらんのとおり、親しい友人としてね！」

「あなたの友情なんて望みませんね、まっぴらですよ！　聞いてるんですか？　さあこのとおり、帽子をもって、出て行きますよ。さあどうです、逮捕するつもりなら、なんと言います？」

彼は帽子をもって、戸口のほうへ歩きだした。

「ところで、思いがけぬ贈りものは見たくありませんかな？」ポルフィーリイはまた彼の肘のすこし上のあたりをつかまえて、戸口のそばでひきとめながら、ひひひと笑った。彼は、目に見えて、ますます楽しそうにいたずらっぽくなった、そしてそれがラスコーリニコフに完全にわれを忘れさせた。

「思いがけぬ贈りもの？　何ですそれは？」と彼は急に立ちどまって、ぎょっとしてポルフィーリイを見返しながら、尋ねた。

「思いがけぬ贈りものですよ、そら、そこのドアのかげに坐ってますよ、へ、へ、へ！（彼は官舎へつづく仕切りのしまっているドアを指さした）。逃げないように、鍵《かぎ》までかけておいたんですよ」

「それは何です？　どこに？　どれ？……」ラスコーリニコフはドアのそばへ行って、あけようとしたが、鍵がかかっていた。

「しまってますよ、これが鍵です！」

そう言うとほんとに、彼はポケットから鍵をだして、ラスコーリニコフに見せた。

「嘘ばかりつきやがって！」ラスコーリニコフはもうがまんができずに、わめきたてた。「嘘だ、罰あたりの道化め！」こう叫ぶと、彼はドアのほうへ後退《あとずさ》りはしていたが、すこしも臆《おく》した様子は見せていないポルフィーリイに、いきなりおどりかかった。

「おれは何もかも、すっかりわかってるんだ！」と彼はポルフィーリイにつめよった。

「きさまは嘘をついて、おれをじらし、おれにしっぽを出させるつもりなのだ……」

「でも、もうこれ以上しっぽも出せないでしょうよ、え、ロジオン・ロマーヌイチ。すっかり血迷いましたね。どなるのはやめなさい、人を呼びますよ！」

「嘘だ、何もでるもんか！　人を呼べよ！　きさまはおれが病気なのを知りながら、おれをからかって、激昂《げっこう》させ、しっぽを出させるつもりなのだ、それがきさまのねらいだ！　それより、実際の証拠を出せよ！　おれはすっかりわかってるんだ！　証拠なんかあるものか、きさまにあるのはくだらない、なんの価値もない推量だけさ、ザミョートフから受け売りのな！……きさまはおれの性質を知っていて、おれをじらして逆上させ、そのうえでとつぜん司祭や陪審員をもち出して、おれに泡《あわ》をふかせようとしたのさ……そいつらを待ってるのかい？　あ？　何を待ってるんだね？　どこにいるんだ？　さっさと出せよ！」

「おやおや、とつぜん陪審員とはおどろきましたねえ！　何をねぼけているんです！　これじゃあなたの言う形式もへったくれもありませんよ。あなたはことの順序をまるで知っちゃいない……形式は逃げて行きません。いまにわかりますよ！……」とポルフィーリイは戸口のほうへ耳をすましながら、呟いた。

実際に、そのときドアの向う側で人の騒ぐような気配が聞えた。

「あ、来たな！」とラスコーリニコフは叫んだ。「きさまは呼びにやったな！……やつらを待っていたのか！　時をかせいで……さあ、陪審員でも、証人でも、なんでもいい、全部ここへならべろ……さあ！　おれも覚悟はできてるぞ！　びくともせんぞ！……」

ところが、そのとき妙なことが起った。それは普通の成り行きでは、まったく考えられないことで、ラスコーリニコフも、ポルフィーリイ・ペトローヴィチも、もちろん、このような結末は予期することもできなかった。

6

あとになって、そのときのことを回想すると、ラスコーリニコフは次のような形で場面が展開したように思われるのだった。

ドアの向うの騒ぎが急に大きくなって、ドアがすこし開いた。

「どうしたんだ？」とポルフィーリイ・ペトローヴィチは腹立たしげに叫んだ。「注意しておいたじゃないか……」

一瞬、返事はなかったが、ドアのかげには何人かの人々がいて、誰《だれ》かを突きのけようとしているらしいことは、明らかだった。

「おい、どうしたんだ？」とポルフィーリイ・ペトローヴィチは不安になってくりかえした。

「未決のニコライ（訳注 ロシア南部の発音ではミコライ）を連れてまいりました」と誰かの声が聞えた。

「いかん！　向うへ連れてけ！　待たしておけ！……なんだってこんなとこへ出て来たんだ！　なんたるぶざまだ！」とポルフィーリイ・ペトローヴィチはドアのほうへかけよりながら、叫んだ。

二秒ほどほんものの争いがつづいた。ほんとにあっという間のことだった。不意に誰かが誰かを力まかせに突きのけたようなもの音がして、つづいていきなり真っ蒼《まさお》な顔をした男がポルフィーリイ・ペトローヴィチの事務室に入ってきた。

その男の様子は一見して実に異様だった。彼はまっすぐにまえのほうを見ていたが、誰の姿も目に入らないらしかった。その目にはかたい決意が光っていたが、それと同時に、まるで処刑の場にひき出されたように、死人のような蒼白《あおじろ》さが顔をおおっていた。まったく血の気の失《う》せた唇《くちびる》がわずかにひくひくふるえていた。

それはまだひどく若い男で、身なりは庶民風で、中背《ちゅうぜい》でやせぎす、頭は真ん中をまるくのこして剃《そ》りこみ、顔の輪郭は線が弱く妙にやつれた感じだった。不意に、彼に突きとばされた男が、後を追って真っ先に部屋へとびこんで来て、彼の肩をつかもうとした。それは看守だった。しかしニコライは腕をぐいとひいて、またそれをふりきった。

戸口にやじ馬が何人かむらがった。部屋に入りこもうとする者もいた。以上のことはほんの一瞬の間に起ったのである。

「向うへ行け、まだ早い！　呼ぶまで、しばらく待っとれ！……どうして呼びもせんのにこいつを連れて来たんだ？」ポルフィーリイ・ペトローヴィチはかんかんになって、いささかまごつき気味に、半分口の中でぶつくさ言った。ところがニコライは不意にひざまずいた。

「なんだおまえは?」とポルフィーリイはびっくりして叫んだ。

「わるかった! おれの罪だ! おれが殺《や》ったんだ!」不意にニコライはすこし息は苦しそうだが、かなり大きな声でこう言った。

みなあっけにとられてぼんやりしてしまったらしく、十秒ほど沈黙がつづいた。看守さえはっとして後へさがり、もうニコライのそばへ寄ろうとはしないで、無意識にドアに背をつけ、じっと立ちすくんだ。

「なんだと?」ポルフィーリイ・ペトローヴィチは一瞬の自失からさめて、思わず叫んだ。

「おれが! 殺ったんだ……」ニコライはちょっと息をついで、こうくりかえした。

「なに……おまえが……どうしたと……誰をおまえは殺したんだ?」

ポルフィーリイ・ペトローヴィチは、明らかに、狼狽《ろうばい》した。

ニコライはまたちょっと息をついだ。

「アリョーナ・イワーノヴナと、妹のリザヴェータ・イワーノヴナです。おれが……殺りました……斧《おの》で。魔がさしたんです……」彼は不意にこうつけ加えると、また黙りこんだ。彼はずっとひざまずいたままだった。

ポルフィーリイ・ペトローヴィチはじっと思いをひそめるように、しばらく突っ立っていたが、急にまたせかせかと歩きだし、頼みもしない証人たちに両手を振りあげた。彼らはさっと逃げちり、ドアがしめられた。それから彼は、隅《すみ》のほうに突っ立って茫然《ぼうぜん》とニコライに目を見はっているラスコーリニコフに、ちらと目をやると、そちらへ行きかけたが、不意に立ちどまって、じっと彼を見つめ、すぐにその目をニコライに移し、それからまたラスコーリニコフを見つめ、またその目をニコライに移したと思うと、急に、まるで何かに憑《つ》かれたように、いきなりニコライのまえへかけよった。

「どうしてきさまは魔がさしたなんて、先走ったまねをするんだ？」と彼はほとんど憎悪《ぞうお》をこめてニコライをどなりつけた。「魔がさしたか、ささんか、そんなことはまだ聞いとらん……さあ言え、きさまが殺したのか？」

「おれが殺りました……白状します……」とニコライは言った。

「ほう！　で、何で殺った？」

「斧です。予備の道具です」

「ちょッ、あわてるな！　一人でか？」

ニコライは質問の意味がわからなかった。

「一人で殺ったのか？」

「一人です。ミーチカは罪がありません、あいつのぜんぜん知らないことです」

「あわてるなと言っとるじゃないか、ミーチカのことなど聞いとりゃせん！　しようのないやつだ！……」

「じゃ、どうしてだ、おい、どんなふうにしてそのとき階段をかけ下りた？　庭番たちはおまえら二人を見たといってるじゃないか？」

「あれはごまかすために……あのとき……ミーチカと走ったんです」あらかじめ用意した返事を、急いで言おうとするように、ニコライは答えた。

「ふん、やっぱりそうだ！」とポルフィーリイは憎さげに叫んだ。「つくりごとを言ってやがる！」と彼はひとりごとのようにつぶやいた。そして不意にまだラスコーリニコフがいることに気がついた。

彼はニコライにすっかり気をとられて、ちょっとの間ラスコーリニコフのことを忘れていたらしかった。彼はいま不意にそれに気がついて、狼狽の色さえ見せた……

「いや、ロジオン・ロマーヌイチ！　失礼しました」と彼はラスコーリニコフのほうへかけよった。「ほんとに申し訳ありません。どうぞ……こんなところにいていただいても何ですから……わたしは自分でも……どうです、まったく思いがけない贈りものでしょう!……どうぞどうぞ!……」

そう言いながら、彼はラスコーリニコフの手をとって、戸口のほうを示した。

「どうやら、あなたもこれは予期しなかったらしいですな?」とラスコーリニコフはもちろんまだ何もはっきりはわからなかったが、それでももうすっかり元気をとりもどして、言った。

「まあ、あなたも予期しなかったでしょう。おや、手がひどくふるえてますね! へ、へ!」

「なに、あなたもふるえてますよ、ポルフィーリイ・ペトローヴィチ」

「わたしもふるえてますよ。あまり意外だったんでね!……」

彼らはもう戸口のところに立っていた。ポルフィーリイはラスコーリニコフが出て行くのを、じりじりしながら待っていた。

「ところで思いがけぬ贈りものってやつは、結局見せていただけないわけですな?」と不意にラスコーリニコフは言った。

「そう言う当人が、まだ歯の根があわんじゃありませんか、へ、へ! あなたも皮肉な人だ! じゃ、いずれまた」

「ぼくはこのままさようならだと思いますね！」

「それは神のみぞ知るですよ、神のみぞ知るですよ！」とポルフィーリイは妙にゆがんだうす笑いをもらしながら、呟《つぶや》いた。

事務室を通りながら、ラスコーリニコフはたくさんの目がじっと自分にそそがれているのに気づいた。彼は控室の群衆の中に、あの家の庭番二人を見分けることができた。それはあの夜、彼を警察へつき出せとそそのかしたあの二人だった。彼らは突っ立ったまま、何かを待っていた。彼は入り口の階段へ出るとすぐに、不意に背後にポルフィーリイ・ペトローヴィチの声を聞いた。振り返ると、息をきらして追いかけてくる彼の姿が見えた。

「一言だけ言っておきたかったんですよ、ロジオン・ロマーヌイチ。ほかのことは神のみぞ知るとしてですね、やはり正式にちょっと尋ねることになると思いますので……もう一度会うことになりますね、そのことですよ」

そう言って、ポルフィーリイはにこにこ笑いながら彼のまえに立ちどまった。

「そうですよ」と彼はもう一度言いたした。

彼はもっと何か言いたいのだが、なぜか言い出せない、そんな様子だった。

「ところで、ポルフィーリイ・ペトローヴィチ、先ほどの失礼はお許しください……

ちょっと興奮したもので」ラスコーリニコフはもうすっかり元気になり、きざなことを言ってみたい欲望をおさえかねて、こうきりだした。

「いや、なんでもありませんよ……」ポルフィーリイはむしろ嬉《うれ》しそうにすぐに後をうけた。「わたしだってそうですよ……まったくいやな性分《しょうぶん》です、ざんきの至りです！　じゃまたお会いしましょう。神の思召《おぼしめ》しがあれば、ぜひぜひお会いしましょうよ！……」

「そして徹底的に認識しあいますかな？」とラスコーリニコフが受けた。

「そう、徹底的に認識しあいましょう」とポルフィーリイ・ペトローヴィチは相槌《あいづち》を打つと、目をそばめて、びっくりするほど真剣な目で相手を見つめた。

「これから命名日のお祝いですか？」

「葬式ですよ」

「あ、そう、葬式でしたね！　お身体《からだ》をだいじにしてくださいよ、お身体を……」

「さあ、ぼくのほうからはあなたになんと言いましょうかな！」と言いながら、ラスコーリニコフは階段を下りかけて、不意にまたポルフィーリイのほうを振り返った。

「そう、今後ますますの成功を祈るとでも言っておきましょう。しかしなんですね、あなたのしごとはまったく喜劇ですねえ！」

「どうして喜劇でしょう?」ポルフィーリイ・ペトローヴィチも踵《くびす》を返しかけたが、すぐに耳をとがらせた。

「だってそうじゃありませんか、あの哀れなニコライをあなたは、あなた一流のやり方で、つまり心理的にですな、さんざんいじめつけ責めぬいたにちがいありませんよ。自白するまではね。夜も昼も、《おまえが殺したんだ、おまえが殺したんだ……》と、いろいろ証拠らしいものをならべたててね。ところが、いまになって自白されてみると、今度は《嘘《うそ》だ、おまえは犯人じゃない！　犯人のはずがない！　おまえはつくりごとを言っているのだ！》とまたぎゅうぎゅういわせはじめる。これで、喜劇でないと言えますか?」

「へ、へ、へ！　じゃわたしがいまニコライに、《つくりごとを言っている》と言ったことに、気がついたんですね?」

「気がついておかしいですか?」

「へ、へ！　頭が鋭いですからな、炯眼《けいがん》というやつですな。なんでも気がつく！　ほんとの軽妙な知恵ってやつですよ！　そしてもっとも滑稽《こっけい》な弦をちょいとつまむ……へ、へ！　作家の中ではゴーゴリだそうですな、この天分が最高に恵まれていたのは?」

「そう、ゴーゴリです」

「そうです、ゴーゴリですよ……じゃ、いずれまた」

「じゃまた……」

ラスコーリニコフはまっすぐ家へもどった。彼はすっかり頭がもつれ、混乱していたので、家へかえると、すぐにソファの上に身を投げて、息を休め、すこしでも考えをまとめようとつとめながら、そのまま十五分ほどじっとしていた。ニコライのことは考える気になれなかった。彼は敗北を感じていた。ニコライの自白の中には、説明のできないおどろくべき何ものか、いまの彼にはどうしても理解できない何ものかがあった。しかしニコライの自白はまちがいのない事実だった。この事実の結果は彼にはすぐにわかった。嘘がばれないはずがない、そうなればまた彼の追及がはじまるにちがいない。しかし少なくともそれまでは彼は自由だし、どうしても何か保身の策をしなければならぬ。どうせ危険はさけられぬからだ。

しかし、それはどの程度だろう？　事態ははっきりしだした。先ほどのポルフィーリイとの一幕を、ざっと、荒筋だけ思いかえしてみただけで、彼はおそろしさのあまり改めてぞっとしないではいられなかった。もちろん、彼はまだポルフィーリイの目的の全貌《ぜんぼう》は知らなかったし、先ほどの彼の計算をすっかり見きわめることはできなかった。しかし作戦の一部は明らかにされた。そしてポルフィーリイの作戦におけるこの《詰め》が彼にとってどれほどおそろしいものであったかは、もちろん、誰よりも彼がいちばんよく理解できた。もうちょっとで、彼はもう完全に、実際に、本音をはいていたかもしれぬ。彼の性格の病的な弱点を知っていて、しかも一目で彼の人間を見ぬき、確実にとらえて、ポルフィーリイはあまり意気ごみすぎたきらいはあるが、しかしほぼ正確に行動した。ラスコーリニコフは先ほど自分の身をかなり危うくしたことは、たしかだが、それでもまだ証拠をにぎられるまでにはいかなかった。いずれもまだ相対的なものにすぎない。しかし、果してそうだろうか、まだわかっていないことがあるのではなかろうか？　何か見おとしてはいないか？　今日のポルフィーリイはいったいどのような結果に導いていこうとしたのだろう？　実際に彼には何か準備があったのか？　とすれば、それは何か？　ほんとに彼は何かを待っていたのだろうか、それともただそう思われただけか？　ニコライによって思いがけぬ幕切れが来《こ》なかったら、今日はいったいどんな別れ方をしていたろう？

　ポルフィーリイは手のうちをほとんどすべて見せてしまった。もちろん、冒険ではあったろうが、しかし見せた、そして実際にもっと何かにぎっていたら、それも見せてくれたにちがいない（ラスコーリニコフはそんな気がしてならなかった）。あの

《思いがけぬ贈りもの》とは何だろう？　ただからかっただけだろうか？　それとも何か意味があったのか？　あのほのめかしのかげには、何か証拠のようなもの、有力なきめ手のようなものがかくされていたのではあるまいか？　昨日の男か？　あいつはどこへ消えてしまったのだろう？　今日はどこにいたろう？　たしかに、ポルフィーリイが何か有力な手がかりをにぎっているとすれば、それはきっと、昨日のあの男が一枚かんでいるにちがいない……

彼はうなだれ、膝《ひざ》に肘《ひじ》をつき、両手で顔をおおったまま、じっとソファに坐《すわ》っていた。神経質そうな小刻みなふるえがまだ彼の全身につづいていた。とうとう、彼は立ちあがると、帽子をつかみ、ちょっと考えてから、戸口のほうへ歩きだした。

彼はどういうわけか、少なくとも今日だけはまず危険がないと考えてよさそうだ、という予感がした。不意に彼は心の中にほとんど喜びといえるような感情をおぼえた。彼は早くカテリーナ・イワーノヴナのところへ行きたくなった。葬式には、むろん、もうおくれたが、法事には間に合うだろう。そしてそこで、もうじき、ソーニャに会える。

彼は立ちどまって、ちょっと考えた。病的な作り笑いが彼の唇をゆがめた。

「今日だ！　今日だ！」と彼はひそかにくりかえした。「そうだ、今日こそ！　ぜったいに……」

彼がドアを開けようとすると、不意にドアがひとりでに開きはじめた。彼はぎょっとして、後退《あとずさ》った。ドアはゆっくり音もなく開いて、不意に一人の男の姿があらわれた——地の底から湧《わ》きでたような昨日のあの男である。

男はしきいの上に立ちどまって、黙ってラスコーリニコフを見つめると、一歩部屋へ入った。男は格好も着ているものも、まったく昨日と同じだったが、顔と目にははげしい変化があらわれていた。彼はなんとなくしょんぼりした様子で、しばらく佇《たたず》んでいたが、やがてほうッと深い溜息《ためいき》をついた。その様子は、掌《てのひら》を頰《ほお》にあて、頭をよこにかしげさえしたら、それこそ女にまちがうほどだった。

「何用です？」とラスコーリニコフは蒼白《そうはく》になって尋ねた。

男はしばらく黙っていたが、とつぜん頭が床につくほど深く腰をかがめて、ラスコーリニコフにお辞儀をした。少なくとも右手の指は床にふれた。

「どうしたんです？」とラスコーリニコフは叫んだ。

「わるいことをしました」と男はしずかに言った。

「何が？」

「わるい考えをおこしまして」

二人はじっと顔を見合せていた。

「腹が立ったんです。あなたがあそこへ来たとき、おそらく酔っていたんでしょうが、庭番たちに警察へ行けとそそのかしたり、血のことを聞いたりしました。わたしはあなたを酔っぱらいでかたづけて、黙っているのが、しゃくになったんです。無性《むしょう》に腹が立って、夜もねむれませんでした。そこで、住所をおぼえていたので、昨日ここへ訪ねてきて、聞いたわけです……」

「誰が訪ねて来たんです？」ラスコーリニコフはとっさに記憶をたぐりはじめながら、こう聞きかえした。

「わたしですよ、あなたに無礼なことをしました」

「じゃあなたは、あの家に？」

「そうです、あの家に住んでいます。あのときはちょうど門のそばにいっしょにいたものですから、もうお忘れですか？　昔から、あそこにしごと場をもっておりまして。毛皮の職人で、家で注文のしごとをしています……なんとしてもむかっ腹が立ってならなかったんですよ……」

すると不意にラスコーリニコフの脳裏に、一昨日《おととい》の門のところの場面がまざまざとよみがえった。庭番のほかに、さらに何人かの人々、女も何人かいたことを、彼は思いだした。かまわないから交番へつき出せ、とどなったひとつの声を、彼は思いだした。彼は言った者の顔を思いだせなかったし、いま会っても気がつかないだろうが、あのときその男のほうを向いて、何か言ったことまで、彼はおぼえていた……

なるほど、それで、昨日のあの恐怖はすっかり解決されたわけだ。いま考えてもいちばんぞっとするのは、こんなつまらないことのために、彼が実際に破滅に瀕《ひん》したことだ、危うく自分を亡《ほろ》ぼそうとしたことだ。つまり、貸間をさがしに行ったことと、血のことを聞いたこと以外、この男は何も語ることができないわけだ。とすると、ポルフィーリイにも何もない、このうわごと以外、なんの物証もない、どちらともとれるあの心理を読む以外、なんの有力な手がかりもないわけだ。してみると、このうえなんの事実もあらわれないとすれば（しかも、そんなものはもうこれ以上あらわれるはずがない、はずがない、はずがない！）、あらわれないとすれば……おれをいったいどうすることができるというのだ？　たとえ逮捕したにしても、何をきめ手としておれの罪証を決定的に示すことができよう？　しかも、こう見てくると、ポルフィーリイは今日はじめて、ついいましがた部屋の件を知ったばかりなのだ、それまでは知らなかったのだ。

「それをあなたは今日ポルフィーリイに話したのですね……ぼくが行ったことを？」

彼は不意にこう思いあたって、どきどきしながら叫んだ。

「ポルフィーリイって、どこの？」

「予審判事ですよ」

「話しました。庭番は行かなかったが、わたしは行ったんです……」

「今日ですか？」

「あなたが来るちょっとまえでした。そして、すっかり聞いてました、あなたが責めたてられるのを、すっかり聞いていたんです」

「どこで？　何を？　いつ？」

「ええ、あそこの仕切りのかげですよ、ずうっと坐《すわ》っていたんです」

「なに？　じゃ思いがけぬ贈りものというのはあなただったのか？　へえ、どうしてそんなことが？　おどろいたねえ！」

「わたしはね」と町人は話しだした。「すすめても庭番たちが、もうおそいし、それにすぐとどけなかったのを叱《しか》られるかもしれないなんて言って、行きたがらないし、いまいましくなって、夜はねむれないしで、調べだしたわけです。そして昨日かなりわかったんで、今日出頭しました。はじめ行ったときは――あのひとはいませんでした。一時間ほどして行ってみたが――会ってくれませんでした。三度目に――やっと通されたんです。わたしはあったとおりのことを、すっかりそのまま申しあげました。するとあのひとは部屋の中をひょこひょこ歩きだして、拳骨《げんこつ》で自分の胸を叩《たた》きながら、どなるんです、《おい、ごろつきども、きさまらはおれをなんて目にあわせるんだ？　そんなことを知っていたら、おれはやつをすぐさま引っ立てるんだった！》それからとび出して、誰かを呼び、隅のほうでこそこそ話しだしました。それからまたわたしんとこへ来て、いろいろ聞いたり、どなりつけたりしました。そしてこっぴどく叱られました。わたしはすっかり申しあげて、昨日のわたしの言葉にあなたが何も答えられなかったことや、あなたがわたしに気がつかなかったことなどを、話しました。するとあのひとはまたせかせかと歩きだして、のべつ自分の胸を叩《こ》いたり、どなったりしだしましたが、あなたが来たことを取り次がれると、――すぐに、仕切りのかげに入って、しばらく坐っとれ、何を聞いても、じっとしてるんだぞ、と言って、自分で椅子《いす》を運んでくれて、鍵《かぎ》をしめてしまいました。ひょっとしたら、また尋問するかもしれんからと言って。ところがニコライが連れて来られると、あなたが帰ったあと、わたしはすぐに引き出されました、そして、また呼び出して、聞くかもしれんて言われたんです……」

「で、ニコライはきみのいるところで尋問をされたかい？」

「あなたが帰されると、わたしもすぐ出されて、それから尋問がはじまったんです」

町人は言葉をきると、不意にまた指を床にふれて、深々とお辞儀をした。

「よこしまな気持をもって、中傷したりして、ほんとに申しわけありませんでした」

「神が許してくれるさ」とラスコーリニコフは答えた。

それを聞くと同時に、町人は、今度はもう床にふれるほどではなく、腰をかがめただけでぺこっとお辞儀をすると、ゆっくり踵をかえして、部屋を出て行った。

《すべてがどっちともとれる、これで何もかもあいまいになったぞ！》ラスコーリニコフはこうくりかえすと、いつになく元気よく部屋を出て行った。

《さあ、またたたかうぞ》と彼は階段を下りながら、意地わるいうす笑いをうかべて言った。憎悪《ぞうお》は彼自身に対するものだった。彼は嫌悪《けんお》と恥辱を感じながら、自分の《小心》を思いだしていた。

第五部

1

ドゥーネチカとプリヘーリヤ・アレクサンドロヴナを相手に、ピョートル・ペトローヴィチにすれば宿命的な話し合いをした翌朝は、ピョートル・ペトローヴィチにも酔いをさますような作用をもたらした。彼は、実に不愉快なことだが、昨日はまだまるで夢みたいな気がして、そうなってしまったとはいうものの、やはりとてもありそうもないと思われていたことを、しだいにもうできてしまった取り返しのつかない事実と認めざるを得なくなった。咬《か》みつかれた自尊心の黒い蛇《へび》が一晩中彼の心をしゃぶりつづけたのである。ベッドから出ると、ピョートル・ペトローヴィチはすぐに鏡を見た。一晩で顔が黄色くむくみはしなかったかと、恐れたのだ。しかしその恐れは、いまのところなかった。そして、近頃《ちかごろ》いくらか肉づきのよくなった白い品のいい自分の顔を見ると、ピョートル・ペトローヴィチは、どこかよそで、おそらくもっともっと清純な花嫁をさがしだせると、すっかり自信をもって、ちょっとの間かえって心の安らぎをおぼえさえした。しかしすぐにわれに返って、はげしくペッと脇《わき》のほうへ唾《つば》をはいた、そしてその動作は同居している若い友人のアンドレイ・セミョーノヴィチ・レベジャートニコフの顔に声には出さないが皮肉なうす笑いを招いた。ピョートル・ペトローヴィチはこのうす笑いに気づいて、すぐに腹の中でそれをこの若い友人に対する貸し勘定に加えた。彼はこの数日でこうした貸しがもうかなりの額にのぼっていた。そして急に、昨日の結果について昨日うっかりアンドレイ・セミョーノヴィチに語ってしまったが、あれはまずかったと気がついて、彼はますますむしゃくしゃしてきた。これは彼が逆上して心が留守になり、腹立ちまぎれにおかした昨日の第二のまちがいだった……それからというものは、午前中いっぱい、まるでわざとのように、次から次と不愉快なことばかり起った。元老院でまで、彼が奔走していたしごとの失敗の知らせが待っていた。わけても彼をむしゃくしゃさせたのは、間近い結婚を予想して借り、自費で造作までした住居《すまい》の家主だった。この家主は小金を貯《た》めこんだドイツ人の職人で、つい先日交わしたばかりの契約を破棄することに、がんとして頭をたてにふらず、ピョートル・ペトローヴィチが手を加えてほとんど新築のようにした住居を返すというのに、契約書に書きこんである違約金の全額を要求したのである。

家具屋にしてもまったく同じことで、購入はしたがまだ配達もされていない家具の手付金を一ルーブリも返そうとはしなかった。《家具のためにわざわざ結婚することもできまい！》とピョートル・ペトローヴィチは腹の中で歯がみをしてくやしがった、しかし同時にわらにもすがりたいせつない希望がちらとひらめいた。《しかし、果して実際にあの話は取り返しのつかないほどにこわれて、だめになってしまったのだろうか？　もう一度押してみるわけにはいかないだろうか？》ドゥーネチカのことを考えると、彼の心はまたしてもあまい針でちくりとさされた。彼は苦しい思いでこのうずきに堪えた、そしていまもし祈りだけでラスコーリニコフを殺すことができるとしたら、ピョートル・ペトローヴィチは、もちろん、即座にその祈りを唱えたにちがいない。

《まちがいはこれだけじゃない、あの二人に金をぜんぜんやらなかったことも、いけなかったのだ》彼は憂鬱《ゆううつ》な気持でレベジャートニコフのねぐらへもどりながら、こう考えた。《チエッ、なんだっておれはこんなけちなユダヤ人根性になってしまったんだ？　先を見る目さえまるでなかった！　あの二人をしばらく困らせておいて、おれを神さまみたいにありがたがるようにしむけてやろうと思っていたら、まんまと逃げられてしまった！……畜生！……まったく、あの頃からちょくちょく、まあ、結納《ゆいのう》として千五百ルーブリとか、さらに贈りものとしてさまざまな小箱類や、化粧品、宝石、布地などの品々をクノップの店や英国屋からとどけさせていたら、この話はもっときれいにいったはずだし……もっとしっかりまとまっていたに違いないんだ！　いま頃になってこんなにあっさりとはことわられなかったはずだ！　ああした人間だから、ことわるとなれば、きっと贈りものも金も返さなければと思うにちがいない。で、いざ返すとなればつらいし、それに惜しい気もするだろう！　おまけに良心も黙っちゃいまい、これまであんなに気前よく、しかも申し分なく親切にしてくれた人を、とつぜん追い出すなんて、そんなことができるだろうか？……うん！　失敗した！》

そして、もう一度歯がみをすると、ピョートル・ペトローヴィチはいきなり自分をばかとどなりつけた、――もちろん、腹の中でである。

こうした結論に達すると、彼は出かけたときより二倍も呪《のろ》わしいむしゃくしゃした気持になって帰宅した。カテリーナ・イワーノヴナの部屋の法事の支度がいくらか彼の好奇心をそそった。彼はもう昨日のうちからこの法事の噂《うわさ》をちらほら耳にしていたし、自分も招待されたようなおぼえもあった。だが、自分のことが忙しくて、ほかのことはみな聞き流していたのだった。カテリーナ・イワーノヴナが墓地へ行っていない留守に、食卓の支度を世話していたリッペヴェフゼル夫人のところへとんで行って、聞いてみると、法事は盛大に行われるはずで、ほとんどアパート中の人が招待されているとのことだった。その中には故人を知らない人までまじっており、レベジャートニコフさえ、カテリーナ・イワーノヴナとひどい喧嘩《けんか》をしたのに、ちゃんと招待されているし、それに最後に、彼ピョートル・ペトローヴィチ自身は、ただ招かれているというだけでなく、アパート中のもっともりっぱな客として、是が非でもと大きな期待をもって待たれていることを知らされた。当のアマリヤ・イワーノヴナも、これまで何度となくいがみあいをやって来たのに、やはり丁重な招待を受けたので、いまこうして指図をしたり世話をやいたりしているのが、うれしくてたまらない様子だった。おまけに彼女は喪服にはちがいないが、新しい絹の衣装をつけて、すっかりめかしこみ、それを得意そうに見せびらかしていた。こうしたすべての事実と情報はピョートル・ペトローヴィチにある考えをあたえた。そして彼はその考えにとらわれた様子で、自分の部屋へ、つまりアンドレイ・セミョーノヴィチ・レベジャートニコフの部屋へもどった。それというのも、招待された人たちの中にラスコーリニコフも交じっていることを、彼は知ったからである。

レベジャートニコフはどうした風の吹きまわしか今日は朝からずっと家にこもっていた。この男とピョートル・ペトローヴィチの間には、ある奇妙な、しかも見ようによっては自然な関係ができあがっていた。ピョートル・ペトローヴィチはここへ移って来たほとんどその日から、極度に彼を軽蔑《けいべつ》し嫌悪《けんお》していたが、そのくせいくらか彼を恐れているふうだった。彼がペテルブルグに上京してこの男の部屋に同居したのは、しみったれた節約のためばかりではなかった。もっともこれが主な理由ではあったが、そこには別な理由もあった。彼はまだ田舎にいた時分に、自分がかつて世話をしていたレベジャートニコフが、もっとも前衛的な青年進歩主義者の一人で、おまけにある種の興味ある途方もないサークルで指導的な役割を演じているという噂を聞いていた。これはピョートル・ペトローヴィチをびっくりさせた。何でも知っていて、何でも軽蔑し、何でもあばきたてる、こうした恐《こわ》いもの知らずのサークルが、もうまえまえからピョートル・ペトローヴィチには何かしら特別に恐ろしいものに思われていた。しかもそれがまったく漠然《ばくぜん》とした恐怖だった。むろん、彼としては、まだ田舎にいた頃のことだから、こうしたものについては輪郭さえもはっきりとはつかむことができなかった。彼もすべての人々と同じく、特にペテルブルグには進歩主義者とか、ニヒリストとか、暴露主義者とか、何とか、何とか、そうした類《たぐ》いの連中がいることは噂に聞いていたが、多くの人々の例にもれず、そうした名称の観念や意味をばかばかしいまでに誇張して、ゆがめてしまっていた。もうここ数年来、何よりも彼が恐れていたのは、暴露ということだった。そしてこれが彼のこびりついた被害妄想的《もうそうてき》な不安のもっとも大きな原因で、活動の場をペテルブルグに移すことを空想するとき、特にこの不安におびやかされるのだった。この点において彼は、よく小さな子供にあるように、いわゆる弱虫だった。数年前に田舎で、まだやっと地盤がかたまりかけた頃、彼はそれまでしっかりしがみついていて、しかも彼の面倒を見てくれていた県のかなりの有力者が、こっぴどく暴露されて失脚した例を二つも見ていた。ひとつの場合は暴露された者にとってひどくぶざまな結果に終ったし、もうひとつの場合は危なく収拾のつかないような面倒なことになりかけた。だからピョートル・ペトローヴィチは、ペテルブルグに着くとすぐに、とりあえずそうした方面の様子をさぐることに決め、そして必要とあれば、万一の場合にそなえて先まわりして、《若い世代》の機嫌《きげん》をとっておこうと決意したのである。この点において彼はレベジャートニコフを頼りにしていた。そして例えばラスコーリニコフを訪問したときも、彼はもう受け売りのきまり文句をどうにかつかいこなせるまでになっていたのだった。

もちろん、彼はすぐにレベジャートニコフが実にくだらない、頭のまわりのにぶい人間であることを見ぬいた。しかしそれだからといって、ピョートル・ペトローヴィチはすこしも考えを変えなかったし、勇気づけられもしなかった。よしんばすべての進歩主義者たちがこんな馬鹿者《ばかもの》ばかりだということをはっきり知ったとしても、やはり彼の不安はおさまらなかったにちがいない。もともとこうした教養や、思想や、体系には（レベジャートニコフはこれらを武器にして彼におそいかかったのだが）彼は何の用もなかった。彼には独自の目的があった。それは次のようなことをできるだけ早く、いますぐにもさぐり出すことであった。そこでは何がどんなふうになっているのか？　その連中は力があるのか、ないのか？　特に彼が恐れなければならないものがあるかどうか？　もし彼が何かしごとをはじめたとしたら、暴露されるだろうか、されないだろうか？　暴露されるとしたら、どういう点だろうか、そしてこの頃は特にどういう点が暴露の対象にねらわれているか？　さらに、彼らが実際に力をもっているとすれば、なんとか彼らにとり入って、うまく欺《だま》すことはできないものだろうか？　そうする必要があるだろうか、ないだろうか？　また例えば、彼らの力を逆用して、何か出世の足がかりになるようなものをつくることはできないだろうか？　要するに、彼のまえには無数の問題が立ちふさがっていたのである。

　このレベジャートニコフという男はやせこけた、小さな、腺病質《せんびょうしつ》な男で、どこかに勤めており、髪は気味わるいほど白っぽく、カツレツみたいに頰《ほお》ひげを生やして、それをひどく自慢にしていた。そのうえ、年中といっていいほど目をわずらっていた。

気はかなりやさしいが、言葉は自信たっぷりで、ときには横柄《おうへい》きわまることさえあった、——これが、貧弱な風采《ふうさい》と対照して、いつも滑稽《こっけい》な感じをあたえるのだった。しかし、アマリヤ・イワーノヴナのアパートでは、彼はかなりありがたい客の一人にかぞえられていた。つまり酒は酔うほど飲まなかったし、家賃はきちんきちんと払っていたからだ。こうしたいろいろのいいところはあったが、彼はたしかにあまり利口なほうではなかった。彼が進歩主義や《若い世代》に結びついたのは——一時の感激からだった。要するに彼は、最新流行の思想というときまっていきなりとびつき、すぐにそれを俗悪なものにしてしまい、ときには大まじめで奉仕しているすべてをたちまち滑稽なものにしてしまうような、数も無数ならば毛色も雑多な、俗物やへなへなの薄のろや何をやらせても中途はんぱな石頭どもの群れの一人だった。

しかし、レベジャートニコフはどんなにお人よしではあっても、やはりかつての後見人であったピョートル・ペトローヴィチといっしょにいるのが、そろそろ鼻につきかけていた。これはどちらからともなくひとりでに、しかも同時に、そうなったのである。レベジャートニコフはずいぶんのろいほうだったが、それでもやはり、ピョートル・ペトローヴィチが彼をうまいことあしらって、ひそかに軽蔑していることや、《決して共に歩む人間でない》ことが、すこしずつわかりかけてきたのである。彼がフーリエの体系やダーウィンの理論の説明をこころみると、ピョートル・ペトローヴィチは、特に近頃は、なんとなく小馬鹿にしたような態度で聞くようになったし、最近では——口ぎたなくののしるようにさえなった。要するに彼は、本能的に、レベジャートニコフが何者であるかを見ぬきはじめたのである。レベジャートニコフはありふれた薄のろであるばかりか、おそらくは、嘘《うそ》つきで、自分の小さなサークルでも指導的な立場にある連中とはぜんぜんつながりがなく、また聞きですこしばかり聞きかじっているだけだ。そればかりか、宣伝という自分の任務さえ、よくのみこんでいないらしい。だから言うことがなんとなくあやふやになりがちだし、こんなことではとても暴露家になんてなれるものか！　ついでに、ちょっとことわっておくが、ピョートル・ペトローヴィチはこの十日ばかりの間に、レベジャートニコフから実に奇妙な賛辞をおくられ、それを喜んで受けていたのだった（特にはじめのうちは）。というのは、例えば、メシチャンスカヤ街のどこかに近い将来に新しい《コンミューン》が建設されるが、あなたは進んでそれに援助してくれるはずだとか、結婚最初の一カ月に、ドゥーネチカが愛人をつくっても、あなたはそれを邪魔しないだろうとか、あなたはこれから生れる自分の子供に洗礼を受けさせないだろうとか、そうした類いのことをレベジャートニコフに言われても、彼はべつに反対もしないで、黙っていたのだった。ピョートル・ペトローヴィチはだいたい自分のいいところをかぞえ立てられれば、決して反対はしない性質で、こんなほめられ方をしてさえ、黙って許していた、――どんなことにしろほめられる、ということが、彼にはたまらなく嬉《うれ》しかったのである。

ピョートル・ペトローヴィチは今朝ある理由のために五分利の証券を現金に替えてきて、卓に向って紙幣や債券の束をかぞえ直していた。およそ金には縁のないレベジャートニコフは、部屋の中を歩きまわりながら、それらの札束を平気で、むしろさげすみの目で見ているような振りをしていた。レベジャートニコフが実際にこのような大金をまえにして平気でいられるとは、ピョートル・ペトローヴィチはぜったいに信じなかった。一方レベジャートニコフも、腹の中では、苦々しい思いで考えていた。ピョートル・ペトローヴィチは本気でおれのことをそんなふうに思うことのできる男かもしれない、しかもそればかりか札束をひろげて若いこのおれの気持をくすぐり、からかい、おれに自分の貧しさと、二人の間にはこれほどの距《へだ》たりがあるのだということを、思い知らせる機会を喜んでいるのかもしれない。

レベジャートニコフは新しい特殊な《コンミューン》施設という大好きなテーマについて論じはじめたが、今日はピョートル・ペトローヴィチがいままでになく苛々《いらいら》した様子で、さっぱり気が入っていないのに気がついた。そろばん玉のぱちぱちという音の合間に、ピョートル・ペトローヴィチの口からとびだす簡単な反論や意見には、もっとも露骨な、しかも故意の無礼な嘲笑《ちょうしょう》がみちていた。しかし《人道的》なレベジャートニコフは、ピョートル・ペトローヴィチのそうした心の状態を、昨日のドゥーネチカとの破談のせいにして、早くこちらに話を移したい思いでいっぱいになっていた。この問題について彼は、尊敬する先輩の心をしずめ、将来の発展に《確実に》利益をもたらすことができるような、進歩的なしかも教訓的な意見をいくつかもっていたのだった。

「あの……後家さんのところじゃ、どんな法事があるのかね?」とピョートル・ペトローヴィチはレベジャートニコフの話がもっとも油ののりきったところを乱暴にさえぎりながら、だしぬけに尋ねた。

「とぼけないでくださいよ。昨日もこの問題についてあなたと話しあい、およそこうした儀式というものについて大いに論を発展させたじゃありませんか……それにあの女はあなたのことも招待してますよ、それはぼくも聞いてますが。あなたは自分であの女と昨日話してたくせに……」

「あの馬鹿な乞食女《こじきおんな》が、もう一人の馬鹿……ラスコーリニコフとかいう男からもらった金を、すっかり法事につぎこんでしまうとは、まったくおどろいたよ。いまだって通りがかりに、のぞいて見てびっくりしたね、酒やら何やら、大した支度だよ!……何人か招《よ》ばれているそうだが——まったく何を考えているんだ!」とピョートル・ペトローヴィチは何か魂胆があるらしく、いろんなことを問いかけて、相手をこの話に誘いこみながら、つづけた。「なんですって? わたしも招かれているって、たしかにそう言いましたね?」不意に顔を上げると、彼はこうつけ加えた。「それはいつのことです? おぼえていませんね。もっとも、わたしは行きませんけど。行って何をするんです? 昨日は通りすがりにちょっと、あなたは貧しい官吏未亡人だから、一時の扶助金として一年分の俸給《ほうきゅう》をもらえるかもしれない、という話をしただけだよ。それでわたしを招待したのかな? へ、へ!」

「ぼくも行かないつもりですよ」とレベジャートニコフは言った。

「そうだろうとも! その手で殴ったんだからな。気がさすのはわかるよ、へ、へ、へ!」

「誰《だれ》が殴ったんです? 誰を?」レベジャートニコフは不意にうろたえて、顔さえ赤くした。

「おや、あなただよ、カテリーナ・イワーノヴナをね、一月《ひとつき》ほどまえ、ちがいますか！　わたしは聞きましたよ、昨日……これがきみらのいう信念というやつだよ！……まあ、婦人問題ではへまをやりましたな。へ、へ、へ！」

こういうとピョートル・ペトローヴィチは、胸がすっとしたらしく、またそろばん玉をぱちぱちはじきはじめた。

「それはみなでたらめですよ、中傷です！」とレベジャートニコフはいきり立った。彼はこの話をもちだされるのをいつもおそれていたのだった。「それはぜんぜんそうじゃなかったんです！　別だったんです……あなたの聞きちがいです、かげ口ですよ！　あのときぼくはただ自分の身を守っただけです。あの女のほうからぼくにとびかかって、爪《つめ》でひっかいたんですよ……頰ひげをすっかりひきむしられたんです……どんな人間にも、自己防衛は許されると思いますね。それにぼくは、何者であろうとぼくに暴力を加えることを許しません……これがぼくの主義です。だって、あれはもう専制主義というものですよ。ぼくはどうしたらよかったんです。ただ黙ってあの女のまえに立っていろというんですか？　ぼくはただちょっとおし退《の》けただけです」

「へ、へ、へ！」とルージンは意地わるい嘲笑《あざわら》いをつづけた。

「あなたは自分がむかっ腹を立てて、苛々してるものだから、やつ当りをしてるんだ……あんなことはでたらめですよ、婦人問題にはぜんぜんなんの関係もありません！

あなたは誤解しています。ぼくは、もし女がすべての面で、体力においてさえ（これはもう確認されています）、男と同等であるという説が認められるとすれば、従って、あの場合だって平等でなければならんはずだと思ったんです。もちろん、あとになってこんな問題は本当はあり得ない、という判断を下しましたが。だって喧嘩なんてあってはならないし、喧嘩の条件なんて未来社会では考えられませんよ……それに喧嘩に平等をもとめるなんて、どだいおかしいですよ。ぼくはそれほど馬鹿じゃありません……もっとも、喧嘩はあるにはあります……つまり将来はなくなるでしょうが、いまはまだあります……チエッ！　何を言ってるんだ！　あなたと話してるとすぐに脇道へそれてしまう！　ぼくが法事に行かないのは、そうした不愉快なことがあったからじゃない。ただ主義として、法事といういまわしい偏見に参加したくない、それだけです！　でも、行っても別にかまいませんよ、ただ笑ってやるだけのためにね……だが、神父が来《こ》ないのが残念ですよ。来たら、是が非でも行ってやるんだが」

「というと、他人の家へご馳走《ちそう》になりに行って、ご馳走にも、招んだ人々にも、平等に唾をはきかける。そういうことですね？」

「唾なんてはきかけませんね、決して。抗議するんですよ。ぼくには有益な目的があるんです。つまり発達と宣伝を間接的に援助するということです。およそ人間は発達させ、そして宣伝する義務があります。そしておそらく、それが強いほどいいわけです。ぼくは思想を、つまり種をまくことができます……その種から事実が生れるでしょう。ぼくはただ彼らを怒らせるんじゃありません！　たしかにはじめは怒るでしょうが、いずれはぼくが利益をもたらしたことに気づくはずです。現にぼくたちの仲間でも、いまコンミューンにいるテレビヨーワが家をとび出して……ある男のもとへ走り、父と母にあてて、偏見の中に住みたくないから自由結婚に入るという手紙を書いたとき、親に対してそれではあまりに乱暴すぎる、もうすこしあたたかい目で見てやり、もっとやわらかく書いてもいいだろう、なんて非難がでたことがありました。ぼくに言わせれば、そんなことはくだらんことですよ、やわらかく書く必要なんかあるもんですか、とんでもない、反対です、そこでこそ抗議しなきゃいかんのです。ワレンツなんか七年間良人《おっと》と暮し、二人の子供がいるのに、敢然とそれをすてて、良人にこういう絶縁状をたたきつけたんです、《あなたといっしょでは幸福になれないことを、わたしは自覚しました。あなたがコンミューンという方法によってつくられた別な社会組織のあることをわたしにかくして、わたしを欺してきたことは、ぜったいに許せません。わたしはこの間あるすぐれたお方にそれをすっかり教えられたのです。わたしはそのお方のふところにとびこみ、いっしょにコンミューンの生活に入ります。

あなたを欺《あざむ》くのは良心に恥ずかしいことだと思いますので、はっきりと申しあげます。あなたはお好きなようにお暮しください。わたしをもとへもどそうなどと思わないでください、もうおそすぎます。ではおしあわせを祈ります》まあこんなふうに書くわけですね、こうした種類の手紙は！」

「そのテレビヨーワというのは、きみがいつか三度目の自由結婚をしたとか言っていた、その女じゃないのかね？」

「正確に言えば、まだ二度目ですね！　もっとも、四度目でも、十五度目でも、そんなことはどうでもいいことですよ！　ぼくがもし両親に死なれたことを残念に思ったときがあったとしたら、それはむろんいまですよ。両親がまだ生きていたら、それこそ抗議をして嘆かせてやったんだがと、何度か空想したほどです。わざとそうしたでしょう……《親の手もとをはなれた娘》は切ったパンきれみたいだなんて言われるが、それがなんです、笑わせますよ！　ぼくなら思い知らせてやる！　びっくりさせてやる！　まったく、誰もいないのが、残念だ！」

「びっくりさせる相手がですか！　へ、へ！　まあ、好きなようにしたらいいでしょう」とピョートル・ペトローヴィチはさえぎった。「ところでひとつ聞きたいんだが、あの死んだ男の娘を知ってるでしょう、あの見るからひよわそうな！　あの女のことで噂されてることは、ありゃ本当かね、え？」

「それがどうしたんです？　ぼくに言わせれば、つまりぼく個人の信念によればですね、それは女のもっともノーマルな状態ですよ。どうしてそうでないと言えます？　じゃ、distinguons（はっきりさせましょう）。現在の社会ではそれは、もちろん、完全にノーマル、とは言えません、だって強制された状態ですから。しかし将来は完全にノーマルになります、自由になるからです。いままでもあの娘にはその権利があったんです。彼女は苦しみ悩みました、それが彼女の資金、いわば自由につかっても誰にも文句の言われぬ資本だったわけです。もちろん、未来の社会では資金は要《い》らなくなるでしょう。そしてあの娘の役割は別な意味があたえられ、整然と合理的に説明されることになるでしょう。ソーフィヤ・セミョーノヴナ個人について言えばですね、現在はぼくは彼女の行為を、社会機構に対する力強い具身化された抗議と見て、そのために彼女を深く尊敬しています。彼女を見るのが、喜びなほどです！」

「おや、わたしが聞いたんでは、あの娘をこのアパートから追い出したのはきみだそうだが！」

レベジャートニコフは憤然とした。

「それもまた中傷だ！」と彼はわめきたてた。「とんでもない、ぜんぜんそうじゃなかったんだ！　そんなことってあるものか！　それはみなあのカテリーナ・イワーノヴナがあのとき、何もわからないものだから、いいかげんなことを言ったんだ！　ぼくはぜんぜんソーフィヤ・セミョーノヴナに言いよったりなどしなかった！　完全に私心をすてて、彼女の心に反抗心を呼びさまし、精神の成長をねがっただけのことだ……ぼくには反抗心だけが必要だったんだ、それにソーフィヤ・セミョーノヴナとしても、人に言われなくたって、もうこのアパートにはいられなくなっていたんだ！」

「コンミューンにでも呼んだのかね？」

「あなたはさっきからせせら笑っていますが、まったく見当ちがいですよ。失礼ながら注意しておきます。あなたは何もわかっていない！　コンミューンにはそういう役割はありませんよ。コンミューンというものは、そういう役割をなくするために作られるのです。コンミューンではその役割は現在のその本質をすっかり変えてしまいます。そしてここで愚劣と思われているものが、あちらでは知性あるものとなりますし、ここで、現在の環境で、不自然なものが、あちらではまったく自然なものとなるのです。いっさいは人間がどんな事情とどんな環境の中におかれているかによるのです。すべては環境に支配されます、人間自体は無に等しいのです。さて、ソーフィヤ・セミョーノヴナとは、ぼくはいままでも親しくしています。これで彼女が決してぼくを敵とも侮辱を加えた男とも思っていないことがわかるでしょう。そうです！　ぼくはいま彼女をコンミューンに誘っています。でもそれはまったく、まったく別な基礎の上につくられたものです！　何がおかしいんです！　われわれはいままでよりもずっと広い基礎の上に、独自のコンミューンを組織しようとしているんです。われわれは信念をさらに前進させました。われわれはいままでよりも多く否定します！　もしドブロリューボフ（訳注　ロシアの文芸批評家。ドストエフスキーの論敵）が墓からよみがえったら、ぼくは彼と議論するでしょう。ベリンスキー（訳注　ロシアの文芸批評家。革命的民主主義者）なんかあっさり論破しますよ！　で、当分はぼくはソーフィヤ・セミョーノヴナの啓蒙《けいもう》をつづけます。美しい、まったく美しい性質をもったひとです！」

「ほう、するとその美しい性質とやらにつけこむわけですな、え？　へ、へ！」

「ちがいます、ちがいます！　とんでもない！　反対です！」

「おや、今度は反対ですか！　へ、へ、へ！　よくも言えたね！」

「どうしてそんなふうにとるんです？　え？　ぼくがあなたにかくさなきゃいけないような理由が、何かあるんですか！　とんでもない、ぼく自身さえわからないんですが、ぼくといっしょにいると彼女は何かしら不自然に妙におどおどして、かわいそうなくらい恥ずかしがるんですよ！」

「そりゃむろん、きみが啓蒙してるからさ……へ、へ! そんなはじらいなんてくだらんものだと、証明してやるわけですな?……」

「ぜんぜんちがいます! まるで見当ちがいですよ! まったく、あなたはなんて乱暴に、なんて愚劣に――いや、失礼――啓蒙という言葉を解釈してるんだ! あなたはなんにもわかっちゃいない! おどろいたねえ、あなたはまだまるで……基礎ができちゃいない! われわれは女性の自由を求めているんですよ。ところがあなたの頭の中にはひとつのことしかないんだ……純潔と女性の羞恥《しゅうち》というのは、それ自体が無益でしかも偏見だと思うから、この問題をとりあげるのは避けますが、ぼくは、ぼくに対する彼女の純潔を十分に、全面的に認めています。というのは、そこに彼女の意志のすべて、権利のすべてがあるからです。もちろん、彼女がぼくに《あなたといっしょになりたい》と言ってくれたとしたら、ぼくはひじょうに幸運な男だと思うでしょう。あのひとが好きでたまらないからです。だがいまは、少なくともいまは、ぼくほど親切に丁寧に彼女をあつかった者は、一人だってありゃしませんよ、ぼくほど彼女の人格を尊敬している者はね……ぼくは希望をもって待っているんです――それだけですよ!」

「それなら何か贈りものをしたほうがいいよ。どうです、そんなことは考えもしなかったでしょう」

「いまも言ったけど、あなたはなんにもわかっちゃいない！　そりゃむろん、彼女の立場はあんなですけど、そこには別な問題があるんです！　まったく別な問題が……あなたはただ彼女を軽蔑している。あなたは事実を見て、それが軽蔑に値すると誤解して、人間の本質を人道的な観点から見ようとはしない。あのひとがどんなすばらしい性質をもっているか、あなたはまだ知らないんです！　ひとつだけひじょうに残念なのは、この頃どうしたわけかすっかり読書をやめてしまって、本を借りに来ないことです。まえにはよく借りに来たんですがねえ。また惜しいのは、あんなりっぱな反抗の力と決意を持ちながら――それはもうすでに一度りっぱに見せてくれたんですよ――彼女にはまだ何か独立心といいますか、自主性というものが足りないんですよ、否定の精神が足りないんですよ、だから世間の偏見と……愚劣さからすっかり脱《ぬ》けきれないんです。とはいえ、ほかのいろんな問題は実によく理解しています。例えば、手の接吻《せっぷん》の問題、つまり男が女の手に接吻するということは、不平等の観念で女を侮辱することだということなどは、よくわかっています。この問題はぼくたちのサークルで討議されたんですが、ぼくはすぐに彼女におしえました。フランスの労働組合の話も注意深く聞いていました。ぼくはいま未来社会では他人の部屋へ自由に出入りできるという問題を、彼女に説明しているんです」

「そりゃまた何だね？」

「コンミューンのメンバーは、相手が男であろうと女であろうと、いつでも他のメンバーの部屋へ入る権利があるか、という問題がこのあいだ討議されたんですよ……もちろんある、と決議されました……」

「じゃ、そのときちょうどその男なり女なりが必要な要求をみたしている最中だったら、どうするかね、へ、へ！」

レベジャートニコフはすっかり腹を立ててしまった。

「あんたはいつもそんなことばかり言ってる。その呪わしい《要求》がどうしたというんです！」と彼はむかむかしながら叫んだ。「チエッ、ぼくは体系を説明するに先立って、うっかりこの呪わしい要求について口をすべらしてしまったのが、失敗だった。まったく腹が立つ！　畜生！　これはあんたのような人々にはつまずくもとだ。何よりもいけないのは――よく知りもしないで、嘲笑《あざわら》うことだ。これがまったく困りものなんだ！　そのくせ自分が正しいと思ってるんだ！　そしてそれを自慢にしているんだ！　チエッ！　だからぼくは何度か言ったんだ、こうした問題を新人に説明するのはいちばん最後にすべきだ、もう理論体系をすっかりものにして、十分に啓蒙され方向をはっきりつかんでからでなくちゃいかんと。どうです、ええ、汚水溜《だ》めにだって、こんな恥ずべきけがらわしいものがあると思いますか？　ぼくは真っ先に、進んでどんな汚水溜めでも清掃するつもりです！　これは別に自己犠牲でもなんでもありません！　これは単なる労働です。社会に有益な高尚《こうしょう》な活動です。それは他のいっさいの活動に匹敵しますし、例えばラファエルとかプーシキンの活動よりもはるかに高い価値をもつものです。なぜならこのほうがより有益だからです！」

「しかもより高尚でしょう、より高尚ですよね、へ、へ、へ！」

「より高尚とはなんでしょう？　人間の活動を定義した場合こういう表現がぼくには理解できません。《より高尚》、《より寛大》——こうした言葉はみなナンセンスです、不合理です、ぼくが否定している古い偏見的な言葉ですよ。どんなことでも、人類に有益であれば、それがつまり高尚でもあるわけです！　ぼくが理解しているのは、有益という一語だけです！　笑いたきゃ、勝手に笑いなさい、だがこれは真理ですよ！」

ピョートル・ペトローヴィチは腹をかかえて笑った。彼はもう勘定をおわって、金をしまっていた。しかし、その一部はどういうつもりかまだ卓の上にのこしておいた。この《汚水溜めの問題》は、実にくだらないことだが、しかしもう何度かピョートル・ペトローヴィチと若い友人の間のいがみあいのもとになっていた。こうしたばかげたことになるのも、レベジャートニコフが本気で腹を立てるからだった。ルージンはいつもそれを憂《う》さ晴《ば》らしにしていたが、今日は特にレベジャートニコフを怒らせてみたかった。

「あんたは昨日の失敗でむかむかしてるもんだから、そんなにうるさくからんでくるんですよ」レベジャートニコフはとうとうどなってしまった。だいたい彼はありあまる《独立心》と《反抗心》をもっているはずなのに、どういうものかピョートル・ペトローヴィチには思いきって反対する勇気がなく、長年の習慣になっている丁寧な態度をいまだにもちつづけていたのだった。

「それよりもきみに聞きたいんだが」とピョートル・ペトローヴィチは怒ったような口調で横柄《おうへい》にさえぎった。「どうだろう、きみにできるかね……といってしまえばそれまでだが、ほんとうにいま言った若い娘とそれほど親しいのかね、それならいますぐその娘をこの部屋へ呼んでもらいたいのだが？　どうやら、もうみんな墓地からもどったようだし……騒々しい足音がのぼってくるのが聞えたよ……ちょっと会っておきたいんだよ、あの娘にね」

「え、あなたが、どうして？」とレベジャートニコフはびっくりして尋ねた。

「いやなに、ちょっと用があるんだよ。今日明日にもわたしはここを出るだろう、だからそのまえにちょっと言っておきたいことがあるんだよ……だが、話のとき、きみもいっしょにいてくれたまえ、そのほうがかえっていいんだよ。だって、痛くもない腹をさぐられちゃかなわんからな」

「ぼくは別にどうとも思いませんよ……ただ聞いてみただけですよ。でも用があるんでしたら、呼んでくるくらいわけありませんよ。ちょっと行ってきます。しかしご心配なく、邪魔なんかしませんから」

果して、五分もするとレベジャートニコフはソーネチカを連れてもどってきた。ソーニャはすっかりおびえきった様子で、例によって、びくびくしながら入ってきた。彼女はこういう場合はいつもおどおどして、新しい人に会ったり新しく知り合いになったりすることをひどく恐れた。子供の頃からそうだったが、この頃は特にそれがひどくなっていた……ピョートル・ペトローヴィチは《やさしく丁寧に》彼女を迎えたが、しかしその態度にはどことなく浮わついたなれなれしさがあった。しかしこれは、ピョートル・ペトローヴィチの考えでは、彼のような名誉も地位もある男が、こんな若い、しかもある意味では興味のある女に対しては、別に品のわるいことではなかった。彼は急いでソーニャを《元気》づけると、卓をはさんで向いあいに坐《すわ》るようにすすめた。ソーニャは腰を下ろすと、あたりを見まわして——レベジャートニコフから、卓の上においてある金に目をうつし、それから不意にまたピョートル・ペトローヴィチを見た。そしてそれからはもうまるで吸いよせられたように、彼の顔から目をはなさなかった。レベジャートニコフはドアのほうへ行きかけた。ピョートル・ペトローヴィチは立ち上がると、動作でソーニャに坐っているように示しておいて、ドアのところでレベジャートニコフをひきとめた。

「あのラスコーリニコフはいたかね？　来ていた？」と彼は声をひそめて尋ねた。

「ラスコーリニコフ？　いたよ。それがどうしたんです？　うん、いた……ちょうど来たところだった、見ましたよ……何か用ですか？」

「じゃなおのこと、きみにはぜひここにいてもらいたい、わたしをこの……娘さんと、二人きりにしないでほしい。話はなんでもないことだが、どんなことを勘ぐられるかわかりゃしない。ラスコーリニコフにあちらでつまらんことを言われるのが、いやなんだよ……わかるだろう、わたしの言う意味が？」

「あ、わかった、わかりましたよ！」不意にレベジャートニコフは察した。「そう、あなたには理由がある……そりゃ、むろん、ぼく個人の確信するところでは、あなたの懸念《けねん》はずいぶん先走りしすぎているようですが……とにかく、あなたには理由があります。失礼ですが、のこりましょう。窓のあたりにいます、邪魔にならないようにします……あなたに理由があることは、ぼくも認めます……」

ピョートル・ペトローヴィチはソファへもどると、ソーニャの向いに腰を下ろして、注意深い目でしばらく彼女を見まもっていたが、急にひどく重々しい、いくらかきびしくされ見える態度になった。《あんたのほうも妙な気は起さんでもらいたいな、娘さん》とでも言いたげに見えた。ソーニャはすっかりどぎまぎしてしまった。

「まず最初に、ソーフィヤ・セミョーノヴナ、どうかあなたのお母さんに謝っていただきたい……たしか、そうでしたな？　カテリーナ・イワーノヴナはあなたにはお母さん代りでしたね？」とピョートル・ペトローヴィチはいかにも重みをつけて、とはいえ、かなりやさしい調子できりだした。彼が何かひどく親切な意向をもっていることは、明らかだった。

「そのとおりです、はい。母代りです」とソーニャはあわてて、おどおどしながら答えた。

「そこで、実はお母さんに謝ってもらいたいのですが、思いがけぬ事情ができましたために、ほんとうに残念ですが、あなたのお母さんにせっかくお招きをいただいておきながら、どうしてもお宅のお茶の集まり……いや法事に出席できないのですよ」

「はい。申します、早速」そう言いながら、ソーネチカはそそくさと立ちあがった。
「まだあるんですよ」ピョートル・ペトローヴィチは彼女が素朴《そぼく》で礼儀を知らないのに思わず失笑しながら、彼女をひきとめた。「ねえ、ソーフィヤ・セミョーノヴナ、わたしがこんな自分だけのつまらない理由のために、わざわざあなたのようなお方をわずらわして、ここへ来ていただいたなんてお考えでしたら、それはわたしという人間をちっともご存じないということですよ。むろん、目的は別にあります」

ソーニャはあわてて腰を下ろした。卓の上においたままになっている灰色（訳注二十五ルーブリ）や虹色《にじいろ》（訳注百ルーブリ）の紙幣が、また彼女の目さきにちらついたが、彼女は急いで顔をそらして、ピョートル・ペトローヴィチに目をあげた。不意に彼女には、特に彼女には、他人の金に目をやったことが恐ろしく不作法なことに思われたのだった。彼女はピョートル・ペトローヴィチが左の手にもっていた金細工のオペラグラスと、同じくその手の中指にはめている、琥珀《こはく》をちりばめた大きなどっしりした、びっくりするほどきれいな指輪に、目をやりかけた――が不意に、それからも目をそらした、そしてもうどこへ目をやっていいかわからなくなり、結局、またまっすぐにピョートル・ペトローヴィチの目を見つめた。ちょっと間をおいて、まえよりもいっそう重みを加えて、彼は言葉をつづけた。

「昨日たまたま通りすがりに、気の毒なカテリーナ・イワーノヴナと二言三言言葉をかわしたのですが、それだけでもう十分にあの方が不自然な状態におかれていることがわかりました、そういう表現があるとすればですな……」

「はい……不自然な状態ですわ」と、ソーニャはあわてて相槌《あいづち》を打った。

「あるいはもっと簡単にわかりやすく言えば、――病人だということですね」

「はい、簡単にわかりやすく……そうです、病人ですわ」

「そうですね。そこで、人道的な気持と、さらに、同情とでもいいますか、そういう気持から、わたしとしては、あのひとの不幸な運命がさけられないのが目に見えるので、何かお役に立つことをしてあげたいと思っているわけです。どうやら、あの実に気の毒な家族はいまあなた一人を頼りにしているようですねえ」

「おそれ入りますが」と不意にソーニャは立ちあがった。「あなたは昨日年金がもらえるかもしれないって、母におっしゃったそうですわね？　それで母は昨日もう早速わたしに、あなたが年金の世話をしてくださることになったなんて申しておりましたわ。それは本当なのでしょうか？」

「いや、決して。むしろある意味では理屈に合いませんよ。わたしはただ現職官吏が死んだ場合、その未亡人に一時的な扶助金が下がることがあると言っただけですよ、

――それも誰かの口添えがあればの話ですがね、――ところがあなたの亡《な》くなったお父さんは年限を勤めあげなかったばかりか、最近はぜんぜん勤めてもいなかったらしい。従って、要するに、望みはあるかもしれないにしても、まったくかげろうみたいなものですよ。だから実際には、この場合、扶助金に対するなんらの権利もないということですね。むしろその逆ですよ……それなのに、あのひとはもう年金なんて考えているのかねえ、へ、へ、へ！　ぬけ目のない奥さんだよ！」

「そうですわ、年金のことを……それというのも、あのひとは信じやすく、お人よしだからですわ、人がいいからなんでも信じるのよ、そして……そして……そして……頭があんなふうに……そうですわ……失礼いたしました」こう言うと、ソーニャはまた立ち去りかけた。

「お待ちなさい、話はまだ終っていませんよ」

「そうですわね、まだ終っていませんわね」とソーニャは呟《つぶや》いた。

「だからおかけなさい」

ソーニャはすっかりどぎまぎして、また腰を下ろした。これで三度目だった。

「かわいそうな子供たちをかかえたあのひとのこんな気の毒な状態を見て、わたしは――いまも言ったように――できる範囲で、何かのお役に立ちたいと思ったわけです。

まあ、いわゆるできる範囲でですね、それ以上のことはできませんが。例えば、あのひとのために寄付をつのるとか、あるいは、いわば、宝くじのようなものをやるとか……あるいは何かそうしたものを考えるとか、――まあこういうことはこうした場合近親者とか、他人でも、人助けの好きな人々によって、いつも考えられることですがね。まあこのことをわたしはあなたに言いたかったんですよ。これならできると思いましてな」

「はい、ありがとうございます……神さまがあなたのそのお気持を……」ソーニャはじっとピョートル・ペトローヴィチを見まもりながら、呟いた。

「できますよ、だが……それはあとで……いや、今日にでも早速はじめられますよ。今夜会って、話しあって、いわば基礎づくりをしましょう。じゃ七時頃おいでください。レベジャートニコフ君、きみも来てくれるだろうね……ところで……ひとつ、まえもってよく申しあげておかなければならないことがあるんですよ。そのために、ソーフィヤ・セミョーノヴナ、わざわざあなたをわずらわして、ここへ来ていただいたんです。というのはほかでもありませんが、わたしの意見としては――お金をカテリーナ・イワーノヴナに直接わたしてはいけないし、それに危ないと思うんですよ。その証拠が――今日のこの法事です。いわば、明日のパンの一かけらもないし、それに……はくものも何もない、という状態なのに、今日はジャマイカのラムや、マデラ酒、さらにコーヒーまで買いこむんですからな。通りすがりに見ましたよ。明日になればまたすっかりあなたにおんぶして、最後の一きれのパンまでうばいとる。こんなばかなことってありますか。だから寄付にしても、わたし個人の考えでは、つまり、金のことは、気の毒な未亡人には知らせないで、あなただけが知っているようにしたいと思うのですよ。どうでしょう、わたしの言うことがまちがってるでしょうか？」

「わかりませんわ。母があんなことをしたのは今日だけですの……一生に一度ですわ……なんとしてもりっぱな供養《くよう》をして、故人の冥福《めいふく》を祈りたい気持でいっぱいだったんですわ……母はひじょうに利口なひとです。でも、どうぞ思いどおりになさってください。わたしはほんとに、ほんとに、なんと申しあげてよろしいやら……あの人たちもみなあなたを……神さまがあなたを……父をなくしたあの子供たちも……」

ソーニャはしまいまで言わずに、泣きだしてしまった。

「そうですか。じゃ、その点をふくんでおいてください。さて、あなたのお母さんのために、とりあえずこれをどうぞお納めください、わたしからの志です。くれぐれもお願いしますが、ぜったいにわたしの名前を出さないでいただきたい。さあどうぞ……わたし自身、いろいろとりこみがありますので、これ以上は出せませんが……」

こう言ってピョートル・ペトローヴィチは、十ルーブリの紙幣を丁寧にのばして、ソーニャにさしだした。ソーニャはそれを受け取ると、ぱっと顔を赤らめ、そそくさと立ちあがった、そして口の中で何かぼそぼそ呟きながら、急いで別れの挨拶《あいさつ》をはじめた。ピョートル・ペトローヴィチは得意そうに彼女を戸口まで送り出した。彼女はすっかり頭をかきみだされ、へとへとになって、やっと走るように部屋を出ると、はげしい困惑にとらわれながらカテリーナ・イワーノヴナの部屋へもどって行った。

この一幕の間中、レベジャートニコフは話をとぎらせまいとして、窓辺に佇《たたず》んだり、室内を行き来したりしていた。そしてソーニャが立ち去ると、彼はいきなりピョートル・ペトローヴィチのまえに歩みよって、もったいぶった様子で握手をもとめた。

「ぼくはすっかり聞きました、すっかり見ました」と彼は最後の言葉に特に力をこめて言った。「これが高尚ということです、つまりぼくの言いたかった人道的ということです！　あなたは感謝をさけようとなされた、ぼくは見ていました！　そして、実を言うと、ぼくは主義として、個人的な慈善というものには同感できません、なぜならそれは抜本的に悪を根絶しないばかりか、かえってそれを育《はぐく》むようなことにさえなるからです。とはいえやはり、あなたの行為を見て満足を感じたことを、白状せざるを得ません――そうです、そうです、ぼくは気に入りました」

「なに、こんなことはみなつまらんことですよ！」ピョートル・ペトローヴィチはいくらか感動した様子で、ずるそうにちらとレベジャートニコフのほうを見ながら、呟いた。

「いや、つまらんことではありません！　あなたのように、昨日のできごとで屈辱を感じ、胸が煮えかえっていながら、同時に他人の不幸に同情することのできるような人間――そういう人間はです……たとえその行為は社会的なあやまりをおかしていても――やはり……尊敬に値する人です！　ぼくはあなたがこういう行為をなさろうとは思いもよりませんでしたよ、ピョートル・ペトローヴィチ、ましてあなたの考え方を思えばね！　ほんとに、あなたの考え方がどれほどあなたを邪魔していることでしょう！　例えばですよ、昨日の失敗があなたをどれほど動揺させていることでしょう」と、人のいいレベジャートニコフはまた改めてピョートル・ペトローヴィチに強い同情を感じて、嘆いた。「いったいどうして、なんのためにその結婚がどうしても必要なのです、その正式な結婚がですよ、え、ピョートル・ペトローヴィチ？　いったいなんのために結婚に合法性がぜひとも必要なのです？　さあ、なんなら、ぼくを殴ってください。でもぼくは嬉しいんです、そんな結婚がうまくいかなかったのが嬉しいんです。あなたは自由です、あなたはまだ人類のために完全に亡《ほろ》び去りはしなかった、それがぼくには嬉しいんです……これが、ぼくの言いたかったことなんですよ！」

「なに、きみの言う自由結婚とやらをして、妻に不貞をはたらかせたり、他人の子供を背負いこんだりしたくない、そのためにわたしには正式結婚が必要なのですよ」とルージンは黙っているわけにもいかないので、言った。彼は何かにすっかり心をうばわれて、考えこんでいる様子だった。

「子供？　子供をもちだしましたね？」戦闘ラッパを聞いた軍馬のように、レベジャートニコフはぎくッとした。「子供は——社会的な問題です、もっとも重要な問題です、それにはぼくも同感です、だが子供の問題は別なふうに解決されなければなりません。子供は家庭を暗示するものとして、完全に否定する人々もいます。子供のことはあとで話すとして、先《ま》ず不貞の問題をとりあげましょう！　実を言えば、これはぼくの弱いところです。このけがらわしい、驃騎兵的《ひょうきへいてき》な、プーシキン的な表現は未来の辞書には考えることもできません。そもそも不貞とはなんでしょう？　おお、なんという迷いでしょう！　どんな不貞？　なんのための不貞？　ばかばかしい！　とんでもないことです、自由結婚にはそんなものはなくなりますよ！　不貞——それはおよそ合法的結婚というやつの当然の結果にすぎません、いわばその修正です、反抗ですよ、だからその意味では不貞はすこしも恥ずべきことではありません……ですからもしもぼくが——ばからしいことを見こして——正式な結婚をすることがあるとしたら、ぼくはむしろあなたの言う呪わしい不貞というやつを歓迎するでしょう。そしてぼくは妻に言うことでしょう、《ねえ、ぼくはいままではきみを愛していただけだが、いまからはきみを尊敬するよ、だってきみはりっぱに反抗する勇気を見せてくれたからだよ！》あなたは笑ってますね？　それはあなたが偏見から脱する力がないからですよ！　なあに、合法的結婚で裏切られた場合、何が不愉快かくらいは、ぼくだって知ってますよ。だがそれは夫も妻もどちらも辱《はずか》しめられている卑劣な事実の卑劣な結果にすぎないのです。自由結婚の場合のように、不貞がガラス張りになれば、もうそんなものは存在しなくなります、そんなものは考えられないし、不貞という名称さえなくなってしまいます。それどころか、あなたの奥さんはあなたを、妻の幸福に逆らうことのできない人、妻が新しい良人をつくったからといって別に復讐《ふくしゅう》しようなどと思わないほど、精神的に成長している人と考えて、あなたを尊敬していることだけを証明しようとするでしょう。まったく、ぼくはときどき空想するんですよ、ぼくが嫁にやられたらなあって。チエッ！　もしぼくが結婚して（自由結婚だろうと、正式結婚だろうと、かまいませんが）妻がいつまでもぼやぼやしてるようだったら、おそらくこっちから妻に愛人を見つけてやるでしょうね。ぼくはこう言ってやりますよ、《ねえ、ぼくはきみを愛してるよ、だがそのうえさらに、きみに尊敬してもらいたいのだ――わかるね！》どうです、ぼくの言うことがまちがっていますか？……」

ピョートル・ペトローヴィチは聞きながら、ひひひと笑っていたが、それほど熱中しているふうではなかった。それどころか、ほとんど聞いていなかった。彼はたしかに何かほかのことを考えていた、そしてレベジャートニコフでさえ、しまいには、それに気がついた。ピョートル・ペトローヴィチは興奮した様子をさえ見せながら、もみ手をして、考えこんでいた。レベジャートニコフはあとになって思いあわせてみて、そのことに思いあたったのである……

2

どうしてカテリーナ・イワーノヴナのみだれた頭にこのばかげた法事の考えが生れたのか、その理由を正確に示すことは難かしいであろう。実際に、マルメラードフの葬儀の費用としてラスコーリニコフからもらった二十数ルーブリのうち、ほとんど十ルーブリ近くがそれに費やされたのである。あるいは、カテリーナ・イワーノヴナは、アパートの全住人に、特にアマリヤ・イワーノヴナに、彼が《彼ら一同に決して劣らないどころか、人間ははるかにすぐれていたかもしれない》、だから彼らの誰《だれ》一人として彼を《鼻の先で笑う》資格はないのだということを思い知らせるために、《十分に》供養《くよう》をしてやることを、故人に対する義務と考えたのかもしれない。あるいはまた、貧乏人の意地という特殊な心理が、何よりも強く作用したのかもしれない。こうした心理のために多くの貧乏人は、今日の慣習では誰もが祝わなければならないことになっている年に何度かの社会的な行事の際に、《他人に負けない》ために、他人に《とやかく言われない》ためにという、ただそれだけのために、せいいっぱいの無理をし、虎《とら》の子《こ》のようにしていた最後の一コペイカまではたいてしまうのである。また、カテリーナ・イワーノヴナが、世間のすべての人々に見はなされたような気がしていた矢先だから、この際に、《くずみたいないまいましい住人たち》全部に、彼女は《世の中のしきたりと客のあつかい方を心得ている》ばかりでなく、だいたいがこのような境遇で生活するように育てられたのではなくて、《上品な、貴族的といってもいいほどの大佐の家庭》で育てられ、自分で床を拭《ふ》いたり夜中に子供たちのぼろを洗うなどということは、ぜんぜん教えられもしなかったということを、見せつけてやろうという気になったことも、いかにもありそうなことである。こうした高慢と虚栄の発作はときどき貧しいいじけた人々を訪れるもので、ときによるとそれがそうした人々にとっては、もどかしいこらえきれぬ要求に変ることがある。しかしカテリーナ・イワーノヴナはそれだけではなく、決していじけた人間でもなかった。彼女は境遇によって完全に殺されることはあり得ても、彼女を精神的にいじけさせること、つまりおどしつけて、彼女の意志を屈服させることは、できなかった。そのうえ、彼女は頭がみだれているとソーネチカは言ったが、たしかにその理由はあった。もっとも、まだ完全にそうだとは言いきれなかったが、たしかに最近は、特にこの一年間というものは、彼女の哀れな頭はあまりにもひどい苦しみに責めぬかれてきたので、少しぐらいどうかなるのは無理もなかった。医者の言うように、肺病のはげしい亢進《こうしん》も、思考能力の錯乱を増進させるものである。

酒類もいろいろな種類がたくさんあったわけではなかった。マデラ酒にしてもそうで、これは誇張だが、しかし酒はあった。ウォトカもあったし、ラムも、リスボンのワインもあったが、いずれもひどい安物だった。しかし量だけは十分にあった。食べものは、法事料理のほかに、プリンも含めて三皿《みさら》か四皿ついていたが、いずれもアマリヤ・イワーノヴナの台所から運ばれたもので、そのうえに、食後の茶とポンスにそなえてサモワールが二つも用意されていた。仕込みにはカテリーナ・イワーノヴナが自分であたり、なんのためにリッペヴェフゼル夫人のところに間借りをしているのか誰も知らぬ貧相なポーランド人に手伝ってもらって、いそがしく立ちまわった。この男は早速走り使いにとカテリーナ・イワーノヴナのところへ差し向けられて、昨日一日中走りまわり、今日も朝からせかせかと、舌をだしてかけまわっていた。舌をだしているのが人目につくように、わざわざ苦心しているようなところも見えた。彼はどんなつまらないことでもすぐにカテリーナ・イワーノヴナのところへ指図《さしず》を受けにかけつけるし、マーケットにまで彼女をさがしに来て、ひっきりなしに《少尉夫人》などと呼びかけるので、彼女ははじめのうちこそ、《この親切で気のいい》人がいなかったら、ほんとにどうしていいかわからなかったわ、などと言っていたが、しまいにはうんざりしてしまった。

カテリーナ・イワーノヴナの性格には、はじめて会った人を誰彼かまわず、さっさと美しい鮮やかな色彩で飾り立て、聞いているほうが恥ずかしくなるほど、ほめあげる癖があった。彼女はその男をほめるために、ぜんぜんありもしないいろいろなことを考えだし、自分も本気で純真にそれが実際にあったことだと信じこんでいるが、そのうちに不意に、一時に失望して、つい二、三時間前までは文字どおり崇拝していた人間を、どなりちらし、唾《つば》をはきかけて、追い出してしまうのである。彼女はもともとはよく笑う、明るい、おだやかな性質だったが、絶えまない不幸と失敗のために、みんなが和《なご》やかに楽しく暮し、それ以外の生活などできないようにと、狂おしいまでにねがうばかりか、要求するようになり、そのためにほんの軽い生活のみだれや、ごくわずかな失敗でも、すぐに彼女をほとんど狂乱の状態につきおとすようになった。だから彼女は明るい夢と希望につつまれてうっとりとしているかと思うと、たちまち運命を呪《のろ》い、手にあたるものを片っぱしから引き裂き、投げちらし、頭を壁にうちつけたりする。アマリヤ・イワーノヴナもとつぜんどうしたわけかカテリーナ・イワーノヴナから異常なまでの信頼と尊敬をよせられたが、それというのもひとえに、この法事をやることになったとき、アマリヤ・イワーノヴナが親切にいっさいの世話を引き受けることを申し出たからかもしれない。彼女は食卓の飾りつけから、ナプキンや皿などを手配し、自分の台所で料理をつくることまで引き受けたのだった。カテリーナ・イワーノヴナは彼女にあとをすっかりまかせて、自分は墓地に出かけた。たしかに、何もかもみごとに準備された。食卓はかなりさっぱりしたクロースでおおわれ、皿、フォーク、ナイフ、グラス、コップ、茶わん、これはみな、むろん、よせ集めもので、アパートの住人たちから借り集めたから、形も大きさもまちまちだったが、とにかく時間までにはちゃんとセットされた。だからアマリヤ・イワーノヴナは、役目をみごとに果したことを満足に思いながら、新しい喪章をつけた室内帽をかぶり、黒い衣装をつけ、すっかりめかしこんで、いささか得意そうな様子をさえ見せて帰ってきた人々を迎えた。この得意さは、当然ではあったが、どうしてかカテリーナ・イワーノヴナには気に入らなかった。《ほんとに、アマリヤ・イワーノヴナがいなかったら、食卓の飾りつけはできなかったろう、とでも言いたげな様子だよ！》新しいリボンをつけた室内帽も彼女の気に入らなかった。《もしかすると、このばかなドイツ女は、自分はアパートの持ち主だけど、お慈悲で気の毒な間借り人を助けてやることにしたのさなんて、威張っているのではあるまいか？お慈悲で！どういたしまして！カテリーナ・イワーノヴナのお父さんは大佐で、もうじき県知事になるところだったんですよ。一度なんか四十人ものお客をしたくらいで、素姓《すじよう》の知れないアマリヤ・イワーノヴナ、じゃない、リュドヴィーゴヴナなんて、勝手口へも入れてもらえやしないよ……》しかし、カテリーナ・イワーノヴナは、今日こそかならずアマリヤ・イワーノヴナの出鼻をくじいて、身のほどを思い知らせてやろう、さもないとどこまでいい気になるかしれやしない、と心にきめたが、潮時がくるまでは自分の感情を口に出さずに、ただそっけなくあしらっておくことにした。もう一つの不愉快なできごともカテリーナ・イワーノヴナの苛立《いらだ》ちを亢進させる一部の原因になった。というのは、葬式にはアパートの人々を呼んでおいたのに、参列したのは例によってすれすれに墓地にかけつけたポーランド人がたった一人で、あとは誰も来《こ》なかったことである。そのくせ法事には、つまりご馳走《ちそう》の出るほうには、ごくつまらない貧乏な連中、大部分は人並みの格好もしていない、いわば人間のくずばかりがどやどやと押しかけてきたのだった。住人の中でもやや年もとり、地位もいくらかましな連中は、まるで申し合せたように、一人も来なかった。例えば、アパート中でもっともりっぱな人物と言えるピョートル・ペトローヴィチ・ルージンも来なかった。しかももう昨夜のうちにカテリーナ・イワーノヴナは誰彼かまわずに、といってもアマリヤ・イワーノヴナと、ポーレチカと、ソーニャと、ポーランド人だが、これは実に由緒《ゆいしょ》正しい、心の大らかな人物で、おどろくほど顔がひろく、財産もあり、先夫の友人だったし、父の家に出入りを許されていた関係もあり、今度相当額の年金をもらえるように手をつくしてくれることを約束してくれたなどと、吹聴《ふいちょう》していたのだった。ここでことわっておくが、カテリーナ・イワーノヴナが誰かの縁故関係や財産を自慢したとしても、それはなんらの利害も、個人的な打算もなく、まったく私心をはなれてのことで、いわば心がみちてくるままに、ただ無性《むしょう》に相手をほめあげて、ますますその価値を高めてやるという、一途《いちず》の喜びからなのである。ルージンにつづいて、《その例にならった》らしく、《あのいまいましい卑怯者《ひきょうもの》のレベジャートニコフ》も姿を見せなかった。《あいつめいったい自分をなんと思ってるのだろう？　あいつこそお情けだけで呼んでやったのに、それというのもピョートル・ペトローヴィチと同居していて、知り合いだというし、呼ばれなかったら気まずかろうと思ってさ》。それから《売れのこりの娘》と二人暮しのつんと気取った婦人も現われなかった。この母娘《おやこ》はアマリヤ・イワーノヴナのアパートに来てからまだ二週間ほどにしかならないが、マルメラードフの部屋で、特に故人が酔って帰ってきたときなど、持ち上がる騒ぎや叫び声に対して、もう何度か苦情を申し立てていた。このことは、むろん、アマリヤ・イワーノヴナの口からカテリーナ・イワーノヴナの耳に入っていた。というのは、二人がののしりあいをやったとき、アマリヤ・イワーノヴナが親子もろとも追い出してやるとおどしながら、《おまえたちなんか足もとにも及ばない上品なお客さん方》の迷惑になっている、とありたけの声をはりあげてどなったことがあったからである。カテリーナ・イワーノヴナは今日わざと、自分など《足もとにも及ばないらしい》この婦人と娘を招待することにした。ましていままで、偶然に出会ったりすると、つんと顔をそむけたりされたのだから、なおのこと――今日こそ、こっちのほうが《考えも感情も上品だから、うらみを忘れて、招待してあげるのだ》ということを思い知らせ、カテリーナ・イワーノヴナはこんな境遇の暮しに慣れていないことを、はっきり見せつけてやろうというわけである。このことも、亡《な》くなった父が県知事だったことといっしょに、食事の席でかならず彼女たちに説明してやることにきめていた、そしてついでに、出会っても顔をそむける必要はすこしもないし、そんなことは愚の骨頂だということを、それとなく注意してやるつもりだった。ふとっちょの中佐（実際は退役二等大尉なのだが）も来なかったが、これは酔っぱらって昨日の朝から《足腰が立たず》にいることがわかった。

要するに、現われたのは、ポーランド人と、あぶらでとろとろのフロックを着た、いやな臭《にお》いのする、にきびをいっぱい出したみっともない無口の事務員、それに耳の遠い、目もほとんど見えない老人、この老人は昔どこかの郵便局に勤めていたそうだが、もういつからか、どういうわけか、誰かの世話でこのアパートにおいてもらっていた。さらに飲んだくれの退役中尉がやって来たが、これも実は軍隊の糧食部に勤めている役人で、無礼きわまる高笑いをする男だったが、なんと《あきれたことに》チョッキも着ていない！　またある男などは、カテリーナ・イワーノヴナに挨拶《あいさつ》もしないで、いきなり食卓のまえに坐《すわ》りこんでしまった。最後に現われた一人の男にいたっては、服がないので寝巻きのままやって来たが、これはあまりひどすぎるので、アマリヤ・イワーノヴナとポーランド人が二人がかりでやっと外へ連れ出した。しかも、ポーランド人は仲間らしい二人の同国人を連れてきたが、それは一度もこのアパートに住んだことがなく、これまで誰も見かけたことのない顔だった。こうした不愉快なことが重なってカテリーナ・イワーノヴナの神経を極度に苛立たせた。《こんなことなら、いったい誰のためにわざわざこんな支度をしたのかわかりゃしない！》子供たちさえ、客の席をすこしでもふやそうと思って、そうでなくても部屋いっぱいに並べられた食卓にはつかせずに、うしろ隅《すみ》のトランクに布をかけて食卓代りにしたのだった。しかも、小さな二人はベンチにかけさせ、ポーレチカは姉さんだから、弟たちの面倒を見て、行儀よく食べさせたり、《上品な子供たちらしく》鼻をふいてやったりしなければならなかった。

要するに、カテリーナ・イワーノヴナは否応《いやおう》なしに倍も気取って、しかも見下すような態度で、客たちを迎えなければならなかった。二、三の者は、特にきびしくじろじろ見まわしたうえで、横柄《おうへい》に席へ通した。どういうわけか、集まりがわるいのはアマリヤ・イワーノヴナの責任のような気がして、彼女は急に主婦《おかみ》に対して思いきりぞんざいな態度をとりだした。すると主婦はすぐにそれに気付いて、すっかり気分をこわしてしまった。こんなはじまりがいい終りを約束するはずがなかった。やっと、一同は席についた。

ラスコーリニコフが入ってきたのは、みなが墓地からもどったのとほとんど同時だった。カテリーナ・イワーノヴナは彼が来てくれたことをひどく喜んだ。というのは第一に、彼は集まった全部の客の中でたった一人の《教養のある客》で、《二年後にここの大学の教授になるために準備中なことは、周知のことだった》し、第二に、彼がすぐに丁重な言葉で、ぜひと思っていたが、どうしても葬式に参列できなかったことを、彼女に詫《わ》びたからである。彼女はとびつくようにして彼を迎えると、自分の左隣の席に坐らせた（右隣にはアマリヤ・イワーノヴナが坐っていた）。そして、料理が正しく配られ、みなにもれなく行きわたったかどうか、絶えず忙《せわ》しく気をくばり、この二日ほど特にしつこくなったような苦しい咳《せき》にのべつ息をつまらせ、声をとぎらせはしたが、それでもひっきりなしにラスコーリニコフのほうを向いて、半ばささやくような声でせかせかと胸につもったうっぷんや、法事の失敗に対する正当な憤慨をぶちまけていた。そして憤慨はときどき、集まった客たち、特に主婦《おかみ》に対するいかにも愉快そうな、どうにもこらえきれぬ嘲笑《ちょうしょう》に代った。

「何もかもあのほとときすがわるいんですよ。誰のことか、おわかりでしょう。あの女ですよ、あの女ですよ！」そう言いながら、彼女は主婦のほうへ顎《あご》をしゃくって見せた。「ごらんなさいな、あんなに目をむいて。わたしたちに噂《うわさ》されているのは、感づいてるけど、なんのことやらわからないで、目をぱちくりさせてるんだよ。ふん、ふくろうめ！　は、は、は！……ごほ、ごほ、ごほ！　それにあんな帽子をかぶって、いったいなんのつもりなんだろうねえ！　ごほん、ごほん、ごほん！　お気づきになりまして、あの女はね、いつもみんなの面倒を見ているんだから、いまこうしてこの席にいるのは、わたしに恥をかかせないためなのだと、みんなに思わせたいんですよ。わたしはあの女がちゃんとした人だと思ったから、すこしはましな人々を、それも故人を知っている人々を招《よ》んでくださるように頼んだのですよ。ところがどうでしょう、ごらんなさいな、この顔ぶれを！　道化みたいな連中ばかり！　きたならしいったらありゃしない！　そら、どうでしょう、あの男の不潔な顔、まるで鼻汁《はなじる》の化け物に足を二本くっつけたみたい！　それからあのポーランド人ども……は、は、は！　ごほ、ごほ、ごほ！　誰も、誰もここで一度も見かけたことがないんですよ、わたしだってまるで知りゃしない。そんな連中がいったいどうしてここへ来たんでしょうかねえ？　かしこまって並んで坐ってるじゃありませんか。さあ、あなた！」彼女は不意に彼らの一人に呼びかけた。「プリンを召し上がりまして？　もっとおとりなさいな！　ビールをどうぞ、ビールを！　ウォトカはいかが？　ごらんなさい、ほら、とび上がって、ぺこぺこお辞儀をしてるじゃありませんか、ね、どうでしょう、かわいそうに、きっとお腹《なか》をぺこぺこにすかしているんですわ！　まあいいわ、すこし食べさしてやりましょう。そのほうがうるさくなくていいわ、ただ……ただ、わたしは主婦《かみ》さんの錻の匙《さじ》のことが心配ですの！……アマーリヤ・イワーノヴナ！」彼女は不意に主婦のほうを振り向いて、ほとんど部屋中に聞えるように言った。「あなたの匙が盗まれるようなことがあっても、わたしは責任をもちませんよ、おことわりしておきますけど！　は、は、は！」彼女はけたたましく笑うと、またラスコーリニコフのほうを向いて、自分の悪ふざけが嬉《うれ》しくてたまらないように、主婦へ顎《あご》をしゃくってみせた。「わからないのよ、まだ通じないのよ！　ぽかんと口をあけて、きょとんとしてさ。ふくろうだよ、ほんもののふくろうだよ、新しいリボンをつけたこのはずくだよ、は、は、は！」

たちまち笑いがまた絶え入るような咳《せき》にかわり、五分ほどつづいた。ハンカチには血の痕《あと》がすこしのこり、額に大つぶの汗がにじみでた。彼女は黙ってその血をラスコーリニコフに見せた。そしてすこし息がらくになると、すぐにまたあきれるほど元気になり、頰《ほお》に赤い斑点《はんてん》をにじませながら、声をひそめて彼に話しかけはじめた。

「ねえ、どうでしょう、わたしはあの女に、あの奥さんと娘を招んでくれるようにって、まあね、いちばんの難役を頼んだんですよ、誰のことかわかるでしょう？　それこそもっともデリケートな態度をとり、上手に話をすすめてくださらなくちゃねえ。ところがすっかりぶちこわしをしちゃって、あのおのぼりさんの馬鹿女《ばかおんな》め、あの鼻もちならぬ礼儀知らずめ、あのごみみたいな田舎女め、少佐の未亡人とかいうふれこみだけど、恩給をもらう運動に出てきて、あっちのお役所こっちのお役所とお百度をふんでいるくせに、五十五にもなって眉《まゆ》を描《か》いてみたり、紅よ白粉《おしろい》よとべたべたぬりたくってさ（知らない者はありませんよ）……ほんとにいけすかない女ですよ。来ないことにきめたのだけでも分別が足りないのに、ことわりも言ってよこさないんですからねえ。こんな場合そのくらいのことは子供でも知っている常識ですよねえ！　それにしても、ピョートル・ペトローヴィチがどうして来なかったのかしら、わかりませんわ？　ソーニャはいったいどこにいるのかしら？　どこへ行ったのかしら？　あ、来ましたわ、やっと！　どうしたの、ソーニャ、どこへ行ってたの？　おかしいわよ、ソーニャ、お父さまのお葬式にだって、時間におくれたりして。ロジオン・ロマーヌイチ、この娘をとなりへ坐らせてあげてくださいな。さあ、そこがおまえの席ですよ、ソーネチカ……好きなものをおとり、煮凝《にこご》りはどう、おいしいわよ。プリンはいますぐ出るからね。子供たちにはやったかしら？　ポーレチカ、そちらにみんないってる？　ごほ、ごほ、ごほ！　そう、よかったわね。おとなしくしてるんですよ、レーニャ、おや、コーリャ、あんよをばたばたしちゃいけません。坊ちゃんらしく行儀よく坐っているんですよ。え、なんです、ソーネチカ？」

ソーニャは早速大急ぎで、みんなに聞えるようにつとめて大きな声を出しながら、自分がピョートル・ペトローヴィチに代って創作し、それに美しい修飾をほどこし、せいいっぱい優雅な丁寧な表現をつかって、ピョートル・ペトローヴィチのお詫びの言葉を彼女につたえた。彼女はさらにピョートル・ペトローヴィチが、二人だけで話したいことがあるし、今後とるべき方法などについて相談したいから、身体《からだ》があき次第すぐにお伺いすると忘れずにつたえてほしい、と言ったことをつけ加えた。

ソーニャは、これがカテリーナ・イワーノヴナの心をやわらげ、落ち着かせて、嬉しがらせるばかりでなく、何よりも——自尊心を満足させることを知っていた。彼女はラスコーリニコフのとなりに坐ると、そそくさと会釈《えしやく》をして、ちらと好奇の目を投げた。しかし、そのあとは彼のほうを見るのも、口をきくのも妙にさけるようにしていた。彼女はカテリーナ・イワーノヴナの機嫌《きげん》をそこねないために、絶えずそちらへ目をやっていたが、なんとなくぼんやりしているふうだった。彼女も、カテリーナ・イワーノヴナも衣装がないために、喪服を着ていなかった。ソーニャは煉瓦色《れんがいろ》のややも黒っぽい服を着ていたが、カテリーナ・イワーノヴナは一枚しかない地味な縞模様《しまもよう》の更紗《さらさ》の服だった。ピョートル・ペトローヴィチについての知らせは、油の上をすべるように流れた。もったいぶった様子でソーニャの知らせを聞きおわると、カテリーナ・イワーノヴナはそのままのもったいぶった様子をくずさずに、ピョートル・ペトローヴィチのご機嫌《きげん》はいかがでしたか、と尋ねた。それから、すぐに、ほとんどみなに聞えるほどの声で、ピョートル・ペトローヴィチほどの尊敬されているりっぱな人が、たとえ彼女の一家にすっかり信服しており、彼女の父と昔親しくしていたとはいいながら、こんな《妙ちきりんな集まり》に顔を出したら、それこそ変なものでしょう、とラスコーリニコフにささやいた。

「それだからこそ、ロジオン・ロマーヌイチ、あなたがこんな有様でもいやな顔をなさらずに、わたしのお招きをお受けくださいましたことに、わたしは心から感謝してるんでございますよ」と彼女はみなに聞かせるようにつけ加えた。「しかも、きっと、亡くなった気の毒な良人《おっと》と特別に親しくしていてくださったればこそ、約束を守ってくださったのだと思いますわ」

それから彼女はもう一度得意そうに、もったいぶった様子で一同を見まわしてから、急にとってつけたような親切さでテーブル越しにつんぼの老人に大声で尋ねた。《焼き肉をもっと召し上がりませんか、この方にリスボンのワインを差し上げたら？》老人は返事をしなかった。両どなりからおもしろ半分に小突かれたが、老人はしばらく何を聞かれたのかわからなかった。彼はぽかんと口をあけたまま、あたりを見まわすばかりだった。それが一同の浮かれた気分をいっそうあおりたてた。

「まあなんて阿呆《あほう》でしょう！　ごらんなさい、ごらんなさいな！　まったく、なんのためにこんな人を連れて来たのかしら？　ピョートル・ペトローヴィチのことは、わたしはいつも信用していたんですよ」とカテリーナ・イワーノヴナはラスコーリニコフに向ってしゃべりつづけた。「そりゃ、むろん、まるでちがいますよ……」と彼女はいきなり声をはりあげ、おそろしくきびしい顔をしてアマリヤ・イワーノヴナに言った。そのためにそちらは思わずびくっとしたほどだった。「あんなお高くとまったおべんちゃらとはね、まるでちがいますよ。あんな母娘なんかお父さんの家の料理女にだってなれるもんですか、亡くなった良人なら、きっと恥をかかせないために雇ってあげるでしょうけど、それだって底ぬけのお人よしだからよ」

「そうですよ、酒が好きでしたな。いける口で、よく飲みましたよ！」不意に糧食部の退職官吏が十二杯目のウォトカを飲みほしながら、叫んだ。

「亡くなった良人はたしかにそうした弱点がありました、それはどなたもご存じのことですわ」とカテリーナ・イワーノヴナはいきなり相手にからみついた。「でもあの人は心のやさしい上品な方で、家族の者を愛し、尊敬してくれましたわ。ひとつ悪いところといえば、あまりに善良すぎるために、どんなやくざな男でもすぐに信用してしまって、どこの馬の骨かわからない、あの人の足の裏にも値しないような連中とでも、いっしょに酒を飲んだことですわ！　どうでしょう、ロジオン・ロマーヌイチ、あの人のポケットからにわとりの形のボンボンがでてきたことがあったんですよ。死ぬほど酔っても、子供のことは忘れないんですねえ」

「に、わ、とり？　あなたは、にわとりと言われましたな？」と糧食部の男が叫んだ。

カテリーナ・イワーノヴナはそれに返事もしなかった。彼女は何やら考えこんで、ほっと溜息《ためいき》をついた。

「あなたも、きっと、みんなと同じように、わたしがあの人にきびしすぎたとお考えでしょうね」と彼女はラスコーリニコフのほうを向きながら、言葉をつづけた。「ところが、そうじゃないんですよ！　あの人はわたしを尊敬していました、それは、それは、尊敬していました！　心のやさしい人でした！　だからときには、かわいそうでたまらなくなることがありました！　よく、隅《すみ》のほうに坐って、じっとわたしを見つめているんです、わたしはかわいそうでたまらなくなって、やさしい言葉をかけてやろうと思いますが、すぐに心の中で《やさしくしたら、この人はまた酔いつぶれるだろう》と考えたものです。きびしくすることでいくらかでも抑えることができたのでした」

「そうですとも、前髪をひきむしったことがありましたなあ、うん、一度や二度じゃなかった」と糧食部の男はまた大声でわめき立てて、もう一杯ウォトカを流しこんだ。「前髪をひきむしるどころか、箒《ほうき》でも使ったほうが、そこらの馬鹿どもをあつかうには、ずっとくすりになりますよ。もっともこれは亡くなった良人のことじゃありませんがね！」とカテリーナ・イワーノヴナはやり返した。

彼女の頰の赤い斑点はいよいよ赤味をまし、胸がはげしく波をうちはじめた。もう一分もしたら、騒ぎがもち上がりそうだった。多くの者はひひひと笑っていた。おもしろくてたまらないようだ。人々は糧食部の男をつついたり、何か耳打ちしたりしはじめた。どうやら、二人をかみあわせたいらしい。

「じゃ、お尋ねしますがね、それはどういう意味です」と糧食部の男はひらき直った。「つまり誰を……皮肉りあそばしたんですかな……あなたはいま……まあ、いいや！つまらん！　後家なんだ！　やもめだ！　かんべんしてやろう……パスだ！」

そう言って、彼はまたウォトカをぐいとあおった。

ラスコーリニコフは坐ったまま、黙って、むかむかしながらこのやりとりを聞いていた。彼はカテリーナ・イワーノヴナがひっきりなしに皿にとりわけてくれる料理に、礼儀として一応手をつけていたが、それもただ彼女に気を悪くさせないためだった。彼はさぐるような目をじっとソーニャに注いでいた。ソーニャはしだいに不安がつのり、胸さわぎがひどくなってきた。彼女も法事が無事にすまないことを予感して、カテリーナ・イワーノヴナのはげしくなってくる苛立《いらだ》ちをびくびくしながら見守っていた。それに彼女は、地方から来た二人の婦人がカテリーナ・イワーノヴナの招待をあれほど無礼に黙殺した主な理由が、彼女ソーニャにあることを知っていた。母親のほうが招待されたことに屈辱をさえ感じて、《どうしてあんな女とうちの娘を同席させることができましょう?》とやり返したということを、ソーニャはアマリヤ・イワーノヴナの口から直接に聞かされたのだった。ソーニャはこのことがもう何かのはずみでカテリーナ・イワーノヴナの耳に入っているという予感があった。しかもソーニャに加えられた屈辱は、カテリーナ・イワーノヴナにしてみれば、自分や子供たちや父親に加えられた屈辱よりも大きな意味をもっていた。それは、ずばりと言えば、致命的な屈辱だった。だからもうこうなっては、《あのおべんちゃら女どもに身のほどをはっきりと思い知らせないうちは》カテリーナ・イワーノヴナの気がおさまらないことを、ソーニャは知っていた。わざとこの機会をねらったように、誰かが黒パンでつくった二つのハートを矢でつらぬいたものを皿にはりつけて、食卓の向う端からソーニャにまわしてよこした。カテリーナ・イワーノヴナはかっとなって、すぐに大声をはりあげて、こんなものをよこしたやつは《飲んだくれの阿呆》にきまってると、食卓越しにきめつけた。アマリヤ・イワーノヴナは、何かよくないことが起りそうな予感もあったし、同時にカテリーナ・イワーノヴナの思い上がった態度にすっかり腹を立てていたので、このへんで一座の不快な気分を別なほうへそらし、ついでに自分の株を上げようと思って、とつぜん、藪《やぶ》から棒に、知り合いの《薬屋のカルル》という男が夜更《よふ》けに辻馬車《つじばしゃ》に乗って行くと、《御者が殺そうとしましたので、カルルは殺さないでくれと、たいへん、たいへんたのみました。そして泣きました、そして手を合わせました、そしてびっくりして、おそろしくて心臓を突きさされました》という話をはじめた。カテリーナ・イワーノヴナはにやりと笑いはしたが、即座にアマリヤ・イワーノヴナにはロシア語の笑い話は無理だと注意した。アマリヤ・イワーノヴナはますます憤慨して、《父はベルリンでたいへん、たいへん有名な人で、いつも手でポケットをさわって歩きました》とやり返した。笑い好きなカテリーナ・イワーノヴナはがまんしきれずに、腹をかかえて笑いころげた。そこでアマリヤ・イワーノヴナは最後の忍耐を危うく失いかけたが、やっとおさえた。

「ねえ、ほんとにこのはずくでしょう！」とすぐにカテリーナ・イワーノヴナはいかにもおかしそうに、ラスコーリニコフに囁《ささや》いた。「手をポケットに入れて歩いた、と言おうとしたんですよ。それがどうでしょう、他人のポケットをねらって歩いたことになっちゃって、ごほ、ごほ！　ねえ、ロジオン・ロマーヌイチ、お気づきになって、ペテルブルグにいるすべての外国人、といっても、主にどこからか流れてきたドイツ人ですが、そろいもそろって、必ずといっていいくらい、わたしたちよりばかですわねえ！　そうじゃありませんか、《薬屋のカルルがおそろしくて心臓を突きさされた》とか、その男が（あきれた意気地なしですよ！）御者を縛りあげるどころか、《手を合わせて、泣いて、たいへん頼みました》なんて、そんなばかな話ができるものでしょうか。ほんとに、どうかしてますよ！　そのくせ、それがひどく気がきいた話みたいに考えて、自分がばかだなんて夢にも思わないんですからねえ！　わたしはあの酔っぱらいの糧食部の男のほうがよっぽど利口だと思いますよ。少なくともこのろくでなしは、酒ですっかり頭をやられてしまったことが、見てわかりますものね、ところがこの人たちときたらきちんとして、まじめくさって……おや、どうでしょう、目をむいてるわよ！　怒ってるんですよ！　怒ってるんですよ！　は、は、は！　ごほ、ごほ、ごほ！」

カテリーナ・イワーノヴナはすっかり楽しくなって、すぐにいろいろな詳しい話に身を入れだしたが、だしぬけに、年金が手に入ったらそれを資本にしてどうしても故郷のT市に良家の娘たちのための寄宿学校を設立するつもりだと、語りだした。このことはまだカテリーナ・イワーノヴナ自身の口からはラスコーリニコフに話してなかったので、彼女はたちまちもっとも魅惑的な詳しい夢ものがたりにすっかり心をうばわれてしまった。どこからどう現われたのか、不意に彼女の手には例の《賞状》がにぎられていた。それは亡くなったマルメラードフが居酒屋で、妻カテリーナ・イワーノヴナが女学校の卒業パーティで、《県知事をはじめりっぱな人々》のまえでヴェールの踊りをおどったことを話しながら、ラスコーリニコフに自慢したあれである。この賞状は、どうやら、カテリーナ・イワーノヴナの寄宿学校設立の資格を証明するものとして、ひけらかされたらしいが、それを用意していた最大の理由は、《例のお高くとまったおべんちゃら母娘》が法事に来た場合、その二人を徹底的にやっつけて、カテリーナ・イワーノヴナはもっとも上品な《貴族的といえるほどの家庭に生れた、大佐の娘で、近頃《ちかごろ》やたらにふえたそこらのふわふわした女などよりは、ぐっと品がいい》ことを、はっきりと証明してやることだった。賞状はたちまち酔った客たちの手から手へわたりだしたが、カテリーナ・イワーノヴナは別にそれをとりもどそうともしなかった、というのはその賞状にはほんとうに、彼女が帯勲七等官の娘であることがりっぱに記《しる》されてあったからである。とすると、大佐の娘というのも、どうやらほんとうらしかった。カテリーナ・イワーノヴナはすっかり血が頭にのぼってしまって、T市における未来の美しいしずかな生活の模様をこまごまと語りだした。彼女が寄宿学校に先生として招く中等教師のことや、マンゴといううりっぱなフランス人の老教師のこと、この老人は女学校でカテリーナ・イワーノヴナがフランス語を教わった人で、いまもT市に余生を送っており、彼女が声をかければきっと手頃な給料で来てくれるはずだというのである。とうとう、話がソーニャのことになった。《この娘もわたしといっしょにT市へ行って、わたしのしごとを全面的に手伝ってくれることになりますわ》すると不意に食卓の端のほうで誰かがぷっと吹きだした。カテリーナ・イワーノヴナはすぐさま食卓の端で起った嘲笑《ちょうしょう》など無視する振りをしようとしたが、しかしすぐにわざと声をはりあげて、ソーフィヤ・セミョーノヴナには彼女の助手をつとめるりっぱな才能があることや、《彼女の気立てのやさしさ、しんぼう強さ、わが身をいとわぬ美しい心、素姓《すじょう》のよさ、教養の高さ》などを、自分の言葉に酔ったように語りだした、そしてソーニャの頰をやさしくなでると、中腰になって、熱い接吻《せっぷん》を二度もあたえた。ソーニャはさっと顔を赤らめた。カテリーナ・イワーノヴナは急にわっと泣きだした、そしてすぐに、自分のことを、《神経の弱いおろかな女で、すっかり疲れてしまいましたから、もうそろそろおひらきにしましょう》と率直に認めて、《食べるものも終ったようだから、お茶を出すように》と言った。するとそのとき、それまで話にぜんぜん加わらず、何を言ってもろくに聞いてもらえなかったので、もうすっかり頭にきていたアマリヤ・イワーノヴナが、とつぜん思いきって最後の抵抗をこころみた。彼女はくさくさした気持をかくして、未来の寄宿学校では娘たちの肌着《はだぎ》をきれいにするということに特に注意して、《ぜひしっかりした婦人を一人おいて、肌着をよく検査させる》ようにすること、それから《若い娘たちが夜こっそり小説などを読まないように注意する》ことが必要だと、きわめて適切で意味深長な意見をカテリーナ・イワーノヴナに述べた。実際に疲れはてて、頭の調子がみだれ、法事にすっかり嫌気《いやけ》がさしていたカテリーナ・イワーノヴナは、たちまちアマリヤ・イワーノヴナに《反撃》して、あんたは《ばかなことばかり言って》、何もわかっちゃいない、娘たちの肌着の心配は衣類がかりのしごとで、上品な寄宿学校の女校長のやることではない、小説云々《うんぬん》にいたっては、ただただ不作法というほかはない、よけいなことは言わないでほしい、とつけつけと言ってのけた。アマリヤ・イワーノヴナはかっとなって、すっかりへそを曲げてしまい、わたしは《よかれと願って》言っただけだ、これまでだって《たくさんたいへんよかれと願って》きた、あなたは《家賃だってもういつからか一ゲルトも入れていないじゃないか》とやり返した。カテリーナ・イワーノヴナはすぐに、《よかれと願った》なんて嘘《うそ》だ、現に昨日まだ故人の遺体が卓の上に安置してあるところで、家賃のことで嫌味を言ったじゃないかと、相手を《やりこめ》た。それに対してアマリヤ・イワーノヴナは、《あの婦人たちを招待したが、あの婦人たちが来なかったのは、あの婦人たちが上品な方たちで、上品でない婦人のところへ来ることができないからだ》と、実に筋の通ったしっぺ返しをくわせた。するとカテリーナ・イワーノヴナはすぐさま、あなたなんか人間がいやしいから、ほんとうの上品というものがどういうものか判断がつかないのだ、と《強調》した。アマリヤ・イワーノヴナはたまりかねて、《父はベルリンでたいへん、たいへん有名な人で、いつも両手でポケットをさわって歩き、いつもこんなふうに、プフ、プフ、とやっていた》と言った、そしてもっとはっきり父のえらさを示すために、椅子《いす》から立ちあがって、両手をポケットに突っこみ、頬をふくらまして、口でプフ、プフに似たなんとも奇妙な音をだしはじめた。一同はわあわあ笑いながら、つかみ合いを予想して、さかんにアマリヤ・イワーノヴナをけしかけた。こうまでされては、カテリーナ・イワーノヴナはもうがまんができず、いきなり大声をはりあげて、アマリヤ・イワーノヴナには、おそらく、はじめから父親なんてなかったにちがいない、アマリヤ・イワーノヴナなんてもともとペテルブルグをうろついていた飲んだくれのフィンランド女で、もとはきっとどこかの台所に住みついていたか、あるいはもっと悪い稼《か》業《ぎょう》をしていたにちがいない、とそれこそ《刻みつけるように》言ってのけた。アマリヤ・イワーノヴナはえびのように真っ赤になり、金切り声をはりあげて、それはカテリーナ・イワーノヴナのことだ、《父親がいなかったのはそっちだろう。わたしにはベルリンにれっきとした父がいて、こんな長いフロックを着て、いつもプフ、プフ、プフをやっていた！》と叫んだ。カテリーナ・イワーノヴナはぐっと相手を見下しながら、わたしの生れは誰もが知っているところで、この賞状にちゃんと活字体で父が大佐だったことが記されている、と言明したうえで、アマリヤ・イワーノヴナの父は（父と名のつく人があったとしたらだが）ペテルブルグのフィンランド人で、牛乳売りでもしていたにちがいない、でも父親なんてぜんぜんなかったと見るほうが、正しいようだ、その証拠に、アマリヤ・イワーノヴナの父称がイワーノヴナか、リュドヴィーゴヴナか、いまだにはっきりしないじゃないか、ときめつけた。するとアマリヤ・イワーノヴナは、かんかんに怒ってしまって、拳骨《げんこつ》で食卓をたたきながら、わたしはアマリ・イワンで、リュドヴィーゴヴナではない、父は《ヨハンといって、市長だった》、カテリーナ・イワーノヴナの父は《ぜんぜん一度だって市長をしたことなんかない》とわめきたてた。するとカテリーナ・イワーノヴナは椅子から立ちあがり、きっとなって、うわべだけは落ち着きはらった声で（蒼白《そうはく》な顔をして、胸を大きく波打たせてはいたが）、もう一度でも《あんたのやくざな父親とわたしのお父さまをいっしょに並べるようなことをしたら、あんたの帽子をむしりとって、足で踏みにじってやる》と言明した。それを聞くと、アマリヤ・イワーノヴナはあらん限りの声をはりあげて、わたしはこのアパートの持ち主だ、《いますぐとっとと出てってくれ》と叫びながら、部屋の中をかけまわりはじめた。そしてどういうつもりかいきなり食卓から匙《さじ》をかき集めにかかった。ものすごい騒ぎと叫びが起った。子供たちが泣きだした。ソーニャはあわててカテリーナ・イワーノヴナを抑えようとしたが、アマリヤ・イワーノヴナが不意に黄色い鑑札がどうとかわめいたので、カテリーナ・イワーノヴナはソーニャをつきのけて、即座に帽子云々のおどしを実行に移すために、アマリヤ・イワーノヴナにむかって突進した。その瞬間ドアが開《あ》いて、入り口にとつぜんピョートル・ペトローヴィチ・ルージンが現われた。彼は突っ立ったまま、注意深い目で一同を見まわした。カテリーナ・イワーノヴナは彼の胸へとびついた。

3

「ピョートル・ペトローヴィチ！」と彼女は叫びたてた。「わたしを守ってちょうだい、あなただけでも！　この馬鹿女《ばかおんな》におしえてあげて、不幸中のゆかしい婦人にこんな扱いをしてはいけない、裁判にかけられるって……わたしは総督さまにじきじき訴えます……あの女は責任をとらされます……父の知遇を思い出して、このみなし子たちを守ってあげてくださいまし」

「まあ、奥さん……まあ、まあ、失礼ですが」ピョートル・ペトローヴィチは手を振ってはらいのけた。「あなたのお父さまのことは、あなたもご存じのように、わたしはいっこうに存じあげませんが……申しわけありませんな、奥さん！　（誰《だれ》かが大声で笑いだした）ところであなたとアマリヤ・イワーノヴナのひっきりなしのいがみ合いには、わたしはまきこまれるのはごめんです……わたしは自分の用事で来たんですよ……いますぐ、あなたの義理の娘さんと話しあいたいことがありましてな、ソーフィヤ……イワーノヴナ……とかおっしゃいましたな？　ちょっと通していただきます」

そう言うとピョートル・ペトローヴィチは、身を横向きにちぢめてカテリーナ・イワーノヴナのわきを通りぬけ、ソーニャのいる向う隅《すみ》のほうへ歩きだした。カテリーナ・イワーノヴナはまるで雷にうたれたように、その場にそのままの姿勢で立ちつくしていた。彼女はどうしてピョートル・ペトローヴィチが父の知遇を否定できたのか、どうしても納得できなかった。彼女は自分で勝手にこの知遇を考え出したくせに、もうすっかりそれを信じこんでいたのだった。ピョートル・ペトローヴィチの事務的な、そっけない、しかもなんとなく軽蔑《けいべつ》するような威嚇《いかく》をさえふくんだ口調も、彼女をおどろかした。それにみんなも、彼が現われると同時に、どういうものかしだいにしずかになりはじめた。この《敏腕なまじめな》男がこの部屋の空気にあまりにも調和しなかったこともあるが、それに加えて、彼が何か重大な用事があって来たらしい、何かよくよくの理由がなければこんなところへ来るわけがない、とすると、いまに何か起る、何ごとか持ち上がるにちがいないということが、察しられたからである。ラスコーリニコフはソーニャのそばに立っていたが、わきへよけて彼を通した。ピョートル・ペトローヴィチは彼になどぜんぜん目もくれなかった。一分ほどするとレベジャートニコフも戸口に姿を見せた。彼は部屋には入らなかったが、やはり特別の好奇心、というよりはむしろおどろきに近い表情で、立ちどまり、きき耳を立てていたが、どうやら何か腑《ふ》におちない様子だった。

「おたのしみのところを邪魔することになるかもしれませんが、問題はかなり重大ですので、お許しいただきたい」とピョートル・ペトローヴィチは特に誰にということもなく、漠然《ばくぜん》と言った。「みなさんがいてくれたほうがかえって都合がいいのです。アマリヤ・イワーノヴナ、お願いですが、このアパートの主婦《おかみ》として、これからわたしがソーフィヤ・イワーノヴナと話すことをようく聞いていてもらいたい。ソーフィヤ・イワーノヴナ」と彼は、すっかりびっくりしてしまって、もう早くもおびえきっているソーニャのほうに、まっすぐに向き直りながら言葉をつづけた。「わたしの友人アンドレイ・セミョーノヴィチ・レベジャートニコフの部屋のわたしのテーブルの上から、あなたが訪ねて来《こ》られた直後、わたしの所有に属する百ルーブリ紙幣が一枚紛失しました。事情はともかく、それがいまどこにあるか、あなたが知っていて、わたしにおしえてくだすったら、あなたにちゃんと約束しますし、ここにいるみなさんに証人になってもらいますが、この事件はそれできっぱりと打ち切りにします。だが、そうでない場合は、実に重大な手段に訴えざるを得ませんが、そのときは……自分のせいだから、もう泣きごとを言ってもはじまりませんよ！」

部屋の中は水をうったようにしずまりかえった。泣いていた子供たちまで泣きやんだ。ソーニャは死人のような蒼白《そうはく》な顔をして突っ立ったまま、ルージンを見つめていたが、何も答えることができなかった。彼女はまだ言われたことの意味がわからないらしかった。何秒かすぎた。

「さあ、どうなんです!」とルージンはひたと彼女を見すえながら、うながした。

「わたし知りません……何も知りません……」ソーニャは、やっと、弱々しい声で言った。

「そう? 知らないんですか?」と聞きかえすと、ルージンはまた何秒か黙っていた。「よく考えてごらんなさい、マドモアゼル」と彼はきびしいが、それでもまださとすような調子で言いはじめた。「よくよく考えてみることです、もうすこし思案する時間をあたえてあげます。いいですか、わたしはよほど確信がなかったら、世事にはかなり通じているつもりですから、もちろん、これほどはっきりとあなたを非難するような危ないまねはしませんよ。だってこのように真っ向から公然と非難した場合、それが無実だったら、たとえちょっとした思いちがいだったにしろ、いずれにしてもその責めはまぬがれませんからな。そのくらいのことは知っています。今朝わたしは、ある必要があって、五分利債券を何枚でしたか、額面にして三千ルーブリ両替えしました。計算書は財布にしまってあります。家へもどると、わたしは――これはアンドレイ・セミョーノヴィチが証人ですが――金の勘定をはじめて、二千三百ルーブリまでかぞえたところで、それだけを財布にしまい、財布はフロックの脇《わき》ポケットに入れました。テーブルの上には紙幣で約五百ルーブリのこっていたが、その中の三枚は百ルーブリ紙幣でした。ちょうどそこへあなたが入って来たわけです（わたしが呼んだので）、――そしてそれからずうっとひどく落ち着かない様子で、話の途中に三度も立ち上がって、話がまだおわってもいないのに、どういうわけか急いで出て行こうとしましたね。これはみなアンドレイ・セミョーノヴィチが証言できます。マドモアゼル、おそらく、あなた自身も、わたしがあなたのお母さんカテリーナ・イワーノヴナの身よりたよりのない状態についてあなたと善後策を考えるという（わたしには法事に出席するひまがなかったので）、ただそれだけのためにアンドレイ・セミョーノヴィチをわずらわしてあなたを呼んだことを、否定はなさらないでしょうね。それからお母さんのために寄付か、宝くじか、何かそうしたことを計画したらいいのではないか、と話したことも。あなたはわたしにお礼を言って、涙ぐみさえしましたね（わたしがいま何もかもありのままに語るのは、ひとつには、あなたに思い出してもらいたいためと、もうひとつは、わたしの記憶からどんな些細《ささい》なことも失われていないことを、あなたに見せるためです）。それからわたしはテーブルの上から十ルーブリ紙幣を一枚とって、あなたのお母さんのために、とりあえずの助けに、わたしからとして、それをあなたに渡しました。これはみなアンドレイ・セミョーノヴィチが見ていたことです。それからわたしはあなたを戸口まで送りだしました、――そのときも、あなたは、やはりそわそわしていました、――それから、アンドレイ・セミョーノヴィチと二人になって、十分ほど話しあってから、アンドレイ・セミョーノヴィチは出て行き、わたしはまえから考えていたことですが、テーブルの上に置き放しになっていた金をかぞえて、それだけを別にしておくつもりで、テーブルのところへもどりました。するとおどろいたことに、百ルーブリ紙幣が一枚なくなっているのです。まあ、よく考えてみてください、アンドレイ・セミョーノヴィチを疑うことは、わたしとしてはどうしてもできません。そんなことは考えるだけでも恥ずかしいくらいです。かぞえ違いということも、考えられません、だって、あなたが見える一分まえに、全部かぞえおわって、総額にまちがいのないことをたしかめておいたのです。あなただって認めると思いますが、あなたのそわそわと落ち着かない態度や、急いで出て行こうとしたことや、それからある時間両手をテーブルの上にのせていたことなどを思いだし、最後に、あなたの社会的立場とそれに関連する習慣というものを思いあわせた場合、わたしは、いわば、ぞっとして否定したいとさえ思いましたが、どうしてもある――もちろん残酷ですが、しかし公正な疑惑を抱《いだ》かざるを得なかったのです！　ただしとして繰り返しておきますが、わたしは明白に確信していますが、しかし、いまこうしてあなたを非難していることには、やはりわたしにとっていくぶんの危険があることは、自分でも承知しています。しかし、このとおり、わたしはあいまいにしておかずに、思いきって、あなたに言います。それはひとえに、いいですか、ひとえにあなたの憎むべき忘恩行為のせいなのです！　なんということをしてくれました？　わたしはあなたの気の毒なお母さんのためを思ってあなたを呼び、わたしとしてはせいいっぱいの十ルーブリの金をさしあげました。ところがあなたはすぐに、その場で、このような行為をもってそれに報いたのです！　まったく、実によくないことです！　放《ほう》っておくわけにはいきません。よく考えてください。さらに、あなたの真実の友として頼みます（だって、いまのあなたにとって、友よりもいいものはあり得ません）。目をさましてください！　強情をはると、ほんとに怒りますぞ！　さあ、どうです？」

「わたしあなたのものなんか何もとりませんわ」とソーニャは恐怖におののきながら呟《つぶや》くように言った。「あなたはわたしに十ルーブリくださいました、さあ、このとおりお返しします」

ソーニャはポケットからハンカチをとりだし、結び目をさがして、解くと、十ルーブリ紙幣をつかみだして、それをルージンのまえへさしだした。

「じゃのこりの百ルーブリのほうは、知らないというんですね？」彼は紙幣を受け取ろうとはしないで、とがめるようにしつこく言った。

ソーニャはあたりを見まわした。おそろしい、きびしい、嘲《あざけ》りと嫌悪《けんお》をうかべた顔々が彼女をにらんでいた。彼女はラスコーリニコフの顔をちらと見た……彼は壁際《かべぎわ》に立ったまま、腕ぐみをして、燃えるような目で彼女を凝視していた。

「ああ、ひどい！」というせつない叫びがソーニャの口からもれた。

「アマリヤ・イワーノヴナ、どうやら警察に知らせるほかはないようです。で、まことにすみませんが、庭番を呼んでいただけないでしょうか」とルージンはしずかに、むしろやさしいくらいに言った。

「ほんとにまあ！《ゴット・デル・バルムヘルツィゲ》　この娘が盗みをすることは、わたしも知っていたんですよ！」

アマリヤ・イワーノヴナはぱちッと両手を打ち合せた。

「あなたも知っていたって？」とルージンはすかさず聞き返した。「というと、そういう結論をくだす根拠になるようなことが、まえにもあったというわけですね。じゃ、アマリヤ・イワーノヴナ、いまのその言葉をお忘れにならないように願いますよ、もっとも、これだけ証人がいますがね」

四方から急にがやがやと話し声が起った。みんなざわざわしはじめた。

「な、ん、ですと！」不意にわれに返って、カテリーナ・イワーノヴナはこう叫ぶと、まるで鎖をひきちぎったように、猛然とルージンにつめよった。「なんですと！　あなたはこの娘が盗んだというの？　このソーニャが？　ええ、この、人でなし！」それから彼女はソーニャのほうへかけよると、やせ細った腕で力のかぎり抱きしめた。

「ソーニャ！　どうしておまえはこんな男から十ルーブリなんかもらったの！　ばかだねえ！　さ、ここへお出し！　さあ、その十ルーブリをお出しったら――そら！」カテリーナ・イワーノヴナはソーニャの手から紙幣をひったくると、両手でそれをまるめて、ルージンの顔にいきなりそれを投げつけた。紙つぶては目にあたって、床にころげおちた。アマリヤ・イワーノヴナはあわててそれを拾いあげた。ピョートル・ペトローヴィチはかっとなった。

「この気ちがい女をおさえろ！」と彼は叫びたてた。

戸口にはそのときレベジャートニコフと並んでさらにいくつかの顔が現われた。その中には地方から来た母娘《おやこ》もまじっていた。

「なんだと！　気ちがい女だ？　わたしが気ちがいだって？　ばかめ！」とカテリー

ナ・イワーノヴナはわめきたてた。「おまえこそばかだよ、嘘《うそ》つき、下司《げす》野郎！　ソーニャが、ソーニャがこんなやつの金をとったって！　ソーニャが泥棒だって！　へっ、ソーニャのほうがおまえにくれてやるよ、ばかめ！」そう言うと、カテリーナ・イワーノヴナはヒステリックに笑いたてた。「みなさん、見てちょうだいよ、このばかを！」彼女はそこら中をかけまわって、みんなにルージンの顔を指さした。「どうです！　そう、おまえもだよ！」彼女は主婦《おかみ》に目をとめた。「ええ、このソーセージ売りめ（訳注　ドイツ人に対するののしりの言葉）、おまえまでいい気になって、よくもこの娘が《盗んだ》なんて言ったね、卑屈なドイツっぽ、スカートをはいた鶏の足め！　ああ、おまえたちは！　そろいもそろって、畜生！　ええ、この娘は部屋から一歩も出ていないんだよ、おまえんとこからもどると、すぐにロジオン・ロマーヌイチのわきに坐《すわ》って、どこへも行きゃしなかったよ！……この娘をしらべてみたらどうなの！　どこへも行かないんだから、盗んだものならあるはずじゃないの！　しらべなさいな、え、しらべなさいよ！　ただし、見つからなかったら、わるいけど、責任はとってもらいますよ！　皇帝、皇帝のところへ、お情け深いツァーリさまのところへかけつけて、足もとにひれ伏しますよ、早速、今日にも！　わたしは——あわれなやもめです！　通してくれますよ！　通さないと、思うの？　とんでもない、行ってみせるよ！　行ってみせるとも！　きっと、この娘がおとなしいと思って、こんな芝居を考えたんだろう？　その代り、わたしはきかないよ！　ぎゅうぎゅういわしてやる！　しらべなさいな！　え、さあ、さっさとしらべたらどうなの!!」

カテリーナ・イワーノヴナは気ちがいのようになって、ルージンを小突きながら、ソーニャのほうへひっぱって行った。

「わたしは覚悟してますよ、責任は負いますよ……だが、気をしずめなさいよ、奥さん、落ち着きなさい！　あなたがきかないことは、もう十分にわかりましたよ！……それはさて……それですが……いったいどうしたものでしょうな？」とルージンは呟いた。「警察が立ち会いでなくちゃ、――もっとも、いまでも証人は十分すぎるほどだが……わたしはいいですよ……でもとにかく男には難かしいですよ……性の関係がありましてな……せめてアマリヤ・イワーノヴナでも手をかしてくれたら……しかし、それもまずいと思うし……まあ、どうしたものでしょう？」

「誰でもかまいません！　しらべたい人は、しらべるがいい！」とカテリーナ・イワーノヴナは叫んだ。「ソーニャ、こいつらにポケットをひっくり返して見せておやり！　そう、そう！　ごらんよ、阿呆《あほう》、ほら空《から》っぽでしょ、ここにハンカチが入っていたんだよ、空っぽだよ、ほら！　今度はこっちのポケット、いいかね、ほら！　ごらん！　ごらん！」

そう言いながらカテリーナ・イワーノヴナは、裏返しにするというよりは、二つのポケットを次々と外へひっぱり出した。ところが二つ目の右のポケットから、思いがけなく小さな紙きれが一つとびだして、放物線を描いてルージンの足もとにおちた。ピョートル・ペトローヴィチは腰を屈《かが》めて、床から二本指でその紙きれをつまみ、みんなに見えるように高く上げて、それをひろげた。それは八つにたたんだ百ルーブリ紙幣だった。ピョートル・ペトローヴィチは手をぐるりとまわして、みんなに紙幣を見せた。

「盗《ぬす》っ人《と》！　部屋を出て行け！　巡査《ポリス》、巡査《ポリス》！」とアマリヤ・イワーノヴナはわめきたてた。「こんなやつらはシベリア送りだよ！　出て行け！」

四方から叫び声がとんだ。ラスコーリニコフは押し黙ったまま、じいっとソーニャの顔を見つめていたが、ときおりちらと素早い視線をルージンに移した。ソーニャは意識を失ったように、ぼんやりその場に立っていた。おどろいた様子さえほとんどなかった。不意に朱がさっと顔中にさしたかと思うと、彼女はわっと叫んで、両手で顔をおおった。

「ちがう、わたしじゃない！　わたしはとりません！　わたしは知りません！」と彼女は胸をひきむしるような涙声で叫ぶと、カテリーナ・イワーノヴナにす[illegible]ついた。

カテリーナ・イワーノヴナは彼女を抱きよせ、まるで自分の胸で彼女をみんなから守ろうとでもするように、ひしと抱きしめた。

「ソーニャ！　ソーニャ！　わたしは信じないよ！　わかるね、わたしは信じないからね！」カテリーナ・イワーノヴナは（どう見ても明白な事実があるのに）こう叫びながら、抱きしめた腕の中で幼な子のように彼女をゆすり、何度となく接吻《せっぷん》し、彼女の手をさぐっては、はげしく唇《くちびる》を押し当てて貪《むさぼ》るように吸うのだった。「おまえがとったなんて！　ほんとになんてばかなやつらだろう！　あんまりだ！　あんた方はばかです、ばかです！」と彼女はみんなを見まわしながら、叫んだ。「そうですとも、あんた方はまだ知らないんです、この娘がどんな美しい心をもってるか、この娘がどんな娘か、知らないんです！　この娘がひとのものをとるなんて、この娘が！　この娘はなけなしの服をぬいで売り、自分ははだしで歩いても、あんた方が困っていれば、みんなやってしまう、そういう娘なのです！　この娘は黄色い鑑札も受けました、それはわたしの子供たちが飢えのために死にかけたからです、わたしたちのために自分の身を売ったのです！……ああ、亡《な》くなったあなた、あなた！　あの世に行かれたあなた、あなた！　わかりますか？　見えますか？　これがあなたの法事ですよ！　あんまりだ！　この娘を守ってあげてくださいよ、あんた方はなんだってぼんやり突っ立ってるんです！　ロジオン・ロマーヌイチ！　あなたまで、どうして味方をしてくれないんです？　あなたも、信じてるんですか？　あんた方はみんな、みんな、どいつもこいつも、この娘の小指ほどの値打ちもありゃしない！　神さま！　あなたにおすがりするほかありません、どうかこの娘を守ってあげてください！」

身よりのない哀れな肺病のカテリーナ・イワーノヴナの涙ながらの訴えは、人々に強い感銘をあたえたようだった。この苦痛にゆがみ、業病《ごうびょう》にけずられたかさかさの顔、血のこびりついた干からびた唇、かすれた悲痛な声、子供が泣きじゃくるようなすすり泣き、子供のように信じやすい、しかも必死にすがりつくような、守ってくれと祈る哀願、それはあまりにも痛々しく、あまりにも苦悩がにじみでていたので、すべての人々にあわれみを覚えさせたかに見えた。少なくともピョートル・ペトローヴィチはすぐにかわいそうになってしまった。

「奥さん！　奥さん！」と彼は心に呼びかけるような声で叫んだ。「これはあなたには関係のないことですよ！　誰もあなたがたくらんだとか、しめしあわせたなんて、非難する者はありませんよ。ましてあなたは自分でポケットを裏返して、犯
したじゃありませんか。それはさて、貧しさがソーフィヤ・セミョーノヴ

ことをさせたとすればですね、わたしは決して同情しないというのではありません、しかしいったいどうして、マドモアゼル、あなたは正直に言おうとしなかったのです？　恥辱が恐《こわ》かったのですか？　はじめに言いそびれたからですか？　おそらく、どうしていいかわからなくなってしまったんでしょうね？　わかります。よくわかりますよ……だがしかし、どうしてこんなことをしてくれたんでしょうねえ！　みなさん！」と彼はその場にいあわせたすべての人々に向って言った。「みなさん！　わたしは同情を禁じ得ませんし、いわば、痛ましい気持が十分に察しられますので、いまでさえ、わたしが受けた個人的な侮辱には目をつぶってですね、許してあげてもいいと思っています。それに、マドモアゼル、いまの恥辱があなたには将来に対する教訓になるでしょうからな」と彼はソーニャのほうへ向き直った。「これでこの事件は闇《やみ》に葬《ほうむ》りましょう、まあ騒ぎたててもしようがない、これで打ち切ります。もうたくさんですよ！」

ピョートル・ペトローヴィチは横目でちらとラスコーリニコフを見た。二人の視線がかちあった。ラスコーリニコフの燃えるような凝視は相手を焼きつくさんばかりだった。一方カテリーナ・イワーノヴナはもう何も耳に入らない様子だった。彼女はソーニャを抱きしめて、ただもう夢中で接吻をくりかえしていた。子供たちも四方から小さな手でソーニャに抱きすがっていた。ポーレチカは——どういうことなのかまだよくわからないらしく——顔中を涙だらけにしておいおい泣きじゃくりながら、泣きはらしたかわいい顔をソーニャの肩に埋《うず》めていた。

「なんという卑劣なことだ！」誰かの声が不意に戸口で叫んだ。

ピョートル・ペトローヴィチはあわてて振り向いた。

「なんという卑劣さだ！」と、鋭く彼の目をにらみすえながら、レベジャートニコフはくりかえした。

ピョートル・ペトローヴィチはぎくっとしたようにさえ見えた。それはみんなが気がついた（あとになってからそれを思い出したのである）。レベジャートニコフは一歩部屋へ入った。

「あなたはよくもぼくを証人にするなどと言えましたね？」と彼はピョートル・ペトローヴィチのほうへ歩みよりながら、言った。

「それはどういうことですか、アンドレイ・セミョーノヴィチ？　きみはなんのことを言ってるんですか？」とルージンは口ごもった。

「あなたが……中傷する男だ、ということです、これがぼくの言葉の意味です！」とレベジャートニコフは強い近視の目で鋭く彼を見すえながら、はげしく言いはなった。

彼は怒りに身をふるわせていた。ラスコーリニコフは一言ものがさずにとらえて、その重みをはかろうとするように、じっと彼の顔に目をくい入らせていた。またしーんとしずまりかえった。ピョートル・ペトローヴィチにほとんど度を失ったかにさえ見えた。特に最初の瞬間がひどかった。

「もしきみがわたしにそんな……」と彼はしどろもどろに言いはじめた。「いったい、どうしたのだ、きみ？　正気か？」

「ぼくは正気ですよ、だがあなたはひどい……悪党だ！　ああ、なんて卑劣なんだ！　ぼくは全部聞いていた。すっかりのみこむために、わざといままで黙っていたんだ。だって、率直に言うけど、いまでさえどうも論理的にすかっとしないんだ……いったいなんの目的であなたがこんなことをしたのか――理解できない」

「わたしが何をしたというんだね！　つまらん推理でものを言うのはよしてもらいたいな！　それとも、きみは酔っているんじゃないのか？」

「酔ってるのは、あなたという卑劣な男かもしれませんね、ぼくじゃありませんよ！　ぼくはウォトカだって一滴も口にしませんよ、ぼくの信念に合いませんのでね。いいですか、みなさん、この男は、この男は自分で、自分の手でこの百ルーブリ紙幣をソーフィヤ・セミョーノヴナにやったのです、――ぼくは見ていました、ぼくが証人です、ぼくは宣誓します! この男、この男です!」と、その場にいあわせた者一人一人に向って、レベジャートニコフはくりかえした。

「おい、きみは頭がどうかしたのか、この青二才めが?」とルージンはわめきたてた。「この娘はいまきみの目のまえで——たったいま、自分で、みんなのまえで、十ルーブリ以外、何ひとつわたしから受け取らなかったと、はっきり証言したじゃないか。そのあとで、いったいどんな方法でわたしがこの娘に渡せたというのだ?」

「ぼくは見ていた、見ていたんだ!」とレベジャートニコフはくりかえし叫んだ。「これはぼくの信念に反するが、しかしぼくはいますぐ裁判所へ出頭して、どんな宣誓でもするつもりだ。だって、あなたがそっと彼女のポケットに押しこむのを、ぼくは見ていたからだ。ただぼくはばかだから、そのときはあなたがこっそり恵んでやったのだと思ったんだ! 戸口で、別れしなに、あなたは彼女を送り出し、片手で彼女の手をにぎりながら、別な左の手で、彼女のポケットにそっと紙幣をしのばせたんだ。ぼくは見ていた! 見ていたんだ!」

ルージンは蒼《あお》くなった。

「何をでたらめ言ってるんだ!」と彼はふてぶてしく叫んだ。「きみは窓際《まどぎわ》に立っていて、どうしてそれが紙幣とわかったんだ! 目の迷いだよ……近視がひどいからな。

幻覚だよ！」

「いや、目の迷いじゃない！　たしかにぼくは遠くにはなれていた、しかしぼくは見たんだ、すっかり見たんだ。そりゃたしかに窓のところから、たたんだ紙幣を見わけるのは難かしい――しかしぼくは、ある事情で、それがまちがいなく百ルーブリ紙幣であることを、ちゃんと知っていたんだ。というのは、あなたがソーフィヤ・イワーノヴナに十ルーブリ紙幣を渡そうとしたとき――ぼくはちゃんと見ていたんだ――そのときあなたはテーブルの上から百ルーブリ紙幣もとった。（そのときぼくはたまたま近くにいたので、それが見えたんだ、そしてすぐにぼくの頭にある一つの考えがうかんだ、だからぼくは、あなたの手に紙幣がにぎられていることを忘れなかったのさ）あなたはそれを小さくたたんで、それからずうっとにぎりしめていた。その後、ぼくはまた忘れかけたが、あなたが立ちあがりかけたとき、それを右手から左手へもちかえて、危なくおとしそうになった。そこでぼくはまた思い出した、というのは、またさっきの考え、つまり、あなたがぼくにかくれてこっそり彼女に恵みをほどこそうとしているのだという考えがうかんだからだ。わかるでしょう、それからぼくが特に注視しだしたのが――そして、あなたが首尾よく彼女のポケットにしのびこませたのを、見とどけたんだ。ぼくは見た、見たんだ、ぼくは誓って言う！」

レベジャートニコフはいまにも息がつまりそうにあえいでいた。四方からいろんな叫び声が起った。おどろきを現わす叫びがいちばん多かった。しかし威嚇《いかく》の調子のこもった叫びもあった。みんなピョートル・ペトローヴィチをとりまいた。カテリーナ・イワーノヴナはレベジャートニコフのまえへかけよった。

「アンドレイ・セミョーノヴィチ！　わたしはあなたを誤解していました！　この娘を守ってください！　あなた一人がこの娘の味方です！　身よりのないかわいそうな娘です、神さまがあなたをつかわしてくだすったのです！　アンドレイ・セミョーノヴィチ、あなたは、なんていい方でしょう！」

そしてカテリーナ・イワーノヴナは、自分で何をしているのかほとんどわからない様子で、いきなり彼のまえにひざまずいた。

「たわごとだ！」とルージンはかんかんにいきり立って、わめきたてた。「たわごとばかりぬかしくさって。《忘れた、思い出した、忘れた》——何を言ってるのだ！　なんのためにこっそりこの娘のポケットにしのばせたというのか？　なんのために？　どんな目的で？　わたしがこの娘になんの関係があるのだ……」

「なんのために？　それがぼくにもわからないんです。だがぼくがありのままの事実を語ったということ、それは確かです！　あなたは実にけがらわしい、罪深い男だ。

ぼくは決してまちがっていません、その証拠に、あのときすぐに、つまりぼくがあなたに感謝して、あなたの手をにぎりしめたあのときにですね、このことについて一つの疑問が頭にうかんだのを、はっきりおぼえているんです。いったいなんのためにあなたが彼女のポケットにそっとしのばせたのか？　つまり、どうしてそっとでなければいけないのか？　ぼくが反対の信念をもち、社会悪の根をすこしもつみとることのできない個人的慈善を否定することを知っているから、ぼくにかくそうとした、ただそれだけのことだろうか？　そう考えてきて、ぼくは、あなたはこんな大金をやるのがほんとにぼくに恥ずかしいのだろう、と解釈したわけです。さらに、ひょっとしたら、思いがけぬ贈りものをして、家へかえってからポケットに百ルーブリも入っているのを見て、びっくりさせてやろうと思ったのかもしれない、とも考えてみました（ぼくも知ってますが、慈善家の中にはこんなふうに自分の善行を粉飾するのがひどく好きな連中がいるものです）。さらに、あなたは彼女を試そうとした、つまり彼女がそれを見つけて、お礼を言いに来るかどうか見ようとしたのかもしれない、とも考えました。あるいはまた、お礼を言われるのを避けたいのかもしれない、その、いわゆる右手にも知らしむべからず、というわけでね……要するに、まあいろいろ考えてみましたよ……ほんとに、あのときは次々といろんな考えが浮んでくるので、あとでゆっくりそれらを検討してみることにしたんですが、それでもやはり、この秘密を知っていることをあなたに打ち明けるのは、慎みがなさすぎると思いました。しかしそう思ううらから、すぐに、ソーフィヤ・セミョーノヴナが、気がつくまえに、運わるく金を紛失しないとも限らない、という不安がわいたのです。それでぼくはここへ来て、彼女を呼び出し、ポケットに百ルーブリ紙幣を入れられたことをおしえてやることにきめました。そのまえにちょっとコブイリャトニコーワ夫人の部屋に立ち寄って、《実証的方法論概説》をわたし、特にピデリットの論文（ワグネルのものですが）を読むようにすすめて、それからここへ来たわけですが、来てみるとこの騒ぎです！いいですか、あなたが彼女のポケットに百ルーブリ紙幣を入れたのを、ぼくが実際に見ていなかったら、ですよ、ぼくはこうしたすべての推論や考察をもつことができたでしょうか、できたでしょうか？」

アンドレイ・セミョーノヴィチは長い考察を述べおわり、いかにも明快な論理的結論で言葉を結ぶと、がっくり疲れて、顔には大つぶの汗さえふきだした。かわいそうに、彼はロシア語でさえ満足に説明ができなかったのである（もっとも、他《ほか》の言葉は何も知らないが）。それで彼はこの弁護士としての功績を果した後は、一時にすっかり消耗してしまって、急にげっそり痩《や》せたようにさえ見えた。それにもかかわらず、彼の言葉は深い感銘をあたえた。彼ははげしい憤《いきどお》りにもえながら、ぜったいにゆるがぬ確信をもって語ったので、すべての人々が彼の言葉を信じたらしい。ピョートル・ペトローヴィチは形勢の非を感じた。

「きみの頭に愚にもつかぬ疑問がうかんだとて、それがわたしになんの関係があるのだ」と彼は叫んだ。「そんなものは証拠にならん！　大方夢でも見たんだろう、ばかばかしい！　きみにはっきり言うが、きみは嘘《うそ》をついてるんだよ！　わたしに何か悪意をいだいているので、いいかげんなことを言って、わたしを悪者にしようとしているのだ。きっとわたしがきみの自由主義的な、無神論的な社会思想に共鳴しないので、腹いせをしているのだ、それにちがいない！」

しかしこのこじつけはピョートル・ペトローヴィチに利をあたえなかった。反対に、四方から不平の声が起った。

「ええ、きさまはそんな言いぬけをしようとするのか！」とレベジャートニコフは叫んだ。「ふざけるな！　警察を呼んでくれ、ぼくは宣誓する！　一つだけぼくにはわからない。なんのためにこいつが危険をおかしてまで、こんな下劣な行為をしたのか！　なんてあわれな、卑劣な男だろう！」

「なんのためにこの男がこんな行為をあえてしたか、ぼくが説明できる。で、なんなら、ぼくも宣誓してもいい!」ラスコーリニコフは、ついに、しっかりした声でこう言うと、まえへ進みでた。

彼は、見たところ、態度がしっかりして、落ち着いていた。みんなは彼を一目見ただけで、彼が実際に真相を知っていて、いよいよ大詰めに近づいたことを、なんとなく感じた。

「いまぼくはすべてがはっきりとわかりました」とまっすぐにレベジャートニコフの顔を見ながら、ラスコーリニコフはつづけた。「この騒ぎの最初から、ここには何か卑劣な悪だくみがあると、ぼくはにらんでいました。ぼくが疑いをもったのは、ぼくだけしか知らぬある特殊な事情のためなのですが、いまそれをみなさんに説明しましょう。そこにこの騒ぎのすべての鍵《かぎ》があるのです! アンドレイ・セミョーノヴィチ、きみが、いまの貴重な証言によってぼくにすべてを底の底まで明らかにしてくれたのです。みなさん、みなさん、どうか聞いてください。この男は(彼はルージンを指さした)先日ある娘に結婚を申し込みました。その娘は、実は、ぼくの妹アヴドーチヤ・ロマーノヴナ・ラスコーリニコワなのです。ところで、この男はペテルブルグに来て、一昨日《おととい》ぼくとはじめて会ったときに、ぼくと口論し、ぼくはこの男を自分の部屋から追っ払いました。それには証人が二人います。この男はひどく憤慨して……一昨日ぼくはまだこの男がこのアパートに、しかもアンドレイ・セミョーノヴィチ、きみの部屋に厄介《やっかい》になっていようとは、知らなかったのです。だから、ぼくたちが口論をしたその同じ日、つまり一昨日ですが、ぼくが死んだマルメラードフ氏の友人として、奥さんのカテリーナ・イワーノヴナになにがしかの金を葬儀の費用に渡したのを、この男が目撃していたのも知らなかったわけです。この男は早速ぼくの母に手紙を書いて、ぼくが持っている金をのこらずカテリーナ・イワーノヴナにではなく、ソーフィヤ・セミョーノヴナにやった、と知らせてやりました。しかもその際……ソーフィヤ・セミョーノヴナの……人間について、下劣きわまる言葉を用いたのです。つまりぼくとソーフィヤ・セミョーノヴナの間に何か特殊な関係があるらしくほのめかしたのです。それはみな、おわかりのことと思いますが、母と妹が送ってくれた血のでるような金を、ぼくが下品な目的で浪費していると、母と妹に思いこませて、ぼくたちの間を裂こうという腹なのです。昨夜、母と妹のまえで、この男もいるところで、ぼくは金は葬儀の費用としてカテリーナ・イワーノヴナに渡したのであって、ソーフィヤ・セミョーノヴナに渡したのではないこと、一昨日はまだ、ソーフィヤ・セミョーノヴナを知らなかったばかりか、顔さえ見たことがなかったことを証明して、真相を明らかにしました。ついでに、こんなピョートル・ペトローヴィチ・ルージンなんてやつは、いくらいばってみたところで、さんざん悪《あ》しざまに言っているソーフィヤ・セミョーノヴナの、小指一本にも値しない、と言ってやりました。そしたら、ソーフィヤ・セミョーノヴナをきみの妹と同席させられるか？ と聞くので、そんなことはもう今日させたよ、と答えてやりました。母と妹が、この男の策にのってぼくと喧嘩《けんか》しようとしないので、この男はかんかんに怒って、次々と許すべからざる無礼な言葉をあびせはじめました。そしてついに決定的な決裂が起って、この男は家から追っ払われたわけです。これはみな昨夜のことです。ここで特に注意して考えてもらいたいのは、いまこの男が、ソーフィヤ・セミョーノヴナが盗《ぬす》っ人《と》であるということを証明できたとすれば、第一に、ぼくの母と妹に、自分の疑いがほぼ正しかったことを証明できるし、ぼくが妹をソーフィヤ・セミョーノヴナと同列においたことに憤激したことが正当化されるし、ぼくを攻撃したことは、結局、ぼくの妹、つまり自分の許嫁《いいなずけ》の名誉を守ったのだということになるのです。要するに、これがうまくゆけば、彼はまたぼくと家族を喧嘩させることができたでしょうし、そうなればむろん、また母と妹にとり入ることができるという希望があったわけです。また、ぼく個人に復讐《ふくしゅう》を企てたことも、いまさら言うまでもありません、というのは、この男には、ソーフィヤ・セミョーノヴナの名誉と幸福がぼくにとってひじょうに大切なものである、と考える根拠があるからです。これがこの男の計算のすべてです！　こうぼくはこの事件を解釈します！　これがすべての理由です、ほかの理由はあり得ません！」

このように、あるいはおおむねこのように、ラスコーリニコフは自分の説明を終った。人々はときどき叫び声で彼の言葉をたちきったが、しかしひじょうに熱心に聞いていた。そして、ときどき中断させられたにもかかわらず、彼は鋭い語調で、落ち着いて、正確に、明瞭《めいりょう》に、力をこめて語った。彼の鋭い声と、確信にみちた口調と、きびしい顔は、すべての人々に異常な感銘をあたえた。

「そうです、そうです、そのとおりですよ！」とレベジャートニコフは感激して言った。「そうにちがいありません、だって彼は、ソーフィヤ・セミョーノヴナがぼくの部屋に入って来るとすぐに、《あなたが来ていたか？　カテリーナ・イワーノヴナの客の中にあなたを見かけなかったか？》とぼくに聞いたんですから。そのためにわざわざぼくを窓際に呼んで、こっそり聞いたんです。つまり、彼はぜひともあなたにここにいてもらいたかったわけです！　そのとおりです、まったくあなたの言うとおりです！」

ルージンは黙って、軽蔑《けいべつ》するようなうす笑いをうかべていた。しかし、顔は真《ま》っ蒼《さお》だった。どうやら、どうして窮地を脱しようかと、思案している様子だった。なにもかも投げすてて、逃げられるものなら、喜んでそうしたにちがいないが、いまとなってはもうそれもできなかった。それは彼にあびせられた論告が正しく、彼が実際にソーフィヤ・セミョーノヴナに無実の罪をきせたことを、率直に認めることを意味した。それにとりまいていた連中も、それでなくてさえ酒が入っていたから、もうすっかりいきり立っていた。糧食部の男は、よくのみこめもしないくせに、誰よりもわめきたてて、ルージンにとってはまったく迷惑なある種の制裁を提案していた。しかし酔っていない人々もいた。アパート中の部屋から集まって来た人々だった。ポーランド人は三人ともおそろしく憤慨して、たえず《悪党め！》《パネ・ライダク》と叫びたて、おまけにポーランド語でおどし文句らしいのをわめきちらしていた。ソーニャは真剣な顔で聞いていたが、やはり意識がまだはっきりしないようで、よくはわからないらしかった。彼女はただラスコーリニコフだけが彼女を救ってくれるような気がして、ラスコーリニコフから目を放さなかった。カテリーナ・イワーノヴナは苦しそうに息がかすれていた。へとへとに疲れている様子だった。口をぽかんとあけて、何が何やらさっぱりわからずに、いちばんばか面《づら》をして突っ立っていたのはアマリヤ・イワーノヴナだった。彼女はピョートル・ペトローヴィチがまずいことになったことだけがわかった。ラスコーリニコフはまた何か言いかけたが、もうおしまいまで言うことができなかった。みんな口々にわめきたて、ののしったり、すごんだりしながら、ルージンのまわりをとりかこんだのである。しかしルージンはたじろがなかった。ソーニャに罪をかぶせる企てが完全に失敗したことを見てとると、彼はすっかり開き直った。

「ごめん、ごめん、さあ押さないで、通してくれたまえ！」と彼は群衆の間を通りぬけながら、言った。「まあまあ、そう騒がないでもらいたいな。ことわっておくが、あんた方が何をしてもむだだよ、どうにもなりゃしない、わたしは腰抜けじゃない。反対にあなた方こそ、暴力で刑事事件を隠蔽《いんぺい》した責めを問われますぞ。この女の犯行はりっぱに暴露されているのだ。わたしはあくまで追及する。裁判官はあんた方ほど盲じゃないし、それに……酔ってもいない、こんな二人の札つきの無神論者、煽動者《せんどうしゃ》、自由思想とやらにかぶれているやつらの言うことなんか、信用しませんな。こいつらは個人的なうらみでわたしを非難しているんだよ、ばかなものだから、自分でそれをちゃんと認めているじゃありませんか……さあさあ、ごめんなさい！」

「ぼくの部屋にあなたの匂《にお》いものこらないように、いますぐ出て行ってもらいたい。ぼくとあなたの関係はこれでおしまいです！　考えてみれば、ずいぶんむだな骨折りをしたものです、こんな男に……二週間も……いろいろ教えてやったりして……」

「なあに、アンドレイ・セミョーノヴィチ、わたしはさっききみに言ったはずですよ、出て行くって。そのときはまだきみはわたしを引きとめましたがね。そこで一言だけつけ加えておきましょう、きみはばかだ！　という一言をね。頭と近視がなおるように祈りますよ。さあ、通してください、みなさん！」

彼は人々の間をすりぬけた。しかし糧食部の男は、ののしっただけでそうやすやすと逃がしたくはなかったので、食卓の上のコップをつかむと、いきなりピョートル・ペトローヴィチに投げつけた。ところがコップはアマリヤ・イワーノヴナに命中した。彼女はぎゃッと悲鳴をあげ、一方投げたほうは、力あまってどさッと食卓の下に倒れた。ピョートル・ペトローヴィチはやっと部屋へ逃げかえった、そして三十分後にアパートの中にもう彼の姿はなかった。もともと気の弱いソーニャは、もうまえまえから、自分が誰よりも傷つけられやすいこと、誰でもほとんど罰をうける心配なしに彼女を辱《はずか》しめることができることを知っていた。それでも、いまのいままでは、気をつけて、おとなしくして、誰にでも素直に従っていれば――なんとか災厄を避けられるような気がしていたのだった。だから彼女の落胆はあまりにも大きかった。彼女は、むろん、じっと押しこらえて、ほとんど不平を言わずに、どんなことでもがまんできた、――このような屈辱にさえ堪えることができた。しかし最初の瞬間は苦痛がひどすぎた。自分が勝ったし、自分の正しさが証明されはしたが、――最初の驚愕《きょうがく》と茫然《ぼうぜん》自失の状態がすぎて、いろいろと思いあわせ、ことの意味をはっきりとさとったとき、——孤独と屈辱の思いが苦しく心をしめつけたのである。ヒステリーの発作が起った。とうとう、彼女は堪えきれなくなって、部屋をとび出すと、家へかけもどった。それはルージンが去った直後のことだった。アマリヤ・イワーノヴナも、コップが当ってどっと爆笑が起ると、振舞い酒に酔ったばか騒ぎが堪えられなくなった。彼女は気ちがいのようにわめき立てながら、この女一人のせいだと考えて、カテリーナ・イワーノヴナにとびかかった。

「出てゆけ！　いますぐ！　さっさと出てけ！」

そう叫びざま、彼女は手当りしだいにカテリーナ・イワーノヴナのものをひっつかんで、床に投げ出しはじめた。そうでなくともたたきのめされて、ほとんど気を失ったようになって、やっと肩で息をしていた真っ蒼なカテリーナ・イワーノヴナは、ベッドからとび起きて（彼女は疲れはててベッドの上に倒れていたのだ）、アマリヤ・イワーノヴナにつかみかかった。しかし力がちがいすぎて喧嘩にならなかった。アマリヤ・イワーノヴナは羽根枕《はねまくら》でも投げだすように、簡単に突きとばした。

「なんてことだ！　いけしゃあしゃあとひとにありもしない罪をかぶせておきながら、それでも足りないで——畜生め、わたしにまで！　なんてことをするの！　良人《おっと》の葬式の日に、ひとのご馳走《ちそう》を食うだけ食ったあげく、みなし子をかかえたわたしを往来へ追い出すなんて！　どこへ行けというのさ！」哀れな女は涙で息をつまらせながら、わめきたてた。「神さま！」不意に彼女はきらッと目を光らせて、叫んだ。「世の中に正義というものがないのでしょうか！　わたしたち身よりのない者でなくて、いったい誰をあなたはお守りくださるのです？　世の中には裁きも真実もあります、ありますとも、わたしはきっとさがしてみせます！　いますぐに、見てるがいい、恥知らずめ！　ポーレチカ、子供たちをおもりしてなさい、すぐもどるから。外へ追い出されても、わたしを待っているんだよ！　見てみようじゃないの、この世に真実があるものかどうか？」

そして、死んだマルメラードフが身の上話の中でふれた例の緑色の薄い毛織り《ドラ・デ・ダム》のショールをかぶると、カテリーナ・イワーノヴナはまだ部屋の中にむらがっていただらしない酒に酔った人々の群れをかきわけて、どこかで、いますぐ、どんなことがあっても正義を見つけ出そうという漠然《ばくぜん》とした目的をもって、泣きわめきながら往来へかけ出して行った。ポーレチカはおびえきって、子供たちといっしょに片隅の長持の上にちぢこまり、二人の小さな弟妹をしっかり抱きしめて、がたがたふるえながら、母の帰りを待ちはじめた。アマリヤ・イワーノヴナは部屋中をかけまわり、金切り声をはりあげて当りちらしながら、手にふれるものを片っ端から床へほうり投げて、荒れ狂っていた。人々はてんでに勝手なことをわめきちらしていた、――いまのできごとについて、自分なりに解釈して、うなずき合っている者もいたし、むきになって議論をし、ののしり合っている者もいた。そうかと思うと、一杯機嫌《きげん》で歌をうたい出す者もあった……《さて、そろそろ引き上げようか！》とラスコーリニコフは考えた。《さあ、ソーフィヤ・セミョーノヴナ、今度はきみがなんと言うかな！》

そう思いながら、彼はソーニャの住居《すまい》へ足を向けた。

4

ラスコーリニコフは自分が心の中にあれほどの恐怖と苦悩をもちながら、ルージンに対してソーニャの精力的で勇敢な弁護士となった。朝のうちあれほど苦しみぬいたあとだったので、彼は堪えられないものになっていた気分を転換できる機会を、かえって喜んだらしかった。ソーニャを守ろうとする彼の意気込みには、かなり個人的な真剣な気持がふくまれていたことは、いまさら言うまでもない。そればかりではない、たえず彼の頭の中にあって、ときおり恐ろしい不安を彼にあたえていたのは、目のまえに迫ったソーニャとの会見だった。彼は誰《だれ》がリザヴェータを殺したかを、彼女におしえるはずになっていた、そしてそのときの恐ろしい苦しみを予感して、両手を突っぱってそれを押しのけるようにしていたのだった。だから、カテリーナ・イワーノヴナの部屋から出しなに、《さあ、ソーフィヤ・セミョーノヴナ、今度はきみがなんと言うかな!》と、心の中で叫んだときは、明らかに、まだいましがたの勇敢な挑戦《ちょうせん》、そしてルージンに対する勝利のために、外見のはなやかさからくる一種の興奮状態にあったのである。ところが、不思議なことが起った。カペルナウモフの家まで来ると、彼は急に全身の力がぬけたような気がして、恐ろしくなったのである。《誰がリザヴエータを殺したかなんて、言う必要があるのだろうか?》という奇妙な疑問を抱いて、彼は思案顔にドアのまえに立ちどまった。この疑問が奇妙なのは、それと同時に、彼は不意に、言わずにはいられないばかりか、その機会を、たとえしばらくでも、先へのばすことはできない、と感じたからである。どうしてできないのか、彼はまだわからなかった。彼はただそう感じただけだった、そしてこの必要に対する自分の無力の苦しい意識がほとんど彼をおしつぶしそうになった。もうこれ以上考えたり、苦しんだりしないために、彼は急いでドアを開けて、戸口からソーニャを見た。彼女は椅子《いす》にかけて、小さな卓に両肘《りょうひじ》をつき、手で顔をおおっていたが、ラスコーリニコフを見ると、待っていたように、そそくさと立ち上がって、彼を迎えた。

「あなたがいなかったら、わたしはどうなっていたことでしょう！」彼女は部屋の中ほどで彼に出会いながら、急いで言った。これだけはできるだけ早く言ってしまいたかったらしい。それだけ言うと、あとは彼の言葉を待った。

ラスコーリニコフは卓のそばへ行き、いま彼女が立ち上がったばかりの椅子に腰を下ろした。彼女は昨日とまったく同じく、彼の二歩ほどまえに佇《たたず》んだ。

「どうしたの、ソーニャ？」と彼は言った、そして不意に自分の声がふるえているのを感じた。「たしかにすべては《社会的立場とそれに関連した習慣》に基づいていたというわけだ。さっきこの意味がわかったかね？」

苦悩が彼女の顔にあらわれた。

「昨日のようなことは言わないで、それだけはおねがい！」と彼女は彼の言葉をさえぎるように言った。「どうか、もうあんなことは言わないで。それでなくても、もうこんなに苦しいんですもの……」

彼女は、こんなことを言って彼が気を悪くしたらと、はッとして、あわてて笑顔をつくった。

「わたし何も考えないで、あそこをとび出して来てしまったのですけど、いまどうなっていますかしら？　すぐにも行ってみようと思いましたが、あなたが……来そうな気がして……」

彼はアマリヤ・イワーノヴナが部屋を追い立てていること、カテリーナ・イワーノヴナが《真実をさがしに》どこかへとび出して行ったことなどを語った。

「ああ、どうしよう！」とソーニャは叫んだ、「さあ早く、行きましょう……」

そう言って、彼女は自分のコートをつかんだ。

「年中同じことばかり！」とラスコーリニコフは苛々《いらいら》しながら叫んだ。「あなたの頭にはあの人たちのことしかないのですね！　しばらくここにいてください」

「でも……カテリーナ・イワーノヴナは？」

「カテリーナ・イワーノヴナはあなたを見逃すはずがありませんよ、家をとび出した以上、ここへ来るにきまってますよ」と彼はいまいましそうにつけ加えた。「そのときここにいなかったら、なおさらわるいじゃありませんか……」

ソーニャはどうしていいかわからずに、胸を痛めながら椅子に腰を下ろした。ラスコーリニコフは黙って目を床へおとしたまま、何やら考えこんでいる様子だった。

「まあ、さっきはルージンがその気にならなかったからよかったが」と彼はソーニャのほうを見ないで、言った。「もし彼がその気になるか、あるいははずみでそれが彼の計算に入るかしていたら、彼はあなたを監獄にぶちこんでいたろうね、ぼくとレベジャートニコフがいあわせなかったら！　そうじゃない？」

「そうですわ」と彼女は弱々しい声で言った、「そうですわ！」彼女はぼんやり不安そうにくりかえした。

「たしかに、ぼくは行かないかもしれなかった！　レベジャートニコフにしても、来合せたのが、まったくの偶然だ」

ソーニャは黙っていた。

「で、監獄に入れられたら、どうなるだろう？　昨日ぼくが言ったことを、おぼえてますか？」

彼女はやはり答えなかった。ラスコーリニコフはしばらく待った。

「ぼくはまた、あなたが《ああ、そんなこと言わないで、やめて！》と叫ぶだろうと思いましたよ」ラスコーリニコフは笑いだしたが、なんとなくこわばった笑いだった。「どうしました、また黙りんぼですか？」と、一分ほどして、彼は聞いた。「何か話をすることがあるはずですがね！　レベジャートニコフの言う一つの《問題》ですね、あれをいまあなたがどう解決するか、ぼくはぜひ知りたいんですよ（彼は頭が混乱しはじめたようだ）。いや、ほんとですよ、ぼくはまじめなんです。考えてごらん、ソーニャ、あなたがもしまえもってルージンのたくらみをすっかり知っていたとしたら、そのたくらみのためにカテリーナ・イワーノヴナも、子供たちも、それにあなたも加えて（あなたは決して自分のことを考えないから、加えてとわざわざことわりますが）、完全に破滅させられることを、知っていた（つまり確実にですよ）としたら、どうだろう。ポーレチカもですよ……あの娘もやはり同じ道をたどることになるでしょうからね。さあ、いいですか、こうしたすべてのことがいま突然あなたの決定に委《ゆだ》ねられたとしたら、つまり彼と彼女らといずれがこの世に生きるべきか、つまりルージンが生きて、いまわしい行為をすべきか、あるいはカテリーナ・イワーノヴナが死ぬべきか？　を決めるとしたら、あなたはどちらを死なせます？　それをぼくは聞きたいんです」

ソーニャは不安そうに彼を見た。このあいまいな、遠まわしにそっと何かに近づいてくるような言葉の中に、彼女は何か特別なふくみがあるような気がした。

「あなたが何かそんなことを聞くことは、わたしもう予感してましたわ」と彼女はさぐるような目で彼を見まもりながら、言った。

「そうですか。まあいいでしょう。ところで、どちらに決めたいと思います？」

「できないことを、どうしてあなたは聞きますの？」とソーニャはうらめしそうに言った。

「と言いますと、ルージンが生きて、いまわしいことをするほうがいいというわけですね！　あなたはそれも決める勇気がないんですか？」

「だってわたし神さまの御意《みこころ》を知ることはできませんもの……いったいどうしてあなたは、聞いてはいけないことを聞きますの？　どうしてそんなつまらない質問をなさいますの？　それがわたしの決定しだいだなんて、それはどうしてですの？　誰がわたしを裁判官にしましたの、誰は生きろ、誰は死ねなんて？」

「神の御意《みこころ》なんてものがまぎれこんできたんでは、もうどうにもなりませんな」とラスコーリニコフは憂鬱《ゆううつ》そうに呟《つぶや》いた。

「ひと思いにはっきり言ってください、あなたは何をお望みなの！」とソーニャは苦しそうに叫んだ。「あなたはまた何かに誘導しようとしてるんだわ……あなたは、ただわたしを苦しめに、いらしたの！」

彼女はこらえきれなくなって、不意にさめざめと泣きだした。暗い憂《うれ》いにしずんだ目で、彼はそれを見つめていた。五分ほどすぎた。

「たしかに、きみの言うとおりだよ、ソーニャ」やがて彼はしずかに言った。急に態度が変って、不自然なふてぶてしさも、負け犬が遠くから吠《ほ》えたてるような調子も、消えてしまった。声まで急に弱々しくなった。「ぼくは昨日自分できみに、許しを請《こ》いに来るんじゃない、とことわっておきながら、もうはじめから許しを請うているようなものだ……ルージンのことも、御意《みこころ》のことも、ぼくは自分のために言ったんだよ……これはぼくが許しを請うたんだよ、ソーニャ……」

彼は笑おうとした、しかしそのいじけた微笑には何か力ない、言いたりないものが見えた。彼はうなだれて、顔を両手でおおった。

すると不意に、奇妙な、思いがけぬ、ソーニャに対するはげしい嫌悪感《けんおかん》が、彼の心をよぎった。彼は自分でもこの感情にはっとして、おどろいたように、不意に顔を上げて、じっと彼女を凝視した。すると彼の目は、自分に注がれている不安そうな、痛々しいまでに心をくだいている彼女の視線に出会った。そこには愛があった。彼の嫌悪はまぼろしのように消えてしまった。あれはそうではなかった。彼は感情を思いちがいしたのだった。あれはただ、あの瞬間が来たことを意味したにすぎなかったのだ。

彼はまた両手で顔をおおって、うなだれた。彼は不意にさっと蒼《あお》ざめた。そして椅子から立ちあがると、ソーニャを見つめて、何も言わずに、機械的に彼女のベッドに坐《すわ》りかえた。

この瞬間は、彼の感覚の中では、老婆の背後に立って、輪から斧《おの》をはずし、もう

《一瞬の猶予《ゆうよ》もならぬ》と感じたあの瞬間に、おそろしいほど似ていた。

「どうなさったの？」とソーニャはすっかり恐《こわ》くなって、尋ねた。

彼は何も言うことができなかった。彼はこんなふうに宣言することになろうとは、ぜんぜん、夢にも思っていなかったので、いま自分がどうなったのか、自分でもわからなかった。彼女はそっと近よって、彼のそばに坐り、彼から目をはなさないで、じっと待っていた。胸がどきどきして、じーんとしびれた。彼女はもう堪えられなくなった。彼は死人のように真《ま》っ蒼《さお》な顔を彼女のほうへ向けた。唇《くちびる》が何か言おうとして、力なくゆがんだ。恐怖がソーニャの心を通りすぎた。

「どうなさったの？」と、彼女はわずかに身をひきながら、くりかえした。

「なんでもないよ、ソーニャ。恐がらなくていいんだよ……つまらんことだ！　嘘《うそ》じゃない、よく考えれば、——つまらんことさ」と彼は夢遊病者のように呟いた。「どうしてぼくは、きみだけを苦しめに来たんだろう？」彼女を見つめながら、不意に彼はこうつけ加えた。「ほんとに。どうしてだろう？　ぼくはたえず自分に問いかけているんだよ、ソーニャ……」

彼は十五分まえにはこう自分に問いかけたかもしれないが、いまはすっかり力がぬけてしまって、全身にたえまないふるえを感じながら、ほとんど無意識にしゃべっていた。

「まあ、ずいぶん苦しんでいらっしゃるのねえ！」彼女は彼をしげしげと見まもりながら、痛ましそうに言った。

「みんなつまらんことだよ！……ところで、ソーニャ、（彼はどういうわけか不意に、妙にいじけたように力なく、二秒ほどにやりと笑った）おぼえてるかい、昨日きみに言おうとしたことを？」

ソーニャは不安そうに待った。

「ぼくは昨日別れしなに言ったろう、もしかしたら、もうこれっきり会えないかもしれん、で、もしも今日来るようなことがあったら、きみに……誰がリザヴェータを殺したか、おしえてやるって」

彼女は急に身体中《からだじゅう》ががくがくふるえだした。

「だから、それを言いに来たんだよ」

「じゃ、昨日言ったのはほんとでしたのね……」と彼女はやっとささやくように言った。「いったいどうして、あなたはそれを知ってるの？」彼女ははっと気がついたように、急いで尋ねた。

「知ってるんだよ」

彼女は一分ほど黙っていた。

「見つけた、の、そのひとを？」と彼女はおそるおそる尋ねた。

「いや、見つけたのではない」

「じゃ、どうしてあなたはそれを知ってるの？」と彼女はまた聞きとれないほどの低声《こごえ》で尋ねた、それもまた一分ほどの沈黙の後だった。

彼は彼女を振り向いて、射抜くような目でじいっとその顔を見つめた。

「あてごらん」と彼は先ほどのゆがんだ力ないうす笑いをうかべながら、言った。

痙攣《けいれん》が彼女の全身を走りぬけたかに見えた。

「まあ、あなたったら……わたしを……どうしてそんなに……おどかすの？」彼女は幼な子のように、無心に笑いながら、言った。

「つまり、ぼくはその男の親しい友人だということになるわけだ……知っているとすればね」ラスコーリニコフはもう目をそらすことができないように、執拗《しつよう》に彼女の顔に目をすえたまま、話をつづけた。「その男はリザヴェータを……殺す気はなかった……老婆が一人きりのときをねらって……行った……ところがそこへリザヴェータがもどって来た……男はそこで……彼女も殺したんだ」

さらにおそろしい一分がすぎた。二人はじっと目を見あったままだった。

「これでもわからないかね?」と彼は不意に、鐘楼からとび下りるような気持で、尋ねた。

「い、いいえ」とほとんど聞きとれぬほどにソーニャはささやいた。

「ようく見てごらん」

そう言ったとたんに、また先ほどのあの感覚が、不意に彼の心を凍らせた。彼はソーニャを見た、そして不意にその顔にリザヴェータの顔を見たような気がした。彼はあのときのリザヴェータの顔の表情をまざまざと思い出した。彼が斧を構えてにじりよったとき、彼女は片手をまえにつき出して、壁のほうへ後退《あとずさ》りながら、まるで子供のような恐怖を顔にうかべて、彼におびえた目を見はったのだった。それはちょうど小さな子供が急に何かにおびえたとき、じっと不安そうにおびえさせたものに目を見はりながら、いまにも泣き出しそうになって、小さな手をつき出して相手を近づけまいとしながら後退る、あの様子にそっくりだった。ほとんどそれと同じ状態がいまのソーニャにも起った。やはりさからう力もなく、やはり恐怖の表情をうかべて、彼女はしばらく彼を見つめていたが、不意に、左手をまえにつき出して、指をわずかに相手の胸にふれながら、ゆっくりベッドから立ちあがり、すこしずつ身をそらし、相手にすえつけた目はしだいにすわってきた。彼女の恐怖が不意にラスコーリニコフにもつたわった。まったく同じような恐怖が彼の顔にもあらわれ、同じようにソーニャの顔に目をすえはじめた。その顔には同じような子供っぽい微笑さえうかんでいた。

「わかったかね？」と、彼はとうとう囁《ささや》くように言った。

「ああ！」という悲痛な叫びが彼女の胸からほとばしった。

彼女はへたへたとベッドに倒れ、枕《まくら》に顔を埋《うず》めた。が、つぎの瞬間、がばと身を起すと、急いで彼のそばへにじりより、彼の両手をつかんで、細いしなやかな指でかたくかたくにぎりしめながら、またじっと瞳《ひとみ》をこらして、彼の顔を見つめはじめた。この最後の必死のまなざしで、彼女はせめて何か希望らしいものをつかみとろうとしたのだった。しかし希望はなかった。もう疑う余地はぜんぜんなかった。すべてはそのとおりだった。彼女はあとになって、このときのことを思い出したとき、どうしてあのときとっさに、もう何の疑いもないと見ぬいたのか、不思議な気さえしたほどである。たしかに、何かしらそうした結果を予感していたとは、彼女には言えなかったはずだ！　ところが、彼がそれを言ったとき、とっさに、彼女は実際にそれを予感していたような気がしたのだった。

「もういいよ、ソーニャ、たくさんだよ！　ぼくを苦しめないでくれ！」と彼は苦しそうにたのんだ。

彼はこんなふうに彼女に打ち明けようとは、まったく考えていなかったが、こういう結果になってしまった。

彼女は自分が何をしているのかわからないらしく、いきなりベッドからとび下りると、両手をもみしだきながら、部屋の中ほどまで歩いて行った。が、すぐにそそくさともどって来て、また彼のそばに、ほとんど肩をふれあわせるばかりに坐った。不意に彼女は、何かに刺しつらぬかれたように、びくッとふるえて、あッと叫ぶと、自分でもなんのためかわからずに、いきなり彼のまえにひざまずいた。

「どうしてあなたは、どうしてあなたはそんな自分をだめにするようなことをしたの！」と絶望的に言うと、彼女は立ちあがって、いきなり彼の首にすがりつき、両手でかたくかたく抱きしめた。

ラスコーリニコフは思わずうしろへよろけて、さびしく笑いながら彼女を見た。

「きみも妙な女だねえ、ソーニャ。ぼくがあのことを言ったら、急に抱きついて、接《せっ》吻《ぷん》するなんて。きみは自分で何をしているかわからないんだよ」

「いいえ、いまはあなたより不幸な人は世界中にいませんわ！」彼女は彼の言葉には耳もかさずに、気が狂ったように叫んだ、そして急に、ヒステリックに泣きだした。

もういつからか忘れていた感情が、波のようにおしよせて、たちまち彼の心をやわらげた。彼はそれにさからわなかった。涙が二粒彼の目からこぼれでて、睫毛《まつげ》にたれ下がった。

「じゃ、ぼくを見すてないでくれるね、ソーニャ？」と彼はすがるような気持で彼女を見まもりながら、言った。

「ええ、ええ、いつまでも、どこまでも！」とソーニャは叫んだ。「あなたについて行くわ、どこへでも！　ああ、神さま！……わたしはどこまで不幸なのでしょう！……どうして、どうしてもっと早くあなたを知らなかったのかしら！　どうしてあなたはもっと早く来てくださらなかったの！　ああ、悲しい！」

「だから、来たじゃないか」

「いま頃《ごろ》！　ああ、いまさらどうしよう！……いっしょに、いっしょに！」彼女はわれを忘れたようにこうくりかえすと、また彼を抱きしめた。「流刑地《るけいち》へだってあなたといっしょに行くわ！」

彼は不意にぎくっとした。先ほどのにくにくしげな、ほとんど傲慢《ごうまん》といえるようなうす笑いが、彼の唇にあらわれた。

「ぼくはね、ソーニャ、まだ流刑地へ行く気はないらしいよ」と彼は言った。

ソーニャは急いで彼を見た。

不幸な男に対する最初のはげしい苦しい同情がすぎると、またしても殺人という恐ろしい考えが彼女をおびやかした。彼の一変した語調に、彼女は不意に殺人者の声を聞いた。彼女ははッとして彼を見た。なぜ、どんなふうに、なんのためにそんなことが行われたのか、彼女にはまだ何もわからなかった。いまそうした疑問が一時に彼女の意識に燃え上がった。すると、またしても彼女には信じられなくなった。《この人が、この人が人殺しだなんて！　そんなことが考えられるだろうか？》

「まあ、どうしたのかしら！　こんなところにぼんやり突っ立って！」と彼女はまだわれにかえれないらしく、不思議そうにつぶやいた、「どうしてあなたは、あなたは、そんな……ことを……する気になれたの？……いったいどうしたというの！」

「そりゃまあ、盗むためさ。よそうよ、ソーニャ！」と彼はなんとなくだるそうに、苛々したような様子をさえ見せて、言った。

ソーニャは呆気《あっけ》にとられたようにぼんやり立っていたが、とつぜん叫んだ。

「あんたは飢えていたんだわ！　あんたは……お母さんを助けるために？　そうだわね？」

「ちがう、ソーニャ、ちがうよ」と彼は顔をそむけ、うなだれて、呟いた。「ぼくはそんなに飢えていなかった……ぼくはたしかに母を助けようと思った、だが……それだって、完全にそうとばかりも言えないんだ……ぼくを苦しめないでくれ、ソーニャ！」

ソーニャはあきれたように両手を打ちあわせた。

「でも、まさか、まさか、そんなことがほんとだなんて！　おどろいた、そんなほんとってあるかしら！　誰がそんなことを信じられて？……いったいどうして、どうして、最後のものまで人にくれてやるようなあなたが、盗むために人が殺せて！　あッ！」と彼女はとつぜん叫んだ。「カテリーナ・イワーノヴナにやったあのお金……あのお金は……おお、まさかあのお金が……」

「ちがう、ソーニャ」と彼は急いでさえぎった。「あのお金はちがうよ、安心したまえ！　あのお金は母が送ってくれたんだよ、ある商人を通じて、ぼくは病気でねているときに受け取ったんだ、くれてやったあの日だよ……ラズミーヒンが見ていた……彼がぼくの代りに受け取ったんだから……あのお金はぼくのだよ、ぼくのものだよ、まちがいなくぼくのものだよ」

ソーニャは怪しむようにそれを聞きながら、しきりに何やら考えをまとめようと苦しんでいた。

「で、その金だが……しかも、あの中に金があったかどうかさえ、ぼくは知らないのだが」と彼は考えこむように、しずかにつけ加えた。「ぼくはあのとき婆《ばあ》さんの首から財布をはずした、鹿皮《しかがわ》の……ぎっしりつまった財布だった……うん、ぼくは中を見もしなかった。きっと、見るひまがなかったのだろう……それから、品物は、カフスボタンや鎖みたいなものばかりだったが——品物も財布も全部いっしょに、V通りのある家の庭の石の下に埋めたんだ、つぎの朝……いまでもそこにあるはずだよ……」

ソーニャは熱心に聞いていた。

「だって、それじゃどうして……盗むためだなんて言ったくせに、何もとらなかったじゃないの？」と、わらにもすがる思いで、彼女は急いで尋ねた。

「それはわからんよ……その金をとるか、とらんか——まだ決めていないんだよ」彼はまた考えこむように、呟いた、そして不意に気がついて、あわてて短く笑った。

「チエッ、ぼくはなんてばかなことを言ったんだろう、ねえ？」

ソーニャはちらと考えた。《この人は気がへんなのではないかしら？》しかし、彼女はすぐにそれを打ち消した。いや、何か別なものがある。なんのことやら、ソーニャはぜんぜんわからなかった！

「ねえ、ソーニャ」と不意に彼はあるひらめきを受けたらしく、急いで言った。「わかるかい、もしぼくが飢えていたために、ただそれだけの理由で殺したとしたら」彼は一語一語に力をこめ、謎《なぞ》めいた、しかし真剣な目で彼女を見つめながら、言葉をつづけた。「ぼくはいま……幸福だったろう！　これをわかってくれ！」

「だが、きみにはどうにもならん、どうにもならんよ」とすぐに彼は絶望にうちのめされたように叫んだ。「おれがいま、わるいことをしたと告白したところが、それがきみに何なのだ？　おれに対するこの愚かしい勝利が、きみに何なのだ？　ああ、ソーニャ、おれはこんなことのために、きみのところへ来たのだろうか！」

ソーニャはまた何か言おうとしたが、やはり黙っていた。

「ぼくが昨日きみにいっしょに行ってくれと頼んだのは、きみだけがぼくに残されたたったひとつのものだからだよ」

「どこへ行くんですの？」とソーニャはこわごわ尋ねた。

「盗みも、殺しもしないよ、それは心配せんでもいいよ」彼は皮肉なうす笑いをもらした。「ぼくたちは別々な人間だ……ねえ、ソーニャ、ぼくはいまになってはじめて、いまやっとわかったんだよ、昨日きみをどこへ連れて行こうとしたのか？　昨日、きみを誘ったときは、まだ自分でもどこへ行くのかわからなかった。きみに見すてられたくない、ただその一心できみを誘い、ただその一心でここへ来たんだ。ぼくを見すてないね、ソーニャ？」

ソーニャはラスコーリニコフの手を強くにぎりしめた。

「でも、なんのためにおれは、なんのためにこの女に打ち明けたんだ！」一分ほどすると、限りない苦悩にぬれた目で彼女を見まもりながら、彼は絶望的に叫んだ。「いまきみは、ぼくの説明を待っているんだね、ソーニャ、じっと坐って、待っているんだね、ぼくにはそれがわかるよ、だが、ぼくは何を言ったらいいんだ？　説明したって、きみには何もわかるまい、ただ苦しむだけだ、苦しみぬくだけだ……ぼくのために！　ほら、きみは泣いてるね、まだぼくを抱きしめてくれる。――ねえ、きみはどうしてぼくを抱きしめてくれるんだ？　ぼくが一人で堪えきれないで、《きみに苦しんでくれ、そうすればぼくも楽になる！》なんて虫のいいことを考えて、苦しみをわかつために来たからか。え、きみはそんな卑劣な男を愛せるのか？」

「だって、あなただって苦しんでるじゃありませんか？」とソーニャは叫んだ。

またあの感情が波のようにおしよせて、また彼の心を一瞬やわらげた。

「ソーニャ、ぼくはずるい心があるんだよ。それを頭においてごらん、いろんなことがそれでわかるから。ぼくがここへ来たのも、ずるいからだよ。こうなっても、来《こ》ない人々だっているよ。だがぼくは臆病《おくびょう》で……卑怯《ひきょう》な男なんだ！　でも……そんなことはどうでもいい！　そんなことじゃないんだ……ここまでくれば、話さなくちゃならんのだが、うまく言い出せない……」

彼は言葉をきって、考えこんだ。

「ええッ、ぼくたちは別々な人間なんだ！」と彼はまた叫んだ。「どうしたっていっしょにはなれやしない。それなのにどうして、どうしておれは来たんだ！　これはぜったい許せない！」

「いいえ、いいえ、来てくだすったのは、いいことですわ！」とソーニャは叫んだ。「わたしが知ってたほうが、いいのよ！　ずっといいのよ！」

彼は苦しそうにソーニャを見た。

「だが、ほんとに、それがどうだというのだ！」と、考えつかれたように、彼は言った。「どうせこうなるはずだったんだ！　じゃ言おう、ぼくはナポレオンになろうと思った、だから殺したんだ……さあ、これでわかったかい？」

「う、うん」とソーニャは無邪気に、びくびくしながら囁いた。「でもいいの……話して、話して！　わかるわ、わたしなりに考えるから！」と彼女は一心に頼んだ。

「わかるって？　そう、まあいいよ、どの程度にわかるか！」

彼は黙りこんで、ややしばらく考えをまとめていた。

「実は、あるときぼくはこう考えてみた。かりにナポレオンがぼくの立場にあって、しかも栄達の一歩を踏み出すために、ツーロンも、エジプトも、モンブラン越えもなく、そうした輝かしい不滅の偉業の代りに、そこらにごろごろしているようなばかげた婆さん一人しかいない、十四等官の後家婆さん、しかもその婆さんの長持から金を盗み出すために(身を立てるためだよ、わかるかい?)、どうしても殺さなければならない、しかも他《ほか》に道はない、としたらだ、彼はその決心をするだろうか?　これは偉業とはあまりにも程遠いし、しかも……罪悪だ、という理由で、二の足を踏みはしないだろうか?　で、きみに言うが、ぼくはこの《問題》にずいぶん長いあいだ苦しみぬいたんだ。だから、ふとしたはずみに、彼はそんなことにためらいなど感じないどころか、それが偉業であるとかないとか、そんなことは考えもすまい……何をためらうのか、ぜんぜんわかりもしないだろう、とさとったとき、ぼくはたまらなく恥ずかしくなった。もし彼に他の道がなかったら、いきなり絞め殺してしまったにちがいない!……とっという間もあたえないで、いきなり絞め殺してしまったにちがいない、つまらんことはいっさい考えずに、あっという間もあたえないで……ところがぼくは……考えぬいた末……絞め殺した……権威者の例にならって……結果はまったく同じことになったが!　きみは笑ってるね?　おかしいだろうさ、でもソーニャ、ここで何よりもおかしいのは、きっと、結果は同じことになったということだよ……」

ソーニャはおかしいどころではなかった。

「それより、はっきりおっしゃってください……例えばなんてぬきにして」と彼女はますますびくびくして、やっと聞えるくらいに頼んだ。

彼はソーニャのほうを向いて、暗い目でその顔を見つめ、その両手をとった。

「またしても、きみの言うとおりだよ、ソーニャ。こんなことは、たしかにばかげたことだ。まあ、口先だけのあそびだよ！　ところで、きみも知ってるだろうが、ぼくの母は財産らしいものはほとんど何もない。妹は偶然に教育を受けたので、家庭教師をするようなことになった。二人のすべての希望はぼく一人にかかっていた。ぼくは大学に学んだが、学資がつづかなくなって、やむなく一時学校をはなれた。あのままつづけられさえすれば、十年か十二年後には（事情がよくなってくれればだが）ぼくはとにかく俸給《ほうきゅう》千ルーブリくらいの教師か官吏になる望みはもてたはずだ……（彼は暗誦《あんしょう》しているようにすらすらと言った）、しかしそれまでには母は気苦労やら悲しみやらで老いさらばえてしまうだろうし、やはり母を安心させることはできそうもない。じゃ妹は……いや、妹はもっとひどいことになるかもしれない！……とすると、何を好きこのんでぼくは、一生すべてのものに顔をそむけて、すべてのもののそばを素通りし、母を忘れ、妹の屈辱をおとなしく忍ばなければならんのだ？　何のために？　母と妹を葬《ほうむ》って、新しいもの――妻をめとり、子供をもうけ、やがてはそれも一文の金も、一きれのパンもない状態でこの世に置き去りにするためか？　そこで……そこで、ぼくは決意したんだよ、あの婆さんの金を手に入れて、ここ何年間かのぼくの生活に当てよう、そうすれば母を苦しめずに、安心して大学に学べるし、大学を出てからも第一歩を踏み出す資金になる――これを広く、ラジカルにやってのけ、完全に新しい形の立身の基礎をきずき、新しい、独立自尊の道に立とう……まあ……まあ、こういうわけさ……そりゃ、ぼくは老婆を殺した――それは悪いことにちがいない――でも、もうよそうよ！」

彼はなんとなくものうげな様子で、話のおわりまでたどりつくと、がっくりとうなだれた。

「おお、それはちがいますわ、ちがいます」とソーニャは涙のにじんだ声で身もだえしながら叫んだ。「そんなことってあるもんですか……いいえ、それはちがいます、ちがいます！」

「ちがうって、きみがそう思うだけさ！……だがぼくは、真剣に話したんだよ、真実を！」

「まあ、そんな真実ってあるもんですか！　おお、神さま！」

「ぼくにしらみをつぶしただけなんだよ、ソーニャ、なんの益もない、いやらしい、害毒を流すしらみを」

「まあ、人間をしらみだなんて！」

「そりゃぼくだって、しらみじゃないくらい知ってるさ」と彼は異様な目つきで彼女を見ながら、答えた。「ところで、いまのは嘘《うそ》だよ、ソーニャ」と彼はつけ加えた。「ぼくはもういつからか嘘ばかりついているんだよ……いま言ったのは全部嘘だよ、きみの言うとおりだ。ぜんぜん、ぜんぜん、ぜんぜん別な理由があるんだよ！……もう長いこと、誰とも話をしなかったので、ソーニャ……ぼくはいま頭が割れそうに痛いんだ」

　彼の目は熱にうかされたようにぎらぎら燃えていた。頭はもう熱で犯されかけていた。落ち着かないうす笑いが唇の上をさまよっていた。たかぶった気持のかげからもうおそろしい無気力が顔を出しかけていた。ソーニャには彼が苦しんでいるのがわかった。彼女も頭がくらくらしかけていた。彼があんなことを言ったのが、不思議な気がした。何かわかったような気がしたが、でも……《どうしてそんなことが！　とても考えられない！　ああ、神さま！》彼女は絶望のあまり両手をもみしだいた。

「いや、ソーニャ、あれはそうじゃないんだよ！」と彼は、自分でも思いがけぬ考えの変化におどろいて、また心がたかぶってきたように、急に顔を上げて、またしゃべりだした。

「そうじゃないんだよ！　それよりも……こう考えてごらん。（そうだ！　たしかにそのほうがいい！）つまり、ぼくという男は自惚《うぬぼ》れが強く、ねたみ深く、根性がねじけて、卑怯で、執念深く、そのうえ……さらに、発狂のおそれがある、まあそう考えるんだね。（もうこうなったらかまうものか、ひと思いにすっかりぶちまけてやれ！　発狂のことはまえにも噂《うわさ》になっていた、おれは気付いていたんだ！）さっき、学資がつづかなかったって、きみに言ったたね。ところが、やってゆけたかもしれないんだよ。大学に納める金は、母が送ってくれたろうし、はくものや、着るものや、パン代くらいは、ぼくが自分で稼《かせ》げたろうからね。ほんとだよ！　家庭教師に行けば、一回で五十コペイカになったんだ。ラズミーヒンだってやっている！　それをぼくは、意地になって、やろうとしなかったんだ。たしかに意地に、、、、なっていた。（これはうまい表現だ！）そしてぼくは、まるで蜘蛛《くも》みたいに、自分の巣にかくれてしまった。きみはぼくの穴ぐらへ来たから、見ただろう……ねえ、ソーニャ、きみもわかるだろうけど、低い天井《てんじょう》とせまい部屋は魂と頭脳を圧迫するものだよ！　ああ、ぼくはどんなにあの穴ぐらを憎んだことか！　でもやっぱり、出る気にはなれなかった。わざと出ようとしなかったんだ！　何日も何日も外へ出なかった、働きたくなかった、食う気さえ起きなかった、ただ寝てばかりいた。ナスターシヤが持って来てくれれば──食うし、持って来てくれなければ──そのまま一日中ねている。わざと意地をはって頼みもしなかった！　夜はあかりがないから、暗闇《くらやみ》の中に寝ている、ろうそくを買う金を稼ごうともしない。勉強をしなければならないのに、本は売りとばしてしまった。机の上は原稿にもノートにも、いまじゃ埃《ほこり》が一センチほどもつもっている。ぼくはむしろねころがって、考えているほうが好きだった。だから考えてばかりいた……そしてのべつ夢ばかり見ていた、さまざまな、おかしな夢だ。どんなって、言ってもしようがないよ！　ところが、その頃《ころ》からようやくぼくの頭にちらつきだしたんだ、その……いや、そうじゃない！　ぼくはまたでたらめを言いだした！　実はね、その頃ぼくはたえず自分に尋ねていたんだ、どうしてぼくはこんなにばかなんだろう、もし他の人々がばかで、そのばかなことがはっきりわかっていたら、どうして自分だけでももっと利口になろうとしないのだ？　そのうちにぼくはね、ソーニャ、みんなが利口になるのを待っていたら、いつのことになるかわからない、ということがわかったんだ……それから更にぼくはさとった、ぜったいにそんなことにはなりっこない、人間は変るものじゃないし、誰も人間を作り変えることはできない、そんなことに労力を費やすのはむだなことだ、とね。そう、それはそうだよ！　これが彼らの法則なんだ……法則なんだよ、ソーニャ！　そうなんだよ！……それでぼくはわかったんだ、頭脳と精神の強固な者が、彼らの上に立つ支配者となる！　多くのことを実行する勇気のある者が、彼らの間では正しい人間なのだ。より多くのものを蔑視《べっし》することのできる者が、彼らの立法者であり、誰よりも実行力のある者が、誰よりも正しいのだ！　これまでもそうだったし、これからもそうなのだ！　それが見えないのは盲者だけだ！」

ラスコーリニコフはそう言いながら、ソーニャの顔を見てはいたが、彼女にわかるかどうかということは、もう気にしなかった。はげしい興奮がすっかり彼をとらえてしまった。彼は暗いよろこびというようなものにひたっていた。(実際に、あまりにも長いあいだ彼は誰とも話をしなかった！)ソーニャは、この暗い信条が彼の信念になり、法則になっていることをさとった。

「そこでぼくはさとったんだよ、ソーニャ」と彼は有頂天になってつづけた。「権力というものは、身を屈《かが》めてそれをとる勇気のある者にのみあたえられる、とね。そのために必要なことはただ一つ、勇敢に実行するということだけだ！　そのときぼくの頭に一つの考えが浮んだ、生れてはじめてだ、しかもそれはぼくのまえには誰一人—

くは敢然とそれを実行しようと思った、そして殺した……ぼくは敢行しようと思ったいまだってそうだ、一人もいやしない！　ぼくは……ぼ

度も考えなかったものだ！　誰一人！　不意にぼくは、太陽のようにはっきりと思い浮べた、どうしていままでただの一人も、こうしたあらゆる不合理の横を通りすぎながら、ちょいとしっぽをつまんでどこかへ投げすてるという簡単なことを、実行する勇気がなかったのだろう！　いまだってそうだ、一人もいやしない！　ぼくは……ぼくは敢然とそれを実行しようと思った、そして殺した……ぼくは敢行しようと思っただけだよ、ソーニャ、これが理由のすべてだよ！」

「ああ、やめて、やめて！」と両手を打ちあわせて、ソーニャは叫んだ。「あなたは神さまのおそばをはなれたのです、神さまがあなたを突きはなして、悪魔に渡したのです！……」

「これはね、ソーニャ、ぼくが暗闇の中にねそべっていたとき、たえず頭に浮んだことなんだよ、してみるとこれは、悪魔がぼくを迷わせていたのかな？　え？」

「やめて！　ふざけるのはよして。あなたは神を冒瀆《ぼうとく》する人です、あなたは何も、何もわかっちゃいないのです！　おお、神さま！　この人は何も、何もわからないのです！」

「お黙り、ソーニャ、ぼくはぜんぜんふざけてなんかいないよ、ぼくだって、悪魔にまどわされたくらいは知ってるよ。お黙り、ソーニャ、お黙り！」と彼は憂鬱《ゆううつ》そうに

しつこくくりかえした。「ぼくはすっかり知ってるんだよ。そんなことはもう暗闇の中に寝ていたとき、何度となく考えて、自分に囁きかけたことなんだ……それはみな、ごく些細《ささい》なことまで、ぼくの中の二つの声がもうさんざん議論したことなんだよ、だからすっかり知ってるんだよ、すっかり！　そのときにもうこんなおしゃべりはあきあきしてしまったんだ、もううんざりしてしまったんだよ！　ぼくはすっかり忘れようと思った、そして新しくスタートしたかった。おしゃべりをやめたかった！　ソーニャ、きみはぼくがばかみたいに、向う見ずにやったと思うのかい？　とんでもない、ぼくはちゃんと考えてやったんだよ。そしてそれがぼくを破滅させてしまったのだ！　また、ぼくが、権力をもつ資格が自分にあるだろうか、と何度となく自問したということは、つまりぼくには権力をもつ資格がないことだ、ということくらいぼくが知らなかった、とでも思うのかい？　また、人間がしらみか？　なんて疑問をもつのは――つまり、ぼくにとっては人間はしらみではないということで、そんなことは頭に浮ばず、つべこべ言わずに一直線に進む者にとってのみ、人間がしらみなのだということくらい、ぼくが知らなかったと思うのかい？　ナポレオンならやっただろうか？　なんてあんなに何日も頭を痛めたということは、つまり、ぼくがナポレオンじゃないということを、はっきりと感じていたからなんだよ……こうしたおしゃべりのすべての苦しみ、いっさいの苦しみに、ぼくは堪えてきたんだよ、ソーニャ、もうそうした苦しみはすっかり肩からはらいのけたくなったんだよ！　ぼくはね、ソーニャ、詭弁《きべん》を弄《ろう》さないで殺そうと思った、自分のために、自分一人だけのために殺そうと思ったんだ！　このことでは自分にさえ嘘《うそ》をつきたくなかった！　母を助けるために、ぼくは殺したのじゃない――ばかな！　手段と権力をにぎって、人類の恩人になるために、ぼくは殺したのではない。ばかばかしい！　ぼくはただ殺したんだ。自分のために殺したんだ、自分一人だけのために。この先誰かの恩人になろうと、あるいは蜘蛛になって、巣にかかった獲物《えもの》をとらえ、その生血を吸うようになろうと、あのときは、ぼくにはどうでもよかったはずだ！……それに、ソーニャ、ぼくが殺したとき、ぼくにいちばん必要だったのは、金ではなかった。金よりも、他のものだった……それがいまのぼくにははっきりわかるんだ……ソーニャ、わかってくれ、ぼくは同じ道を歩んだとしても、おそらくもう二度と殺人はくりかえさないだろう。ぼくは他のことを知らなければならなかったのだ。他のことがぼくの手をつついたのだ。ぼくはあのとき知るべきだった、もっと早く知るべきだった、ぼくがみんなのようにしらみか、それとも人間か？　ぼくは踏みこえることができるか、できないか？　身を屈めて、権力をにぎる勇気があるか、ないか？　ぼくはふるえおののく虫けらか、それとも権利があるか……」

「殺す？　殺す権利があるというの？」

ソーニャは両手を打ちあわせた。

「えぇッ、ソーニャ！」と彼は苛々しながら叫んだ、そして何か言いかえそうとしかけたが、さげすむように口をつぐんだ。「話のじゃまをしないでくれよ、ソーニャ！ぼくはきみに一つだけ証明したかったんだ。つまり、悪魔のやつあのときぼくをそそのかしておいて、もうすんでしまってから、おまえはみんなと同じようなしらみだから、あそこへ行く資格はなかったのだ、とぼくに説明しやがったということさ！　悪魔のやつぼくを嘲笑《あざわら》いやがった、だからぼくはいまここへ来たんだ！　お客にさ！　もしぼくがしらみでなかったら、ここへ来ただろうか？　いいね、あのとき婆さんのところへ行ったのは、ただ試すために行っただけなんだ……それをわかってくれ！」

「そして殺したんでしょう！　殺したんでしょう！」

「で、どんなふうに殺したと思う？　あんな殺し方ってあるものだろうか？　あのときぼくがでかけて行ったように、あんなふうに殺しに行く者があるだろうか？　どんなふうにぼくが出かけて行ったか、いつかきみに話してあげよう……果してぼくは婆さんを殺したんだろうか？　ぼくは婆さんじゃなく、自分を殺したんだよ！　あそこで一挙に、自分を殺してしまったんだ、永久に！……あの婆さんは悪魔が殺したんだ、ぼくじゃない……もうたくさんだ、たくさんだ、ソーニャ、よそうよ！　ぼくをほっといてくれ！」彼は急にはげしいさびしさにおそわれて、叫んだ。「ほっといてくれ！」

彼は膝《ひざ》に両肘をついて、掌《てのひら》ではげしく頭をしめつけた。

「ああ、苦しいのねえ！」という痛々しそうな涙声がソーニャの口からもれた。

「さあ、言っておくれ、これからぼくはどうしたらいいんだ！」彼はとつぜん頭を上げて、絶望のあまりみにくくゆがんだ顔でソーニャを見ながら、尋ねた。

「どうすればいいって！」と叫ぶと、彼女はいきなり立ち上がった。いままで涙がいっぱいたまっていた目が、急にきらきら光りだした、「お立ちなさい！（彼女は彼の肩に手をかけた。彼は呆気《あっけ》にとられたように彼女に目を見はりながら、腰を上げた）。いますぐ外へ行って、十字路に立ち、ひざまずいて、あなたがけがした大地に接吻《せっぷん》しなさい、それから世界中の人々に対して、四方に向っておじぎをして、大声で《わたしが殺しました！》というのです。そしたら神さまがまたあなたに生命《いのち》を授けてくださるでしょう。行きますか？　行きますか？」彼女は発作でも起したように、全身をわなわなふるわせて、彼の両手をとってかたくかたくしめつけ、火のような目でじっと彼を見つめながら、尋ねた。

彼はびっくりした。ソーニャの思いがけぬ興奮にすっかり呑《の》まれてしまった。

「というと、それは流刑《るけい》のことかい、ソーニャ？　自首しろとでもいうのかい？」と彼は暗い声で聞いた。

「苦しみを受けて、自分の罪をつぐなう、それが必要なのです」

「いやだ！　ぼくは行かないよ、ソーニャ」

「じゃ、どうして、どうして生きて行くつもりですの？　何を目あてに生きて行くつもりですの？」とソーニャは叫んだ。「そんなことがいまからできると思って？　お母さんにどう話すつもり？（ああ、あの人たちは、あの人たちは、これからどうなるでしょう！）まあ、わたしは何を言ってるのかしら！　あなたはもうお母さんとお妹さんをお捨てになったんだわ。そうよ、もう捨ててしまったのよ、捨てたのよ。ああ、どうしたらいいのかしら！」と彼女は叫んだ。「だって、この人はそんなことはすっかり承知なんですもの！　でもどうして、どうして、一人だけで生きて行かれよう！　あなたはこれからどうなるのでしょう！」

「子供みたいなことは言わんでくれ、ソーニャ」と彼はしずかに言った。「ぼくは彼らに対して何の罪があるのだ？　なぜ行かにゃならんのだ？　彼らに何を言うのだ？

そんなことは妄想《もうそう》にすぎんよ……彼らだって何百万という人々を死滅させて、しかもそれをりっぱな行為と考えているじゃないか。あんなやつらはずるがしこい卑怯者《ひきようもの》だよ、ソーニャ！……行くものか。それになんと言うのだ、殺しましたが、金をとる勇気はなく、石の下にかくしましたとでも言うのかい？」と彼は刺すような皮肉なうす笑いを浮べながらつけ加えた。

「それこそやつらがぼくを嘲笑って、言うだろうさ。金をとらなかったとは、あきれたばかだ！　阿呆《あほう》な腰ぬけだと！　やつらはなんにも、なんにもわからないんだよ、ソーニャ、わかるだけの力がないのさ。なんのために行かにゃならんのだ？　ぼくは行かんよ。子供みたいなことは言わんでくれ、ソーニャ……」

「苦しむのよ、苦しむのよ」彼女は必死の祈りをこめて、彼のほうに両手をさしのべながら、こうくりかえした。

「ぼくは、また自分のことを悪《あ》しざまに言ったようだな」と彼は考えこんだような様子で、暗い声で言った。「ぼくはまだ人間かもしれん、しらみじゃない、自己非難を急ぎすぎたようだ……もう少したたかってみよう」

傲慢《ごうまん》なうす笑いが彼の唇におしだされた。

「こんな苦しみを背負って生きて行くなんて、しかも一生、死ぬまで！」

「慣れるさ……」と彼は憂鬱そうに考えこみながら、言った。「ねえ」と一分ほどして、彼は言った。「もう泣くのはおよしよ、そろそろ用件にかからなきゃ。ぼくがここへ来たのは、ぼくがいま手配中で、逮捕されかかっていることを、きみに知らせておこうと思って……」

「まあ！」とソーニャはびっくりして、思わず叫んだ。

「おや、どうしたんだい、そんな声を立てて！　ぼくが流刑地へ行くのを、自分で望んでいながら、今度はびっくりするなんて？　ただし、ぼくはやつらには降伏しないよ。まだまだたたかうよ、やつらにはどうしようもないんだ。決め手がないんだよ。昨日はひじょうに危なかった、もうだめかと思った。ところが今日になると事情が変った。やつらの証拠はどれもこれもあいまいなものばかりだ。ということはつまり、やつらの起訴理由をこっちの有利なように逆用することができるということだよ、わかるかい？　もちろんするよ、だってもうおぼえちゃったんだよ……しかしおそらく未決にはぶちこまれるだろう。もしある偶然がなかったら、今日ぶちこまれたかもしれんのだ、それも確実にだ。しかし今日これからだってまだわからない……でもなんでもないんだよ、ソーニャ、ちょっと入るだけで、釈放されるさ……だってやつらには決め手になる証拠が一つもないんだ。これからだって出て来はしないさ、断言するよ。ところが、やつらの持っているものだけでは、人間ひとりを投獄するわけにはゆかない。だが、もうよそうよ……ぼくはただきみに知ってもらいたかっただけなんだ……妹や母には、なんとかして、本気にしたりびっくりしたりしないようにするよ……それに、妹はいま、どうやら安定したようだし……そうなれば、母だって……まあ、こういうわけだよ。でも、用心しておくれよ。ぼくが未決に入れられるようなことになったら、面会に来てくれるかい？」

「ええ、行きますとも！　行きますとも！」

嵐《あらし》の後さびしい岸辺に打ち上げられたように、二人は肩をならべて、しょんぼりとさびしく坐っていた。彼はソーニャをじっと見つめていた、そして彼女がどんなに強く自分を愛していてくれるかを、しみじみと感じていた。すると不思議なことに、自分がこんなに愛されていることが、急に苦しい重荷になってきた。たしかに、それは不思議なおそろしい感覚だった！　ソーニャのところへ来るとき、彼は彼女に自分のすべての希望と救いがあるような気がしていた。彼は自分の苦しみのほんの一部でもとりのぞいてもらおうと考えていた。ところがいま、彼女の心のすべてを向けられてみると、彼は不意にまえよりも比べものにならないほど不幸になったことを感じたし、はっきりと意識したのである。

いと思うよ」

「ソーニャ」と彼は言った。「ぼくが監獄に入ったら、会いに来てくれないほうがい

ソーニャは答えなかった、泣いていた。何分かすぎた。

「あなた十字架を持ってます?」と彼女は急に思い出したように、だしぬけに尋ねた。

彼ははじめ問いの意味がわからなかった。

「ないのね、持ってないのね? じゃ、これをあげる、糸杉《いとすぎ》の木でつくったものよ。わたしもう一つあるから、銅の、リザヴェータからもらったの。わたしリザヴェータと十字架をとりかえっこしたのよ、あのひとはわたしに自分の十字架をくれ、わたしは小さなお守りの聖像をあげたの。わたしはこれからリザヴェータの十字架を肌《はだ》につけるわ、だからこれはあなたにあげる。さあどうぞ……わたしのじゃないの! わたしのなのよ!」と彼女は泣きそうに頼んだ。「ね、いっしょに苦しみを受けましょうね、いっしょに十字架をせおいましょうね!……」

「じゃ、おくれ!」とラスコーリニコフは言った。彼はソーニャを悲しませたくなかった。だが、彼は十字架を受け取ろうとしてのばした手をすぐに引っこめた。

「いまはよそう、ソーニャ。あとのほうがいいよ」と、彼女を安心させるために、彼はつけ加えた。

「そうね、そうね、そのほうがいいわね」と彼女はうっとりとして答えた。「苦しみを受けに行くとき、これを肌身につけるのよ。そのときはわたしのところへ来てね、わたしがかけてあげるから、そしていっしょにお祈りをして、行きましょう」

そのとき誰かがドアを三度ノックした。

「ソーフィヤ・セミョーノヴナ、入ってもいいですか？」と誰かのひどく聞きおぼえのある丁寧な声が聞えた。

ソーニャはぎょっとして戸口へとんで行った。レベジャートニコフの白っぽい顔が部屋の中をのぞいた。

5

レベジャートニコフはそわそわと落ち着かない様子だった。

「あなたに話したいことがあったものですから、ソーフィヤ・セミョーノヴナ。失礼しました……あなたがここにいられるだろうとは、思っていましたが」と彼は不意にラスコーリニコフのほうを向いて言った。「といって別に……へんな意味ではなく……ただそんな気がしたものですから……実はお宅でカテリーナ・イワーノヴナが発狂したのです」彼はラスコーリニコフをそのままにして、不意にソーニャにずばりと言った。

ソーニャはあッと叫んだ。

「はっきりそうだというのじゃありませんが、少なくとも、そう思われるのです！　それに……ぼくらでは、どうしてよいかわからないものですから、それで知らせに来たわけです！　あのひとはついいましがたもどって来たんですが、――どっかで追っぱらわれたようです、殴られたらしい様子も見えます……どう見てもそうらしいです……あのひとはセミョーン・ザハールイチの長官のところへかけこんだのですが、留守でした。長官はあるこれも将軍のところへ午餐《ごさん》に招《よ》ばれていたんです……ところがどうでしょう、彼女はすぐにそっちへ行ったんですよ……その別な将軍の家へです、そして、なんと、うるさくわめき立てて、長官を呼び出したんですよ、それもまだ食事の最中だったらしいですよ。どんなことになったか、想像がつくでしょう。もちろん、追っぱらわれました。彼女は自分が長官をどなりまくって、何かぶっつけたようなことを言ってますがね。それは大いにありそうなことですよ……でも、よくつかまらなかったですね、――ふしぎなくらいです！　いま彼女はみんなにしゃべりまくっています、アマリヤ・イワーノヴナにも、ただわめいたり、あばれたりしてるんで、言ってることがよくわからないんですよ……あッ、そうそう、こんなことを叫んでましたよ、みんなに見すてられたから、子供たちを連れて、街へ出て、アコーデオンをひき、子供たちに歌ったり踊ったりさせ、自分も歌ったり踊ったりして、金を集めるんだ、そして毎日将軍の家の窓の下に立ってやるんだなんて……《官吏を父に持つ上品な子供たちが物乞《ものご》いをして歩くさまを、見せてやるんだ》なんて。そして子供たちを殴りつける、子供たちは泣き出す。レーニャには《小さな村》の歌をおしえ、男の子たちには踊りをおしえる。ポーリナ・ミハイロヴナにも歌をおしえる、そして服を片っぱしから引き裂いて、芸人のかぶる帽子みたいなものをこしらえてみたり、楽器代りにたたくんだといって、金だらいを持ち出そうとしたり……何をいってもきかないんです……まったく、なんということでしょう？　とてもこのままにしてはおけませんよ！」

レベジャートニコフはまだつづけようとしたが、ほとんど息を殺して聞いていたソーニャは、不意にコートと帽子をつかむと、走りながら袖《そで》を通して、部屋をとび出して行った。ラスコーリニコフはすぐにそのあとを追った。レベジャートニコフもラスコーリニコフにつづいた。

「たしかに発狂ですよ！」と彼は通りへ出ると、ラスコーリニコフに言った。「ぼくはただソーフィヤ・セミョーノヴナをびっくりさせまいと思って、《らしい》と言ったんですが、もう疑う余地はありません。肺病患者は、結核菌が脳にのぼることがあるそうですね。ぼくは残念ながら、医学のことははっきりわかりませんが。でも、なんとか説き伏せようとしてみたんですが、ぜんぜん耳に入らないらしいんです」

「あなたは結核菌のことを彼女に言ったんですか？」

「いや、それればかりでもありませんが。しかし何もわからなかったらしいですよ。でも、ぼくが言いたいのはですね、実際に何も泣く理由はないということを、論理的に納得させれば、人間は泣くことをやめるものだということですよ。それは明らかです。あなたはどう思います、泣くことをやめないと思いますか？」

「そう割り切れば、生きるのが楽でしょうね」とラスコーリニコフは答えた。

「いや、どうも。そりゃむろん、カテリーナ・イワーノヴナにはかなり理解がむずかしいでしょう、でもあなたならご存じと思いますが、パリではもう論理的説得のみによる精神病治療の可能性についての真剣な実験が行われているんですよ！　ある教授が、この間死んだ有名な学者ですが、このような治療法が可能であると考えたわけです。その教授の考え方の基礎になっているのは、狂人の頭脳の組織には特別の障害があるのではない。精神錯乱とは、いわば論理的錯誤、判断の誤謬《ごびゅう》、ものに対する正しくない見方だということなのです。彼は一つずつ病人の言をくつがえしていって、おどろくじゃありませんか、ついにいい結果を得たというのです！　しかしこの実験の際に、彼はシャワー療法を用いたので、この治療法の結果には、むろん、いくばくの疑問がのこされているわけですが……少なくともそう思われます……」

ラスコーリニコフはもう先ほどから聞いてはいなかった。彼は自分の家のまえまで来ると、レベジャートニコフに軽く会釈《えしやく》をして、門の中へ折れた。レベジャートニコフはハッと気がついて、あたりを見まわすと、あわてて走り去って行った。

ラスコーリニコフは自分の小さな部屋に入ると、その中ほどで足をとめた。《なんのためにここへもどって来たのだろう？》彼は黄色っぽいぼろぼろの壁紙、つもった埃《ほこり》、寝台代りのソファを見まわした……庭のほうからものを叩《たた》くような、鋭いたえまない音が聞えていた。どこかで釘《くぎ》でも打ち込んでいるらしい……彼は窓辺へ行って、爪先立《つまさきだ》ちにのびあがり、神経を極度にとぎすましたような様子で、長いこと庭の中を見まわしていた。しかし庭は人気《ひとけ》がなく、釘を打っている男の姿は見えなかった。左手の脇屋《わきや》にいくつか開け放された窓が見えて、窓台にやせたゼラニウムの鉢《はち》がおいてあった。窓の外には洗濯《せんたく》ものが乾《ほ》してあった……こうした光景は彼はもうそらでおぼえていた。彼は窓のそばをはなれて、ソファに腰を下ろした。

これまで、彼がこれほど痛切に身の孤独を感じたことは、まだ一度もなかった！

そうだ、彼は、自分がほんとうにソーニャを憎んでいるのかもしれない、それも彼女をますます不幸にしたいまになって、ますますそうなのかもしれない、と改めて感じたのである。《なぜ彼女に泣いてもらいに行ったのか？　なぜ彼女の生命をこれほどむしばまなければならないのか？　おお、なんという卑怯《ひきょう》なことだ！》

「おれは一人きりになろう！」と彼は不意にきっぱりと言った。「彼女は監獄に面会になど来はすまい！」

五分ほどすると彼は顔を上げて、にやりと異様なうす笑いをもらした。それはたしかに不思議な考えだった。《ひょっとしたら、ほんとうに監獄のほうがましかもしれん》——ふと彼はこう思ったのである。

ごちゃごちゃと群がり寄せてくるとりとめのない想念にひたったまま、どのくらい坐《すわ》っていたか、彼はわからなかった。不意にドアが開いて、アヴドーチヤ・ロマーノヴナが入ってきた。彼女はさっき彼がソーニャにしたように、先《ま》ず戸口に立ちどまって、じっと彼を見た。それから中へ入って来て、彼の向い合いの、昨日自分がかけた椅子《いす》に腰を下ろした。彼は黙って、気がぬけたようにぼんやり彼女を見た。

「怒らないでね、兄さん、ちょっと寄っただけなの」とドゥーニャは言った。彼女の顔の表情はうれいにしずんではいたが、きびしくはなかった。目は明るく、しずかだった。妹は愛情をもってここへ来たことを、彼は見てとった。

「兄さん、わたしはいまはもうすっかりわかりました、すっかり。ドミートリイ・プロコーフィチが何もかも詳しく話してくださいましたの。兄さんはばからしい、いまわしい嫌疑《けんぎ》を受けて、苦しんでいるんですってねえ……ドミートリイ・プロコーフィチがわたしに言いましたわ、なんにも危ないことなんかない、兄さんはただそれをひどく恐ろしく考えているだけだって。わたしはそうは思いません、そうしたことが兄さんをどれほど怒らせ、そしてそのはげしい怒りが兄さんの胸に永久に消えないあとをのこすかもしれないことが、わたしにはよくわかるんですもの。それがわたしには恐《こわ》いんです。兄さんがわたしたちを捨てたことについては、わたしは兄さんを非難しませんし、またそんなことできもしませんわ。だから許してね、さっきはあんなひどいことを言ったりして。わたしは自分でも感じますわ、こんな大きな悲しみがあったら、わたしだって誰《だれ》の顔も見たくなくなるでしょう。お母さんにはこのことは何も言いませんけど、いつも兄さんの噂《うわさ》はしますわ、そしてもうすぐ帰ってくると言ってたって、言っておきますわ。お母さんのことは心配なさらないでね、わたしがなぐさめますから。でも、兄さんもお母さんを苦しめないでね。――せめて一度くらい顔を見せてくださいね。お母さんがいるってことを、思い出してね。いまわたしが寄ったのは、兄さんに一言いっておきたかったからなの。(ドゥーニャは腰を上げかけた)。もしわたしが必要なようなことがあったら、わたしが役に立つようなことが……わたしの生命《いのち》でも、なんでも……わたしに声をかけてね、すぐにとんで来ますから。じゃ、さようなら！」

彼女はくるりと振り向いて、ドアのほうへ歩きだした。

「ドゥーニャ！」と呼びとめると、ラスコーリニコフは立ちあがって、彼女のそばへ歩みよった。「あのラズミーヒンて男、ドミートリイ・プロコーフィチって男は、実にいいやつだよ」

ドゥーニャはわずかに赤くなった。

「それで！」とちょっと待って、彼女は尋ねた。

「あいつはしごとのできる、はたらくことの好きな、心の美しい、強く愛することのできる男だよ……じゃ、さようなら、ドゥーニャ」

ドゥーニャはぱっと真っ赤になったが、すぐに不安におそわれた。

「まあ、どうしてそんなことを、兄さん、まさかもうこれっきり会えないんじゃないでしょうね、どうしてそんな……遺言みたいなことを言うの？」

「まあいいさ……さようなら……」

彼はくるりと背を向けて、窓のほうへ歩きだした。彼女はそのまましばらく不安そうに彼を見ていたが、やがて落ち着かない様子で出て行った。

いや、彼は妹に冷淡だったのではない。ほんの最後の別れ際《きわ》だが、かたく抱きしめて、別れを告げ、言ってしまおうかとさえ思った一瞬があった、どうしてもそうしてやりたいと思ったが、いざとなると、彼は手をさし出すことさえためらわれた。

《あとになって、おれに抱きしめられたことを思い出して、ぞっとして、おれに接吻《せっぷん》を盗まれたなんて、言うかもしれない！》

《ところで、あれは堪えられるだろうか？》彼はしばらくすると胸の中でつぶやいた。《いや、堪えられまい。ああいう人間には堪えられまい！　ああいう人間は堪えられないようにできているんだ……》

彼はソーニャのことを考えたのだった。

窓からひんやりした空気が流れてきた。庭の日はもうかなりうすれていた。彼は不意に帽子をつかむと、外へ出た。

彼は、もちろん、自分の病状を考えることができなかったし、また考えようともしなかった。しかしこのたえまない不安と心の恐怖があとをのこさないわけがなかった。そして彼がまだほんものの熱病に倒れずにいるのは、おそらく、この心のたえまない不安がまだ彼の足と意識を支えていたためであろうが、どことなく無理が見え、いまはもう時間の問題だった。

彼はあてもなくさまよった。太陽はしずみかけていた。近頃《ちかごろ》の彼はある言い知れぬさびしさをおぼえるようになっていた。そのさびしさには刺すような、焼きたてるような、特別の鋭さはなかったが、しっかりこびりついて永遠にはなれないような気がして、この冷たい、死を誘うようなさびしさの救いのない状態が何年もつづき、《足二本がやっとの空間》に永遠に立たねばならぬことが、予感されるのだった。日暮れどきになるといつもこの救いのないさびしさが、ひときわ強く彼を苦しめはじめるのだった。

「まったく、日没に作用されるような、実にばかばかしい、純粋に肉体的な衰弱に痛めつけられているんだ。ばかなことをしないように、よっぽどしっかりしなくちゃあ！　ソーニャどころか、ドゥーニャにまで告白しかねないぞ！」と彼は吐きすてるように呟《つぶや》いた。

誰かに呼ばれた。振り向くと、レベジャートニコフがかけよってきた。

「よかった、いまあなたのところへ行ったんですよ、あなたをさがしていたんです。おどろきました、あのひとはほんとにあのプランを実行したんですよ、子供たちを連れ出しちゃったんです！　ぼくはソーフィヤ・セミョーノヴナとやっとさがしあてたんです。自分はフライパンを叩いて、子供たちに踊らせているんです。子供たちは泣いてます。十字路や店のまえに立って。やじ馬がぞろぞろたかってます。さあ、行きましょう」

「で、ソーニャは？……」と、レベジャートニコフのあとからかけ出しながら、ラスコーリニコフは心配そうに尋ねた。

「ただもうおろおろしてるだけですよ。いや、頭にきてるのはソーフィヤ・セミョーノヴナじゃなく、カテリーナ・イワーノヴナですが、しかし、ソーフィヤ・セミョーノヴナもかなりとりみだしています。カテリーナ・イワーノヴナときたら、もう完全ですよ。完全に発狂しましたね。警察に連れて行かれるでしょうね。そしたら、どんなことになるか、想像できるでしょう……いまはN橋のそばにいます、ソーフィヤ・セミョーノヴナの家のすぐそば。すぐそこです」

橋からあまり遠くない堀端《ほりばた》に、ソーニャの住んでいる家から二軒も行かないところに、たくさんの群衆が群がっていた。特に子供たちが多かった。もう橋のあたりから、カテリーナ・イワーノヴナの引き裂くようなかすれた声が聞えた。たしかにそれは、路上の群衆を喜ばせるような異様な光景だった。くたびれた服を着て、薄い毛織り《ドラ・デ・ダム》のショールをかけ、やぶれた麦わら帽子がみにくく頭のよこのほうにずりおちているカテリーナ・イワーノヴナは、どう見てもほんものの狂女だった。彼女は疲れはてて、息をきらしていた。弱りきった肺病やみの顔は、いつもよりも苦しそうに見えた。(それに外の太陽の下では、肺病患者は家の中でよりもいっそう痛々しく、みにくく見えるものだ)。彼女のたかぶった気持はいっこうにしずまらないどころか、ますます苛立《いらだ》ちがはげしくなってきた。彼女は子供たちのまえにかけよって、どなりつけ、さとすように言い聞かせ、見物人たちのまえでどんなふうに踊り、何をうたうかをおしえ、なんのためにそんなことをしなければならないかを、くどくどとさとしはじめたが、子供たちの聞きわけのわるさにかっとなって、なぐりつける……と思うと、急にやめて、見物人たちのほうへかけよる。ちょっとでも身なりのいい人を見ると、すぐにとんで行って、《素姓《すじょう》のいい、貴族といえるほどの家庭》に育った子供たちが、どうしてこんなみじめな境遇にまでおちたかを、くどくどと説明する。群衆の中に笑い声か、あるいはひやかすような言葉でも聞きつけようものなら、すぐにそちらへとんで行って、口ぎたなくののしり合いをはじめる。見物人の中にはほんとうに笑っている者もあったし、首をかしげている者もいた。おびえきった子供たちを連れた狂女を見るのは、誰にでもおもしろいことだった。レベジャートニコフの言ったフライパンはなかった。少なくともラスコーリニコフは見なかった。だが、フライパンを叩く代りに、カテリーナ・イワーノヴナはポーレチカにうたわせて、レーニャとコーリャに踊らせるときは、筋ばった手をたたいて拍子をとった。おまけに、自分もいっしょにうたいだすが、そのたびに第二節までくると苦しい咳《せき》のためにとぎれてしまい、それでまたまたやけを起して、咳を呪《のろ》い、泣き出すのだった。何よりも彼女を逆上させたのはコーリャとレーニャの泣き声とおびえきった様子だった。子供たちに流し芸人風の服装をさせようとしたことは、事実だった。男の子にはトルコ人らしく見せるために、頭にあやしげな紅白のターバンを巻きつけていた。レーニャは衣装がなかったので、亡夫の赤い毛糸の帽子（というよりは、ナイトキャップといったほうがいいかもしれない）をかぶせて、それに白いだちょうの羽の切れはしをさしてやった。このだちょうの羽はカテリーナ・イワーノヴナの祖母のもので、珍しい形見としていままで長持の中にしまっておいたものである。ポーレチカはいつもの粗末な服のままだった。ポーレチカはおろおろしながら母を見まもり、どうしてよいかわからずに、母のそばにくっついたまま、子供ごころに母があたりまえでないことに気がついて、涙をかくし、不安そうにあたりを見まわしていた。通りと群衆に少女はすっかりおびえてしまった。ソーニャはカテリーナ・イワーノヴナのうしろからはなれないようにして、早く家へもどりましょうと泣きながら頼んでいた。だが、カテリーナ・イワーノヴナは頑《がん》としてきかなかった。

「およし、ソーニャ、およしったら！」と彼女は息をきらし、咳きこみながら、早口に叫んだ。「自分で何を言ってるか、わかりもしないで、まるで子供みたいに！おまえに言ったでしょ、あの飲んだくれのドイツ女のところへはもうもどらないって。いいんだよ、見せてやるんだ、ペテルブルグ中に見せてやるんだ、一生まじめに陰ひなたなく勤めて、殉職といえるような死に方をしたりっぱな父親の子供たちが、もの乞いして歩いている姿をさ。（カテリーナ・イワーノヴナはもうこの幻想をつくりあげて、それをすっかり信じこんでいた）。あの役立たずの将軍めに見せてやる、ええ、見せてやるよ。だって、ばかだねえ、おまえは、ソーニャ。これから何を食って生きてゆくんだい、え？　もうずいぶんおまえをいじめて来たんだもの、これ以上は苦しめたくないよ！　あッ、ロジオン・ロマーヌイチ、よかった！」ラスコーリニコフを見つけると、彼女はこう叫んで、かけよった。「どうか、このばかな娘に、これがいちばん利口な生き方だってことを、ようく聞かせてあげてくださいな！　流しのオルガン弾《ひ》きでさえ稼《かせ》ぎがあるんですもの、わたしたちだったらじきに別扱いしてもらえますよ、あわれにも乞食《こじき》にまでなり下がったりっぱな家庭のみなし子ってことは、すぐにわかりますものねえ。そしたらあの将軍め、きっと失脚しますよ、見てらっしゃい！毎日あいつの窓の下へ行ってやるんだよ、そして皇帝さまがお通りになったら、わたしはひざまずいて、子供たちをまえにならばせて、《お守りください、父よ！》っておすがりします。皇帝さまはみなし子たちの父ですもの、情け深いお方ですもの、きっと守ってくださいますわ、そしてあの将軍めを……レーニャ！ tenez-vous droite!（姿勢を正しなさい！）コーリャ、さあもう一度踊るのよ！ なんだってめそめそ泣いてるの？ またしてめそめそする！ え、何が、何がこわいの、ばかな子だねえ！ やれやれ！ この子たちにかかっちゃ、どうしようもありませんよ、ロジオン・ロマーヌイチ！ ほんとに聞きわけのない子供たちだよ！ つくづくいやになる！……」

そして彼女は、もうほとんど泣き声になって（それはたえず口早にしゃべり立てるのをさまたげなかった）、彼にめそめそ泣いている子供たちを指さした。ラスコーリニコフは家にもどるように説得しようとして、彼女の自尊心に訴えようと思いながら、良家の娘たちの寄宿学校の校長になるひとだから、流しの芸人みたいに通りを歩くのは世間体がよくない、などと言ってみた。

「寄宿学校、は、は、は！ 夢ですよ、山のかなたの！」と、笑うとすぐにはげしく咳きこみながら、カテリーナ・イワーノヴナは叫んだ。「いいえ、ロジオン・ロマーヌイチ、夢はすぎましたよ！　みんなに見すてられました！……あの将軍めも……わたしはね、ロジオン・ロマーヌイチ、あいつにインクびんを投げつけてやったんだよ、——あそこの受付の机の上に、ちょうどあったんでね、そばに紙がおいてあって、たくさん署名してあったよ、だからわたしも名前を書きなぐって、インクびんをぶっつけて、逃げかえってきたんだよ。おお、ほんとにいやなやつら。ペッ、唾《つば》をはきかけてやりたいよ。もうこうなったら、この子供たちはわたしが食べさせますよ、誰にも頭なんて下げるものか！　この娘にもずいぶん苦しい思いをさせましたからねえ！（彼女はソーニャを指さした）。ポーレチカ、いくらになったかね、どれ見せてごらん？　おや？　みんなでたった二コペイカかい？　へえ、さもしいやつらだねえ！犬みたいに舌をだして、ついてくるばかりで、何もくれやしない！　おや、そこの間抜け、何がおかしいんだい？（彼女は群衆の中の一人を指さした）。これもみな、このコーリャがぐずだからだよ、手が焼けるったらありゃしない！　どうしたの、ポーレチカ？　フランス語で言いなさい、parlez-moi français!（フランス語で話しなさい）わたしが教えてやったじゃないか、すこしは知ってるはずだよ！……でなきゃ、おまえたちが上品な家庭に生れて、教育も受け、そこらの流しの芸人とはぜんぜんちがうってことが、わからないじゃないの。わたしたちは往来で《ペトルーシカ》みたいな道化芝居を見せるんじゃないんだよ、品のいいロマンスをうたうんですよ……あ、そうそう！　何をうたいましょうね？　あなたが邪魔ばかりするものだから、わたしが……ここに立ちどまったのはね、ロジオン・ロマーヌイチ、何をうたうか選ぶためですのよ……それも、コーリャも踊れるものでなくちゃ……なにしろ、おわかりでしょうけど、練習もしないでぶっつけにやってるんですからねえ。みんなみっちり稽古《けいこ》をするように、よく話しあわなきゃあね、それからネフスキー通りへ出かけましょうよ、あちらに行けば上流社会の人々もずっと多いし、すぐにわたしたちを見わけてくれますよ。レーニャは《小さな村》を知ってたわね……でもいまは《小さな村》はみんなが知ってて、誰でもうたってるから！　わたしたちは何かもっとずっと上品なものをうたわなくちゃ……どう、何か思いついたかい、ポーリャ、せめておまえだけでもお母さんを助けておくれよ！　わたしにはね、記憶力というものがなくなってしまったんだよ、たくさんいろんな歌をおぼえていたんだがねえ！　まさか、《驃騎兵《ひょうきへい》は剣にもたれつつ》なんて歌をうたうわけにもいくまいし！　あ、そうそう、フランス語で《Cinq sous《サン・スウ》》（訳注　五枚の銅貨。百スウが一フランに相当する）をうたいましょう！　そら、おまえたちに教えたでしょ、おぼえてるわね。いいことに、これはフランス語の歌でしょ、だからおまえたちが貴族の子供たちだってことが、すぐにわかるし、そのほうがどれだけ涙を誘うかしれやしない……《Malborough s'en va-t-en guerre》（マルボローは戦争へ行きました）でもいいよ、これはほんとの童謡で、貴族の家庭ではどこでも子守唄《こもりうた》にうたうんだから」

Malborough s'en va-t-en guerre,
Ne sait quand reviendra……
マルボローは戦争へ行きました
いつになったらもどるやら……

と彼女はうたいだした……「いや、やっぱり《Cinq sous》のほうがいいわ！　さあ、コーリャ、お手々を腰にあてて、ぐずぐずしないで、レーニャ、おまえもまわるのよ、向うまわりね、わたしとポーレチカはうたいながら、手拍子をとりましょうね！

Cinq sous, Cinq sous,
Pour monter notre ménage……
サン・スウ、サン・スウ、

これが暮しにゃだいじなお金……

ごほ、ごほ、ごほ！（彼女は苦しそうに咳きこんだ）。服を直しなさい、ポーレチカ、肩が下がったよ」と彼女は咳のあいまに、ぜいぜい息をきらしながら注意した。「これからはお行儀よくきちんとするように、よくよく気をつけなきゃあね、貴族の子だってことをみんなに見てもらわなきゃいけないんだから。あのときわたしが言ったでしょ、ジャンパースカートは長めにして、しかも二幅にしなきゃいけないって。ところが、ソーニャ、おまえが《もっと短く、もちょっと短かめに》なんて言うもんだから、ほらごらんな、まるでみっともないったらありゃしない……おや、またおまえたちは泣いてるのかい！　どうしたっていうの、ばかだねえ！　さあ、コーリャ、さっさとはじめなさい、さあ、さあ、ぐずぐずしないで、――ええ、まったく、なんてじれったい子なんだろう！……

Cinq sous, Cinq sous……

おや、また兵隊が来たよ！　え、わたしになんの用があるの？」

ほんとに、人垣《ひとがき》をわけて一人の巡査が近づいてきた。ところがそのとき官吏の略服の上に外套《がいとう》をまとい、首に勲章を下げた五十前後のりっぱな紳士が（この勲章がカテリーナ・イワーノヴナにはひどく嬉《うれ》しかったし、巡査の態度にも作用した）つかつかとよって来て、黙ってカテリーナ・イワーノヴナの手にみどり色の三ルーブリ紙幣をあたえた。その顔には深い同情があらわれていた。カテリーナ・イワーノヴナはそれを受け取ると、ていねいに、しかも作法どおりに、紳士に頭を下げた。

「ご親切に、ありがとうございます」と彼女はもったいぶって言いだした。「わたしたちをこんなふうにしたわけと申しますのは……お金をおさめなさい、ポーレチカ。ごらん、不幸に泣くあわれな貴婦人をすぐに助けてくださろうとなさる、心の美しいおおらかなお方はやっぱりいるんですねえ。ご親切に、この素姓のゆかしいみなし子たちをわかってくださったんですね、この子たちは貴族社会に親戚《しんせき》をもっていると言ってもいいほどなんですよ……ところがあの将軍めときたら、どっかり坐りこんで、山鳥を食べていて……わたしが邪魔したというんで、足をふみ鳴らして怒ったんですよ……わたしはこう言ったんですよ、《閣下、亡《な》くなったセミョーン・ザハールイチをよくご存じでいらっしゃいますから、どうかあわれなみなし子たちを守ってあげてくださいませ。それに主人の亡くなったその日に、人間の屑《くず》の屑みたいなやつに、主人の血をうけた娘がそれはそれはひどいことを言われたんでございます……》おや、またあの兵隊が！　助けてください！」と彼女は官吏に叫んだ。「どうしてわたしにうるさくつきまとうの？　もうメシチャンスカヤ街で追われて、ここへ逃げてきたというのに……ええ、わたしになんの用があるっていうのさ、ばか！」

「街頭でこういうことは禁止されているんですよ。みっともないことはしないでください」

「おまえこそみっともないくせに！　オルガン弾きだってやってるじゃないの、おまえなんか出る幕じゃないよ！」

「街頭のオルガン弾きは許可が要《い》ります。あなたは勝手にこんなことをして人騒がせをしています。どこにお住まいです？」

「なに、許可だって」とカテリーナ・イワーノヴナはわめきたてた。「わたしは今日良人《おっと》の葬式をすませたばかりだよ、どこに許可なんかもらうひまがあるのさ！」

「奥さん、奥さん、どうか落ち着いてください」と官吏がなだめはじめた。「さあ、参りましょう、わたしが送ります……ここは人だかりがして、世間体ということもありますよ……それにお身体《からだ》がよくないようだし……」

「ご親切はありがたいけど、あなたは何も知らないんですよ！」とカテリーナ・イワーノヴナは叫んだ。「これからネフスキー通りへ行こうというのに、——ソーニャ、ソーニャ！　いったいどこへ行ったのかしら？　おや、この娘も泣いてるよ！　そろいもそろって、いったいどうしたというの？……コーリャ、レーニャ。どこへ行くの？」彼女は不意にぎょっとして叫んだ。「ほんとに、ばかな子だこと！　コーリャ、レーニャ、あの子たちはいったいどこへ行くのかしら！……」

それはこうして起った。コーリャとレーニャは街頭の人だかりと狂った母のとっぴな振舞いにすっかりおびえきっていたところへ、兵隊が彼らをつかまえて、どこかへ連れ去ろうとしているのを見たものだから、いきなり、まるでしめしあわせたように、手をつないで逃げ出したのである。あわれなカテリーナ・イワーノヴナはわあわあ泣きながら、そのあとを追ってかけ出した。泣きながら、ぜいぜい息をきらして走って行くその姿は、あわれで、みにくく、見るにしのびなかった。ソーニャとポーレチカもそのあとを追った。

「つれもどして、つれもどしておくれ、ソーニャ！　なんてばかな、恩知らずな子供たちだろう！……ポーリャ！　つかまえておくれ……おまえたちのことを思えばこそ、わたしは……」

彼女はむきになって走っていたのをつまずいたから、どうと倒れた。

「まあ、血が、けがをしたんだわ！　ああ、どうしよう！」と彼女の上にかがみこみながら、ソーニャは叫んだ。

みなかけよって来て、まわりをとり巻いた。ラスコーリニコフとレベジャートニコフは真っ先にかけつけた。官吏も早かった。そのあとから巡査が《やれやれ！》とぼやいて、片手を振り、厄介《やっかい》なことになるのを予感しながら走ってきた。

「さあ退《ど》いた！　退いた！」と彼はびっしりとまわりをとり巻いている群衆を追いちらした。

「死ぬぞ！」と誰かが叫んだ。

「気が狂ったんだ！」ともう一人が言った。

「ああ、かわいそうに！」と一人の女が十字を切りながら、言った。「あの子供たちはつかまったかしら？　おや、連れられてくる、上の娘《こ》がつかまえたんだわ……しようのない、いたずらッ子だねえ！」

だが、カテリーナ・イワーノヴナをよく見ると、決してソーニャが考えたように、石でけがをしたのではなかった。舗道を赤くそめた血は、彼女の胸から吐き出されたのだった。

「これはわたしは知ってますよ、見たことがあります」と官吏は口をもぐもぐさせながらラスコーリニコフとレベジャートニコフに言った。「これは肺病ですよ。こんなふうに血を吐いて、息がつまるんです。親戚の女に一人ありましたよ、ついこの間、たまたまそこにいあわせたんですがね、やはりコップに一杯半ほど……いきなり……ところで、どうしたもんですかな、もうだめだと思いますが？」

「うちへ、うちへ、わたしのうちへ」とソーニャは哀願するように言った。「すぐそこです！……ほら、その建物です、ここから二軒目の……わたしの部屋へ、早く、早く！……」彼女はみんなの袖にすがるようにして頼んだ。「医者を呼びにやってください……ああ、どうしよう！」

官吏の尽力でことはうまく運んだ。巡査までカテリーナ・イワーノヴナを運ぶ手伝いをした。彼女はほとんど死んだような状態でソーニャの部屋に運びこまれ、ベッドの上にねかされた。喀血《かっけつ》はまだつづいていたが、どうやら意識がもどりはじめたらしい。部屋にはソーニャのほかに、ラスコーリニコフとレベジャートニコフ、それに官吏と、いましがた群衆を追いちらした巡査とが、いちどきに入ってきた。群衆の中には戸口までついて来たものもかなりいた。ポーレチカは、がたがたふるえながら泣きじゃくっているコーリャとレーニャの手をひいて、入ってきた。カペルナウモフの家のものも集まってきた。びっこでめっかちで、ごわごわの髪や頰《ほお》ひげがぴんと突ったった奇妙な風采《ふうさい》の亭主《ていしゅ》、一度びっくりした顔がもうぜったいに直らないようなその女《にょう》房《ぼう》、いつもおどかされてばかりいるので感じなくなってしまったような顔をして、ぽかんと口をあけている何人かの子供たち。こうした連中のあいだに不意にスヴィドリガイロフもあらわれた。ラスコーリニコフは群衆の中に彼を見かけたおぼえもないし、どこからでてきたのかわからずに、おどろきの目を見はった。

医者と司祭の話がでた。官吏は、もういまとなっては医者を呼んでもむだだろうと、ひそひそ声でラスコーリニコフにささやいたが、それでも呼びにやる指図《さしず》をした。カペルナウモフが自分で走って行った。

そうこうしている間に、カテリーナ・イワーノヴナは呼吸がしずまって、喀血が一時とまった。彼女は病みつかれてはいるが鋭い刺すような目で、真《ま》っ蒼《さお》な顔をしてふるえながら、ハンカチで額の汗をふいてやっているソーニャを見やった。そして、しばらくすると、起してくれと頼んだ。彼女は両側から支えられながら、ベッドの上に身を起した。

「子供たちは?」と彼女は弱々しい声で尋ねた。「連れてきてくれたかい、ポーリャ? ほんとに、ばかな子供たちだねえ!……どうしてかけ出したりなんかしたのかしら……ねえ!」

血はまだ彼女のかさかさの唇《くちびる》を赤くぬらしていた。彼女はゆっくりあたりを見まわした。

「おまえはこんなふうに暮していたんだねえ、ソーニャ！　一度も来て見なかったけど……こんなことになって、連れて来《こ》られるなんてねえ……」

彼女はすまなそうにソーニャを見た。

「おまえを苦しめたねえ、ソーニャ……ポーリャ、レーニャ、コーリャ、ここへおいで……さあ、ソーニャ、この子たちを引き取っておくれ、ね……しっかり渡したよ……わたしはもうたくさん！……舞踏会はおわった！　ああ！……わたしをねかしておくれ、せめて死ぬときだけでもしずかに……」

彼女の頭はまた枕《まくら》の上に下ろされた。

「え？　お坊さん？……いらないよ……どこにそんな余分なお金があるの？……わたしには罪なんかないもの！……神さまはそれでなくたって許してくださるはずだわ……わたしがどんなに苦しんだか、神さまがご存じだもの！……許してくださらなきゃ、それでいいじゃないの、いらないよ！……」

不安な幻覚がますます強く彼女をとらえていった。彼女はときどきぎくっとして、あたりを見まわし、ちょっとの間みんなの顔がわかったが、すぐにまた意識がうすれて幻覚にかわってしまうのだった。何かがのどのあたりで鳴っているように、かすれて、苦しそうな息だった。

「あの人に言ってやったんだよ、《閣下!……》」一言ごとに息をきらしながら、彼女は叫びたてた。「アマリヤ・リュドヴィーゴヴナめ……ああ! レーニャ、コーリャ! お手々を腰にあてて、早く、ぐずぐずしないで、グリッセ・グリッセ、パ・ド・バスク! あんよをトン……上品な子になるんだよ。

Du hast Diamanten und Perlen……

ダイヤモンドと真珠があるのに……

それからなんだっけ? そうだよ、これをうたうんだね……

Du hast die schönsten Augen,
Mädchen, was willst du mehr?
そんな美しい瞳《ひとみ》があるのに、
娘さん、そのうえ何がお望みなの?

そうだよ、きまってるじゃないの！　was willst du mehr（そのうえ何がお望みなの）――言うわねえ、ばか！……あッ、そうそう、こんなのもあったっけ。

　暑い昼下がり、ダゲスタンの谷間にて……

ああ、わたしはほんとに好きだった……涙がでるほど好きだったのよ、このロマンスが……ポーレチカ！……おまえのお父さまはね……まだ許婚者《いいなずけ》のころによくうたってくれたんだよ……ああ、あのころは！……これだよ、これをうたわなくちゃ！　さあ、どうだったかしら、どうだったかしら……いやねえ、忘れてしまって……ねえ、思い出しておくれ、どうだったかしら？」

彼女はひどく興奮して、身を起そうともがいた。とうとう、恐怖がしだいにつのってくるような様子で、おそろしいかすれた引き裂くような声で、一言ごとに息をきらしながら、わめくようにうたいだした。

　暑い昼下がり！……ダゲスタンの！……

谷間にて!……胸を射ぬかれ!……

「閣下!」不意に彼女ははらはらと涙をこぼしながら、胸をかきむしるような声で叫んだ。「みなし子たちを守ってあげてください! 亡くなったセミョーン・ザハールイチをご存じじゃありませんか!……貴族といってもいいほどの!……あッ!」彼女はびくッとふるえて、不意に正気にかえり、おそろしそうに一同の顔を見まわしていたが、すぐにソーニャに気がついた。「ソーニャ、ソーニャ!」彼女はソーニャがここにいるのにびっくりしたように、やさしくいたわるように呼んだ。「ソーニャ、ありがとうよ、おまえもここにいてくれたのかい?」

彼女はまた助け起された。

「もうたくさんだ!……死にどきだよ!……さようなら、かわいそうなソーニャ!……すっかり苦労をかけたねえ!……わたしはもう疲れはてたよ!」と彼女は絶望的に呪わしげに叫ぶと、どさッと枕の上に仰向《あおむ》けに倒れた。

彼女はまた意識を失ったが、今度の意識不明はそう長くつづかなかった。血の気のない黄ばんだ痩《や》せほそった顔は仰向けにそり、口は開いて、脚がひくひくふるえながらはげしく突っぱった。彼女は深い深い息を吐きだして、そのまま息たえた。

ソーニャは死体の上に突っ伏し、両手で抱きしめ、痩せおとろえた胸に頭をおしつけて、そのまま気を失ってしまった。ポーレチカは母の足もとにひざまずいて、しゃくり上げながら、足に唇をおしつけていた。コーリャとレーニャは、何ごとが起ったのかまだわからなかったが、何かひどくおそろしいことが起りそうな気がして、両手でしっかり肩を抱き合い、顔を見あわせていたが、とつぜん、いっしょに口をあけて、わッと泣き出した。二人はまだ衣装をつけたままだった。一人はターバンを巻き、一人はだちょうの羽をつけた毛糸の丸帽をかぶっていた。

それにしても、いつの間にどこからあらわれたのか、カテリーナ・イワーノヴナの枕もとに例の《賞状》がおいてあった。それは頭のすぐそばにころがっていた。ラスコーリニコフはそれを見た。

彼は窓のほうへはなれた。レベジャートニコフがかけよった。

「死んだ！」とレベジャートニコフは言った。

「ロジオン・ロマーヌイチ、二言ほどあなたの耳に入れておきたいことがあるのですが」とスヴィドリガイロフがそばへよって来た。レベジャートニコフはすぐに場所をゆずって、そっとはなれて行った。スヴィドリガイロフはおどろいているラスコーリニコフを更に隅《すみ》のほうへ連れて行った。

「面倒なことはいっさい、つまり葬式その他ですが、わたしが引き受けましょう。なに、金さえあればいいわけでしょう、あなたにも言いましたように、わたしには余分な金があるんですよ。それからこの二人のひよっことポーレチカですが、まあどこか小ぎれいな孤児院を見つけて入れてやりましょう、そして成年になるまで一人に千五百ルーブリずつつけてやりましょう、そうすればソーフィヤ・セミョーノヴナが心配しなくともすむでしょうからな。それから彼女も泥沼《どろぬま》から引き上げてやりましょう、だっていい娘ですものねえ、そうでしょう？　ですから、アヴドーチヤ・ロマーノヴナには、彼女にやるはずの一万ルーブリはこういうふうに使ったと、あなたから伝えてもらいたいのですが」

「いったいなんのためにあなたは、そんなに荒っぽく金を投げ出すんです？」とラスコーリニコフは尋ねた。

「へえ！　あなたも疑《うたぐ》り深い人だねえ！」とスヴィドリガイロフはにやりと笑った。「この金はわたしには余分なものだって、あなたに言ったじゃありませんか。ええ、それともただ、人道的見地から、許さんとおっしゃるんですかな？　でもあの女は（彼は死体のある隅のほうをちょいと指さした）《しらみ》じゃなかったはずですよ、どっかの金貸しの婆《ばあ》さんみたいにね。ええ、どうです、ええ、《実際のところ、ルージンみたいな男を生かして、卑劣な行為をさせるか、それともあの女を死なせるか？》どうです、わたしが助けなかったら、《ポーレチカも、同じ道をたどることになる……》はずですよ」

彼は何か目配せするような、にやにやしたずるそうな顔で、ラスコーリニコフから目をはなさずに、これを言ってのけた。ラスコーリニコフはソーニャに言った自分の言葉を聞かされて、さっと蒼《あお》ざめ、背筋が冷たくなった。彼はびくっと一歩うしろへよろけて、あやしく光る目でスヴィドリガイロフをにらんだ。

「ど、どうして……あなたは知ってるんです？」彼はやっと息をつぎながら、囁《ささや》くように言った。

「だってわたしは、ここに、壁一つへだてて、レスリッヒ夫人のところに間借りしてるんですよ。ここはカペルナウモフ、そちらはレスリッヒ夫人、わたしの古い親しい友人ですよ。となりです」

「あなたが？」

「そうですよ」とスヴィドリガイロフは身をゆすって笑いながら、言いつづけた。「正直に言いますがね、親愛なロジオン・ロマーヌイチ、わたしは自分でもあきれるほどあなたに興味をもったんですよ。たしかあなたに言いましたね、わたしたちは親密になるだろうって、そう予言したはずですね。――どうです、ちゃんと親密になったじゃありませんか。いまにわかりますよ、わたしがどんなにできた人間かってことがね。わたしとなら、まだ結構生きていけますよ……」

第六部

1

ラスコーリニコフにとって奇妙な時期が訪れた。不意に目の前に霧が下りてきて、彼を出口のない重苦しい孤独の中にとじこめてしまったようであった。あとになって、もうかなりの時がたってから、彼はこの時期を思い返してみて、その頃《ころ》は意識がときどきうすれたようになり、途中にいくつかの切れ目はあったが、その状態がずっと最後の破局までつづいていたことがわかった。当時多くの点で、例えばいくつかのできごとの日と時間とかで、思いちがいをしていたことが、彼にははっきりとわかった。少なくとも、あとになって思い出し、その思い出したものを自分にはっきり説明しようとつとめてみて、他人から聞かされたことをもとにしながら、自分のことをいろいろと知ったのである。例えば、彼はあるできごとを別なできごとと混同していたし、その別なできごとを、実在しない想像の中だけのできごとの結果だと考えていた。ときどき彼は病的な苦しい不安におそわれ、その不安がどうにもならぬ恐怖にまで変貌《へんぼう》することがあった。しかし彼は、それまでの恐怖とは一変して、完全な無感動にとらわれた数分、数時間、いやもしかしたら数日間といってもいいかもしれないが、そうした時期があったこともおぼえていた。それは死を目前にした人に見られることのあるあの病的な冷静な心境に似ていた。だいたいこの最後の数日間というものは、彼は自分でも自分のおかれている状態をはっきりと完全に理解することを避けようとつとめていたようだ。ただちに解明を迫られていたいくつかの重大な事実が、特に彼の上に重苦しくのしかかっていた。そうした心労から逃《のが》れて自由になれたら、彼はどんなに嬉《うれ》しかったろう。もっとも、それを忘れることは、彼の立場では完全な避けられぬ破滅を招くおそれはあったが。

特に彼をおびやかしたのはスヴィドリガイロフであった。スヴィドリガイロフのことしか頭になかった、とさえ言えるかもしれぬ。ソーニャの部屋で、カテリーナ・イワーノヴナが死んだとき、彼にとってはあまりに恐ろしい、しかもあれほどはっきりと言われたスヴィドリガイロフの言葉を聞いて以来、いつもの彼の思考の流れが乱れてしまったかのようだ。しかし、この新しい事実によって極度の不安に突きおとされたにもかかわらず、ラスコーリニコフはどういうものかその解明を急ごうとしなかった。ときどき、どこか遠いさびしい町はずれのみすぼらしい安食堂で、一人ぼんやり考えこんでいる自分に、はっと気づき、どうしてこんなところへ来たのかさっぱり思い出せないようなとき、彼の頭には不意にスヴィドリガイロフのことが浮ぶのだった。そしてそんなとき、できるだけ早くあの男と話し合って、できることなら、すっかり決着をつけてしまわなければならないと、不安におびえながらも、はっきりと自覚するのだった。一度、町はずれの関門の外へ迷い出たときなど、彼はここがスヴィドリガイロフと会う場所に指定されたところで、いま相手が来るのを待っているのだ、と想像したほどだった。またあるときは、どこかの茂みの中で夜明けまえにふと目をさまし、地面の上にじかにねていた自分に気づき、どうしてこんなところへ迷いこんだのかさっぱりわからないこともあった。しかも、カテリーナ・イワーノヴナが死んでからのこの二、三日で、彼はもう二度ほどスヴィドリガイロフに会っていた。それはいつもソーニャの部屋で、彼はなんということなく漠然《ばくぜん》と立ち寄り、ほんの一、二分しかいなかった。彼らはちょっと言葉を交わすだけで、決して重大な点にはふれようとしなかった。ときが来るまで黙っていようという暗黙の了解が、いつとなく二人の間にできあがっているようなふうだった。カテリーナ・イワーノヴナの遺体はまだ寝棺におさめたままになっていた。スヴィドリガイロフは埋葬の手配をして、いそがしく奔走していた。ソーニャもひじょうにいそがしかった。最後に会ったとき、スヴィドリガイロフは、カテリーナ・イワーノヴナの遺児たちはどうにかかたをつけた、しかもうまいぐあいにいったと、ラスコーリニコフに説明した。少しばかり手づるがあるので、当ってみたところ、都合よく三人ともすぐに相当の孤児院に入れるように世話してやろうという人々が見つかったし、金のある孤児のほうが貧しい孤児よりもはるかに有利だから、子供たちにつけてやった金も大いにものをいった、ということだった。彼はソーニャのことも何やらほのめかすように言って、なんとか二、三日中にラスコーリニコフを訪ねることを約束し、《よく相談したいと思いましてな、どうしてもお耳に入れておきたい大切な用がありますので……》と言った。この会話は階段のそばの入り口のところで交わされた。スヴィドリガイロフはじっとラスコーリニコフの目を見つめていたが、ちょっと間をおいてから、急に声をひそめて尋ねた。

「どうなさいました、ロジオン・ロマーヌイチ、まるで魂がぬけたみたいじゃありませんか？　まったく！　聞いたり見たりはしているが、まるでおわかりにならん様子だ。元気を出しなさい。ええ、すこし話をしようじゃありませんか、ただ残念ながら、自他ともに多忙すぎましてね……ええ、ロジオン・ロマーヌイチ」と彼はとつぜんつけ加えた。「人間には空気が必要ですよ、空気が、空気が……何よりもね！」

彼は、階段をのぼってきた司祭と補祭を通すために、不意にわきへよった。彼らは追善の祈禱《きとう》をあげに来たのだった。スヴィドリガイロフの指図《さしず》で祈禱は日に二度ずつきちんと行われていた。スヴィドリガイロフは何かの用事でかけて行った。ラスコーリニコフはちょっと思案していたが、司祭のあとからソーニャの部屋へ入った。彼は戸口に立ちどまった。しめやかに、おごそかに、もの悲しげに、供養《くよう》の祈禱がはじまった。死というものを意識し、死の存在を感じると、彼は小さな子供のころから何か重苦しい神秘的な恐怖をおぼえたものだった。それに、彼はもう長いこと祈禱を聞いていなかった。しかもいまの場合は、何か普通とちがう、あまりにも恐ろしい、不安なものがあった。彼は子供たちのほうを見た。子供たちはいっしょに寝棺のそばにひざまずき、ポーレチカは泣いていた。そのうしろに、ひっそりと、泣くのをさえ気がねするように、ソーニャが祈っていた。《そういえばこの数日、彼女は決しておれを見ようとしないし、一言もおれに言葉をかけてくれなかった》――こんな考えがふとラスコーリニコフの頭に浮んだ。陽光が明るく部屋を照らしていた。香のけむりがまわりながらゆるやかにのぼっていた。司祭が《主よ、安らぎをあたえたまえ》と唱えていた。ラスコーリニコフは祈禱の間中立ちつくしていた。司祭は祝福をあたえて、別れの挨拶《あいさつ》を交わしながら、なんとなく妙な顔をしてあたりを見まわした。祈禱がおわると、ラスコーリニコフはソーニャのそばへ行った。ソーニャは不意に彼の両手をにぎると、彼の肩に顔を埋《うず》めた。この短い動作がかえってラスコーリニコフを迷わせた。不思議な気さえした。どうしてだろう？　彼に対してすこしの嫌悪《けんお》も、すこしの憎しみも抱《いだ》いていないのだろうか、彼女の手にはすこしのふるえも感じられない！　これはもう限りない自己卑下というものだった。少なくとも彼はそう解釈した。ソーニャは何も言わなかった。ラスコーリニコフは彼女の手をぐっとにぎりしめると、そのまま出て行った。彼はたまらなく苦しかった。いまこのままどこかへ行ってしまって、たとい一生でも、完全な一人きりになれるものなら、彼はどれほど幸福だったろう。というのは、彼はこの頃は、いつもほとんど一人だったが、どうしても、一人きりだと感ずることができなかったのである。ときどき彼は郊外へ行ったり、広い街道へ出たり、一度などはどこかの森へ入りこんだことさえあったが、あたりがさびしくなればなるほど、誰《だれ》かが近くにいるような不安がますます強く感じられるのだった。その不安は恐ろしいというのではなかったが、妙に腹立たしい気持になって、さっさと町へもどり、人ごみの中へまぎれこみ、安食堂か居酒屋に入ったり、盛り場やセンナヤ広場をうろついたりするのだった。こちらのほうが気が楽で、かえって孤独のような気さえした。ある居酒屋で、日暮れまえに、歌をうたっていた。彼は小一時間もじっと坐《すわ》って、歌を聞いていた。そしてひじょうに楽しかったことをおぼえている。しかしおわりごろになると、彼は急にまた不安になりだした。不意に良心の苛責《かしやく》に苦しめられはじめたらしい。《ぼんやり坐って、歌なんて聞いているが、そんなことをしていていいのか！》——彼はふとこう思ったようだ。しかし、彼はすぐに、それだけが彼を不安にしているのではない、とさとった。早急《さっきゅう》に解決しなければならない何かがあったが、そのことの意味を考えることも、言葉であらわすこともできなかった。すべてが糸玉のようなものに巻きこまれてしまうのだった。《いやいや、こんなことをしているよりは、なんでもかまわん、たたかったほうがましだ！　いっそまたポルフィーリイとやり合うか……それともスヴィドリガイロフと……早くまた誰かが挑戦《ちょうせん》してくればいい、攻撃をかけてくればいい……そうだ！　そうだ！》——彼はこう思った。彼は居酒屋を出ると、ほとんど駆け出さないばかりに歩きだした。ドゥーニャと母のことを思うと、彼はどういうわけかたまらない恐怖におそわれた。その夜、明け方近く、彼はクレストーフスキー島の茂みの中で、熱病にかかったようにがくがくふるえながら、目をさました。家へもどったのは、もう白々と夜が明けかけたころだった。何時間か眠ると熱病はおさまったが、目をさましたのはおそく、午後の二時頃だった。

彼はその日がカテリーナ・イワーノヴナの葬式のある日だったことを思い出し、参列しなかったことを喜んだ。ナスターシヤが食べものを運んで来た。彼はほとんどむさぼるようにして、ひどくうまそうに食べ、そして飲んだ。頭がすっきりして、気持もこの三日ほどのうちでいちばん落ち着いていた。彼は先ほど極度の恐怖におそわれたことを、ちらと思い出し、自分でもあきれたほどだ。ドアが開いて、ラズミーヒンが入って来た。

「あ！　食べてるな、うん、病気じゃないらしい！」と言うと、ラズミーヒンは椅子《いす》を引きよせて、テーブルをはさんでラスコーリニコフと向い合いに坐った。

彼はひどくいらいらしている様子で、それをかくそうともしなかった。彼はいかにもいまいましそうな話しぶりだったが、別にせきこみもしないし、声を張り上げるでもなかった。どうやら何か特別の、異常とさえいえるような意図を胸に秘めているらしかった。

「おい聞けよ」と彼はぴしりと言った。「ぼくはもうきみなんかどうなろうとかまわん、今度という今度は、きみのやることがまったく理解できないことが、はっきりとわかったからだ。ぼくが問い訊《ただ》しに来たなどとは、思わないでもらいたい。誰が、胸《むな》くそわるい！　こっちからごめんだよ！　きみのほうからいま、秘密をすっかり打ち明けるといっても、ぼくは聞きもしないで、ペッと唾《つば》をはいて、出て行くだろうね。ぼくが来たのは、まず第一に、きみが狂人だというのはほんとうかどうか、この目ではっきりとたしかめるためだ。きみについては、知ってると思うが、狂人か、あるいはその傾向がひじょうに強いらしい、と信じこんでいる向きがある（まあ、そこらの連中だが）。はっきり言うが、ぼく自身もその意見の支持に大きく傾いている。というのは第一に、きみの愚劣な、しかもある意味ではみにくい行動（どうしても説明のつかぬ行動）、第二にお母さんと妹さんに対する先日のきみの態度から判断してだ。あの人たちに対してあんな態度がとれるのは、狂人でなければ、ごろつきか、根性《こんじょう》のくさったやつだけだ。だから、きみは狂人ということになる……」

「母たちに会ったのは、もう大分まえ？」

「今日だよ。きみはあれ以来会っていないんだな？　どこをうろうろしてるんだ、え、ぼくは三度も寄ったんだぜ。お母さんが昨日から病気がひどくなって、きみのところへ行きたいと言いだし、アヴドーチヤ・ロマーノヴナがとめたが、どうしてもきかないんだ。《あの子が病気だったら、頭がみだれていたら、母のわたしでなくて、誰が世話をしてやるの？》と言うんだよ。お母さんを一人放《ほう》り出すわけにもいかんので、三人でいっしょにここへ来たんだ。戸口につくまでずっとお母さんをなだめながらさ。

入ってみると、きみがいない。ほら、ここにお母さんは坐ってさ、十分ほどじっと待っていた。ぼくたちは黙ってそのそばに立っていた。やがて立ち上がって、こう言うじゃないか、《外へ出て行ったとすれば、病気じゃないのだろう、わたしのことなんか忘れてしまったんだよ。母親が戸口に立って、施しものでも受けるみたいに、やさしい言葉をねだるなんて、みっともないし、恥ずかしい話だよ》、そして家へ帰って、寝ついてしまったんだ。いまは熱がかなり高くて、《自分の女に会う時間はあるんだねえ》なんて嘆いているんだぜ。自分の女というのは、ソーフィヤ・セミョーノヴナのことだよ、きみの許嫁《いいなずけ》か、愛人か、ぼくは知らんがね。そこでぼくは、早速ソーフィヤ・セミョーノヴナのところへ出かけたんだ、何もかもはっきりさせようと思ってさ、——行って見ると、寝棺がおいてあって、子供たちが泣いてるじゃないか。ソーフィヤ・セミョーノヴナは子供たちの喪服の寸法をはかっている。きみはいない。ぼくは一わたり見てから、失礼をわびて、もどり、そのとおりアヴドーチヤ・ロマーノヴナに報告した。つまり、そんなことはばからしい憶測で、自分の女なんていやしない、とすれば、どうしても狂気としか考えられないじゃないか。ところがどうだ、きみはいまけろりとして、子牛の煮たのをむしゃむしゃやっている、まるで三日も食べなかったみたいにさ。そりゃまあ、狂人だって食うだろうさ、しかしだ、たとえきみはぼくと一言も口をきかないとしてもだ、やはりきみは……狂人じゃないよ！　それはぼくは誓って言う。ぜったいに狂人じゃない。だから、きみたちのことはもう知らんよ、何か秘密があるんだ、ぼくに言えないかくしごとがあるんだろうからな。ぼくはきみたちの秘密に頭を悩まそうとは思わんよ。なに、きみを罵倒《ばとう》しに寄っただけさ」と、彼は立ち上がりながら、言葉をむすんだ。「そうでもせんと気がおさまらんのでな。ぼくはいまから何をしたらいいかくらいは、ちゃんと知ってるさ！」

「いったい何をしようというんだい？」

「ぼくが何をしようと、きみになんの関係があるんだ？」

「酒をすごさないようにしろよ！」

「どうして……どうしてそんなことがわかった？」

「そりゃ、わかるさ！」

ラズミーヒンはちょっとの間黙っていた。

「きみはいつもひじょうに思慮の深い男だった、そして決して、一度も頭がへんになったことなどなかった」と彼は不意に熱をこめて言った。「そのとおりだ、ぼくは痛飲するよ！　もう会うまい！」

そう言って、彼は出て行きかけた。

「ぼくはきみのことを、一昨日《おととい》だったと思うが、妹に話したよ、ラズミーヒン」

「ぼくのことを？　だって……いったいどこで一昨日妹さんに会えたんだ？」と、不意にラズミーヒンは足をとめ、いくらか蒼《あお》ざめさえした。胸の中で心臓がしだいに緊張の度を加えて鼓動をはじめたのが、察しられた。

「ここへ来たんだよ、一人で、ここへ坐って、ぼくと話し合ったんだ」

「妹さんが！」

「そうだよ、妹が」

「きみはいったい何を話したんだ……つまり、そのぼくのことだが？」

「きみはひじょうに善良で、正直で、しごとの好きな男だと、あれに言ったよ。きみがあれを愛していることは、言わなかった。そんなことは言わなくとも、あれが知っている」

「あの人が知っているって？」

「きまってるじゃないか！　ぼくがどこへ行こうと、どんなことになろうと、——きみはいつまでもあの二人の守り神であってくれ。ぼくは、いわば、あの二人をきみに渡すよ、ラズミーヒン。こんなことを言うのは、きみがどんなに妹を愛しているか、よく知ってるし、きみの心の清らかさを信じているからだよ。妹がきみを愛するにちがいないことも、知ってるよ。もしかしたら、もう愛してるかもしれない。だから、どっちがいいと思うか、自分で決めるんだな――飲んだくれる必要があるかどうか」

「ロージカ……きみは……おい……ええッ、くそ！　で、きみはどこへ行こうというんだい？　でも、それはいっさい秘密だというのなら、まあいいさ！　だがぼくは……秘密をさぐり出すよ……きっと何かばかばかしいことだ、おそろしくつまらないことなんだ、きみの一人芝居だよ、きっとそうだよ。しかしきみは、実にすばらしい男だ！　実にすばらしい男だ！……」

「ぼくはいま言いそえようと思って、きみに邪魔されたんだが、きみはさっきそんな秘密なんか知りたくもないと言ったね。あれは実に賢明だよ。時期が来るまで放《ほ》っておいてくれ、心配しないでくれ。すべては時が来ればわかるよ、必要な時が来ればね。昨日ある男がぼくに言ったよ、人間には空気が必要だ、空気が、空気が、ってね！　ぼくはいまその男のところへ行って、この言葉の裏の意味をさぐってみるつもりだ」

ラズミーヒンは突っ立ったまま興奮した様子で、じっと考えこんでいた。何やらしきりに思いめぐらしていた。

《こいつは政治的な秘密結社の同志だな！　きっとそうだ！　そしてやつは何か大事を決行しようとしているのだ、――それにちがいない！　それ以外は考えられぬ、そして……ドゥーニャもそれを知っているのだ……》ふっと彼はこう思いついた。

「じゃ、アヴドーチヤ・ロマーノヴナはよくここへ来るんだね」と彼は言葉に節をつけるようにして言った。「ところで、きみはその男と会おうとしている、空気がもっと必要だ、空気が、とか言った男と……してみると、あの手紙も……やはり、その筋からきたものだな」と、彼はひとり言のように断定した。

「手紙とは？」

「あのひとは一通の手紙を受け取ったんだ、今日、それを見るとはっとした様子だった。ひどく。とにかく普通のおどろきようじゃなかった。ぼくがきみのことを口に出したら、黙っててくれと頼むんだ。そして……そして、もう間もなく別れることになるかもしれないなんて言って、何やらぼくに熱心にお礼を言って、それから自分の部屋へ入って、鍵《かぎ》を下ろしてとじこもってしまったんだ」

「あれが手紙を受け取ったって？」とラスコーリニコフは考えこんだ様子で聞きかえした。

「そう、手紙をね。きみは知らなかったのかい？　フム」

二人はしばらく黙っていた。

「じゃこれで、ロジオン。ぼくはね、きみ……たしかに一時飲んだくれたことがあったよ……でもまあ、別れよう、うん、一時ね……まあいい、さようなら！　ぼくももう行かなくちゃ。酒は飲まんよ。もう飲まんでもいい……こいつめ！」

彼は急いだ、が、もう廊下へ出て、うしろ手にドアをしめてしまってから、急にまた開けて、どこか横のほうを見ながら、言った。

「ついでだが！　あの殺人事件をおぼえてるかい、ほら、ポルフィーリイのあつかってる、老婆殺しさ？　言っておくけど、犯人が見つかったよ。自白して、証拠をすっかり申し立てたんだ。そいつは例の職人の一人だったんだよ、ペンキ屋さ、ほら、おぼえているかい、ぼくがあのときしきりに弁護してたろう？　おどろくじゃないか、あの庭番とさ、二人の証人がのぼって行ったとき、階段のところで喧嘩《けんか》をしたり、きゃッきゃ笑ったりしてたのは、目をごまかすためだったというんだよ。あんな犬ころにしては、頭も腹もありすぎるじゃないか！　信じられないけど、自分で逐一説明し、すっかり自白したんだからしょうがない！　まんまと一杯くったよ！　なに、ぼくに言わせりゃ、こいつは要するに嘘《うそ》とごまかしの天才、法の目をかすめる天才なんだよ！──だから、別におどろくことはないわけだ！　そういうやつだっているだろうさ！　で、そいつが堪えられなくなって、自白したというんだが、それだけによけいぼくはやつの言葉を信じるね。そのほうがずっと真実性があるよ……それにしてもぼくは、ぼくは、まんまとひっかけられたわけさ！　あんなやつのために真剣に頭を悩ましたりしてさ！」

「頼むからおしえてくれ、きみはどこからそれを知った、そしてどうしてそんなに関心をもってるんだ？」とラスコーリニコフは明らかに動揺の色をうかべながら聞いた。

「おい、よせよ！　どうして関心をもってるって！　とぼけるなよ！……ポルフィーリイから聞いたさ、ほかの連中にも聞いたがね。しかし、ほとんどは彼からだ」

「ポルフィーリイから？」

「ポルフィーリイからさ」

「それで何を……何をあの男が？」と、ラスコーリニコフはぎょっとして尋ねた。

「彼はそれをみごとに説明してくれたよ。彼一流の心理的方法でね」

「彼が説明したって？　自分から進んできみに説明したのか？」

「そうだよ、自分から。じゃ、これで！　あとでまたすこし話すが、いまは用があるんだ。まえには……一時、ぼくもちょっと……思ったことがあった……まあそんなことはいいや。あとで！……もう酒なんか飲まんでもいいさ。飲まなくたって、きみにはしたたか酔わされたよ。たしかにぼくは酔ってるよ、ロージカ！　いまは酒も飲まんのにふらふらだ、じゃ、失敬。また来るよ、じきに」

彼は出て行った。

《あいつは、あいつは政治的秘密結社に属している、これは確かだ、まちがいない！》ゆっくり階段を下りながら、ラズミーヒンは腹の中できっぱりと断定した。《そして、妹まで引きこんだ。これはアヴドーチヤ・ロマーノヴナの気性《きしょう》を考えると、大いにあり得ることだ、大いに。二人は何度か会っていた……そういえば、彼女もほのめかしたことがあった。彼女のいろんな言葉……ちょっとした言葉のはし……ほのめかすような態度から考えて、たしかにそうにちがいない！　そうでないとしたら、この訳のわからんもつれをどう説明したらいいんだ？　フム！　だのにおれは、考えるにことかいて……おお、おれはなんてことを考えかけていたのだ。そうだ、あれは気の迷いだった、あいつにすまないことをした！　あのときあいつがうす暗いランプの下にいたので、おれの頭までぼうッとうす暗くなってしまったんだ。チエッ！　おれはなんというけがらわしい、乱暴な、卑劣な考えをもったのだ！　ミコライ、よく自白してくれた……これでまえのこともほとんど説明がつく！　あのときのあいつの病気も、いろんな奇妙な行動も、それにそのまえの、大学にいたころのあいつさえ、わかるような気がする。いつも実に暗い、気むずかしい男だったが……でもさっきのあの手紙は、いったい何を意味するのだろう？　あれもやはりこれに関係したものか

もしれん。誰から来たものか？　あやしいぞ……フム。いや、おれはすっかりさぐり出すぞ》

彼はドゥーニャのことをいろいろと思い出しながら、あれこれ思い合せていると、胸がじーんとしてきた。彼ははじかれたようにとび上がると、いきなり駆け出した。ラスコーリニコフは、ラズミーヒンが出て行くとすぐに、立ち上がって、くるりと窓のほうを向き、自分の部屋の狭さを忘れたように、あちらの隅《すみ》からこちらの隅と歩き出したが……すぐにまたソファに腰を下ろした。彼はまた身体中《からだじゅう》に、新しい力がみなぎったような気がした。また闘いだ、——出口が見つかったのだ！《そうだ、これは出口が見つかったということだ！　このままではたまらない、なにしろしっかり栓《せん》をして、息もつまりそうな中にとじこもっていたので、胸が苦しくて、気が遠くなりかけていたんだ。ポルフィーリイのところでのミコライとの一件以来、おれは出口のない狭い穴の中で息がつまりそうになっていた。ミコライがすんだと思うと、その同じ日にソーニャとの一幕だ。筋書きも結末も、まえに考えていたものとは、まったく別なものにしてしまった……つまり、瞬間的に、急激に、疲れが出たんだ！　一時に！　しかもあのときおれは、こんなひどい苦しみを心に抱いて一人で生きては行けない、というソーニャの言葉に、同意したんだ、自分から同意したんだ、心からそう思ったんだ！　ところで、スヴィドリガイロフは？　あの男は謎《なぞ》だ……あいつはおれを不安にする、それは事実だ、しかしその不安はあれとは違うようだ。スヴィドリガイロフとも、おそらく、これから闘わねばならんだろう。ひょっとしたら、スヴィドリガイロフも完全な出口かもしれん。だが、ポルフィーリイは問題が別だ》

《そこでポルフィーリイだが、自分から進んでラズミーヒンに説明した、心理的に説明した！　また例のいまいましい心理的方法をもち出しはじめたな！　あのポルフィーリイが？　あのとき、ミコライがでてくるまでに、おれとあいつの間にあのような対決があったのだから、ミコライが犯人だなどと、あいつがちらッとでも信じたとは、とても考えられない。あの対決には、一つのこと以外には、正しい解釈を見出《みいだ》すことはできない！（この数日の間に何度か、ラスコーリニコフの頭に、このポルフィーリイとの対決の場面がこまかい断片となってちらちら浮んだ。しかし彼には、それを完全な形で思い出すことはできなかったようだ）。あのとき二人の間では、ミコライなどではもうポルフィーリイの確信の底にあるものをぐらつかせることのできないような、そうした言葉が語られ、そうした動作やしぐさが演じられ、意味深い視線が交わされ、いくつかの言葉は意味ありげな声で語られ、もうぎりぎりのところまで来てしまっていたのだ。（ミコライがでてきたときだって、ポルフィーリイは最初の一言、

一つのしぐさからもうそらで知っていたのだ)》
《しかし、なんということだ！　ラズミーヒンまでが疑いだしたとは！　廊下のランプの下の場面、あれがひっかかりになったわけだ。そこで彼はポルフィーリイのところへとんで行った……だが、いったいなんのためにあいつはラズミーヒンを欺《だま》そうとしたのか？　どういう目的があって、ラズミーヒンの目をミコライにそらさせるのか？　きっと、何か考えだしたのだ。これには裏がある、だが、どんな？　もっとも、あの朝からかなりの時が過ぎた——あまりに、あまりに経《た》ちすぎたほどだ。ところがあれっきり、ポルフィーリイの噂《うわさ》はぴしゃッと聞かなかった。これはどうしたことだ。むろん、よくない……》
ラスコーリニコフは帽子をつかむと、考えこんだ様子で、部屋を出た。ずっとこの何日かを通じて、今日はじめて、彼は少なくとも自分の意識が健康であることを感じていた。
《スヴィドリガイロフとの決着をつけるんだ》と彼は考えた。《何が何でも、できるだけ早く。あいつも、おれが行くのを待ってるにちがいない》
そう思うと、とたんに、彼の疲れた心からはげしい憎悪《ぞうお》がこみ上げてきて、スヴィドリガイロフとポルフィーリイの二人のうちどちらかを、殺してやりたいような気持になった。少なくとも彼は、いまでなければいずれ、これを決行できそうな気がした。

《どうなることか、いずれはわかるさ》と彼はひそかに呟《つぶや》いた。

しかし、彼が入り口のドアを開けたとたんに、思いがけなく、当のポルフィーリイとばったり出会った。向うはこちらへ入って来るところだった。ラスコーリニコフは一瞬唖然《あぜん》とした。しかし不思議なことに、彼はポルフィーリイをそれほどびっくりもしなかったし、ほとんど恐れもしなかった。彼はぎくっとしただけで、とっさに、素早く心構えをした。

《これで結末がつくかもしれん！　しかし、どうして泥棒猫《どろぼうねこ》みたいに、こっそり忍びよって来たのだろう、ぜんぜん気がつかなかった！　まさか立ち聞きしていたわけでもあるまい？》

「意外でしたろうな、ロジオン・ロマーヌイチ」と、ポルフィーリイ・ペトローヴィチは笑いながら大声で言った。

「まえまえから一度寄ろうと思っていたものだから、ちょっと通りかかって、五分くらいお邪魔してもよかろう、とこう思いましてね。どこかへお出かけですか？　どうぞどうぞ。ただその、よろしかったら、煙草《たばこ》を一本だけ吸わせてくださいな」

「さあおかけなさい、ポルフィーリイ・ペトローヴィチ、どうぞどうぞ」とラスコーリニコフは客に椅子《いす》をすすめたが、それがいかにも満足そうな親しげな態度で、もし自分を外からながめることができたら、きっと、われながらおどろいたにちがいない。勇気の最後ののこりかすを掻《か》き出《だ》したのである！　人はよく強盗に会ったときなど、死の恐怖の三十分をこんなふうに堪えるものだ、そしていよいよ短刀を喉《のど》に突きつけられても、もう恐ろしさなど通りこしてしまうのである。彼はポルフィーリイのまっすぐまえに腰を下ろして、まばたきもしないで、じっと相手を見すえていた。ポルフィーリイは目をそばめて、煙草を吸いはじめた。

《さあ、言え、言え》ラスコーリニコフの心臓から、こういう言葉が、たえずとび出そうとしているようだった。《さあ、どうした、どうしたんだ、どうして言わないのだ？》

2

「まったくこの煙草《たばこ》というやつはこまったものですよ！」とうとうポルフィーリイ・ペトローヴィチは、煙草を吸いおわると、ほうッと一つ息を吐いて、こう言いだした。「毒ですよ、まちがいのない毒とわかっていながら、やめることができない！　咳《せき》がでる、喉《のど》がむずむずしだした、さあ喘息《ぜんそく》だ。わたしはね、臆病《おくびょう》なものですから、早速

B先生のところへ診《み》てもらいに行きましたよ、——先生はどんな病人でも最低《ミニマム》三十分は診てくださるんでね。こつこつ打診したり、聴診器をあてたりしてましたがね、——とにかく、煙草がよろしくない、肺臓が膨張している、というんです。でも、どうしてやめられます？　代りに何をやれというんです？　何しろ酒をやらんのでね、こいつがそもそもいけないんですよ、へ、へ、へ、飲めないってことは、不幸ですよ！　まったく、あっち立てればこっちが立たず、ロジオン・ロマーヌイチ、すべては相対的なものですよ！」

《いったい何を言ってるんだ、また例のおきまりのてをつかいやがるのかな！》と彼はむかむかしながら考えた。不意に、この間の対決の場面がすっかり彼の記憶によみがえった、そしてあのときの感情が波のように彼の心におしよせてきた。

「実はね、一昨日《おととい》の夕方一度ここへ寄ったんですよ。ご存じないようですな？」と、ポルフィーリイ・ペトローヴィチは部屋の中を見まわしながら、つづけた。「この部屋へ入りました。やはり、今日みたいに、まえを通ったものですから、——ひとつ、訪問してやろうと思いましてな。寄ってみると、ドアが開いたままになっている。ひとわたり見まわして、しばらく待ってみて、女中にも来たことを言わないで、——帰りました。いつも鍵《かぎ》はしめないんですか？」

ラスコーリニコフの顔はますます暗くなった。ポルフィーリイは相手の胸の中を見ぬいたらしい。

「釈明に来たんですよ、ロジオン・ロマーヌイチ、釈明にね！　どうしてもあなたに釈明せにゃならんと思いましてな」彼はにやッと笑いながらこう言うと、軽く掌《てのひら》でラスコーリニコフの膝頭《ひざがしら》をたたきさえした。

しかし、それと同時に、彼の顔は急にまじめな心配そうな顔つきに変り、しかもラスコーリニコフのおどろいたことに、憂《うれ》いにつつまれたようにさえ見えた。彼はまだポルフィーリイのこんな顔を見たこともなかったし、考えたこともなかった。

「このまえはわたしたちの間に妙な場面が展開しましたな、ロジオン・ロマーヌイチ。たしか、はじめてお会いしたときも、やはり妙な場面があったような気がしますが、でもあのときは……まあ、いまになってみれば、どっちもどっちですね！　まあね、わたしはあなたにひじょうにすまないことをしたかもしれません。わたしはそれを感じていますよ。まったくひどい別れ方をしたものですよ、ねえ、あなたは神経がさわいで、膝頭がふるえていたし、わたしも神経がさわいで、膝頭がふるえていました。しかもあのときは、どうしたものかわたしたちの間が妙にこじれてしまって、紳士的とは言えませんでしたよ、ねえ。とはいえ、わたしたちはやはり紳士にちがいありませんよ。つまり、いかなる場合においても、まず紳士です。これは心得ておくべきです。おぼえておいででしょうな、あのときどこまで行ったか……まったくもう、ぶざまといっていいほどでしたよ」

《なんだってこんなことを言うんだろう？　おれを誰《だれ》と思ってるんだ？》と、ラスコーリニコフは頭をちょっと上げて、ポルフィーリイの顔に目を見はりながら、唖然《あぜん》として自問した。

「そこでわたしは考えたんですよ、もうお互いにつつみかくしなく行動したほうがいいだろう、とね」とポルフィーリイ・ペトローヴィチはわずかに顔をそむけ、目を伏せて、もうこれ以上あつかましい凝視で自分の以前の犠牲者を当惑させたくないらしく、これまでの自分のやり方や詭計《きけい》を恥じるような様子で、言葉をつづけた。「そうですとも、あんな疑惑やあんな場面がそう長くつづくものじゃありませんよ。あのときはミコライがけりをつけてくれたからいいようなものの、でなかったら、わたしたちの間がどこまで行ったか、想像もつきませんよ。あのいまいましい町人めは、あのとき、あの部屋の仕切りのかげに坐《すわ》っていたんですよ、――どうです、こんなことが考えられますか？　そんなことは、もちろん、あなたはもうご存じだ。もっとも、やつがあのあとであなたのところへ行ったことは、わたしも知ってますがね。しかし、あなたがあのとき予想したようなこと、それはなかったんですよ。つまりわたしは誰も呼びにやらなかったし、あのときはまだなんの指図《さしず》もしていなかった。どうして指図しなかった、とお聞きですか？　なんと説明したらいいのか。まあ、ああしたことでわたし自身がいささか面食らっていたらしい、とでも言っておきましょうか。庭番たちを呼びにやったのがやっとでしたよ。（庭番たちは来しなに見かけたでしょう）。あのときある考えがちらとわたしの頭をかすめたんです。一つの考えが、素早く、稲妻のようにね。ご存じでしょうが、あのときわたしはもうそれを確信していたんですよ、ロジオン・ロマーヌイチ。よし、ひとつは一時逃《のが》すようなことがあっても、その代りもうひとつは尻《し》っぽをおさえてやる、――おれがねらいをつけた肝心なほうだけは、ぜったいに逃さんぞ、とこう思いましたよ。ロジオン・ロマーヌイチ、あなたはもともとひじょうに怒《おこ》りっぽい。あなたの性格や心情の他のあらゆる主な特徴――これはもうある程度わかったつもりで、自惚《うぬぼ》れているんだがね――に比べると、すこしひどすぎるようにさえ思える。そりゃむろん、あのときでさえわたしは、人間がちょっと立ち上がったと思うと、いきなりべらべら秘密をすっかりしゃべってしまうなんてことが、そうざらにあるものではないくらいは、判断できましたよ。そういうことはあるにしても、人間が忍耐の限界をこえたというような特別の場合で、どっちにしても珍しいことです。それはわたしも判断できました。そこで考えましたよ、ほんのちょっとした証拠でもいいからつかまえたいものだ！　どんなに些細《ささい》なものでもいい、たった一つでいい、だがその代りしっかり手でつかまえられるもの、心理だけじゃなく、物的証拠でさえあれば、とね。というのは、もしある人間が罪を犯しているならば、いずれにしても、その人間から何かしら動かぬ証拠が、かならず現われるものだと考えたからですよ。まったく意表外な結果をあてにしてもかまいません。あのときはわたしはあなたの性格に望みをかけたんですよ、ロジオン・ロマーヌイチ、何よりも性格にね！　あのときはもうすっかりあなたに望みをかけていましたよ」

「でもあなたは……いったいどうして今度はそんなことばかり言うんです」とラスコーリニコフは、とうとう、質問の意味をよく考えもせずに呟《つぶや》いた。

《この男はなんのことを言ってるのだろう》と彼は腹の中でまよった。《まさか本気でおれを無実と考えているとは思われないが？》

「どうしてこんなことを言うって？　釈明に来たからですよ、つまり、それを神聖な義務と考えましてね。あなたに何もかもすっかり打ち明けて、あのときの、いわば心の迷いのいきさつをですね、ありのままに説明したいのですよ。あなたにはずいぶん苦しい思いをさせましたからねえ、ロジオン・ロマーヌイチ。わたしだって悪人じゃありませんよ。痛めつけられてはいるが、誇りが高く、人に従うをいさぎよしとしない、しかも癇《かん》のつよい、特にこの癇のつよい人間にとって、こんな屈辱を心になって行くことがどんなに苦しいかくらいは、わたしだってわかりますよ。わたしは何はともあれ、あなたをもっとも高潔な人間、寛容の芽ばえをさえもっている人間と考えています、といって、あなたの世界観や人生観に全面的に同意するというわけではありませんがね。まずこうことわっておくのは、つつみかくしなく率直に言うのが義務だと思うからです。とにかく、嘘《うそ》だけは言いたくありませんからな。あなたを知ると、妙にあなたに惹《ひ》かれるものを感じたんです。わたしがこんなことを言うと、あなたはきっとお笑いでしょうな？　その権利が、あなたにはおありですよ。最初の一瞥《いちべつ》からあなたがわたしを好いていないことは、知ってますよ。だって、ほんとうのところ、好きになる理由がひとつもないですものな。まあ、どうお考えになろうと、かまいませんが、いまのわたしとしては、なんとしてもできてしまった印象をぬぐい去り、わたしだって人の心をもち、善悪をわきまえた人間だってことを、証明したい気持でいっぱいなんですよ。ほんとうです」

ポルフィーリイ・ペトローヴィチはぐっと構えてしばらく言葉を休めた。ラスコーリニコフは新しい驚愕《きょうがく》に似た感情がよせてくるのを感じた。ポルフィーリイが彼を犯人と見ていないという考えが、不意に彼をおびやかしはじめた。

「あのときどうして急にあんなふうになったか、一々順序を追って話す必要は、まあないでしょう」とポルフィーリイ・ペトローヴィチはつづけた。「そんなことは、むしろ余計なことだと思いますね。それに、とてもできそうにもありませんし。だって、どうしたらあんなことが詳しく説明できるんです？　まず噂《うわさ》が流れました。それがどんな噂で、誰から、いつ出たか……そしてどんな経路で事件があなたにまで及んだか、――なんてことも、余計なことだと思います。わたし個人の場合は、ある偶然からはじまったのです。それはまったく文字どおりの偶然で、まあ大いに起り得るかもしれませんし、めったに起り得ないかもしれません。どんな偶然かって？　フム、まあこれも話すほどのこともない、と思いますね。そうしたすべてのことが、噂も偶然もですね、そのときわたしの頭の中で一つの考えに融《と》け合ったわけです。率直に白状しますが、だってどうせ白状するからには、すっかり白状しなきゃね、――あのときあなたに攻撃をかけたのは、わたしが真っ先だったんですよ。まあ、老婆の質草のおぼえ書きとか、その他いろいろありましたが、――あんなものはみなナンセンスですよ。あんなものは何百となく数え立てられます。あのときこれも偶然ですが、警察署での一幕を詳細に知ることができました。それもちらと小耳にはさんだなんていうんじゃなく、あるしっかりした人の口から聞いたのですが、その人は自分でも気付かずに、あの一幕をびっくりするほど詳しくおぼえていたんですよ。そうしたことがみな一つまた一つと、次々と重なっていったわけですよ、ロジオン・ロマーヌイチ！　ねえ、どうです、どうしたってある考えに傾かざるを得ないじゃありませんか？　兎《うさぎ》を百匹あつめても、決して馬にはなりません、嫌疑《けんぎ》を百あつめたところで、証拠にはならんものです。たしかイギリスの諺《ことわざ》にこんなのがありましたがね、でもそれは単なる分別というものですよ。頭がかっとなって、熱中しているときは、とてもそんなのんびりしたことは言っておられません、判事だって人間ですからな。そこでわたしはあなたの論文を思い出したんですよ、あの雑誌にのった、ほら、はじめてあなたが訪ねて来《こ》られたときかなり突っこんで話しあいましたね、あれですよ。あのときわたしはからかうようなことを言いましたが、あれはあなたを誘いこんで口を割らせるためだったのです。くりかえして言いますが、あなたはひどく苛々《いらいら》して、病的でしたね、ロジオン・ロマーヌイチ。あなたが大胆で、自尊心が強く、冗談がきらいで、しかも……感じていた、もう多くのことを感知していた、そういうことはすっかりわたしはもうまえまえから知っていました。そうしたさまざまな感じがわたしにもおぼえがあるので、あなたの論文もなつかしい気持で読みました。ああした思想は、眠られぬ夜など、胸がはげしく高鳴り、圧《お》しひしがれた熱狂に焼き立てられながら、熱くなった頭の中から生れるものです。で、青年のこの圧しひしがれた尊大な熱狂というやつは危険です！　わたしはあのときはからかいましたが、いまははっきり言いましょう、ああした若々しい熱のこもった最初の試作というものが、わたしは大好きなんです。なんと言いますか、その、恋人みたいに好きなんですよ。けむり、霧、霧の中からひびいてくる弦の音色とでも言いましょうか。あなたの論文は不合理で空想的ですが、そこにはなんとも言えないひたむきな誠意がひらめいています。毅然《きぜん》たる青年の誇りがあります。必死の勇気があります。あれは暗い論文です、だがそれもいいでしょう。わたしはあなたの論文を読むと、それを別にしておきました。そして……しまうとすぐに、ふとこう思ったものです、《さて、この男はこのままではすまんぞ！》とね。さあ、どうでしょう、え、こうした前置きがあったあとで、その後に来るものに熱中せずにすむでしょうか？　おや、とんでもない！　まさか、わたしがいま何か言ってるというんですか？　何か肯定してますか？　わたしはそのときちょっと気になっただけですよ。何かあるのかな？　と考えたわけです。何もない、つまりまったく何もない、おそらく、ぜったいに何もありゃすまい。それにそんなふうに夢中になることは、予審判事のわたしとしては、まったく不体裁なはなしですよ。なにしろわたしはミコライという容疑者をにぎっていて、もうちゃんとした物証があがっているんですから、——あなたがなんと言おうと、事実は事実です！　ここでも例の心理的方法を使っています。調べないわけにはいきません、なにしろやつの死活の問題ですからねえ。なんのためにいまこんなことをあなたに説明していると思います？　つまり、あなたに頭でも心でもよくわかってもらって、あのときのわたしの意地わるい行動を許してもらうためですよ。意地わるい行動じゃないんですがね、ほんとですよ、へ、へ！　どうです、あなたは、あのときわたしが家宅捜索に来なかった、と思いますか？　来ましたよ、来ましたとも、へ、へ、あなたがこのベッドに病気でねていたときにね、ちゃんと来ましたよ。正式じゃなく、名乗りもしませんでしたがね、ちゃんと来たんですよ。あなたの部屋はちりひとつまで調べられたんですよ、しかも真新しい足跡を辿《たど》ってね。しかし——umsonst（むだ骨でしたよ）！　そこで考えましたね、いまにこの男はやって来る、きっと自分のほうからやって来る、しかもじきに。犯人なら、きっとやって来る、とね。他《ほか》の者なら来ないが、この男は来る。それから、おぼえてるでしょう、ラズミーヒン君がいろんなことをあなたに言いだしましたね？　あれはあなたを動揺させるために、わざと仕組んだんですよ。彼の口からあなたに言わせるために、わざと噂を流したんです。都合のいいことに、ラズミーヒン君はかっとなると黙っていられないたちでね。ザミョートフ君がまずあなたの憤怒《ふんぬ》とあけっぴろげな大胆さに目をぱちくりさせたわけです。だって、居酒屋でだしぬけに《おれが殺したんだ！》なんて言い出すとは、びっくりするのが当りまえです。あまりに大胆すぎる、あまりに不敵すぎる、そこでわたしは考えましたね、もしこの男が犯人とすれば、おそるべき相手だ！　そのときはそう思ったんです。それから待ちました！　ありたけの力をはりつめてあなたの来るのを待ちました……ザミョートフはあなたにまんまとしてやられたんです……だって、困ったことに、このいまいましい心理ってやつはどっちともとれるんですよ！　でまあ、わたしは待ったわけです。するとどうでしょう、天の助けか——あなたが来たじゃありませんか！　わたしは胸がどきッとしましたよ。ええ！さて、あのときあなたはなぜ来なければならなかったのか？　そしてあの笑い声、あなたが入って来たときのあの笑い声です、おぼえてるでしょう、あれでわたしはとっさにガラス越しに見るように、すべてをさとったのです、でも、あれほど張りつめた気持であなたを待っていなかったら、あなたのあの笑い声の中に何も気付かなかったでしょう。その気でいるとこういうことになるものです。それにあのときはラズミーヒン君もいました、——あ！　石、石ですよ、おぼえてますか、その下に盗品をかくしたという石を？　え、どこかそこらの野菜畑の中にその石が見えるような気がしましたよ、――あなたは野菜畑って言いましたね、ザミョートフに、それからわたしのところでも、もう一度言いましたね？　それからあなたのあの論文の分析をはじめて、あなたが意見をのべはじめたとき、――あなたの一言一言が二重に聞えましたよ、まるで別な意味が裏にかくされているような気がしてね！　というわけで、ロジオン・ロマーヌイチ、わたしは最後の柱まで来てしまったのさ、そして額をぶっつけて、はじめて気がついたというわけです。そこで自分に言い聞かせましたね、おれは何をしているのだ！　その気になれば、これはみなごく些細な点まで反対の意味の説明がつくじゃないか、しかもそのほうがずっと自然だ。苦しみましたね！　《いやいや、なんとか毛筋ほどの証拠でもにぎれたらなあ！……》とも考えましたよ。だから、あの呼鈴《よびりん》の件を聞いたときは、思わずはッとして、びくッとふるえたほどでした。《しめた、これこそ証拠だ！　これだ！》と思いましたね。そしてもう考察している余裕なんてありませんでしたね。ただただ望みました。その瞬間のあなたを自分の目で見るためなら、それだけのために、わたしは千ルーブリくらい喜んで投げ出しましたね、むろん自分の金ですよ。そのときあなたは、あの町人に《人殺し》と面罵《めんば》されてから、百歩ほど並んで歩き、その百歩ほどの間に、その町人に一言も詰問《きつもん》できなかった、というんですからねえ！……まあ、背筋がぞくッとしたことでしょうな？　その呼鈴の音、病気で、なかば熱に浮かされながら？　こう考えてくると、ロジオン・ロマーヌイチ、あのときわたしがからかったくらいのことで、別におどろくにはあたらなかったじゃありませんか？　そしてなぜあなたはああいうときにわざわざ自分から来たんです？　まるで何者かにひっぱられたみたいに、そうじゃありませんか、まったく。で、あのときミコライがわたしたちを分けてくれなかったら、それこそ……あのときのミコライをおぼえていますか？　よくおぼえているでしょうな？　たしかに、あれは雷鳴でしたよ！　まったく、黒雲の中からとつぜん鳴りわたって、稲妻がひらめきました！　さて、わたしがやつをどう迎えたでしょう？　ご存じのように、稲妻なんてこれっぽっちも信じませんでしたね！　どこに！　あれから、あなたが帰ってのち、やつはいろんなポイントに対して実に手ぎわよく答弁をはじめたので、わたしもおどろきましたがね、しかしぜんぜん相手にしませんでしたよ！　いわゆる鉄の意志ってやつでね。よせよ、この寸足らずめ！　こんなミコライに何ができるか」

「ラズミーヒンがいましがたぼくに言いましたよ、いまではあなたもミコライを犯人と認めて、それをラズミーヒンに断言したとか……」

ラスコーリニコフは息がつまって、しまいまで言えなかった。彼は相手の腹の底まで読みとって、自分で自分を突っ放したように、言い知れぬ興奮につつまれて聞いていた。彼は信じるのが恐《こわ》かった。だから信じなかった。まだどっちともとれる言葉の中に、彼はどちらにしろもっと正確な、もっとはっきりした意味をつかもうとして、はげしく苦悶《くもん》していた。

「ラズミーヒン君ですか！」と、ずっと黙りこくっていたラスコーリニコフの質問に喜んだように、ポルフィーリイ・ペトローヴィチは叫んだ。「へ！　へ！　へ！　まあ、ラズミーヒン君にはさっさと脇《わき》のほうへ退いてもらわにゃね。差し向いがよろしい、他人は遠慮してくれってわけさ。ラズミーヒン君は人種がちがいますよ、それに第三者ですし、真《ま》っ蒼《さお》な顔をしてわたしのところへかけこんで来ましてね……まあ、どうでもいいですよ、あの男をここへもち出す必要はありませんな！　しかしミコライについては、これがどんなテーマか、どんな形で、つまりどんなふうに、わたしが彼を解釈しているか、知っていたほうが都合がいいんじゃないですか？　まず第一に、彼はまだ未成年の小僧ですよ、そして臆病者《おくびょうもの》というのじゃありませんが、まあ芸術家とでもいうのでしょうか、何かそうしたところがありますね。ほんとですよ。あの男をそんなふうに言ったからって、笑っちゃいけませんよ。初心《うぶ》で、何にでも染まりやすい。真心はありますが、気まぐれです。唄《うた》もうたうし、踊りもおどります、話もひどくうまいそうで、話をはじめるとまわりが人垣《ひとがき》になります。学校へも通ってるし、指を見せられても倒れるほど笑いころげるし、わからなくなるまで酔っぱらいます。それも酒が道楽で飲むのじゃなく、ときどき飲まされると、やらかすんで、まあ若い者の無茶ですな。彼はあのときちゃんと盗んでおきながら、自分でそれがわからないんです。《地面におちてたものをひろったのが、なんで盗みだ?》というわけです。ところで、ご存じですか、彼は分離派信徒《ラスコーリニック》なのですよ、といってははっきり分離派ともいえませんで、ただある宗派に属しているというだけのことですがね。彼の一族にはベグーン派（訳注 無僧宗派）の者がいましてね、彼もつい最近まで二年間ほど村である長老のもとにあずけられ、信徒の生活をしていたんですよ。こうしたことをわたしはミコライとザライスク出の同郷人たちの口から聞き出したんです。まったく、おどろきましたよ！ ただもう荒野に庵《いおり》をむすんで隠遁《いんとん》することを考えてるんですからねえ。狂信的なところがあって、毎夜神に祈り、古い《真理》の書に読みふけっています。ペテルブルグが彼に強烈な刺激をあたえたんですな、特に女性が、それに酒もです。染まりやすい男だから、長老も何もかも忘れてしまった。なんでも、ある画家が彼を好きになって、ちょいちょい訪ねて来るようになった、そこであの事件が起った！ さあ、すっかり怯気《おじけ》づいてしまって、――首を吊《つ》ろうとした！ 逃げ出そうとした！ わが国の裁判について民間に流布《るふ》されている通念というものは、まったくどうしようもありませんよ！　《裁かれる》という言葉だけで、もうふるえ上がってしまう者もいるんですからな。誰《だれ》の罪でしょう！　まあいまに新しい裁判が何かの答えを出してくれますよ。ぜひ、そうあってほしいものです！　さて、監獄に入ってみて、ありがたい長老を思い出したと見えて、聖書もまた出て来たわけです。ねえ、ロジオン・ロマーヌイチ、彼らのある者にとっては、《苦難を受ける》ということがどういう意味をもっているか、知ってますか？　それは誰のためというのではなく、ただ一途《いちず》に《苦難を受けなければならぬ》というのです。その苦しみがお上《かみ》からのものであれば、――なおのことです。現代の例ですが、あるおとなしい囚人がまる一年獄中につながれていました。その囚人は毎夜ペチカの上に坐って聖書ばかり読んでいましたが、とにかく普通の読み方じゃなく、夢中になって読みふけっていたんですが、それがどうでしょう、とつぜん、なんの理由もなく、煉瓦《れんが》をひとつつかむと、別に何もひどいことをしない看守長に、いきなり投げつけたものです。まあ、投げつけたといっても、けがなどしないように、わざと一メートルほど脇のほうをねらったのです！　さあ、武器をもって上司をおそった囚人がどんなことになるかは、わかりきったことです。そして《苦難を受けた》というわけです。ですから、わたしはいま、ミコライが《苦難を受ける》か、あるいは何かそうしたことを望んでいるのではないか、という気がするんですよ。これはわたしは確実に知っています、実際の証拠さえあります。わたしが知っているということを、彼が気付かないだけです。どうでしょう、このような民衆の中から夢想的な連中の出ることを、あなたは認めませんか？　どうして、あとを絶ちませんよ。いまになってまた長老の力がはたらきかけてきたわけです、特に首をくりそこねてからは、しみじみと思い出したんですね。まあ、いまにわたしのところへ来て、すっかり告白してくれるでしょうよ。どうです、堪えられると思いますか？　まあ待ちなさい、もうすこしがんばるでしょう！　でもわたしは、いまかいまかと待ってるんですよ、彼が自供をくつがえしに来るのをね。わたしはこのミコライってやつが好きになりましてね、綿密に観察しているんですよ。あなたはどう見ましたかな！　へ！　へ！　いくつかのポイントに対しては実に周到な答弁をしましたよ、どうやら必要な知識をあたえられたものと見えて、巧みに用意していました。ところが他のポイントになると、まるでへまばかり言って、なんにもわかっちゃいない、しかもわかっていないことが、自分でも気がつかない。いや、ロジオン・ロマーヌイチ、これはミコライじゃありませんよ！　これは病的な頭脳が生みだした暗い事件です、現代の事件です、人心がにごり、血が《清める》などという言葉が引用され、生活の信条は安逸にあると説かれているような現代の生みだしたできごとです。この事件には書物の上の空想があります、理論に刺激された苛立つ心があります。そこには第一歩を踏み出そうとする決意が見えます、しかしそれは一風変った決意です、――山から転落するか、鐘楼からとび下りるようなつもりで決意したが、犯罪に赴くときは足が地についていなかったようです。入ったあとドアをしめるのを忘れたが、とにかく殺した、二人も殺した、理論に従って。殺したが、金をとる勇気がなかった、しかもやっと盗んだものは、石の下に埋めた。ドアのかげにかくれて、外からドアを叩《たた》かれたり、呼鈴を鳴らされたりしたとき、苦痛に堪えたが、それだけでは足りなかった、――そして、もう空き家になった部屋へ、なかば熱に浮かされながら、呼鈴の音を思い出しにやって来る、そして背筋の冷たさをもう一度経験したい気持になったわけだ……まあ、それは病気のせいだとしよう、だがそれだけではない。殺人を犯していながら、自分を潔白な人間だと考えて、人々を軽蔑《けいべつ》し、蒼白《あおじろ》い天使面《てんしづら》をして歩きまわっている、――いやいや、とてもミコライなんかのできることじゃありませんよ、ロジオン・ロマーヌイチ、これはミコライじゃない！」

この最後の言葉は、それまでがいかにも否定するような調子だっただけに、あまりにも意外だった。ラスコーリニコフはぐさりとえぐられたように、身体中《からだじゅう》がふるえだした。

「じゃ……誰が……殺したんです？」彼は堪えきれず、あえぎながら、ふるえる声で尋ねた。ポルフィーリイ・ペトローヴィチはこの質問がまったく思いがけなかったらしく、びっくりしてしまって、思わずぐらッと椅子《いす》の背に倒れかかった。

「誰が殺したって？……」と、自分の耳が信じられないように、彼は聞き返した。「そりゃあなたが殺したんですよ、ロジオン・ロマーヌイチ！　あなたが殺したんですよ……」彼はほとんど囁《ささや》くように、確信にみちた声でこうつけ加えた。

ラスコーリニコフはソファからとび上がって、二、三秒突っ立っていたが、一言も言わずにまた腰を下ろした。小刻みな痙攣《けいれん》が不意に彼の顔をはしった。

「唇《くちびる》がまた、あのときみたいに、ひくひくふるえてますね」とポルフィーリイ・ペトローヴィチはかえってあわれむような口調で呟いた。「ロジオン・ロマーヌイチ、あなたはわたしの言葉をまちがって解釈したらしいですな」彼はちょっと間をおいてから、こうつけ加えた。「それでそんなにびっくりしたんです。わたしがここへ来たのは、もうすっかり言ってしまって、事件をはっきりさせるためですよ」

「あれはぼくが殺したんじゃない」とラスコーリニコフは、悪いことをしているところをおさえられて、びっくりした子供のように囁いた。

「いや、あれはあなたですよ、ロジオン・ロマーヌイチ、あなたですよ、他の誰でもありません」とポルフィーリイはきびしく、確信をもって囁いた。

二人とも口をつぐんだ、そして沈黙はおかしいほど長く、十分ほどつづいた。ラスコーリニコフは卓に肘《ひじ》をついて、黙って指で髪をかきむしっていた。ポルフィーリイ・ペトローヴィチはきちんと腰を下ろして、待っていた。不意にラスコーリニコフが憎悪《ぞうお》の目でじろりとポルフィーリイを見た。

「また例のてをだしましたね、ポルフィーリイ・ペトローヴィチ！　いつもいつも同じてばかりつかって。よくもまああきないものですね、まったく！」

「え、よしなさいよ、いまのわたしにてなんてなんの必要があります！　ここに証人でもいるというなら、別でしょうがね。わたしたちは二人だけで声をひそめて話してるんじゃありませんか。おわかりでしょうが、兎《うさぎ》でも追うように、あなたを追いつめて、捕えるために、わたしはここへ来たんじゃありませんよ。自白なさろうとなさるまいと、――いまのわたしにはどうでもいいことです。あなたに聞くまでもなく、自分ではそう確信しているんですから」

「それなら、どうしてここへ来たんです？」とラスコーリニコフはじりじりしながら尋ねた。「このまえも聞いたことですが、ぼくを犯人と認めているなら、どうしてぼくを投獄しないのです？」

「さあ、その問題ですよ！　順を追ってお答えしましょう。第一に、あわててあなたを逮捕することはわたしにとって不利です」

「不利ですって！　確信しているなら、あなたは当然……」

「いや、そうもいかん、わたしの確信がなんになります？　だってこんなことは、いまのところ、わたしの空想にすぎないんですよ。それにどうしてあなたをあそこへ入れて安静をあたえる必要があります？　それはあなたがよく知ってますよ、自分で頼むくらいだから。例えばですよ、あの町人をあなたに対決させて、証言をとろうとしたところで、あなたはこう言うでしょうよ、《きみは酔ってるんじゃないのか？　きみといっしょにいるところを誰が見た？　ぼくはきみを酔っぱらいと思っただけさ、それに事実きみは酔っていた》――その場合、それに対してわたしはあなたになんと言います、ましてあなたの言葉のほうがあの男よりは正当らしく聞えますからねえ。なぜって、あの男の証言は心理面だけですが――それにあの顔つきです、かえって不利な印象をあたえますよ――あなたのほうがまさに急所を突いてるからですよ。なにしろあいつの大酒飲みは、あまりにも有名です。それにわたし自身、もう何度も率直にあなたに白状したように、この心理面の証言というやつは二つの尻《し》っぽをもっているもので、二本目のほうがずっと大きく、しかもはるかにほんとうらしく見えるものです。おまけにいまのところ、わたしにはあなたに対抗する手段がひとつもないんですよ。とはいえ、やはりあなたを逮捕することになるでしょうな、それであらかじめすっかりあなたにことわっておくために、こうしてわざわざ出かけて来たわけですよ（まったくほめられたやり口じゃありませんがね）。しかも、こんなことをしたらわたしの不利だなんて、言わんでいいことを正直に言うんですからねえ（これもほめられたことじゃありませんな）。さて、第一ですが、わたしがここへ来たのは……」

「それで、第二は？」（ラスコーリニコフはまだ肩で息をしていた）

「つまり、さっきも説明しましたように、あなたに釈明することを自分の義務と考えたからです。あなたに悪人と思われたくないんですよ、まして、信じようが信じまいが、とにかくあなたには心から好意をもっているんですから、なおさらですよ。それで、第三になるわけですが、自首しなさいと、腹をわって率直にすすめるために、来たわけです。このほうがあなたにどれだけ有利かわかりませんし、それにわたしにもずっと有利です、――肩の重荷がおりますからねえ。さあ、どうです、わたしの態度は率直でしょう？」

ラスコーリニコフは一分ほど考えていた。

「ねえ、ポルフィーリイ・ペトローヴィチ、心理だけではと自分で言っていながら、結局は数学に入ってしまいましたね。だが、あなた自身がいままちがっているとしたら、どうします？」

「いや、ロジオン・ロマーヌイチ、わたしはまちがっておりません。毛筋ほどの証拠はもっています。これはあのとき見つけたんですよ、天の恵みです！」

「それは何です？」

「それは言えませんよ、ロジオン・ロマーヌイチ。もういずれにしてもこれ以上延ばす権利は、わたしにはありません。逮捕します。よく考えてください。いまとなってはもうわたしにはどっちでも同じことです、だから、わたしがこうしているのは、あなたを思えばこそです。ほんとです、楽になりますよ、ロジオン・ロマーヌイチ！」

ラスコーリニコフは毒々しいうす笑いをもらした。

「たしかに、これはもう笑って片づけられるものじゃありませんね、恥知らずというものですよ。まあ、ぼくが犯人だとしてもですよ（そんなことはぼくは決して言いませんがね）、ぼくをそこへ入れて安静をあたえてやるなんて、わざわざ言ってくれているあなたのところへ、なぜぼくが自首して出なきゃいけないのです？」

「おやおや、ロジオン・ロマーヌイチ、そう言葉をそのまま信じちゃいけませんよ。もしかしたら、それほど安静をあたえられないかもしれませんしねえ！　これはただの理論ですよ、それもわたしのね、わたしがあなたに対してどんなオーソリティがあります？　わたしはね、もしかしたら、いまでさえあなたに何かかくしているかもしれませんよ。わたしだって、こういきなり何もかもあなたにしゃべってしまうわけはありませんしね、へ！　へ！　次に、どんな利益があるか？　ということですがね。自首することによってどんな減刑の恩典があるかくらいは、ご存じでしょうが？　だから、いつ、どんなときに出頭したらいいのか？　これだけはよく考えるんですな！　いまは、他の男が罪をかぶって、事件をもつれさせてしまったときじゃありませんか？　でもわたしはね、誓って言いますが、《あちら》では、あなたの自首がまったく意外だったように、うまく仕組んでやりますよ。この心理劇は完全に抹殺《まっさつ》してしまいましょう。あなたに対するあらゆる嫌疑《けんぎ》もなかったことにしましょう。そうすればあなたの犯罪は一種の迷夢みたいなものになります、だって、正直に言って、あれは迷夢ですよ。わたしは正直な男ですよ、ロジオン・ロマーヌイチ、約束したことは守ります」

ラスコーリニコフは悲しそうに黙りこんで、頭を垂れた。彼は長いこと考えていたが、やがて、またうす笑いをもらした、しかしそれはもう短い悲しそうな笑いだった。

「なに、いりませんよ！」と、彼はもうぜんぜんポルフィーリイにかくそうとしないように、言った。「必要ありません! ぼくにはそんな減刑なんかまっぴらです!」

「それです、わたしはそれを恐れたんですよ!」と、熱くなって、思わず口をすべらしたように、ポルフィーリイは叫んだ。「せっかくの減刑をことわるのではないかと、わたしはそれを恐れたんです」

ラスコーリニコフはあわれみを誘うようなさびしく沈んだ目で彼を見た。

「ええ、命を粗末にしちゃいけません!」とポルフィーリイはつづけた。「まだまだ先は長いですよ。減刑の必要がないなんて、何を言うんです! 気短かな人ですねえ、あなたも?」

「先に何があるんです?」

「生活ですよ! あなたはどういう予言者です、どれだけ見通しです? 求めるんです、そして見出《みいだ》すのです。神もあなたにそれを期待していたのかもしれません。それにあれだって永久というわけじゃなし、つまり鎖ですがね……」

「減刑がある……」ラスコーリニコフはにやりと笑った。

「どうしました、ブルジョア的恥辱が恐かったんですか、え? そりゃ、おそらく、恐かったでしょうよ、自分ではそれに気付かなくてもね、——若いからですよ! でも、自首を恐れたり、恥ずかしがったりするのは、どう見てもあなたの柄《がら》じゃなさそうですがねえ!」

「ええッ、けたくそわるい!」と、口をきくのもいやだという様子で、ラスコーリニコフは気色わるそうに侮辱をこめて言った。

彼はどこかへ出て行こうとでもするように、また立ち上がりかけたが、ありありと絶望の色をうかべて、また腰を下ろした。

「その態度が、けたくそわるいというものですよ! あなたは自分を信じられなくなってしまったから、わたしが下手な嬉《うれ》しがらせを言ったみたいに、考えるんです。あなたはこれまでどれだけ生活して来ました? どれだけものごとを理解しています? 一つの理論を考え出したが、それが崩れ去り、ごく月並な結果になったので、恥ずかしくなった! 卑劣な結果に終ったこと、それは確かだが、でもやはりあなたは望みのない卑怯者《ひきょうもの》ではない。決してそんな卑怯者じゃない! 少なくともいつまでもぐずぐず逆らっていないで、ひと思いに最後の柱まで突進した。わたしがあなたをどう見てると思います? わたしはあなたがこういう人間だと思っているのです、信仰か神が見出されさえすれば、たとい腸《はらわた》をえぐりとられようと、毅然《きぜん》として立ち、笑って迫害者どもを見ているような人間です。だから、見出すことです、そして生きていきなさい。あなたは、まず第一に、もうとっくに空気を変える必要があったのです。なあに、苦しみもいいことです。苦しみなさい。ミコライも、苦しみを望むのは、正しいことかもしれません。信じられないのは、わかります、だが、小ざかしく利口ぶってはいけません。ごちゃごちゃ考えないで、いきなり生活に身を委《ゆだ》ねることです。心配はいりません、——まっすぐ岸へはこばれ、ちゃんと立たせられます。どんな岸ですって？　それがどうしてわたしにわかります？　わたしは、あなたにまだまだ多くの生活があることを、信じているだけです。あなたがいまわたしの言葉をそらおぼえのお説教と思っていることも、わかります。でも、いつかは思い出し、役に立つこともあるでしょう。そう思えばこそ、こうしてしゃべっているのです。あなたは老婆を殺しただけだから、まだよかった。もし別な理論でも考え出していたら、下手すると、まだまだ千万倍も醜悪なことをしでかしていたかもしれません！　これでも、神に感謝しなきゃいけないのかもしれませんよ。どうしてわかります、ひょっとしたら、神はそのためにあなたを守ってくださるのかもしれん。大きな心をもって、できるだけ恐れないようにすることです。偉大な実行を目前にして怯気《おじけ》づいたのですか？　いやいや、ここまで来て尻込《しりご》みしては恥ですよ。あのような一歩を踏み出したからには、勇気を出しなさい。そこにあるのはもう正義ですよ。さあ、正義の要求することを、実行するのです。あなたが信じていないのは、わかっています。が、大丈夫です、生活が導いてくれます。いまに自分でも好きになりますよ。いまのあなたには空気だけが必要なのです、空気です、空気ですよ！」

ラスコーリニコフはぎくっとした。

「いったい、あなたは何者です」と彼は叫んだ、「あなたはどういう予言者です？　高いところから、えらそうに落ち着きはらって、利口ぶった予言をするじゃありませんか？」

「わたしが何者かって？　もう終ってしまった人間、それだけのことですよ。おそらく、感じもするし、同情もするでしょう、いくらか知識もあるでしょう、だが、もう完全に終ってしまった人間です。だがあなたは——別です。あなたには神が生活を用意してくれました(もっとも、あなたの場合も、けむりのように流れ去ってしまって、もう何も来ないかもしれない。それは誰もわかりませんがね)。あなたが別な種類の人間の中へ移って行ったところで、それが何でしょう？　あなたのような心をもっている人間が、安逸を惜しむわけもないでしょう？　おそらく、かなり長い間誰にも会わないことになるでしょうが、そんなことが何です？　問題は時間にあるのではなく、あなた自身の中にあるのです。太陽になりなさい、そしたらみんながあなたを仰ぎ見るでしょう。太陽はまず第一に太陽であらねばなりません。あなたはまた笑いましたね、何がおかしいんです、わたしがこんなシラー調になったからですか？ 賭《か》けをしてもいいですよ、あなたはきっと、わたしがいまお世辞をつかっているとお思いでしょう、へ！ へ！ へ！ あなたは、ロジオン・ロマーヌイチ、わたしの言葉なんか、まあね、信じなくていいんですよ、これからだって、決して信じることはありませんよ、――これがわたしの習癖なんだから、まあいいでしょう。一言だけつけ加えておきますが、わたしがどれほど程度の低い人間で、同時にどれほど正直な人間か、あなたは判断できるはずですよ！」

「あなたはぼくをいつ逮捕するつもりです？」

「そうね、あと一日二日はまだ散歩させてあげましょう。まあ、よく考えるんですな、神に祈りなさい。そのほうが有利ですよ、嘘《うそ》は言いません、ずっと有利ですよ」

「だが、ぼくが逃げたらどうします？」何か異様なうす笑いをうかべながら、ラスコーリニコフは言った。

「いや、逃げませんよ。百姓なら逃げるでしょう、流行の分離派信徒なら逃げるでしょう、――他人の思想の下僕《げぼく》ですからな。ドゥイルカ海軍少尉じゃないが、指の先をちょっと見せただけで、もう死ぬまでどんなことでも信じさせることができるような連中ですよ。だがあなたはもうあなたの理論を信じないはずです、――そのあなたがいったいなんのために逃げるんです？　それに、逃げて何を求めようというのです？　逃亡生活はいやな苦しいものです、しかもあなたに何よりも必要なものは生活です、はっきり定《き》まった境遇です、適《ふさ》わしい空気です。どうです、逃げた先にあなたの空気があるでしょうか？　逃げても、自分でもどって来ますよ。われわれを離れては、あなたはどうすることもできない人です、あなたを牢獄《ろうごく》につなげば、――まあ一月《ひとつき》か、二月《ふたつき》、三月《みつき》もすれば、とつぜんわたしの言葉を思い出して、進んで自白するようになります、それも、おそらく、自分でも思いがけなく突発的にです。一時間まえまで、自白しようとは自分でもわからないでしょう。わたしは確信さえもっています、あなたはきっと《苦しみを受けようという気になる》にちがいありません。いまはわたしの言葉を信じませんが、やがてそれに注意をとめるようになります。なぜなら、ロジオン・ロマーヌイチ、苦悩というものは偉大なものだからです。わたしがでくでく肥《ふと》ってるからって、皮肉な目で見ないでください、それとこれは別ですよ、ちゃんと知ってるんですよ。そんなことを笑っちゃいけませんよ。苦悩には思想があります。ミコライは正しいのです。いいえ、あなたは逃げませんよ、ロジオン・ロマーヌイチ」

ラスコーリニコフは立ち上がって、帽子をつかんだ。ポルフィーリイ・ペトローヴィチも立ち上がった。

「散歩にお出かけですか？　いい夕暮れになるでしょう、雷雨が来なきゃいいが。もっとも、来たほうがいいかもしれん、すがすがしくなる……」

彼も帽子を手にとった。

「ポルフィーリイ・ペトローヴィチ、一人合点《が　てん》はしないでくださいよ」とラスコーリニコフはきびしいしつこさで言った。「ぼくが今日あなたに告白したなどと。あなたが奇妙な人間だから、おもしろくて聞いていただけですよ。ぼくは何も告白はしなかった……これをおぼえていてください」

「いや、それはもうわかってますよ、おぼえておきましょう、——おや、ふるえているじゃありませんか。心配はいりませんよ、あなたの心のままですから。すこし散歩してらっしゃい、ただあまり散歩がすぎると毒ですがね。さて、万一ということがありますので、もう一つだけお願いがあるのですが」と彼は声をおとして、つけ加えた。「これはごくデリケートな言いにくいことですが、しかし大切なので。もし、万一ですよ（もっとも、こんなことは、わたしは信じていませんし、あなたがそんなことができるとは、ぜんぜん思っていませんが）、もし何かのはずみで——その、万が一ですね——この四十時間から五十時間のあいだに、ひょっと別な、つまりファンタスチックな方法で結末をつけようなどという考えが浮ぶようなことがあったら、——つまり、自分に手を下そう、なんてですね（こんなばからしいことを考えて、まあ、お許しください）、そのときは――ほんの簡単でいいですから、要領のいい手記をのこしていただきたいのですが。そう、一行、二行だけで結構です、そして石のこともお忘れなく。そのほうがずっとりっぱですから。じゃ、さようなら……いい思案としあわせな首途《かどで》を祈ります！」

ポルフィーリイは妙に背をかがめて、ラスコーリニコフの目をさけるようにしながら、出て行った。ラスコーリニコフは窓辺に近よって、追い立てられるような苛立たしい思いで、胸の中で時間をはかりながら客が通りへ出て遠ざかって行くのを待った。それから自分も急いで部屋を出て行った。

3

彼はスヴィドリガイロフのところへ急いでいた。この男から何を期待できるのか――彼は自分でもわからなかった。しかしこの男には彼を支配する何ものかがひそんでいた。彼は一度それを意識してからは、もう平静でいることができなかった、そしていまそれを解決するときが来たのである。

途々《みちみち》一つの疑問が特に彼を苦しめた。スヴィドリガイロフはポルフィーリイを訪ねたろうか？

彼が判断し得たかぎりでは、しかも誓ってもいいとさえ思ったのは——いや、行っていない、ということだった。彼は何度も何度も考えてみた、さっきのポルフィーリイの態度をすっかり思い返して、いろいろと思い合せてみた。いや、行っていない、たしかに行っていない！

だが、まだ行っていないとすれば、彼はこれからポルフィーリイのところへ行くだろうか、行かないだろうか？

いまのところ、彼は行かないだろうという気がしていた。なぜか？その理由も、彼は説明ができなかったろう、しかし仮にできたにしても、いまの彼はそれにわざわざ頭を痛めるようなことはしなかったにちがいない。そうしたすべてのことに苦しめられてはいたが、同時に彼はなんとなくそんなことにかまっていられない気持だった。奇妙な話で、おそらく誰《だれ》も信じないかもしれないが、彼はどういうものかいま目のまえに迫った自分の運命に、気のない散漫な注意しかはらわなかった。彼を苦しめていたのは、それとは別な、はるかに重大な、どえらいもの——彼自身のことで、他《ほか》の誰のことでもないが、何か別なもの、何か重大なものだった。それに、彼の理性が今朝は最近の数日に比べてよくはたらいていたとはいえ、彼は限りない精神の疲労を感じていた。

それに、ああいうことが起ってしまったいまとなって、こんな新しいわずかばかりの障害を克服するために、苦労する必要があったろうか？　例えば、スヴィドリガイロフにポルフィーリイを訪ねさせないために、わざわざ策を弄《ろう》する必要があったろうか？　たかがスヴィドリガイロフくらいのために、調べたり、探り出したりして、時間をつぶす必要があったろうか？

いやいや、そんなことには、彼はもうあきあきしてしまっていた！

とはいえ、彼はやはりスヴィドリガイロフのもとへ急いだ。あの男から何か新しい指示か、出口かを期待していたのではないか？　一本の藁《わら》にでもすがれるものだ！　運命か、本能のようなものが、二人をひきよせるのか？　もしかしたら、それはただの疲労だったかもしれぬ、絶望だったかもしれぬ。あるいは、必要なのはスヴィドリガイロフではなく、他の誰かだったが、スヴィドリガイロフがたまたまそこにいただけかもしれぬ。ではソーニャか？　だが、どうしていまソーニャのところへ行かなければならないのだ？　また涙を請《こ》いにか？　それに、彼にはソーニャが恐《こわ》かった。ソーニャ自身が彼にはゆるがぬ判決であり、変えることのできない決定であった。そこには——彼女の道か、彼の道しかなかった。特にいまは、彼はソーニャに会える状態ではなかった。いや、それよりもスヴィドリガイロフに当ってみたほうがましではないか？　あの男は何者だろう？　たしかにあの男はどういう理由かで彼にはもうまえから必要な人間だったらしいことを、彼はひそかに認めないわけにはいかなかった。

だが、それにしても、彼らの間にはどんな通じあうものがあり得るのだ？　悪行でさえ彼らのは同質とは言い得ない。この男はそのうえひどい嫌《きら》われ者で、極端に身持ちがわるいし、ずるく嘘《うそ》つきなことはたしかで、したたかの悪人かもしれない。とかくの噂《うわさ》のある男だ。もっとも、彼はカテリーナ・イワーノヴナの子供たちの世話はしてやった。しかし、それがなんのためで、どういう下心があるのか、誰が知ろう？　この男にはいつもなんらかの意図と計画があった。

この数日の間ラスコーリニコフの頭にはたえずもう一つの考えがちらついて、彼をおそろしく不安にしていた。そして彼はその考えを追い払おうと空《むな》しい努力をつづけていた。それほどその考えは彼にとって重苦しいものだった！　彼はときどき、スヴィドリガイロフはたえず彼のまわりをうろついていたし、いまでもうろついている、スヴィドリガイロフは彼の秘密を嗅《か》ぎつけた、スヴィドリガイロフはドゥーニャに対して何かたくらんでいる、ということを考えた。で、いまもたくらんでいるとしたら？ たくらんでいると思って、まずまちがいはない。そこで、もしいま、彼の秘密をにぎり、それによって彼を支配する力を手中におさめ、それをドゥーニャに対する武器に使用しようなどという考えを起されたら？

この考えはときどき、夢の中でさえ、彼を苦しめた、しかしそれがはっきり意識の上にあらわれたのは、スヴィドリガイロフのところへ行こうとしている、この今がはじめてだった。これを考えただけで、彼は暗い狂おしいまでの怒りにひきこまれた。第一に、そうなればもうすべてが変ってしまう、彼自身の立場さえ変ってくる。とすれば、いますぐドゥーネチカに秘密を打ち明けねばならぬ。もしかしたら、ドゥーネチカに不用意な一歩を踏み出させないために、自首するようなことになるかもしれない。手紙と言ったな？ 今朝ドゥーニャがある手紙を受け取った！ あれに手紙を出すような者がペテルブルグにいるだろうか？ （まさかルージンが？）もっとも、ラズミーヒンが守っていてはくれるが、あの男は何も知らない。ラズミーヒンにも打ち明けるべきだろうか？ ラスコーリニコフはこう思うと、嫌《いや》な気がした。

いずれにしても、できるだけ早くスヴィドリガイロフに会わねばならぬ、彼は腹の中でこう結論を下した。ありがたいことに、彼との対決ではこまごましたことは必要ではなかった。それよりも問題の本質だ。だが、もし、スヴィドリガイロフが卑劣なことしかできない男で、ドゥーニャに対して何かたくらんでいるとしたら、――そのときは……

ラスコーリニコフはこの頃《ごろ》ずっと、特にこの一月《ひとつき》というものは、疲労しきっていたので、もうこのような問題はたった一つの方法以外では解決ができなくなっていた――《そのときは、やつを殺してやる》――彼は冷たい絶望をおぼえながらこう思った。重苦しい気持が彼の心を圧《お》しつぶした。彼は通りの真ん中に立ちどまって、あたりを見まわした。どの通りを歩いて来たのだろう、ここはどこだろう？　彼はN通りに立っていた。そこはいま通って来たセンナヤ広場から三、四十歩のところだった。窓に左手の建物の二階は全部居酒屋になっていた。窓はすっかり開け放されていた。窓にちらちら動く人影から判断すると、居酒屋は満員らしかった。広間には歌声が流れ、クラリネットやヴァイオリンが鳴り、トルコ太鼓の音が聞えていた。女の甲高《かんだか》い声も聞えた。彼は、なぜN通りへなど来たのだろうと、自分でも不思議な気がして、引き返そうとしたとたんに、居酒屋の端のほうの窓際《まどぎわ》に、窓によりかかるようにしてパイプをくわえながら、茶を飲んでいるスヴィドリガイロフを見た。彼ははっとして、思わず鳥肌《とりはだ》立つような恐怖をおぼえた。スヴィドリガイロフが黙ってじいッとこちらをうかがっていたのである。そしてすぐにまた、ラスコーリニコフはもう一度はっとした。スヴィドリガイロフは気付かれないうちにそっと逃げようとしたらしく、そろそろと席を立つような気配を見せたのだ。ラスコーリニコフはとっさに、こちらも気がつかないような振りをして、ぼんやり脇《わき》のほうを見ながら、目の隅《すみ》でじっと相手の観察をつづけた。胸があやしく騒いだ。そうだったのか。スヴィドリガイロフは明らかに見られたくないのだ。彼はパイプを口からはなして、いまにも姿をかくそうとした、が、腰を上げて、椅子《いす》を動かしたところで、不意に、ラスコーリニコフがじっとこちらを観察していることに気付いたらしい。彼らの間には、ラスコーリニコフが部屋でうとうとしていたときの最初の対面に似たような妙な場面がもち上がった。ずるそうなうす笑いがスヴィドリガイロフの顔にあらわれて、それがしだいに広がりはじめた。どちらも、互いに相手に気付いて、観察しあっていたことを、承知していた。とうとう、スヴィドリガイロフは大声を立てて笑いだした。

「さあ、さあ！　よろしかったら、入ってらっしゃい。逃げませんよ！」と彼は窓から叫んだ。

ラスコーリニコフは居酒屋へ上がって行った。

彼はひどく小さい奥の部屋にいた。窓が一つしかなく、仕切りの向うは大広間で、そちらには小さなテーブルが二十ほど置いてあり、歌うたいたちがやけっぱちにどなり立てる合唱を聞きながら、商人や、役人や、その他あらゆる種類の人々が茶を飲んでいた。どこからか球《たま》を撞《つ》く音が聞えていた。スヴィドリガイロフのまえのテーブルには、栓《せん》をぬいたシャンパンのびんが一本と、半分ほど飲みさしのコップがのっていた。部屋の中には彼のほかに、小さな手風琴をもった少年と、しまのスカートの裾《すそ》をからげて、リボンのついたチロル帽をかぶった、十七、八の頬《ほお》の赤い健康そうな歌たいの娘がいた。娘は他の部屋の合唱に負けないで、手風琴の伴奏で、かなりかすれたコントラルトで、召使いの歌のようなものをうたっていた……

「もういい！」と、ラスコーリニコフが入って来ると、スヴィドリガイロフは娘に歌をやめさせた。

娘はすぐに歌をやめて、恭《うやうや》しく施しを待つ姿勢をとった。彼女はリズミカルな召使いの歌もなんとなくとりすました恭しい顔つきでうたっていたのだった。

「おい、フィリップ、コップを持って来《こ》い！」とスヴィドリガイロフがどなった。

「ぼくは飲みませんよ」とラスコーリニコフは言った。

「お好きなように、これはあなたのためじゃありませんよ。一杯いけ、カーチャ！今日はもうこれでいい、帰れ！」

彼は娘のコップにシャンパンをなみなみと注《つ》いでやると、黄色い一ルーブリ紙幣を一枚とりだした。カーチャは女のぶどう酒の飲み方で、つまりコップを唇《くちびる》からはなさずに、二十口ばかりで休まずに飲みほすと、黄色い紙幣を受け取り、いかにももったいぶってさし出したスヴィドリガイロフの手に接吻《せっぷん》して、部屋を出て行った。そのあとに手風琴をもった少年がつづいた。二人は通りから呼びこまれたのだった。スヴィドリガイロフはペテルブルグに来てまだ一週間にもならないのに、もう彼のまわりには家長制度のようなものができていた。居酒屋の給仕フィリップもうすっかり《馴《な》染《じ》み》で、彼にぺこぺこしていた。広間へつづくドアも鍵《かぎ》がかけられるようになった。スヴィドリガイロフはこの部屋に旦那《だんな》然《ぜん》とおさまり、何日も居つづけにしていたらしい。居酒屋は不潔できたならしく、二流とまでもいかなかった。

「ぼくはあなたを訪ねる途中だったんですよ、会いたいと思って」とラスコーリニコフは言いだした。「だが、いったいどうしてセンナヤからN通りへ曲ったんだろう！　この通りへは一度も来たことがないんですよ。いつもセンナヤから右へ折れるんです。それにあなたのところへ行くにはこんなところは通らないし。ふっと曲ったら、あなたがいた！　実に不思議だ！」

「どうして率直に言わないんです、これは奇跡だ！　と」

「これは単なる偶然かもしれないからですよ」

「まったく、この人たちってどうしてこういう性分《しょうぶん》なのかねえ！」スヴィドリガイロフは声を立てて笑った。「心の中では奇跡を信じていても、口に出しては言わない！自分でちゃんと、単なる奇跡《かもしれない》って言ってるじゃありませんか。自分の個人的な意見ということになると、この国の連中はそろいもそろってどれほど臆病《おくびょう》か、あなたには想像もつきませんよ、ロジオン・ロマーヌイチ！　あなたのことじゃないですよ。あなたは独自の意見を持っているし、それを持つことを恐れなかった。だからわたしは興味を持ったんですよ」

「それだけですか？」

「だって、それだけでも十分じゃありませんか」

スヴィドリガイロフは興奮しているらしかった、が、それもほんのわずかだった。酒もコップに半分しか飲んでいなかった。

「たしか、あなたがぼくのところへ来たのは、ぼくがあなたの言うその独自の意見とやらを持つ能力のあることを、知るまえだったと思いますが」とラスコーリニコフは意見をはさんだ。

「いや、あれは別ですよ。誰にでも自分の行動というものがありますからな。ところで、奇跡ついでですが、あなたはこの二、三日眠ってばかりいたらしいですな。この居酒屋はわたしがあなたにおしえたんですよ、だからあなたがまっすぐここへ来たことは、奇跡でもなんでもなかったんです。ここへ来る道すじも、この店のある場所も、丹念に説明しましたし、何時に来ればここにわたしがいるかまで、ちゃんとおしえたんですよ。おぼえてますか？」

「忘れてました」と、ラスコーリニコフはびっくりして答えた。

「そうでしょうな。わたしは二度あなたに言ったんですよ。アドレスがあなたの頭の中に機械的にきざみこまれたんです。あなたはこちらへ機械的に曲った、とはいえ、自分でも知らずに、ちゃんとおしえられたとおりの道をたどって来たわけです。あのときあなたにしゃべりながら、まさかわかってもらえるとは思わなかった。どうもあなたはあまりにも尻《し》っぽを出しすぎますよ、ロジオン・ロマーヌイチ。それからもう一つ、ペテルブルグには歩きながらひとり言を言う人間が、実に多いですな、ほんとですよ。これは半気ちがいどもの町ですよ。もしわが国に科学というものがあったら、医者も、法律学者も、哲学者も、それぞれの専門分野で、ペテルブルグを材料にして実に貴重な研究ができたでしょうなあ。人間の魂に対する陰鬱《いんうつ》な、きびしい、そして不思議な影響というものが、ペテルブルグほど見られるところは、まず、めったにないでしょうな。気候の影響だけでもたいへんなものですよ！　しかも、ここは全ロシアの行政の中心だから、この町の性格は当然国中に反映するわけです。でもいまは、そんなことじゃなく、わたしが言いたいのは、もう何度かそれとなくあなたを観察してきたということです。あなたは家を出るときは、――まだ頭をまっすぐに保っています。が、二十歩ほど行くと、もううなだれて、両手を背に組んでいる。目はあいているが、前方も、両側も、もう何も目に入らない。そのうちに、唇をもぞもぞ動かして、ひとり言を言いはじめる、そしてときどき片手を振りまわして、演説口調でやらかす。しまいに道の真ん中に立ちどまって、長いこと突っ立っている。これはまったく感心しませんな。わたし以外の誰かに見とがめられるおそれがあるし、そうなるとひどく不利ですよ。わたしには、実際の話が、どうでもいいことですがね、別にあなたを治《なお》してやれるわけじゃないから。でも、もちろん、わたしの言うことがおわかりでしょうな」

「でもあなたは、ぼくが尾行されてることを知っているでしょう？」と、ためすような目で相手を凝視しながら、ラスコーリニコフは尋ねた。

「いや、ぜんぜん知りませんよ」とおどろいたようにスヴィドリガイロフは答えた。

「へえ、じゃぼくにかまわんでくださいよ」と、ラスコーリニコフは眉《まゆ》をしかめて、呟《つぶや》くように言った。

「いいですよ、かまわんことにしましょう」

「それより、こっちがお聞きしたいのですが、あなたはよくここへ飲みに来られるし、ぼくにここへ訪ねて来るように、わざわざ二度も言ったのなら、ですよ、いまぼくが通りから窓を見たとき、なぜあなたはかくれて、逃げようとしたんです？　ぼくははっきり見ましたよ」

「へ！　へ！　じゃなぜあなたは、この間わたしがあなたの部屋に入りかけたら、ソファの上にねたまま目をつぶって、ぜんぜん眠ってもいないのに、眠ったふりをしたのかね？　わたしははっきり見ましたよ」

「ぼくには理由があった……かもしれませんよ……あなたはそれを知ってるはずだ」

「わたしにだって、わたしなりの理由があったかもしれませんよ、あなたがわからないだけで……」

ラスコーリニコフは右肘《みぎひじ》をテーブルにつき、右手の指で顎《あご》を支えながら、じっとスヴィドリガイロフを見すえた。彼はこれまでもいつもおどろかされてきた相手の顔を、つくづくながめた。それは仮面を思わせるような、なんとも奇妙な顔だった。真っ白なところへ赤味がさし、唇は真っ赤で、明るい亜麻色のあごひげが生え、まだかなり豊かな髪も白っぽい亜麻色だった。目は妙に青すぎて、視線は妙に重苦しく、動かなすぎた。この美しい、年齢《とし》のわりにつるッとしすぎた顔には、人におそろしくいやな感じをあたえる何かがあった。着ている服はしゃれた軽い夏もので、特にシャツはしゃれていた。指には宝石をちりばめた大きな指輪が光っていた。

「ぼくはこのうえ、あなたまで相手にして、面倒な思いをしなきゃならんのですかねえ」ラスコーリニコフは発作的な焦燥にかられて、いきなり胸の内をぶちまけた。「たとえあなたが、敵にまわったら、もっとも危険な人物かもしれない、としてもですね、ぼくはもうこれ以上自分を苦しめたくはない。あなたが、おそらく、考えているらしいほど、ぼくが自分を大事にしていない証拠を、いま見せてあげましょう。ことわっておきますが、ぼくがここへ来たのは、もしあなたがいまだに妹に対してもとのままの野心をもち、そのために最近発見したものの何かを種に脅迫しようと考えているなら、ぼくはあなたに獄に投じられるまえに、あなたを殺す、とはっきりあなたに宣言するためです。ぼくの言葉はたしかですよ。ぼくが約束を守れる人間であることは、あなたも知っているとおりです。次に、ぼくに何か言いたいことがあるなら——というのは、この間からあなたがぼくに何か言いたそうにしているのが、わかるからですよ——早く言ってください。時間が惜しいし、それに、おそらく、もうしばらくしたら手おくれになってしまいますよ」

「でも、どこへそんなに急いでいるんです?」と、好奇の目で相手を見まわしながら、スヴィドリガイロフは尋ねた。

「誰にでも自分の行動というものがありますよ」とラスコーリニコフは暗い声で、じりじりしながら言った。

「あなたはいま自分から率直を呼びかけておきながら、第一の質問に対してもう返答を拒否している」とスヴィドリガイロフは笑いながら注意をうながした。「あなたはいつも、わたしが何か目的をもっていると思っている、だからわたしが怪しく見えるのですよ。なに、あなたのような立場におかれれば、無理もないでしょうがね。なるほど、わたしはなんとかあなたと親密になりたいと思ってますよ、だからといって、苦労してまであなたの誤解をとく気にはなれませんなあ。骨折り損というものですよ、それにあなたと何か特別のことを話しあうなんて、そんなつもりは毛頭ありませんしな」

「じゃなぜあのときあんなにぼくが必要だったのです? しきりにぼくのまわりをうろうろしたじゃありませんか?」

「なに、ただ観察のための興味ある対象としてですよ。幻想的といいますか、あんな奇妙な立場をもつあなたがすっかり気に入りましてな、――そのためですよ! 加えて、あなたは、わたしがひどく関心をもった女性のお兄さんで、もう一つ言えば、その女性からかつてあなたの噂をさかんに聞かされましてね、あなたが彼女に大きな影響力をもっている、とこう断定したからですよ。まだ足りませんかな？　へ、へ、へ！　もっとも、実を言うと、あなたの質問がわたしにはあまりにも複雑で、返答に窮しているんですよ。現に、言ってみればですよ、いまこうしてわたしのところへ来たのも、用件もあるでしょうが、それより何か新しいことを探り出すためでしょう？　そうじゃありませんか？　図星でしょう？」とスヴィドリガイロフはずるそうなうす笑いをうかべながら念をおした。「それがどうでしょう、実はわたしもこちらへ来る途中、汽車の中で、あなたも何か新しいことを言ってくれるだろうから、そしたらその中の何かを借用できるかも知れない、とこう期待したわけですよ！　まったくわたしたちは物持ちですなあ！」

「何を借用するんです？」

「さあ、なんと言ったらいいですかな？　そんなことがわたしにわかりますか？　このとおり、こんな居酒屋にのべつしけこんでいるんですからな。でもこれがわたしには楽しみなんですよ、いや、楽しみといっちゃなんですが、とにかく、どこかに腰を落ち着けるとこがなきゃあね。まあ、あの哀れなカーチャでも——ごらんになったでしょう?……まあ、わたしがですね、口のおごったクラブの食通でもあるなら、なんですが、ほら、こんなものが口に合うんですからねえ!（彼は部屋の隅の小さなテーブルを指さした。その上にはブリキの皿《さら》にひどいビフテキとじゃがいもの食いのこしがのっていた）。ところで、食事はすませましたか? わたしは軽くやりましたので、もうたくさんなのですが。酒だって、さっぱりやらないんですよ。シャンパンのほかはぜんぜん、そのシャンパンだって一晩に一本がせいぜいですが、それでもう頭が痛いというざまですよ。これは元気づけに持って来させたんですよ、これからあるところへ出かけようと思いましてね、だからごらんのとおり、いつになくにこにこしてるわけですよ。さっき小学生みたいにかくれたのは、出がけに邪魔されては、と思ったからですが、どうやら（彼は時計を出して見た）いま四時半だから、一時間くらいはお相手できそうです。まったく、何かしごとがあるといいんですがねえ、地主だとか、一家の主人だとか、槍騎兵《そうきへい》、写真家、雑誌記者、なんでもいいですよ……それがぜんぜん、なんの専門もない! ときには退屈になることだってありますよ。ほんとに、あなたが何か耳新しいことを聞かせてくれるものと、思っていたんですよ」

「いったいあなたは何者なんです、なんのためにペテルブルグへ来たんです?」

「わたしが何者かって? ご存じでしょう、貴族で、騎兵連隊に二年勤めまして、それからこんなふうにペテルブルグでのらくらしていて、マルファ・ペトローヴナと結婚して、田舎で暮しました。これがわたしの履歴ですよ！」

「あなたは賭博者《ばくちうち》でしょう？」

「いいえ、ちがいますね。いかさま師ですよ——賭博者じゃありませんな」

「じゃ、あなたはいかさま師だったんですか？」

「そのとおり、いかさま師でしたよ」

「じゃなんですか、殴られたことがあるでしょう？」

「ありましたよ。それで？」

「そう、じゃ決闘を申し込むこともできたわけだ……とにかく、生活に活気がでますよ」

「反対はしませんよ、なにしろ哲学が苦手なんでね。白状しますと、ここへ来たのは、どっちかといえば、むしろ女のためなんですよ」

「マルファ・ペトローヴナの葬式もそこそこにですか？」

「まあね」と、スヴィドリガイロフは相手を呑《の》んだようにずばりと言って、にやっと笑った。「それがどうしました？　わたしが女のことをこんなふうに言うのを、あなたは何か悪い意味にとっているらしいですな？」

「つまり、ぼくが淫蕩《いんとう》を悪と見るかどうか、ということですか？」

「淫蕩を！　へえ、いきなり飛躍しましたね！　とにかく、順序としてまず女一般について お答えしましょう。どういうんですか、妙におしゃべりがしたいんですよ。さて、なんのためにわたしは自分を抑制しなきゃならんのでしょう？　わたしが女好きとしたらですよ、いったいどうして女をすてなきゃならんのでしょう？　少なくともしごとですからね、これも」

「じゃ、あなたはここで淫蕩だけを期待してるんですね！」

「それがどうしたというんです。そりゃ淫蕩も期待してますよ！　あんた方には淫蕩がよほど興味の的らしいですな。わたしはまわりくどいことは嫌いです。この淫蕩というものには少なくとも、むしろ自然に基礎をおいた、空想に毒されない、いつも変らない何ものかがありますよ。血の中でいつも燃えている炭火みたいなもので、これがたえず焼き立てる、そしていつまでも、年をとっても、消すのはなかなかの骨らしいですな。どうです、これも一種のしごとじゃありませんかな？」

「何をそんなに嬉《うれ》しがるんです？　これは病気ですよ、しかも危険な」

「おや、また飛躍しましたね？　これが病気だってことは、わたしも認めますよ、度を越えればなんでもそうですからな、——ところがこいつときたら、どうしても度を越えることになるんでねえ、——だがこいつは、第一に、人によってちがうんですよ。それから第二に、たとえ卑劣な男でも、何ごとにも度というもの、つまり計算ですな、これを守らにゃいかんのはもちろんですよ、といって、いったいどうしたらいいんです？　こいつがなかったら、ピストル自殺でもするほかはないじゃありませんか。礼儀正しい人間は退屈する義務がある、賛成ですな、ところが、やっぱり……」

「で、あなたはピストル自殺ができるでしょうか？」

「またはじめた！」とスヴィドリガイロフは嫌な顔をして、話をそらした。「頼むから、そういうことは言わないでください」と彼は急いでつけ加えた。その口調はがらりと変って、いままでの言葉のはしばしにうかがわれたえらぶった様子はすっかり消えていた。顔つきまで変ったかに見えた。「白状しますが、わたしには実にけしからん弱味がありましてな。でもこればかりはどうしようもない。実は、死が恐くて、死の話をされるのが嫌なんですよ。わたしは多少迷信に弱いところがあるんですな！」

「ああ！　マルファ・ペトローヴナの亡霊ですか！　どうです、まだ出ますか？」

「またそんな、よしてください。ペテルブルグではまだ出ません。あんなもの糞《くそ》くらえだ！」と彼は妙に苛々《いらいら》した様子で叫んだ。「いや、それよりあの話を……でも、まあ……フム！　ええ、時間がなくて、あまりお相手できないのが、残念ですな！　お話しておきたいことがあるんですが」

「何です、女とでも会うんですか？」

「そう、女です、まったく思いがけないことで……いや、そんなことはどうでもいい」

「じゃ、そうしたことのいまわしさがもうあなたには作用しないのですか？　もう踏みとどまる力を失ったのですか？」

「あなたは力にも自信をお持ちですな？　へ、へ、へ！　おどろきましたよ、ロジオン・ロマーヌイチ、こんなこととは、あらかじめ承知はしていましたがね！　あなたは淫蕩と美学についてわたしに講釈をなさる！　あなたは――シラーですよ。あなたは――理想主義者ですよ！　そりゃむろん、そういうことはそうあって当然ですし、そうなかったら、かえっておかしいでしょう、が、でも、やはり現実となるとどうも妙な気がしますねえ……ああ、時間がないのが、ほんとに残念ですよ、あなたはまったくおもしろい人だ！　ついでですが、あなたはシラーが好きですか？　わたしはひどく好きなんですよ」

「へえ、あなたはよくもまあ臆面もなく、えらそうな口をききますね！」とラスコーリニコフはいささか気色わるそうに言った。

「これはひどい、決して、そんなことはありませんよ！」とスヴィドリガイロフは笑いながら答えた。「しかし、口論はしませんよ、えらそうな口で結構。でも罪がなきゃ、えらそうな口をきいても、別にかまわないじゃありませんか。なにしろ、七年もマルファ・ペトローヴナの田舎にひっこもっていて、いまあなたのような聡明《そうめい》な方に出会ったものだから――、聡明で、しかも最高に興味ある、ね、――しゃべるのが無性にうれしいんですよ。おまけに、酒をコップ半分ほど飲んで、もうちょっぴり頭にきてるんですよ。それより、わたしをひどく元気づけたある事情があるんですが、それは……言わんことにしましょう。あなたはどこへ行きます？」と不意に、スヴィドリガイロフはびっくりして尋ねた。

ラスコーリニコフは席を立ちかけた。彼は胸が重苦しく、息がつまりそうになって、ここへ来たのが妙に気詰りになった。彼は、スヴィドリガイロフがこの世でもっとも愚かなつまらない悪党であると、確信したのである。

「まあ、まあ！　おかけください、もうしばらくいいじゃありませんか」とスヴィドリガイロフは頼むようにしてひきとめた。「まあ、お茶でもいかがです、勝手に注文してください。さあ、おかけになって、つまらんおしゃべりはよしますよ、ぐち話はね。何か別なことを話しましょう。そう、なんでしたら、ある女が、あなたの言葉を借りれば、わたしを《救ってくれた》話をしましょうか？　これはあなたの第一の質問に対する返答にもなるはずです。だってその女というのが——あなたの妹さんですから。話しましょうか？　まあ、時間をつぶしましょうや」

「話してください、でも、まさか……」

「おお、その心配はいりませんよ！　なにしろアヴドーチヤ・ロマーノヴナは、わたしのようなこんないやらしい愚かな男にさえ、深い尊敬の気持しか抱《いだ》かせないようなお方ですからな」

4

「多分、ご存じと思いますが（そうそう、これは自分であなたに話したっけ）」とスヴィドリガイロフは話しはじめた。「わたしはここで莫大《ばくだい》な借金をこさえて、ぜんぜん払うあてもなく、監獄にぶちこまれたことがあります。いまここでそのいきさつをくだくだと言う必要もありませんが、そのときマルファ・ペトローヴナが借金の肩代りをしてくれたわけです。まったく、女というものはどうかするとすっかり目がくらんで、途方もないばかなことに血道を上げるものです。あれは正直で、頭も決して悪くない女でした（もっとも、教育はぜんぜんありませんでしたが）。まあ、どうでしよう、この極度に嫉妬《しっと》深《ぶか》い誠実な女が、さんざん逆上してみたり、詰《なじ》ってみたりした挙句《あげく》にですよ、見栄《みえ》をすててわたしとある種の契約を結ぶ決心をしたのですよ、そしてそれをわたしたちの結婚生活の間中ちゃんと実行しました。というのも、あれはわたしよりかなり年上でしたし、おまけに、口臭がひどかったというひけめがあったせいですがね。わたしは心の中に多分にみにくい欲望を持っていたし、わたしなりの潔癖さがあったので、あれに完全に操《みさお》を立てとおすことはできないと、はっきり宣言しました。そう言われると、あれは気ちがいみたいに怒りましたが、しかしこのわたしの乱暴な率直さが、ある意味ではあれの気に入ったようでした。《まえもってこうことわるところを見ると、嘘《うそ》を言うのが嫌《いや》なんだわ》というわけです、――まあ、嫉妬深い女にはこれが一番ですよ。長いこと泣いたりほえたりした挙句、わたしたちの間にはこんな口約ができ上がりました。第一に、わたしは決してマルファ・ペトローヴナを捨てず、永久に彼女の良人《おっと》であること、第二は、彼女の許可なしにどこへも遠出しないこと、第三、決してきまった愛人は持たないこと、第四、その代りマルファ・ペトローヴナはわたしがときどき小間使いにいたずらするのは大目に見るが、その場合は必ずあれの内諾を得ること、第五、どんなことがあっても同階級の女を愛してはならないこと、第六、そういうことはあっては困るが、何か大きな深刻な情熱にとらわれたような場合は、必ずマルファ・ペトローヴナに打ち明けること、というのでした。もっとも、この最後の項目については、マルファ・ペトローヴナはいつも安心しきっていたようですがね。あれは利口な女でしたから、わたしを、深刻に愛するなどということのできない浮気《うわき》な放蕩者《ほうとうもの》としか、思われなかったのでしょう。しかし利口な女と嫉妬深い女というものは――二人のちがう女で、ここに災厄《さいやく》の種があるんですよ。しかし、ある種の人々を公平に判断するためには、つまらぬ先入観や、普通わたしたちをとりまいている人々や事物に対する日常の習慣的な見方というものを、まず捨てることが必要です。他《ほか》の誰《だれ》よりも、あなたの判断に、わたしは期待する権利があります。というのは、あなたはもうマルファ・ペトローヴナについて滑稽《こっけい》なことやばからしいことを、いろいろと聞いているにちがいないからです。たしかに、あれには実に滑稽な癖がいくつかありました。しかし、かくさずに言いますが、わたしがもとであれに何度となく悲しい思いをさせたことを、わたしは心から悔んでいるんです。まあ、よしましょう、やさしい妻に対するやさしい良人のげにもふさわしいoraison funèbre（弔辞）は、このくらいでたくさんです。喧嘩《けんか》をしたようなときは、わたしはたいてい沈黙を守って、いきり立たないようにつとめました、そしてこの紳士的な態度がいつもほぼ目的を達しました。それがあれに影響して、むしろそれを好いてくれたようでした。ときには、わたしを自慢にしたことさえありましたよ。しかし、あなたの妹さんには、やはり堪えられなかったんですね。それにしてもどうして、あんな美しい方を家庭教師に迎えるなんて、思いきったことをしたのだろう！　わたしの考えでは、マルファ・ペトローヴナははげしい感じやすい女だから、自分がいきなりあなたの妹さんに惚《ほ》れこんでしまったんだろうと思いますね、――文字どおり惚れこんだんですよ。うん、あの妹さんではねえ！　わたしは、一目見て、これはまずいことになる、とはっきりさとりましたよ。そして、嘘だと思うかもしれませんが、――あの方を見ない決心をしたんですよ。ところがどうでしょう、あなたには信じられないかもしれませんが、アヴドーチヤ・ロマーノヴナのほうから第一歩を踏み出したのです。これもまさかと思うでしょうが、マルファ・ペトローヴナは妹さんにすっかり夢中になってしまって、わたしがひとつも妹さんの噂《うわさ》をしない、あれがいくら妹さんのことをほめても返事をしないと言って、わたしを怒り出す始末です。あれの気持が、わたしにはさっぱりわかりません！　マルファ・ペトローヴナは、もうむろん、わたしのことはすっかりアヴドーチヤ・ロマーノヴナに話していました。あれには、わたしたちの家庭の秘密をそれこそ誰にでも打ち明けて、たえずわたしのことをこぼすという、あわれな癖がありましてな。どうしてこの新しい美しい友を見逃すはずがありましょう？　どうやら、二人の間には、わたし以外の話題はなかったようです、で、わたしのせいにされている、あらゆる暗い人聞きをはばかるような話が、アヴドーチヤ・ロマーノヴナの耳に入ったことは、もう疑いがありません……賭《か》けをしてもいいですよ、あなたもきっとこうした類《たぐ》いの話を何かお聞きになったでしょう？」

「聞きました。あなたがある女の子を死に追いやるようなことまでしたとかって、ルージンが非難していましたよ。ほんとうですか？」

「どうか、そういう下司《げす》なことは言わんでほしいですな」とスヴィドリガイロフは嫌な顔をして、不満そうに言った。「そうした阿呆《あほ》くさい話をどうしても聞きたいとおっしゃるなら、いずれ改めてお話しましょう、だがいまは……」

「また、村のあなたの下男の噂も聞きましたよ、これもあなたが何かの原因になっていたとか」

「どうか、もうやめてください！」とスヴィドリガイロフはまた露骨に苛々《いらいら》しながらさえぎった。

「それは死んでからあなたのパイプに煙草《たばこ》をつめに来たとかいう、その下男じゃありませんか……いつか自分でぼくにおしえた？」とラスコーリニコフはますます苛立ってきた。

スヴィドリガイロフは注意深くじっとラスコーリニコフを見た、すると相手の目の中に、毒々しいうす笑いが、稲妻のように、ちらと浮んだような気がした。しかしスヴィドリガイロフは自分を抑えて、至極ていねいに答えた。

「そう、その下男ですよ。どうやら、あなたもこうしたことにひどく興味をお持ちらしいですな、いいでしょう、そういう機会があり次第、あらゆる点にわたってあなたの好奇心を満足させてさしあげましょう。いやになりますよ！　どうも、ほんとうにわたしは、誰やらの目には小説的な人間に見えるらしいですな。どうです、こうなると死んだマルファ・ペトローヴナにはどれほど感謝していいやらわかりませんな、なにしろあなたの妹さんにわたしのことをこれほど神秘的な興味ある人間として吹き込んでくれたんですからねえ。人の胸の中は判断できませんが、とにかくこれはわたしにとって有利でした。アヴドーチヤ・ロマーノヴナは本能的にわたしを嫌《きら》っていましたし、わたしはわたしでいつも暗いいやな顔をしていましたが――それでもやはり、ついには、妹さんはわたしをあわれに思うようになりました。亡《ほろ》んでいく人間に対するあわれみです。娘の心にあわれみの気持が生れると、それが娘にとってもっとも危険なことは言うまでもありません。そうなるときっと《救って》やりたい、目をさまさせたい、もう一度立ち上がらせたい、もっと高尚《こうしょう》な目的に向かわせたい、新しい生活と活動に更生させたい、という気持になります、――まあ、こうした空想にふけるものですよ。わたしはとっさに、小鳥さん自分から網にとびこんでくるな、と見てとったから、こっちもその心構えをしたわけです。おや、ロジオン・ロマーヌイチ、顔をしかめたようですね？　大丈夫ですよ、ご存じのように、大したこともなくすんだわけですから。（チエッ、やけに酒がすすむぞ！）実はね、わたしはいつも、はじめから、運命があなたの妹さんを二世紀か三世紀頃《ごろ》のどこかの領主か、王侯か、あるいは小アジアあたりの総督の娘に生れさせてくれなかったのを、残念に思っていたんですよ。あの方は、疑いもなく、どんな苦難にも堪え得た女性たちの一人になれたでしょうし、真っ赤に焼けたコテを胸に押しつけられても、にっこり笑っていられたにちがいありません。あの方は自分から進んでそうした苦難におもむかれたはずです、そして四世紀頃に生きていたら、エジプトの砂漠《さばく》へ世を逃《のが》れて、木の根と陶酔と幻を食べて三十年、そこで暮したにちがいありません。あの方は早く誰かのためにどんな苦しみかを受けたいと、それだけを渇望《かつぼう》しているのです、その苦しみをあたえなかったら、窓から飛び下りるかもしれません。わたしはラズミーヒン君とやらについて少し聞きました。思慮深い青年だそうですね（名は体《たい》をあらわす、ですか（訳注　ラズームというのは理知の意）、きっと神学生でしょう）、まあ妹さんを守らせたらいいでしょう。要するに、わたしは妹さんの気持が理解できたようだし、それを光栄と心得ています。だがあの頃は、つまりお知り合いになった当初ですがね、ご承知でしょうが、どうも軽はずみといいますか、考えが浅くなりがちで、観察をまちがったり、ありもしないものが見えたりするものです。チエッ、どうしてあの方はあんなに美しいんだ？　わたしの罪じゃない！　要するに、あれはもうどうにも抑えのきかぬ欲情の爆発からはじまったんです。アヴドーチヤ・ロマーノヴナはおそろしいほど、聞いたことも見たこともないほど、清純な娘さんです。（いいですか、わたしはあなたの妹さんについてこのことをありのままの事実としてあなたに伝えるのですが、ほんとにあれほどの広い知識を持ちながらねえ、おかしいほどですよ、そしてこれがあのひとの妨げになるでしょうな）。その頃たまたま家にパラーシャという娘がいたんですよ。他の村から連れて来《こ》られたばかりの小間使いで、わたしははじめて見たわけですが、黒い瞳《ひとみ》のとっても可愛《かわい》らしい娘なんですが、頭のほうは嘘みたいに弱いんですよ。泣いて、邸中《やしきじゅう》に聞えるような悲鳴を上げたものだから、いい恥をかかされましたよ。ある日、昼飯の後でしたが、わたしが庭の並木道に一人でいるところを見つけて、アヴドーチヤ・ロマーノヴナが目をうるませながら、かわいそうなパラーシャにかまわないでくれと、わたしに要求したんです。二人きりで言葉を交わしたのは、これがおそらく最初だったでしょう。わたしは、もちろん、あの方の希望をかなえてやることを光栄と考えて、つとめて恐れ入ったような、穴があったら入りたいような素振りを見せましたよ。まあ、要するに、うまく芝居をしたわけですな。それから交渉がはじまりました。ひそかな話し合い、いましめ、さとし、嘆願、哀願、涙さえ流して、——信じられますか、涙さえ流したんですよ！　まったくねえ、娘さんによっては、伝道に対する情熱がこうまではげしくなるものですよ！　わたしは、もちろん、すべてを運命のせいにして、光明を渇望するようなふりをしました。そしてついに、婦人の心を屈服させる偉大な、しかもぜったいに外れのない手段を発動させました。この手段はぜったいに誰をも欺《あざむ》いたことがなく、一人の例外もなく、全女性に決定的な作用をするものです。この手段とは、誰でも知っている——例のお世辞というやつですよ。この世の中には正直ほど難かしいものはないし、お世辞ほどやさしいものはありません。もしも正直の中に百分の一でも嘘らしい音符がまじっていたら、たちまち不協和音が生れて、そのあとに来るのは——スキャンダルです。またその反対にお世辞はたとい最後の一音符まで嘘でかたまっていても、耳にこころよく、聞いていて悪い気持がしないものです。たといごつごつした満足でも、やはり満足にちがいはありませんよ。そしてどんな無茶なお世辞でも、必ず少なくとも半分はほんとうらしく思えるものです。しかもこれがどんな文化人でも、社会のどんな階層でもそうなんですよ。お世辞にかかっては尼さんだって誘惑されますよ。だから、普通の人々ならもう言うまでもありません。思い出すと、笑わずにはいられないんですが、あるとき、良人以外の男は男と思わず、子供たちの養育と慈善行為に身を捧《ささ》げている貴婦人を誘惑したことがありましたよ。実に愉快でしたね。しかもなんのことはない、ころりですからねえ！　貴婦人はたしかに慈善家でしたよ、少なくとも自分で思っている程度にはね。わたしの戦術は簡単です、たえず婦人の貞節に粉砕されて、ただただそのまえにひれ伏していただけなんです。わたしは恥ずかしげもなくお世辞を並べました。そしてたまに握手を恵まれたりすると、ちらとまなざしをあたえられただけでも、すぐに、これは力ずくで婦人から奪ったのだ、婦人はさからった、あんなにさからったのだから、わたしがこんないけない男でなければ、きっと何も受けられなかったにちがいない、婦人は心が清らかなために、こちらのずるい計略が見破られないで、自分でも知らずに、心にもなくこんなことをしてしまったのだ、てなぐあいに自分を責めるわけです。結局、わたしは目的を達しました。ところがわが愛すべき貴婦人は、自分は貞節ですこしもけがれていない、あらゆる義務はちゃんと行なっている、ただまったく思いがけなく身をあたえてしまっただけだと、固く信じこんでいたわけです。だからわたしが最後に、わたしのいつわらぬ確信によれば、婦人もわたしと同じように快楽を求めていたのですね、と言ってやったときの、婦人の怒りようったらなかったですね。かわいそうなマルファ・ペトローヴナもお世辞にはおそろしく弱い女でした、だからわたしがその気にさえなれば、あれの生きている間にあれの全財産をわたしの名義に書きかえさせるくらい、わけなくできたんですよ。（しかし、まあずいぶん飲んで、よくしゃべりますなあ）。ところで、こんなことをいって、怒られると困りますが、この効果がアヴドーチヤ・ロマーノヴナにもあらわれはじめたんです。ところがわたしがばかで、気が急《せ》いたために、すっかりぶちこわしてしまったんですよ。アヴドーチヤ・ロマーノヴナはそれまでも何度か、（一度などは特に）わたしの目の表情をひどく嫌いました。こんなことが信じられますか？　要するに、わたしの目にはある種の炎がますますはげしく、不用意に燃え立ってきたわけで、これが妹さんを怯《おび》えさせるようになり、しまいには、それが嫌悪《けんお》にかわってしまったわけです。こまごまと言う必要はありませんが、とにかくわたしたちは別れました。そこでわたしはまたばかなことをしたんですよ。あのひとのおしえやらさとしやらを思いきり乱暴に愚弄《ぐろう》したわけです。パラーシャがまた登場しました。しかも彼女一人だけじゃありません、――要するに、またソドムがはじまったわけです。まったく、一度でいいからあなたに見せてあげたいくらいですよ、ロジオン・ロマーヌイチ、ときどき妹さんの目がどんなに美しくきらきら光るか！　わたしはいますこし酔ってますよ、もうコップ一杯の酒を乾《ほ》しましたからな、でもそんなことはなんでもありません、わたしはほんとのことを言ってるんです。その目をわたしは夢に見たんですよ、嘘じゃありませんよ。衣《きぬ》ずれの音を聞くと、もうがまんができませんでした。ほんとに、わたしは倒れるのではないかと思いました。わたしがこんなに狂うほど好きになれるとは、まさか思いもよりませんでした。要するに、なんとか和解したかったのですが、それはもうできない相談でした。そこで、どうでしょう、わたしが何をしたと思います？　かっとなると人間はどこまでばかになれるものでしょう！　かっとなったときは、決して何もしてはいけませんよ、ロジオン・ロマーヌイチ。アヴドーチヤ・ロマーノヴナがほんとうは貧しい娘で（あッ、ごめんなさい、わたしは何も……でも、どうせ同じことじゃありませんか、ねえ、言おうとする意味が同じなんですから？）要するに、自分で働いて暮していて、それに母とあなたの生活までみている（あッ、いけない、また嫌な顔をなさいましたね……）ことを計算に入れて、わたしは有金《ありがね》を提供する決意をしたわけです（その頃でも、三万ルーブリくらいはなんとかすることができたので）、ただしこのペテルブルグへでもいいから、いっしょに逃げてくれるという条件で。そこでわたしは永遠の愛、幸福等々を誓ったことは、言うまでもありません。信じられないでしょうが、わたしはもうすっかり愛に目がくらんでいたのです。マルファ・ペトローヴナを斬《き》り殺すか、毒殺するかして、わたしと結婚して、と言ってくれたら、わたしは即座にそれを実行したでしょう！　だが、すべてはあなたももうご存じのように、破局におわりました。そしてマルファ・ペトローヴナがあの卑劣きわまる小役人のルージンを持ち出して、結婚話をまとめかけたのを知ったとき、わたしの狂憤がどれほどであったかは、あなたにもわかってもらえると思います、――こんな結婚なら、わたしが提案したことと、本質的には同じことじゃありませんか、そうじゃありませんか？　そうじゃありませんか？　そうでしょう？　どうやら、ひどく熱心に聞いてくれるようになりましたね……おもしろい青年だ……」

スヴィドリガイロフはじれったそうに拳骨《げんこつ》でどしんとテーブルを叩《たた》いた。顔が真っ赤になった。いつの間にかちびりちびり飲みほしてしまった一杯か一杯半のシャンパンが、悪くきいてきたのを、ラスコーリニコフははっきり見てとった、――そしてこの機会を利用することに決めた。彼にはスヴィドリガイロフがなんとしても臭く思えてならなかった。

「なるほど、それを聞いてぼくは確信を深めましたね、あなたがこちらへ来たのは、妹のことが頭にあったからでしょう」と彼はもっとスヴィドリガイロフを苛々させてやろうという気持をかくさずに、ずばりと言ってのけた。

「えい、もうよしましょうよ」と、急に気がついたように、スヴィドリガイロフはあわてて言った。「もうあなたに話したじゃありませんか……それに、妹さんはわたしにがまんができないらしいし」

「そう、それはたしかですね、ほんとにがまんができないらしい、でもいまはそんなことは問題じゃありませんよ」

「じゃあなたもそう思いますか、がまんができないって？（スヴィドリガイロフは目をそばめて、あざけるようににやりと笑った）。あなたのおっしゃるように、たしかに妹さんはわたしを愛していません、しかしですよ、夫婦の間、あるいは恋人同士の間にあったことは、決して保証なさらんほうがいいでしょうな。そこには必ず、当人たちだけしか知らない、世界中の誰にも知られずにのこされている、秘密の片隅《かたすみ》があるものです。アヴドーチヤ・ロマーノヴナがわたしを嫌悪の目で見ていたと、あなたは保証できますか？」

「あなたの話の中にでてきたいくつかの言葉、ちょっとした口のはしから、ぼくは、あなたがいまでもドゥーニャに対してあなたらしい目論見《もくろみ》と、せっぱつまった計画を持っていることを認めますね。もちろん卑劣な計画にきまってます」

「なんですと！　わたしがそんな言葉をもらしましたか？」と、不意にスヴィドリガイロフは、彼の計画の上につけられた形容詞には少しの注意もはらわずに、まるで子供みたいにびっくりした。

「そう、いまでももらしてますよ。でも、例えば何を、そんなに恐れているんです？　どうしていま急におどろいたのです？」

「わたしが恐れている、おどろいた？　あなたを恐れている？　むしろあなたがわたしを恐れにゃならんでしょうな、cher ami（親愛なる友よ）おや、なんてばかなことを……どうも、酔いましたよ、自分でもわかります。また口をすべらすところでしたよ。酒はやめた！　おおい、水だ！」

彼はびんをつかんで、乱暴に窓の外へほうり投げた。フィリップが水を持ってきた。

「いまのはみなばかなたわごとですよ」とスヴィドリガイロフはタオルを濡《ぬ》らして、それを頭にのせながら、言った。「わたしは一言であなたをしゅんとさせて、あなたの疑惑をすっかりはらすことができますよ。例えばですね、わたしが結婚することを、ご存じですか？」

「それはもうまえにも言いましたよ」

「言いましたか？　忘れてました。でも、あのときはまだはっきりそうとは言わなかったはずです。だってまだ相手がいなかったし、ただそう思っていただけですもの。ところが、いまはもうちゃんと相手がいますし、話もきまったんです。いまもしのっぴきならぬ用件さえなければ、早速、無理にもお連れするんですが——あなたのご意見をうかがいたいと思いましてね。あッ、いけない！　あと十分しかない。そら、時計をごらんなさい。でも、これは話しましょう、わたしの結婚ですがね、傑作なんですよ、一風変ってましてね、——おや、どこへ？　また帰るつもりですか？」

「いや、もうこうなったら帰りません」

「帰らない、ぜったいに？　さあどうですかな！　あなたをお連れしますよ、それはほんとです、相手の娘を見せます、でもいまじゃありません、いまはもうじきあなたもお出かけでしょう。あなたは右、わたしは左です。あのレスリッヒ夫人をご存じですか？　ほら、わたしがいま間借りしているあのレスリッヒ夫人ですよ、え？　わかりますか？　いやいや、あなたは何を考えてるんです、ほら、少女が、冬のさ中に、川へ身を投げたとかいう噂のある、あの夫人ですよ、——え、わかります？　わかりますか？　そう、その夫人が今度のことはすっかり世話してくれたんですよ。おまえさんもこれじゃ淋《さび》しいだろう、まあ気晴らしをなさいな、ってね。わたしはたしかに暗い、淋しい人間ですよ。どうです、にぎやかな男に見えますか？　いや、陰気な人間ですよ。別に悪いことはしませんが、隅っこにもそっと坐《すわ》っています。どうかすると三日も口をきかないことがあるんです。あのレスリッヒという女はしたたかな悪党ですよ。はっきり言いますが、こんなことを考えているんです。つまりわたしが飽きて、妻を捨てたらですね、妻をひきとって、よそへまわす、つまりわれわれの階級か、その少し上の誰かを見つけて押しつけようというわけです。あの女の言うのには、父親は老衰しきった退職官吏で、安楽椅子《あんらくいす》に坐ったきり、もう三年も足を動かしたことがないそうだし、母親は、なかなかものわかった婦人で、いいお母さんだそうですよ。息子が一人どっかの県に勤めているが、仕送りはしてくれない。娘は嫁に行ったきり、訪ねて来《こ》ない。それでいて、自分の子供だけで足りないで、小さな甥《おい》を二人もひきとっている。末娘は女学校を中途でやめさせて、家へ連れもどした。この末娘が一カ月すると満十六になる、つまり一月《ひとつき》すれば嫁にやれるというわけで、それをわたしの嫁にというんですよ。わたしたちは先方へ行ってみました。いや、実に滑稽でしたよ。わたしはこう自分を紹介しました、——地主で、妻に死なれ、由緒《ゆいしょ》ある家柄《いえがら》で、これこれの親戚《しんせき》があり、財産がある、とね。わたしが五十歳で、先方が十六だからって、それがどうしたというんです？　誰がそんなことを気にします？　どうです、ぐらッとなるじゃありませんか、え？　うまい話でしょうが、は！　は！　親父《おやじ》さんとおふくろさんを相手に、わたしが熱を入れて話しこんだところは、実際あなたに見せたかったですよ！　そのときのわたしは、まあただでは見せられませんな。娘が出てきて、ちょいと腰を屈《かが》めて会釈《えしゃく》をしましたが、あなた、どうでしょう、まだ裾《すそ》の短い服を着て、まだかたい蕾《つぼみ》ですよ。頰《ほお》をそめて、朝やけみたいに、ぽっと顔を赤らめるじゃありませんか（むろん、もう聞かされていたわけですよ）。女の顔について、あなたはどんなご意見をお持ちか知りませんが、わたしに言わせれば、この十六歳という年ごろ、まだ子供っぽい目、おどおどした物腰、はじらいの涙、――これは美以上だと思いますな。しかもそれに加うるにですよ、その娘は絵に描いたように美しいんですよ。アストラカンのようにこまかく巻いて幾重にも垂れている明るい髪、ふっくらとやわらかい真っ赤な小さな唇《くちびる》、かわいらしい足、――素敵ですなあ！……こうして知り合いになると、わたしは家庭の都合で急ぐからと言ったんですよ、するとその翌日には、つまり一昨日《おととい》ですな、もう婚約がきまって、祝福されたんですよ。それからは、わたしが行くと、すぐに彼女を膝《ひざ》の上に抱きあげて、はなそうとしない……だから、彼女は朝やけのようにぽっと頰をそめる、わたしはのべつ接吻《せっぷん》をくりかえす。お母さんは、むろん、この方はおまえの良人となる人なんだよ、だからさからったりしちゃいけませんよ、とおしえこむ、要するに、天国ですよ！　まあ、いまのこの婚約の状態のほうが、ほんとの話、良人になってからよりもいいかもしれませんて。ここにはいわゆる la nature et la vérité!（自然さと誠実さ）というものがありますよ！　は！　は！　わたしは彼女と二度ほど話しましたが、――どうしてなかなか利口な娘ですよ。ときどきそっとわたしを見るんですが、――まさに燃える瞳ってやつですよ。ねえ、顔はラファエロのマドンナに似ているんですよ。シスチナのマドンナは幻想的な顔、痴愚を装う悲しめる予言者みたいな顔をしてるでしょう、それに気がつきませんでしたか？　まあ、そんな顔なんですよ。祝福を受けると、そのあくる日早速千五百ルーブリの支度金を持って行きました。金剛石の装飾品を一つ、真珠を一つ、それに銀の化粧箱――こんな大きさで、中にいろんなものが入っていて、これにはさすがのマドンナの顔も、嬉《うれ》しさに真っ赤になりましたよ。昨日わたしは彼女を膝の上にのせたんですが、きっと、あまりにも無遠慮すぎたんでしょうな、――真っ赤になって、涙をぽとぽとこぼしましたよ、そしてとりみだすまいとして抑えているんだが、身体《からだ》がかっかとほてっているんですよ。そのうち、みんなが席をはずして、しばらくの間二人きりになったんですが、いきなりわたしの首にとびついて（彼女がこんなことをしたのは、はじめてなんですよ）、小さな手でわたしを抱きしめ、接吻をしながら、素直

で貞淑ない い妻になります、きっとあなたを幸福にします、生涯《しょうがい》を、生活のすべてをあなたに捧げ、何もかもすっかり犠牲にします、そしてあなたからはただ一つ尊敬だけをよせていただければそれで十分です、なんて誓うんです、そしてもうこれ以上《何も、何もいりません、どんな贈りものもなさらないでください》なんて言うじゃありませんか。どうです、こんな十六歳の天使のような娘と二人きりでいるとき、処女のはじらいに頰をそめ、目を感激の涙にうるませながら、こんな告白を聞かされてごらんなさいよ、――これが誘惑でなくて何でしょう。ぐらッとなるじゃありませんか！男冥利《おとこみようり》に尽きるじゃありませんか、え？　まあ、安くはないでしょう？　え……どうです……まあ、わたしの許嫁《いいなずけ》のところへお連れしますよ……ただし、いまはまずいですがね！」

「つまり、その年齢と成長のおそるべき差があなたの情欲をそそるわけですね！　しかし、あなたはほんとにそんな結婚をするつもりですか？」

「どうして？　しますよ。誰だって自分のことは自分で考えますよ、そして誰よりも自分をうまく欺《だま》せる者が、誰よりも楽しく暮せるってわけですよ。は！　は！　どうしてあなたはそう善行とやらに驀進《ばくしん》するんです？　大目に見てくださいよ、わたしは罪深い人間なんだから。へ！　へ！　へ！」

「でもあなたは、カテリーナ・イワーノヴナの子供たちを世話したじゃありませんか。しかし……しかし、あなたにはそれなりの理由があったんだ――なるほど、そうだったのか」

「子供はだいたい好きですよ、ひどく好きなんですよ」とスヴィドリガイロフは声を立てて笑いだした。「このことでは、実におもしろいエピソードが一つあるんですよ、それがいまだにつづいてるんですがね、なんならお話ししましょうか。到着したその日に、わたしは早速方々の魔窟《まくつ》をうろつきました。なにしろ、七年ご無沙汰《ぶさた》したわけですからな。あなたも多分お気づきでしょうが、むかし仲間の友人や知人たちとは、そうあわてて会おうという気にはならんのですよ。まあ、できるだけ長く、会わずにすまそうと思いましてね。実は、マルファ・ペトローヴナの村で、このさまざまな秘密の場所の思い出が、死ぬほどわたしを苦しめたんですよ。なにしろこの場所は、馴染《なじ》みになれば、いろんな穴が見つかるんでねえ。こたえられませんよ！　誰も彼も酔っぱらっている。教育ある青年たちが退屈のあまり実りそうもない夢や妄想《もうそう》に情熱をもやして、片輪な理論におぼれていく。どこからともなくユダヤ人どもが集まって来て、金をさらってしまう。あとの連中は女と酒におぼれている。というわけで、到着するとすぐに、この町はわたしの顔になつかしい匂《にお》いを吹きかけてくれたんですよ。わたしはある舞踏会と称するものへ迷いこみました、——恐ろしく不潔な店です（なにしろわたしは魔窟はきたないほど好きでしてな）。もちろん、カンカン踊りをやってましたよ、とてもほかでは見られないし、われわれの時代にはなかったやつです。うん、ここにも進歩があるわけだ。ふと見ると、かわいらしい衣装をつけた十三ばかりの少女が、達者な男と向きあって、踊っている。壁際《かべぎわ》の椅子に母親がちょこんと坐っている。それが、どんなカンカンか、あなたにはとても想像もつかんでしょうな！　少女はどぎまぎして、顔を赤らめていましたが、しまいに恥ずかしがって、泣き出してしまいました。男は少女を抱き上げて、くるくるまわしながら、そのまえでいろいろな格好をして見せるんです、まわりがどっと笑い立てます、——こんなとき、たとえそれがカンカンファンのような連中でも、わあわあ笑ったり騒いだりしている人々を見るのが、わたしは好きなんですよ。《うまい。そこだ！　子供はおことわりだ！》なんてどなっています。わたしはまっぴらですね、しかし目にかど立てることもありませんよ、論理的にせよ、非論理的にせよ、みんな楽しんでるわけですからな！　わたしはすぐに一計を案じて、母親のそばに坐りこみ、わたしもよそから来た者だが、という話から、ここにいるのはどいつもこいつも教養のない連中ばかりで、真の才能というものの見分けがつかないから、相応の尊敬をはらうこともできないのだ、などと言って、金があることを匂《にお》わし、馬車で送ることを申し出たわけです。家まで送って、知り合いになりました。(田舎から出て来たばかりで、小さな部屋に間借りしてるんです)。わたしと知り合いになれたことを、母親も娘も光栄と以外には考えられません、というようなことを言いました。聞いてみると、まったくの無一文で、どこかの役所に何かの運動をするために出て来たとのことで、わたしは骨を折ってあげることと、金銭の援助をすることを申し出ました。母娘《おやこ》はほんとうにダンスを教えてくれるのかと思って、あんなこととは知らずに舞踏会へ行ったそうです。そこで娘さんのフランス語とダンスの教育を援助しましょうと申し出ると、母娘は光栄の至りですと、喜んで受けてくれましたよ。いまでも、交際しています……何なら、お連れしましょうか、——ただし、いまはだめですよ」

「やめてください、そんな卑劣な、下等な話は聞きたくありません、あなたはなんというだらけきった、下司な、好色な人間なんだろう!」

「シラーですな、わが愛すべきシラー、まさにシラーですよ! Où va-t-elle la vertu se nicher?(美徳の巣くわぬところいずこにかある?)実はね、わざとこんな話をするんですよ、あなたの叫び声が聞きたくてね。いい気持ですよ!」

「そりゃそうでしょうよ。こんなときの自分が、ぼく自身にも滑稽でないと思いますか？」とラスコーリニコフは意地悪くつぶやいた。

スヴィドリガイロフは大口をあいて笑った。やがて彼は、フィリップを呼んで、勘定をすますと、席を立ちかけた。

「やれやれ、酔いましたな、assez causé!（おしゃべりはもうたくさんだ！）」と彼は言った、「いや、実に愉快でした！」

「そりゃ、愉快でないはずがないでしょうよ」とラスコーリニコフも腰を上げながら、とげとげしく言った。「歴戦の色事師がですよ、何か怪しげな下心を持って、こんな情事の話をすることが、楽しくないはずがありませんよ、おまけにこんな事情の下に、ぼくのような男にするんですからな……燃えるわけですよ」

「ほう、もしそうなら」とスヴィドリガイロフはいくらかおどろいた様子で、ラスコーリニコフをじろじろ見まわしながら、答えた。「もしそうなら、あなたもかなりの冷笑家《シニック》だ。少なくとも素質は大いにある。多くのものを認識できる、多く……それに実行もできる。でも、まあよしましょう。あまり話ができなかったのが、実に残念ですな、でもあなたはわたしから逃げられませんよ……まあ、しばらく待つんですな……」

スヴィドリガイロフは居酒屋から出て行った。ラスコーリニコフはそのあとにつづいた。スヴィドリガイロフは、しかし、それほど酔ってはいなかった。一時ちょっと頭にきただけで、酔いはしだいにさめていった。彼は何かひどく気になることがあるらしかった、何かきわめて重大なことらしく、気難かしい顔をしていた。何かの期待が彼の胸を騒がせ、不安にしているらしかった。ラスコーリニコフに対しても、おわり頃どういうわけか急に態度が変って、彼は急速に乱暴なさげすむような態度になった。ラスコーリニコフもそれに気付いて、やはり不安になった。彼にはスヴィドリガイロフがいよいよ疑わしく思われてきて、あとをつけてみることに決めた。

歩道に出た。

「あなたは右、わたしは左ですよ、それとも、反対かな、いずれにしても――adieu, mon plaisir.（さらば、わが喜びよ）ではまたお会いしましょう！」

そして彼は右へ折れてセンナヤ広場のほうへ歩きだした。

5

ラスコーリニコフは彼のあとについて行った。

「どうしたんです！」と、振り向きながら、スヴィドリガイロフは叫んだ。「わたしは言ったはずですよ……」

「どうもしませんよ、ぼくはもうあなたからはなれないということですよ」

「なんですと？」

二人とも立ちどまって、互いに相手の腹をさぐるように、一分ほどじっと目と目を見交わした。

「あなたがいま酔い半分でまくし立てた話から」とラスコーリニコフは鋭くはねのけるように言った。「あなたがぼくの妹に対する卑劣きわまる計画を捨てていないどころか、かえってまえよりも強くそれに没頭していることを、ぼくははっきりと見てとったのです。ぼくは今朝妹がある手紙を受け取ったことを知ってます。さっきあなたはなんとなく腰が落ち着かない様子だった……よしんば、あなたが途中どこかで妻を掘り出すことができたとしても、そんなことはなんの意味もありません。ぼくはこの目でたしかめたいんです……」

ラスコーリニコフは、自分がいま何を望んでいるのか、自分の目で何をたしかめようというのか、自分でもほとんどわからなかった。

「そうかね！　お望みなら、すぐに警察を呼びますよ？」

「呼びなさい！」

彼らはまた向きあったまま一分ほど立っていた。とうとう、スヴィドリガイロフの顔が変った。ラスコーリニコフがおどしにのらないことを見てとると、彼は急ににこやかな、いかにも親しそうな顔つきになった。

「まったくおかしな人だ！　わたしはね、わざとあなたの事件を話に出さなかったんですよ。そりゃむろん、好奇心でうずうずしてましたがね。なにしろファンタスチックな事件ですからな。次までのばしておこうと思ったんですよ、でも、たしかに、あなたは死んだ人間まで怒らせることのできる人だ……じゃ、行きましょう、ただことわっておくけど、わたしはこれからちょっと家へ寄って、金をとり、それから部屋の鍵《かぎ》をしめて、馬車を雇って、島のほうへ行くんですよ、夜おそくまで。だから、ついて来《こ》ようたって無理ですよ！」

「ぼくもさしあたり家へ行きましょう、といってあなたの家じゃありませんよ、ソーフィヤ・セミョーノヴナのところです、葬式に行かなかった詫《わ》びを言いに」

「お好きなように、でもソーフィヤ・セミョーノヴナは家にいませんよ。あのひとは子供たちをある婦人のもとへ連れて行きましたよ。ある名門の老婦人ですがね、わたしの昔からの知り合いで、いくつかの孤児院の管理をしている婦人ですよ。わたしはカテリーナ・イワーノヴナの三人の遺児の養育料として金をわたし、そのうえさらに孤児院に金を寄付して、この老婦人を籠絡《ろうらく》したんですよ。最後に、ソーフィヤ・セミヨーノヴナの話を、何もかも包みかくさず話しましてね。おどろくほどの効果でしたよ。それでソーフィヤ・セミョーノヴナに今日、婦人が別荘から出て来てしばらく滞在しているNホテルに、直接訪ねて来るように、ということになったわけですよ」

「かまいません、とにかく寄ってみます」

「勝手になさい、ただわたしはあなたたちとはちがいますからね、どうってことありませんよ！　そら、もう家ですよ。どうです、わたしはこう思っているんですがね、つまり、あなたがわたしを疑いの目で見るのは、わたしがあまりにデリケートで、いまだにいろんな質問であなたをわずらわさないからだとね……この意味がわかりますか？　あなたにはこれが異常なことに思われたんです。賭《か》けをしてもいいですよ、そうでしょう！　だから、これからはよくよく気をつけることですな！」

「そして戸口で盗み聞きなさるんですな！」

「おや、そのことを言ってるんですか！」とスヴィドリガイロフは笑いだした。「そうでしょうとも、あんなことがあったあとで、あなたが黙ってこれを見逃すようだったら、こっちがかえっておどろいたでしょうよ。は！　は！　そりゃわたしも、うすうすはわかりましたよ、だってあのときあなたが……あそこで……ソーフィヤ・セミョーノヴナをからかって、ぺらぺらしゃべってましたからねえ、でも、あれはいったいどういうことでしょう？　わたしはすっかり時代におくれてしまったらしく、もうさっぱり理解ができないんですよ。どうか、説明していただけませんか！　最新の思想で啓蒙《けいもう》してくださいな」

「何もあなたは聞きとれやしなかったんだ、あなたは嘘《うそ》を言ってるんだ！」

「いや、わたしはそのことを言ってるんじゃありませんよ、そのことじゃありませんよ（もっとも、少しは聞えましたがね）、いや、わたしが言うのは、あなたがしょっちゅう溜息《ためいき》ばかりついてることですよ！　あなたの中のシラーはのべつおろおろしている。だから今頃《いまごろ》になって、ドアのかげで盗み聞きするな、なんて言うんだ。そんなことなら、出るところへ出て、これこれこういうわけでこんな事件を起しました、理論にちょっとしたまちがいができたためです、と自白するんだね。もしも、ドアの外で盗み聞きをしてはいかん、しかし自分の満足のためなら、婆《ばあ》さんなんて手当りしだいのえもので叩《たた》っ殺してもいいんだ、という信念があるなら、早くアメリカへでも逃げなさい！　さっさと逃げることだ！　まだ大丈夫かもしれん。わたしは本気で言ってるんだよ。金がないのかね？　それならわたしが旅費をあげよう」

「そんなことはぜんぜん考えちゃいない」とラスコーリニコフは気色わるそうにさえぎった。

「わかりますよ（しかし、無理なさらんがいい。いやなら、あまりしゃべらんことだ）。わかりますよ、あなたがいまどんな問題に悩んでいるか。道徳の問題、かな？　市民と人間の問題でしょう？　でも、そんなものはわきへ押しやりなさい。いまのあなたにそんなものが何になります？　へ、へ！　まだやはり市民であり、人間だからかな？　それなら、こんなに出しゃばることはなかったわけだ。関係もないことに手を出すことはありませんからな。まあ、ピストル自殺をするんですな。それとも、おいやかな？」

「あなたはわざとぼくを怒らせようとしてるんでしょう、ただぼくを追っ払うために……」

「あなたもおかしな人だ。そらもう来ましたよ、どうぞ階段をのぼってください。あれがソーフィヤ・セミョーノヴナの部屋の入り口ですよ、ごらんなさい、誰《だれ》もいませんから！　嘘だと思いますか？　カペルナウモフに聞いてごらん、外出のときはいつも鍵をあずけるんですから。おや、ちょうどいい、マダム・ド・カペルナウモフですよ、え？　なんですって？（この女は耳がすこし遠いんですよ）。出て行った？　どこへ？　ほらね、聞いたでしょう？　留守ですよ、多分、夜おそくまでもどらんでしょうな。じゃ、わたしの部屋に行きましょうか。わたしの部屋にも来たかったんでしょう？　さあ、来ました。マダム・レスリッヒは留守です。年中せかせか歩きまわってるんですよ、でも気はいいんです、ほんとですよ……もしかしたら、あなたの役に立つかもしれませんよ、あなたがもう少し冷静になればですがね。さてと、いいですか、わたしはデスクから五分利の債券を一枚とります。（ほら、まだこんなにありますよ！）これは今日両替屋で現金にかえるんですよ。ごらんになりましたね？　これ以上時間をつぶしてはいられません。そこでデスクの鍵をかけ、部屋の戸をしめて、さあ、また階段に出ました。さあ、よろしかったら、馬車を雇いましょう。わたしは島へ行くんですよ。どうです、馬車にゆられてみては？　わたしはこの馬車でエラーギン島へ行くんですよ、え？　ことわるって？　根負けしましたか？　すこしどうです、別にかまいませんよ。雨がおちて来そうですが、平気ですよ、幌《ほろ》を下ろしますから……」

スヴィドリガイロフはもう馬車に乗っていた。ラスコーリニコフは、自分の疑惑が少なくともいまだけはまちがっていた、と判断した。一言も答えずに、彼はくるりと向き直って、いま来た道をセンナヤ広場のほうへもどりはじめた。途中一度でも振り返ったら、彼は、スヴィドリガイロフが百歩も行かないうちに、御者に金を払って、馬車を下りたのを見ることができたはずだ。しかし彼はもう何も見ることができなかった、そしてもう角を曲ってしまった。深い嫌悪《けんお》が彼をスヴィドリガイロフから引き放してしまったのである。《あんながさつな悪党から、あんな好色で卑劣な道楽者から、しばらくでも何かを期待する気になれたとは、なんということだ！》と、彼は思わず叫んだ。ラスコーリニコフがこの判断をあまりにも軽率に急ぎすぎたことは、たしかだ。スヴィドリガイロフの様子には、秘密とは言えないまでも、少なくともどことなく変ったところがあったはずである。そうしたいろいろなことの中で、妹に関してだけは、ラスコーリニコフはやはり、スヴィドリガイロフが手をひくまいという確信をすてなかった。しかしそうしたいろいろのことをああでもないこうでもないと考えるのが、どうにも辛《つら》くて、堪えられなくなった！

彼はいつもの癖で、一人きりになると、二十歩ほど歩くと深い瞑想《めいそう》にしずんだ。橋まで来ると、手すりにもたれて、水面に目をおとした。いつの間に来たのか、彼の背後にアヴドーチヤ・ロマーノヴナが立っていた。

彼は橋のたもとで彼女に会ったのだが、見向きもしないで、通りすぎたのだった。ドゥーネチカはまだ一度も街でこんな兄を見かけたことがなかったので、すっかり驚いてしまった。彼女は立ちどまったが、声をかけていいのかどうか、わからなかった。不意に彼女はセンナヤ広場のほうから急ぎ足に近づいてくるスヴィドリガイロフの姿に気付いた。

しかし彼は、そっと注意深く近づいてくる様子だった。彼は橋へのぼらないで、ラスコーリニコフに見つからないようにひどく苦心しながら、横の歩道に立ちどまった。彼はドゥーニャにはもうさっきから気付いていて、しきりに合図をしはじめた。彼女にはその合図が、兄には声をかけないでそっとしておき、こちらへいらっしゃい、という意味らしく思われた。

ドゥーニャはそのとおりにした。彼女はそっと兄のうしろを通って、スヴィドリガイロフのほうへ近づいて行った。

「さあ、早く行きましょう」とスヴィドリガイロフは彼女に囁《ささや》いた。「わたしたちが会ったことを、ロジオン・ロマーヌイチに知られたくないのですよ。おことわりしておきますが、わたしたちはすぐそこの居酒屋にさっきまでいっしょにいたんですよ。彼はわたしをさがしに来て、偶然に出会ったわけです。逃げるのに苦労しましたよ。彼はどういうわけかわたしがあなたにやった手紙のことを知っていて、何かわたしを疑っているんです。むろん、あなたが言ったんじゃないでしょうね? だが、あなたでないとすると、いったい誰でしょう?」

「さあ、わたしたちもう角を曲りましたわ」とドゥーニャがさえぎった。「もう兄からは見えませんわ。おことわりしますけど、これから先には参りません。ここでお話しください。みな通りで立ってできる話ですもの」

「第一に、これはぜったいに通りでできる話ではありません。第二に、あなたはソーフィヤ・セミョーノヴナの話も聞くべきです。第三に、わたしはあなたに少しばかり証拠をお見せするつもりです……そうそう、それから最後に、もしあなたがわたしの部屋に来ることを承諾なさらなければ、わたしはいっさいの説明を拒否して、ただちに失礼します。その際は、あなたの最愛の兄さんの実に興味ある秘密が、完全にわたしの手の中ににぎられていることを、どうぞお忘れなく」

ドゥーニャは思案顔に立ちどまって、刺すような目でスヴィドリガイロフをにらんでいた。

「何が恐《こわ》いんです！」とスヴィドリガイロフはしずかに言った。「都会は村とちがいますよ。村でだって、むしろ被害者はわたしのほうでしたよ、だがここでは……」

「ソーフィヤ・セミョーノヴナには話してありますの？」

「いいえ、一言も言いませんでしたよ、それにいま家にいるかどうかさえ、はっきりはわかりません。でも、多分いると思いますがね。今日はお母さんの葬式でしたから、こんな日にお客に行くはずもないでしょう。ある時期が来るまでは、このことは誰にも言いたくないんです、あなたに知らせたのさえ、いくらか後悔してるんですよ。この際、ちょっとした不注意でも、密告したと同じことになりますからな。わたしはすぐそこの、ほら、あの家に住んでいるんですよ。もう来ました。あれがわたしたちの家の庭番ですよ。わたしをよく知っています、そらお辞儀したでしょう。あの男は、わたしが女のひとといっしょに来たのを見たわけです、むろん、もうあなたの顔をおぼえましたよ。あなたがひどく恐がって、わたしを疑っているとすれば、これがあなたにとって有利な条件になるわけですよ。ごめんなさい、こんな品のないことを言ったりして。わたしはここに間借りしてるんです。ソーフィヤ・セミョーノヴナは壁一つへだてたとなりに住んでます、やはり間借りです。この階は借家人でいっぱいですよ。子供みたいに、何を恐れることがあります？　それとも、わたしという人間はそれほど恐ろしい男ですかな？」

スヴィドリガイロフは顔をゆがめて、さも鷹揚《おうよう》そうに笑った。だが彼はもう笑っているどころではなかった。心臓がどきどきして、息が胸につまりそうだった。彼はますますはげしくなってくる興奮をかくすために、わざと大きな声でしゃべった。しかしドゥーニャはこの異常な興奮に気付かなかった。あなたは子供みたいに恐れている、わたしがそんなに恐い男か、と言われて、彼女はかっとなってしまったのである。

「あなたが……恥知らずな人だということは知ってますけど、すこしも恐れてはいませんわ。どうぞお先に」と彼女は言った。落ち着いているように見えたが、顔はひどく蒼《あお》かった。

スヴィドリガイロフはソーニャの部屋のまえに立ちどまった。

「ちょっとおうかがいしますが、いらっしゃるでしょうか？　いらっしゃらない。まずかったですね！　でも、じきにもどるはずですよ。出たとすれば、きっとある婦人のところでしょうから、みなし子になった弟妹たちのことで。母が死んだんですよ。わたしはここにもひっかかって、ちょっと世話をしたんですよ。もしソーフィヤ・セミョーノヴナが十分してもどらなかったら、あなたさえよければ、今日のうちにお宅へ伺わせましょう。さて、これがわたしの住まいです。この二部屋です。ドアの向うは主婦《おかみ》のレスリッヒ夫人の部屋です。ちょっとこちらを見てください、わたしの大事な証拠をお見せしましょう。わたしの寝室から、そらそのドアは、貸しに出ている二つのがらんとした空室に通じています。これがその空室です……これをちょっと注意して見てもらいたいんですが……」

スヴィドリガイロフは家具つきのかなり広い部屋を二間借りていた。ドゥーネチカは疑惑の目であたりを見まわしたが、部屋の装飾にも、間取りにも、別に変ったところは見えなかった。もっとも、ちょっと気になったといえば、スヴィドリガイロフの部屋の両隣がほとんど空室みたいになっていたことだった。彼の部屋の入り口は直接廊下からはつづいていないで、ほとんど空室のような主婦の部屋を二つ通らなければならなかった。スヴィドリガイロフは寝室から、鍵のかかっているドアを開けて、やはりがらんとした、貸しに出されている部屋をドゥーニャに見せた。ドゥーネチカは、なんのためにその部屋を見せられるのかわからずに、しきいの上に立ちどまった、するとスヴィドリガイロフは急いで説明した。

「さあ、こちらの、この二つ目の大きな部屋をごらんください。このドアに注意してください、鍵がかかってるでしょう。ドアのそばに椅子《いす》が一つおいてあります、この二つの部屋で椅子はこれ一つだけです。これはわたしが自分の部屋から持ってきたんですよ、聞きやすいようにね。このドアのすぐかげにソーフィヤ・セミョーノヴナのテーブルがあって、彼女がそのテーブルに坐《すわ》って、ロジオン・ロマーヌイチとお話をしたんです。で、わたしはここで、この椅子に腰かけて、盗み聞きをしたわけですよ、二晩つづけて、二度とも二時間くらいずつ、――ですから、むろん、うすうすは知ることができたというわけです、おわかりですね？」

「あなたが盗み聞きをしたのですか？」

「そうです、しましたよ。じゃ、わたしの部屋へ行きましょう、ここでは坐ることもできませんから」

彼はアヴドーチヤ・ロマーノヴナを客間につかっている一つ目の部屋へ案内して、椅子をすすめた。自分はテーブルの向う端に座をしめた。そこは彼女から少なくとも二メートルくらいは離れていたが、おそらく彼の目の中に、かつてドゥーニャをあれほど怯《おび》えさせたあの同じ炎が、もうめらめらと燃えていたにちがいない。彼女はぎくっとして、もう一度疑惑の目をあたりへ向けた。それは彼女の意にそむいた態度だった。なぜなら、明らかに、彼女は不信を相手に見せたくなかったからだ。だが、スヴィドリガイロフの部屋の一軒家のような状態が、とうとう彼女を不安にした。彼女は、せめて主婦《おかみ》だけでも家にいるのかと聞きたかったが、口に出さなかった……自分のプライドのために。それに、自分の身の不安よりも、比較にならぬほど大きなもう一つの苦しみが、彼女の心の中にあった。彼女は胸がはりさけそうな思いだった。

「この手紙はお返しします」と、手紙をテーブルの上において、彼女は口を開いた。「あなたがお書きになっているようなことが、あっていいものでしょうか？　あなたはある犯罪のことを、兄が犯したらしくほのめかしています。あんなにはっきりほのめかしているのですから、いまさら言いわけはできないでしょう。実は、あなたのお手紙をもらうまえにも、このばかばかしい話を聞きましたが、わたしはそんなことは一言も信じておりません。実にいまわしい、滑稽《こっけい》な嫌疑《けんぎ》ですわ。わたしはどうして、どんなところからそんな嫌疑が生れたのか、そのいきさつを知っております。あなたに証拠なんてあろうはずがありません。あなたは証拠を見せると約束なさいました、さあ見せてください！　でも、おことわりしておきますけど、わたしはあなたの言うことなど信じませんよ！　信じませんとも……」

ドゥーネチカはこれを早口で、急《せ》きこみながら言い終わると、とたんに顔がさっと赤くなった。

「もし信じていないなら危ない思いをして一人でここへいらっしゃるなんて、おかしいじゃありませんか？　なんのためにいらしたんです？　ただ好奇心からですか？」

「わたしを苦しめないで、さあ話してください、話してください！」

「あなたが勇気のある娘さんだということは、申すまでもありませんな。正直のところ、わたしは、あなたがラズミーヒン君に送って来てもらうものだと、思っていましたよ。ところが、あなたのそばにも、まわりにも、いなかった。わたしは注意して見たんですよ。相当思いきっている、つまり、ロジオン・ロマーヌイチをそっとしておきたかったわけだ。しかし、あなたはどこまで神々《こうごう》しいお方だ……あなたのお兄さんについては、わたしが何を言うことがあるでしょう？　いまご自分でごらんになりましたね。どんなでした？」

「それだけが、あなたの理由じゃありませんでしょう？」

「いや、それじゃありません、彼自身の言葉ですよ。となりのソーフィヤ・セミョーノヴナのもとへ、二晩つづけて訪ねて来ました。二人がどこに坐ったかは、いまおしえましたね。彼はすっかり彼女に懺悔《ざんげ》したのです。彼は人殺しです。彼は官吏の後家で、自分も品物をあずけていた金貸しの婆さんを、殺したのです。そのうえ、犯行の途中で偶然にもどって来た、婆さんの妹で、古着屋をやっていたリザヴェータという女をも、殺しました。二人とも、用意して行った斧《おの》で、殴り殺したのです。盗むために、殺したのです、そして盗みました。金と品物をすこし……彼は自分でその模様をすっかり丹念にソーフィヤ・セミョーノヴナに話したのです、だから彼女だけがその秘密を知ってるわけです、しかし彼女は言葉でも行為でも殺人には参加していません、それどころか、いまのあなたのように、おそろしさにちぢみ上がったのです。でも、ご安心なさい、彼女は彼を裏切るようなことはしません」

「そんなことあり得ないわ！」とドゥーネチカは死人のように蒼ざめた唇《くちびる》で呟《つぶや》いた。彼女は苦しそうにあえいでいた。「あり得ないわ、だって、これっぽっちの理由も、なんの動機も、ありませんもの……そんなこと嘘だわ！　嘘だわ！」

「ものを盗んだ、これが理由のすべてですよ。彼は金と品物をとった。もっとも、彼自身の告白によると、金も、品物も、つかわないで、どこかの石の下に埋めて、いまもそのままになっているそうだが。でもそれは、彼がつかう勇気がなかったからだ」

「兄さんに強盗ができるなんて、そんなことあるもんですか？　そんなこと考えることもできない人ですわ！」と叫んで、ドゥーニャはいきなり立ち上がった。「あなただって知ってるじゃありませんか、ごらんになったでしょう？　あの兄さんに泥棒《どろぼう》なんかできて？」

彼女はスヴィドリガイロフにすがりつくようにして言った。もう恐ろしいことなど、すっかり忘れていた。

「ここには、アヴドーチヤ・ロマーノヴナ、幾千、幾百万という要素がからみあってるんですよ。泥棒は盗みをしますが、その代りもう内心では、自分が卑劣な男だということを知っています。現にわたしは、ある名門の男が郵便馬車を襲った事件を聞いたことがあります。この男がほんとうに、そんな大それたことをしようと考えたなんて、誰が思いましょう！　もしはたから聞かされたとしたら、わたしだって、いまのあなたのように、もちろん信じなかったでしょう。でもわたしは、それを自分の耳でたしかめたのです。彼はソーフィヤ・セミョーノヴナに理由もすっかり説明しました。彼女もはじめは自分の耳を信じませんでしたが、とうとう、目でたしかめたのです、自分の目で。だって彼は自分ではっきり話したんですよ」

「いったいどんな……理由って！」

「話せば長くなりますがね、アヴドーチヤ・ロマーノヴナ。そこには、さあなんと言ったらいいかな、一つの理論のようなものがあるんですよ。例えば、大きな目的が善を目ざしていれば、一つくらいの悪業は許される、というような理屈ですよ、一つの悪と百の善行です！　りっぱな才能と自尊心のある青年にとって、例えば、三千ルーブリかそこらの金があれば、将来の生活の見通しがすっかり別なものになり、輝かしい出世街道を歩めるのに、その三千ルーブリがどうにもならないとわかったら、それこそ、どれほどくやしいかわかりませんよ。そこへ更に、飢え、せまい部屋、ぼろぼろの服、自分の社会的地位、同時に妹や母の状態のみじめさの明瞭《めいりよう》な自覚、などからくる苛立《いらだ》ちを加えてごらんなさい。何よりも大きいのは虚栄心です、自負心と虚栄心です、しかし、それがいい方向をもつものかもしれませんしね、わかりませんよ……わたしは彼を責めてるんじゃありませんよ、そんなふうにとられると、困りますよ。わたしの領分じゃないんですから。そこにはもう一つ独特の理論があったんですよ、

——まあありきたりの理論ですがね、——それによると、人間は、いいですか、材料と特殊な人々に分けられるというんですよ。つまり、特殊な人々とは、高い地位にあるから、法律の適用を受けないばかりか、かえって、他の人々、つまり材料、ごみですな、そういう連中のために法律をつくってやる人々だ、というのです。なに、ありふれた理論ですよ。Une théorie comme une autre.（変りばえのしない理論ですよ）ナポレオンにすっかり傾倒していたようです。つまり特に彼を惹《ひ》きつけたのは、多くの天才たちはちっぽけな悪には見向きもしないで、平気で踏みこえて行ったという事実ですよ。彼は、自分を天才だと思った、らしい、——少なくともある期間は、そう信じていた。彼は、理論を書くことはできたが、ためらわずに踏みこえることは、できない、つまり天才ではない、という考えのためにひどく苦しんだ。いまでも苦しんでいる。まあ、これは自負心の強い青年にしてみれば、堪えられない屈辱ですよ、特に現代は……」

「じゃ、良心の苛責《かしやく》は？　するとあなたは兄に道徳心がぜんぜんないとおっしゃるんですか？　いったい兄がそんな人でしょうか？」

「いや、アヴドーチヤ・ロマーノヴナ、現代は何もかもすっかり濁ってしまいましたよ、と言って、しかし、これまでだって、特に秩序が正しかったことは一度もありませんがね。ロシア人は大体茫漠《ぼうばく》としてるんですよ、アヴドーチヤ・ロマーノヴナ、彼らの土地みたいに、茫漠としてるんです、そして幻想的なもの、漠然としたものに惹かれる傾向が、きわめて強いんです。おぼえてますか、ほら、毎晩のように、夕食後庭のテラスに腰かけて、二人でこれと同じようなことを、これと同じようなテーマで、ずいぶん話し合ったじゃありませんか。もしかしたら、ちょうどあんなことを話し合っていた頃、彼はここでねそべって、自分の理論を考えていたのかもしれませんね。わが国の教養階級には特に神聖な伝統というものが、たしかにありませんね、アヴドーチヤ・ロマーノヴナ。誰かが本を読んでどうにかでっち上げるか……あるいは年代記から何かひっぱり出すくらいのものですよ。しかしそんなのはたいていは学者で、ご存じのように、それぞれ気のきかない連中だから、社交界の人間にしてみれば、かえって失礼にさえ思えるというわけです。ところで、わたしの考えは大体ご存じでしょうけど、わたしは決して人を責めません。わたし自身が白い手の高等遊民で、それから出ようとしないのですから。そう、このことはもう何度も話し合いましたね。幸いにも、わたしの意見に興味をもっていただいたことさえ、ありましたっけ……ひどく顔色がわるいですね、アヴドーチヤ・ロマーノヴナ！」

「わたし兄さんのその理論を知ってますわ。雑誌で読みましたわ、すべてが許されるという人々についての兄さんの論文を……ラズミーヒンさんが貸してくれたんです

「ラズミーヒン君が？　あなたの兄さんの論文を？　雑誌で？　そんな論文があるんですか？　知らなかった。そりゃ、きっと、おもしろいでしょうね！　おや、どこへいらっしゃいます、アヴドーチヤ・ロマーノヴナ？」

「ソーフィヤ・セミョーノヴナにお会いしたいんです」とドゥーネチカは弱々しい声で言った。「どこから行けますの、あのひとの部屋へは？　もしかしたら、もどってるかもしれませんわ。どうしてもいまお会いしたいんです。そしてあのひとに……」

アヴドーチヤ・ロマーノヴナはしまいまで言うことができなかった。息が文字どおり切れたのである。

「ソーフィヤ・セミョーノヴナは夜おそくまでもどらんでしょう。わたしはそう思いますね。じきにもどるはずだったのですが、そうでないとすれば、ずっとおそくなるはずです……」

「あッ、じゃあんたは嘘を言ったのね！　わかったわ……あんたは嘘を言ったんだ……あんたの言うことなんかみんな嘘だ！……あんたなんか信じないわ！　信じないわ！　信じないわ！」とドゥーネチカはすっかりとりみだして、ほんとに気が狂ったように叫び立てた。

……」

彼女はほとんど失神したようになって、あわててスヴィドリガイロフが押しやった椅子の上に、倒れた。

「アヴドーチヤ・ロマーノヴナ、どうなさいました、しっかりなさい！　さあ、水です。一口お飲みなさい……」

彼はドゥーネチカに水をふりかけた。ドゥーネチカははっとして、われに返った。

「利《き》きすぎたようだ！」とスヴィドリガイロフは眉《まゆ》をひそめて、ひとり言を言った。

「アヴドーチヤ・ロマーノヴナ、ご安心なさい！　彼には友人たちがいますよ。わたしたちが救いますよ、助けますよ。なんでしたら、わたしが外国へ連れて行きましょうか？　わたしは金があります。三日のうちに切符を手に入れましょう。人殺しをしたといっても、これからたくさんいいことをすれば、罪は償われますよ。心配はいりません。まだ偉大な人間になることだってできます。おや、どうなさいました？　ご気分はいかがです？」

「悪い人です！　まだなぶり足りないんですか。わたしを帰してください……」

「どこへ行くんです？　え、どこへ？」

「兄のところへ行きます。兄はどこにいます？　ご存じでしょう？　どうしてこのドアは鍵がかかってますの？　わたしたちこのドアからこの部屋へ入ったのに、いまは鍵がかかってる。いったい、いつの間に鍵をかけましたの？」

「わたしたちがここで話したことが、家中に聞えても困りますからな。わたしはぜんぜんからかってなどいませんよ。もったいぶった話があきあきしただけですよ。ねえ、あなたはそんなに興奮してどこへ行こうというのです？　兄さんを裏切りたいとでもいうのですか？　あなたは彼を気ちがいみたいに怒らせてしまって、彼は自分で自分を売りわたすようなことになるでしょう。いいですか、彼にはもう尾行がついているんですよ、見張られているんですよ。そんなことをしたら、彼を逮捕してくれというようなものです。まあお待ちなさい。わたしはいま彼に会って、お話をしたばかりです。まだ救うことはできます。お待ちなさい、おかけなさい、いっしょに考えようじゃありませんか。あなたをここへ呼んだのは、二人だけで話し合って、よくよく考えてみようと思ったからですよ。さあ、おかけなさい、ね！」

「どんな方法であなたは兄を救うことができますの？　ほんとに救うことができますの？」

ドゥーニャは腰を下ろした。スヴィドリガイロフはそのそばに坐った。

「それはみな、あなたの覚悟次第です。あなたさえ、あなたさえその気に」と彼は目をぎらぎらさせて、興奮のあまり言葉を最後まで言いきらずに、どもりながら、ほと

ん ど囁くように言った。

ドゥーニャはぎょッとして身をひいた。彼も身体中《からだじゅう》をわなわなとふるわせていた。

「あなたが……一言いってくだされば、彼は救われるのです！……わたしが……わたしが救います。わたしには金と手づるがあります。わたしはすぐに彼を発《た》たせます、わたしもパスポートをもらいます、二枚。一枚は彼、もう一枚はわたしです。わたしには友人があります。そういうことに詳しい連中です……いかがです？　よろしかったら、あなたのパスポートももらいましょう……あなたのお母さんのも……ラズミーヒンなんてあなたに何になります？　わたしはあなたをこんなに愛しているんです……限りなく愛しているんです。どうか服の裾《すそ》に接吻《せっぷん》させてください。お願いです！　衣《きぬ》ずれの音を聞くと、たまらないのです。これをしろ、と一言いってください、すぐに実行します！　わたしは何でもします。出来ないことだってします。あなたの信じるものを、わたしも信じます。わたしは何でも、何でもします！　そんな目で、そんな目で、見ないでください！　おわかりですか、あなたはわたしの生命《いのち》を刻んでいるのです……」

彼は狂気じみたことさえ口走りはじめた。不意に頭をがんと叩きのめされたように、とつぜん態度がおかしくなった。ドゥーニャは夢中で立ち上がって、ドアのほうへかけ出した。

「開けてください！　開けてください！」と彼女はドアを両手でたたきながら、大声で救いを求めた。「開けてくださいったら！　誰もいませんの？」

スヴィドリガイロフは立ち上がって、われに返った。まだひくひくふるえている唇に、毒々しいなぶるようなうす笑いがゆっくりひろがりはじめた。

「そっちには、誰も、いませんよ」と彼はしずかに、一語一語間をおきながら言った。「主婦《おかみ》は外出しましたよ、叫んでもむだですな。いたずらに自分を興奮させるだけですよ」

「鍵はどこです？　すぐ開けてください、いますぐ、卑怯《ひきょう》よ！」

「鍵が紛失して、見つからないんですよ」

「あ？　じゃ力ずくでわたしを！」と叫ぶと、ドゥーニャは死人のように蒼ざめて、さっと部屋の隅《すみ》へとびのき、急いで手にふれた小さなテーブルのかげにかくれた。彼女は声を立てなかった。食い入るような目で相手をにらみつけながら、その一挙一動に鋭く注意していた。スヴィドリガイロフもその場を動こうとしないで、反対側の隅に立ったまま彼女とにらみあっていた。彼は自分を抑えているふうでさえあった、少なくとも表面はそう見えた。しかし顔はやはり蒼かった。なぶるようなうす笑いがまだ消えなかった。

「あなたはいま《力ずくで》と言いましたね、アヴドーチヤ・ロマーノヴナ。もし力ずくであなたを奪うつもりなら、その手筈《てはず》がもうできていることは、あなたもおわかりでしょう。ソーフィヤ・セミョーノヴナは不在だし、カペルナウモフの住居《すまい》まではひじょうに遠く、間に五つも鍵のかかった部屋がある。最後に、わたしはどう見てもあなたの二倍は強そうだし、加えて、わたしは何も恐れることがない。だって、あなたはあとで訴えることもできんでしょうからな。まさか、いざとなったら、兄さんを裏切る気にはなれんでしょう？　それに、誰もあなたを信じませんよ。え、だって何か訳がなくて、娘さんが一人で男一人の部屋を訪れるはずがないじゃありませんか？だから、たとえ兄さんを犠牲にしても、この場合なんの証明にもなりません。暴行ってやつは判定がひどく難かしいんですよ、アヴドーチヤ・ロマーノヴナ」

「卑怯だわ！」とドゥーニャは怒りに蒼ざめて、かすれた声で呟いた。

「なんとでもご自由に、でもことわっておきますが、わたしはまだ仮定として言っただけですよ。わたしの個人的な信念を言いますと、まったくあなたのおっしゃるとおり、暴力は——卑劣な行為です。わたしが申し上げたのは、ただ、たとえあなたが……たとえあなたが、わたしの提案どおりに、ご自分の意志で兄さんを救おうとなさった場合でも、あなたの良心に何もしこりがのこらないようにと、ただそのためです。あなたはただ周囲の事情に、もしどうしてもそうおっしゃりたいなら、力といってもかまいませんがね、屈服したというだけのことです。そこのところをよく考えてください、あなたの兄さんとお母さんの運命はあなたの手の中にあるんですよ。わたしはあなたの奴隷《どれい》になりましょう……死ぬまで……わたしはここで待ちましょう……」

スヴィドリガイロフはドゥーニャから八歩ほどのところにあるソファに腰を下ろした。ドゥーニャには、彼が不屈の決意をしていることが、もう疑う余地がなかった。それに、ドゥーニャは彼がどういう男か知っていた……

不意に彼女はポケットから拳銃《けんじゅう》をとりだし、撃鉄を上げて、拳銃をもった手をテーブルの上にのせた。スヴィドリガイロフはとび上がった。

「ははあ！　そうでしたか！」と、彼はぎょッとしたが、毒々しいうす笑いをうかべたまま、叫んだ。「なるほど、これで筋のはこびがすっかり変りますな！　あなたは自分のほうからわたしにしごとをひどくしやすくしてくれますよ、アヴドーチヤ・ロマーノヴナ！　でも、どこでその拳銃を手に入れました？　ラズミーヒン君ですかな？　おや！　これはわたしの拳銃だ！　なつかしい昔馴染《むかしなじ》みですよ！……そういえばあの頃ずいぶんさがしたものですよ！……なるほど、あの頃田舎で光栄にもあなたにお教えした射撃のレッスンが、むだではなかったわけだ」

「あなたの拳銃じゃないわ、あなたに殺されたマルファ・ペトローヴナのです、人でなし！　あのひとの家にはあんたのものなんか何一つなかったわ。あんたのような人は何をするかわからない、と心配になったから、これをかくしておいたのよ。一歩でも動いてごらんなさい、ほんとに、殺してやる！」

ドゥーニャは夢中だった。彼女は拳銃を構えた。

「ところで、兄さんはどうします？　好奇心からお聞きしますがね」とスヴィドリガイロフはその場に突っ立ったまま、尋ねた。

「密告したきゃ、するがいい！　動くな！　一歩も！　射《う》ちますよ！　あんたは奥さんを毒殺した、わたしは知ってる、あんたこそ人殺しだ！」

「じゃあなたは、そう思いこんでいるんですか、わたしがマルファ・ペトローヴナを毒殺したなどと？」

「あんただわ！　自分でわたしにほのめかしたじゃないの、毒薬の話なんかして……それを買いに出かけたことも、わたし知ってるのよ……すっかり用意ができていた……あれはぜったいにあんただわ……人でなし！」

「仮にそれが真実だとしても、それはきみのためじゃないか……どうしたってきみが原因なんだよ」

「嘘よ！　あんたなんか憎んでいたわ、いつも、いつも……」

「へえ、アヴドーチヤ・ロマーノヴナ！　どうやら、忘れたらしいですな、説教に熱がこもりすぎて、うっとりと、妙な気持になったことを……わたしはあなたの目を見てわかりましたよ。ほら、おぼえてますか、あの宵《よい》、月が出て、それに鶯《うぐいす》が鳴いていたっけ？」

「嘘よ！（狂おしい憤怒《ふんぬ》がドゥーニャの目に光りはじめた）。嘘だわ、嘘つき！」

「嘘？　まあ、嘘かもしれん。嘘にしておきましょう。女にこういうことを言っちゃいかんのだ。（彼はうす笑いをもらした）。きみが射つのは、知ってるよ。きみは小さな可愛《かわい》らしい野獣だよ。さあ、射ちたまえ！」

ドゥーニャは拳銃を上げた、そして死人のように真《ま》っ蒼《さお》な顔をして、血の気のない下唇をひくひくふるわせ、火のようにぎらぎら燃える大きな黒い目で相手をにらみながら、狙いを定めて、相手がちょっとでも動くのを待っていた。彼はこれほど美しい彼女を見たことがなかった。彼女が拳銃を上げた瞬間、彼女の目にきらッと燃えた火に、彼は焼かれたような気がして、胸がきゅうッと痛くなった。彼は一歩出た、とたんに拳銃が火をふいた。弾丸《たま》は彼の髪をかすめて、うしろの壁にあたった。彼は立ちどまって、しずかににやりと笑った。

「蜂《はち》に刺されたよ！　まっすぐに頭をねらいましたな……おや、これは？　血だ！」

彼は細いひとすじの流れとなって右のこめかみに垂れている血をふこうとして、ハンカチをとり出した。弾丸はわずかに頭の皮膚をかすったらしい。ドゥーニャは拳銃をだらりと下げて、恐怖というよりは、不思議そうな、呆気《あっけ》にとられたような表情で、ぼんやりスヴィドリガイロフを見つめていた。彼女は自分でも、何をしたのか、どうなったのか、わかっていない様子だった！

「どうなさいました、射ち損じですよ！　もう一度射ちなさい、待ってますよ」とスヴィドリガイロフはまだうす笑いをうかべたまま言った、しかし妙に暗い笑いだった。「これじゃ、あなたが撃鉄を上げるまえに、とびかかってつかまえられますよ！」

ドゥーニャはぎくっとして、急いで撃鉄を上げると、また拳銃を上げた。

「わたしをとめて！」と彼女は絶望的に言った。「きっと、また射ちます……わたしは……殺してしまう！……」

「そうでしょうとも……三歩です、殺さなきゃどうかしてますよ。でも、殺せないなら……それなら……」

彼の目がぎらぎら光った、そして更に二歩すすんだ。

ドゥーネチカは引き金をひいた。不発だった！

「装塡《そうてん》がよくなかったんですね。なんでもありませんよ！　もう一つ雷管があるでしょう。やり直しなさい、待ってあげますよ」

彼はドゥーニャの二歩ほどまえに立って、奇怪な決意を顔にうかべて、熱っぽい欲情に光る重苦しい目でじっと彼女を見つめながら、待っていた。彼は彼女を手放すくらいなら、むしろ死のうとしていることを、ドゥーニャはさとった。《でも……でも、もう今度こそ殺せるだろう、わずか二歩だ！……》

不意に、彼女は拳銃を投げ出した。

「捨てた！」スヴィドリガイロフはびっくりしたように言うと、ほうッと深い息を吐いた。何かが急に彼の心からとれてしまったようなぐあいだった、そしてそれは、おそらく、死の恐怖の重苦しさだけではなかったろう。彼はいまのような瞬間でも、そんなものはほとんど感じていなかったのだ。それは彼が自分でも完全には定義できないような、もっともっとみじめな暗い感情からの解放だった。

彼はドゥーニャのそばへ寄って、しずかに片手を彼女の胴へまわした。彼女はさからわなかったが、身体中を木の葉《こは》のようにわなわなとふるわせて、祈るような目で彼を見ていた。彼は何か言おうとしていたが、唇がゆがんだだけで、言葉にならなかった。

「わたしを帰して！」とドゥーニャは、拝むようにして、言った。

スヴィドリガイロフはぎくっとした。この敬語をぬいた口調には、どことなく、先ほど怒っていたときとはちがうひびきがあった。

「じゃ、愛してくれないんだね？」と彼はしずかに尋ねた。

ドゥーニャは否定するように頭を振った。

「そして……これからも？……どうしても？」と彼は絶望にしずみながら囁いた。

「どうしても！」とドゥーニャは低声《こごえ》で言った。

スヴィドリガイロフの心の中でおそろしい無言のたたかいの一瞬がすぎた。なんとも言えぬ目で彼はドゥーニャを見た。不意に彼は手をぬいて、顔をそむけると、急いで窓のほうへはなれて、窓のまえに立った。

更に一瞬の沈黙がすぎた。

「これが鍵です！（彼は外套《がいとう》の左のポケットから鍵をとり出すと、ドゥーニャのほうを見もしないで、振り向きもしないで、それをうしろのテーブルの上においた）。これで開けて、早く帰ってください！……」

彼はかたくなに窓のほうを向いていた。

ドゥーニャは鍵をとろうとしてテーブルのそばへ寄った。

「早く！　早く！」と、スヴィドリガイロフはやはりその場を動かず、振り向きもしないで、くりかえした。しかしこの《早く》には、明らかに、あるおそろしいひびきがあった。

ドゥーニャはそれをさとって、鍵をつかむと、ドアにかけより、大急ぎで開けて、部屋をとび出した。一分後には、彼女は気ちがいのように、夢中で河岸《かし》へ走り出て、N橋のほうへ走って行った。

スヴィドリガイロフは更に三分ほど窓辺に立っていた。やがて、ゆっくり向き直ると、あたりを見まわし、しずかに掌《てのひら》で顔をぬぐった。異様なうす笑いがその顔をゆがめた。みじめな、悲しい、弱々しい笑い、絶望の笑いだった。もう乾いた血が、彼の掌を汚した。彼はむらむらしながらしばらくその血をにらんでいたが、やがてタオルを水にぬらして、こめかみをきれいに拭《ふ》いた。ドゥーニャが投げて、ドアのそばにころがっていた拳銃が、不意に彼の目についた。彼はそれを拾い上げて、点検した。それは古い型の小さな懐中用の三連発拳銃だった。中にはまだ弾《たま》が二発と、雷管が一つのこっていた。一度は射てるわけだ。彼はちょっと考えて、拳銃をポケットに入れると、帽子をつかんで、部屋を出た。

その晩は十時頃《ごろ》まで、彼は居酒屋や魔窟《まくつ》を飲み歩いた。どこかでカーチャも見つけ出した。彼女はまたどこかの《いやらしい女泣かせ》が、

カーチャにキッスをはじめた

6

という別な召使いの唄《うた》をうたった。

スヴィドリガイロフはカーチャにも、手風琴ひきにも、唄うたいたちにも、給仕にも、どこかの二人連れの書記にも、酒を振舞った。彼がこの書記たちに特に親しみを感じたのは、二人とも鼻が曲っていたからだった。一人は鼻柱が右に、もう一人は左に曲っていた。これにはスヴィドリガイロフもおどろいた。彼らは、しまいに、彼をある遊園地へ連れて行った。彼は二人の入園料も払ってやった。この公園にはひょろひょろの三年の樅《もみ》が一本と、小さな茂みが三つあった。そのほか、《ステーション》と称する建物があったが、実際には居酒屋で、茶も飲めるし、それに緑色の小さなテーブルと椅子《いす》がいくつか置いてあった。お粗末な歌手たちの合唱団と、鼻の赤い、ピ

エロのような、酔ったミュンヘン生れのドイツ人が、柄《がら》になく、どういうわけかひどく浮かない顔をして、客を笑わせていた。二人の書記がその場にいあわせた他《ほか》の書記連中と言い合いをして、殴り合いになりそうになった。スヴィドリガイロフが仲裁役に選ばれた。彼はもう十五分も中に立って双方の言い分を聞こうとしていたが、彼らがあんまりわあわあ騒ぎ立てるので、何一つ聞き分けることができなかった。どうやらこういうことらしかった、つまり彼らの一人が何かを盗んで、しかもすぐに都合よくそこらにいたユダヤ人にまんまと売りつけた、そして売っておきながら、その金を仲間に分けようとしない、というのである。結局、売った品物というのが《ステーション》のスプーン一本だということがわかった。《ステーション》でもそれに気付いて、事はますます面倒になってきた。スヴィドリガイロフはスプーンの代金を払って、席を立ち、公園を出た。十時頃だった。彼は自分ではその間中一滴の酒も飲まなかった。ステーションでは茶を一杯注文しただけだが、それだってむしろおつきあいのためだった。しかし、むしむしする暗い晩だった。十時近くなると四方からすごい黒雲が押し寄せてきて、雷が鳴り、滝のような夕立になった。雨は粒になっておちてくるのではなく、大きな流れとなって地面をなぐりつけた。稲妻はたえまなくひらめき、明るくなるたびに五つまで数えることができた。彼はずぶぬれになって家へもどると、ドアに鍵《かぎ》を下ろして、デスクのひきだしを開け、ありたけの金をとり出し、二、三の書類を破りすてた。それから、金をポケットに押しこみ、着替えをしようとしたが、窓を見て、雷鳴と雨の音に耳をすますと、あきらめたように手を振って、帽子をつかんで部屋を出た。ドアには鍵をかけなかった。彼はまっすぐにソーニャのところへ行った。ソーニャは部屋にいた。

彼女は一人ではなかった。カペルナウモフの小さな子供たちが四人、彼女のまわりをとりまいていた。ソーフィヤ・セミョーノヴナは子供たちに茶を飲ませていた。彼女は黙って、ていねいにスヴィドリガイロフを迎えて、びっくりしたように彼の濡《ぬ》れた服を見まわしたが、別に何も言わなかった。子供たちはすっかりおびえきって、あっという間に逃げちってしまった。

スヴィドリガイロフはテーブルのまえに腰を下ろして、そばに坐《すわ》るようにソーニャに言った。彼女はおずおずと聞く姿勢をとった。

「わたしはね、ソーフィヤ・セミョーノヴナ、もしかしたら、アメリカへ行くかもしれない」とスヴィドリガイロフは言った。「それで、会うのは、おそらく、これが最後だろうから、少しばかりやりかけたことを片付けておこうと思って伺ったのです。して、今日あの婦人にお会いになりましたか？　婦人があなたにどんなことを言ったかは、承知していますから、おっしゃらなくても結構です（ソーニャはもじもじしかけて、顔を赤らめた）。あの人たちにはああいう癖があるんですよ。あなたの妹さんや弟さんのことですが、まちがいなく収容されますし、わたしから上げる金は、一人一人の分を別々に領収証をとって、ちゃんと確かなところにあずけておきました。しかし、万一ということがありますから、この領収証はあなたにお渡ししておきます。さあ、どうぞ！　さて、これはこれですんだわけです。これはあなたの分としてお納めください、ところで、ここに五分利債券が三枚あります、全部で三千ルーブリです。これはあなたの分としてですよ、そしてこれは二人だけの内密にしておきましょう。この先たとえどんなことをお耳になさっても、決して誰《だれ》にも言っちゃいけませんよ。この金はきっとあなたに必要になります、だって、ソーフィヤ・セミョーノヴナ、いままでのような、こんな生活は――いまわしいものです。それにもうあなたには、そんな必要は少しもないわけですから」

「わたし、あなたにこんなにまでご恩になりまして、それに子供たちも、亡《な》くなった母も」とソーニャは急いで言った。「いままでろくにお礼も申しませんでしたが、それは……決して……」

「え、もういいですよ、そんなことは」

「でもこのお金は、アルカージイ・イワーノヴィチ、わたし、ほんとにありがたいと思いますけど、でもわたし、いまはほんとにいらないんです。わたし一人ならなんとか食べていけますもの、どうか恩知らずなんて思わないでくださいね。あなたはそんなに情け深いお方ですもの、どうかこのお金は……」

「あなたにあげるんです、あなたにあげるんですよ、ソーフィヤ・セミョーノヴナ、だから、どうぞ、改まったことは言わないで、それにわたしには時間もありませんので。あなたには入り用になりますよ。ロジオン・ロマーヌイチには道は二つしかないんですよ、額に弾丸《たま》を射《う》ちこむか、ウラジーミルカ（訳注 シベリアへ流される囚人の通る街道）行きか。（ソーニャは呆気《あっけ》にとられて彼を見つめていたが、すぐにわなわなとふるえだした）。ご安心なさい、わたしはすっかり知ってるんです、彼自身の口から聞きました。でもわたしはおしゃべりじゃありません、誰にも言いませんよ。あのときあなたは彼に自首をすすめましたが、あれはいいことでした。そのほうが彼にとってどれだけ有利かわかりません。さて、ウラジーミルカへ行くことになって、――彼があちらへ行ったら、あなたはあとを追うでしょうね？　そうでしょうね？　そうでしょうね？　そうなれば、早速金が入り用になるわけですよ。彼のために入り用になるんです、わかりますか？　あなたにあげることは、彼にやると同じことです。それにあなたは、アマリヤ・イワーノヴナにも借金を払う約束をなさったじゃありませんか。わたしは聞いていましたよ。どうしてあなたは、ソーフィヤ・セミョーノヴナ、そんなに軽率にあんな約束や義務をかたっぱしから引き受けてしまうんでしょうねえ？　あのドイツ女に借金をのこしたのはカテリーナ・イワーノヴナですよ、あなたではないじゃありませんか、あんなドイツ女なんてほっておけばいいんですよ。そんなことじゃこの世の中は暮していけませんよ。話はもどりますが、もし誰かに、明日か明後日《あさって》あたり、わたしのことを何か聞かれるかもしれませんが（あなたはきっと聞かれますよ）、わたしが今日ここへ来たことは、言わないでください、それから金は決して見せたり、わたしにもらったなんて、誰にも言っちゃいけませんよ。では、これでお別れしましょう。（彼は椅子から立ち上がった）。ロジオン・ロマーヌイチによろしくお伝えください。それから、ついでに言っておきますが、金は入り用になるまでラズミーヒン君にでもあずけておいたらいいでしょう。ご存じですか、ラズミーヒン君を？　むろん、ご存じでしょうね。無難な青年ですよ。彼のところへ持って行くんですね、明日でも、いや……そうしたほうがいいときが来たら。それまではなるべく身体《からだ》からはなれたところにかくしておきなさい」

ソーニャもぱっと椅子から立ち上がって、おびえたように彼に目を見はっていた。

彼女は何か言いたくて、何か聞きたくてたまらなかったが、とっさに言葉がでなかった、それに何から言いだしてよいか、わからなかった。

「どうしてあなたは……どうしてあなたは、こんな雨の中を、お出かけになりますの？」

「なあに、アメリカまで行こうというんですよ、雨なんかおそれていられますか、へ！　へ！　さようなら、かわいいソーフィヤ・セミョーノヴナ！　生きてください、いつまでも生きてください、あなたは他人《ひと》のためになる人です。それから……ラズミーヒン君に伝えてください。わたしがよろしく言っていたと。こんなふうに伝えてください、アルカージイ・イワーノヴィチ・スヴィドリガイロフがよろしく、って、きっとですよ」

ソーニャをおどろきと、おびえと、あるおぼろげな重苦しい疑惑の中にのこして、彼は出て行った。

この同じ夜、十一時をすぎた頃、彼はもう一つのまったく風変りな思いがけない訪問をしたことが、あとでわかった。雨はまだやまなかった。彼は十一時二十分に、全身ずぶぬれになって、ワシーリエフスキー島のマールイ通り三丁目にある、許嫁《いいなずけ》の両親のささやかな住居《すまい》の門をくぐった。力まかせに戸を叩《たた》いたので、はじめは大騒ぎになりかけた。しかしアルカージイ・イワーノヴィチは、ちゃんとしようと思えば、実にものやわらかな態度になれる人だったので、多分どこかですっかり飲みすぎてしまって、もう正体なく酔いつぶれているのだろうという、ものわかりのいい両親の最初の推測は（もっとも、これは実にうがった見方ではあったが）――たちまち消えてしまった。ものわかりのいい心のやさしい母は、衰弱しきった父親を肘掛椅子《ひじかけいす》にかけさせたまま、アルカージイ・イワーノヴィチのまえへ押して来て、例によって、すぐに何かと遠まわしな質問をはじめた。（この女は決していきなり用件をきり出したことがなく、いつもまずにこにこ笑って、もみ手をして、それから、何かどうしてもちゃんとたしかめておきたいことがあれば、例えば、アルカージイ・イワーノヴィチは結婚式はいつが都合がいいか、聞いておきたいと思えば、まずパリや、あちらの宮廷生活のことなどを、いかにも珍しそうに、むしろしつこいほどに、いろいろと聞きはじめる、それからやっと、順を追って、話をワシーリエフスキー島三丁目までもってくる、というぐあいだった）。他のときならこうしたことは、むろん、相手を大いに感心させるだろうが、いまのアルカージイ・イワーノヴィチはいつになく妙に苛々《いらいら》していて、許嫁がもう寝てしまったことを、はじめにことわられていたにもかかわらず、どうしても許嫁に会いたい、とわからないことを言いだした。もちろん、許嫁は出てきた。アルカージイ・イワーノヴィチはいきなり彼女に、あるひじょうに重大な用件のためにしばらくペテルブルグを離れなければならない、それでいろいろな債券がまじっているが、ここに一万五千ルーブリ持って来たから、贈りものとして受け取ってもらいたい、このつまらんものは、もうまえから結婚まえに贈ろうと思っていたのだから、と言った。贈りものと、あわただしい出発、それにこんな雨の中を夜更《よふ》けにどうしても来《こ》なければならなかった必要の間の特別な論理的な結びつきは、この説明では少しも明らかにされなかったが、しかし、事は実にすらすらとはこんだ。必要なあとか、おおとかの感嘆の言葉や、いろいろな質問やおどろきさえ、どういうわけか急に不思議なほど程よくひかえ目になり、その代りにもっとも熱烈な感謝が示されて、それがもっとも思慮の深い母親の涙で裏打ちされた。アルカージイ・イワーノヴィチは立ち上がると、にこにこ笑って、許嫁に接吻すると、そのかわいらしい頰《ほお》を軽くたたいて、すぐにもどるから、と約束したが、彼女の目の中に子供っぽい好奇心とならんで、あるひじょうに真剣な無言の問いがあるのに気がつくと、ちょっと考えて、もう一度接吻した、そして、贈りものがすぐに世の母親の中でももっとも思慮深い母親に鍵をかけてしまわれてしまうだろうと思うと、心底から腹が立ってきた。一同を異常な興奮の中にのこして、彼は外へ出た。しかし心のやさしい母親はすぐに、半ばささやくような早口で、いくつかのもっとも重大な疑惑を解決した、つまり、アルカージイ・イワーノヴィチは大きな人物で、りっぱなしごとも手づるもあり、金持だから、――何を考えているかわからない、思い立ったら、出かけるし、思い立ったら、金をくれる、そういう方だから、何もおどろくことはない、というのである。たしかに、ずぶぬれになってきたのは、おかしいが、例えば、イギリス人のほうが、もっと風変りだ、それに大体が格調の高い人間というものは、世間の噂《うわさ》を気にしないし、もったいぶらないものだ。もしかしたら、あの人は誰もおそれないということを見せるために、わざとあんなふうにして歩いているのかもしれない。何よりも、このことは誰にも一言も話さないことだ、だって、この先どんなことが起るかわかりゃしない。とにかく金は早くかくして鍵をかけてしまうことだ。ほんとに、フェドーシャがずっと台所にいてくれたので、何よりだった。特に、あのずるいレスリッヒには、決して、決して、決して何も言わないように、等々である。坐りこんで、二時近くまでひそひそ話しこんでいた。もっとも、許嫁はずっと早く寝に行ったが、おどろいたような、いくらか悲しそうな様子だった。

その頃スヴィドリガイロフは、ペテルブルグ区の側へ向ってN橋を渡っていた。ちょうど零時だった。雨はやんだが、風が騒いでいた。彼はがくがくふるえはじめていた、そしてちょっとの間ある特殊な好奇心をうかべ、危《あや》ぶみの色さえ見せて、小ネワ河の真っ黒い水面をながめた。だがすぐに、河の上に立っているのが、たまらなく寒いような気がした。彼はくるりと向きを変えて、N通りのほうへ歩きだした。彼はどこまでもつづくN通りをもうかなり長く、ほとんど三十分近くも、暗がりで板敷きの歩道を何度か踏み外しながら、歩いていた、そしてたえず好奇の目で通りの右側に何かをさがしていた。この通りの外れに近いどこかで、この間馬車で通ったとき、彼は木造だがかなり大きな宿屋を一軒見たような気がした。そしておぼえているかぎりでは、宿屋の屋号はたしかアドリアノポールとかいったはずだった。彼の見当はまちがっていなかった。その宿屋はこんなさびしい郊外ではひときわ目立つ建物だったので、暗やみの中でも目につかないはずはなかった。それは細長い木造の黒ずんだ建物で、もうこんな時刻なのに、まだ灯《ひ》がついていて、人の動いているらしい気配が見えた。彼は入って行った。そして廊下で出会ったぼろ服の男に、部屋があるかと聞いた。ぼろ服の男は、じろりとスヴィドリガイロフを見て、ぎくっとして、すぐに彼を遠くはなれた、廊下の突きあたりの階段の下になっている、むしむしする狭苦しい角部屋に案内した。満員で、ほかの部屋はなかった。ぼろ服の男はうさん臭そうな目で見ていた。

「茶はあるかね?」とスヴィドリガイロフは尋ねた。

「そりゃできますよ」

「ほかに何がある?」

「子牛の肉、ウォトカ、ザクースカですな」

「じゃ、子牛の肉と茶を持って来てくれ」

「ほかには何もいらんのかね?」とぼろ服の男はなんとなく奥歯にもののはさまったような言い方をした。

「何もいらんよ、いらんよ!」

ぼろ服の男はがっかりして出て行った。

《きっと、おもしろい場所にちがいない》とスヴィドリガイロフは考えた。《どうしてこんな所を知らなかったろう。おれもどうやら、どこかそこらのカフエ・シャンタンからのもどり客で、途中で何かやらかしてきたらしく、見えるらしい。それにしても、ここにはどんな連中が泊ってるんだろう?》

彼はろうそくをつけて、丹念に部屋を見まわした。それはスヴィドリガイロフでも頭がつかえそうな、物置きみたいな小さな部屋で、窓は一つしかなかった。ひどく汚ないベッドと、粗末な塗りのテーブルと、それに椅子一つがほとんど部屋中を占めていた。壁は板壁に壁紙をはったものらしかったが、壁紙はほこりだらけのうえにぼろぼろに破れているので、黄色い地色はまだどうやら見当はついたが、模様はもうぜんぜん見分けがつかなかった。壁と天井《てんじょう》の一部は、屋根裏部屋によくあるように、斜めに切られていて、その上が階段になっていた。スヴィドリガイロフはろうそくをおくと、ベッドに腰を下ろして、もの思いにしずんだ。だが、隣室から聞えてくる、ときどきほとんど叫ぶような声にまで高まる、異様なたえまないひそひそ話が、とうとう、彼の注意をひいた。このひそひそ話は、彼が部屋に入ったときからとぎれずにつづいていた。彼は耳をすました。誰かが誰かをののしったり、いまにも泣きだしそうな声で責めたりしているのだが、一人の声しか聞えなかった。スヴィドリガイロフは立ち上がって、ろうそくの炎を手でさえぎった。するとたちまち暗くなった壁に細い隙間《すきま》がちらと光った。彼はそこへ行って、隙間からのぞきはじめた。こちらよりいくらか広い室内に、二人の客がいた。上着をきていない、髪の毛のやけにちぢれた、火をふきそうな真っ赤な顔をしたほうが、演説をぶちそうな格好で立ちはだかり、身体のバランスをとるために両足を踏んばって、片手で胸をたたきながら、切々たる調子で相手の男を責めていた。相手の男が貧しくて、官位ももっていないのを、彼が泥沼《どろぬま》からひき上げてやったのだから、その気になれば、いつだって追っ払うことができるのだ、神の目は逃《のが》れることができない、というようなことだった。責められているほうは椅子に腰かけて、くしゃみをしたくてたまらないのだが、どうしてもうまく出ない、というような顔をしていた。彼はときおり羊の目のような、どろんとにごった目で相手の顔を見上げたが、どうやら、何を言われているのか、ぜんぜんわかっていないらしかった、それどころか、ほとんど何も聞いてさえいなかったらしい。テーブルの上にはろうそくがいまにも燃えつきようとしていて、ほとんど空《から》のウォトカのびんや、酒杯や、パンや、コップや、胡瓜《きゅうり》や、もうとっくに飲んでしまった茶の容器などがのっていた。その様子を注意深く見まわしてから、スヴィドリガイロフはおもしろくもなさそうに隙間をはなれて、またベッドに腰を下ろした。

ぼろ服の男は、茶と子牛の肉をもってもどって来たが、どうにもがまんができなくなって、もう一度《あと何か注文はないのかね？》と聞いた、そして、またいらないという返事を聞くと、もう知らんぞという顔でもどって行った。スヴィドリガイロフはあたたまるために、とびつくようにして茶を一杯飲んだ、しかしぜんぜん食欲がなくて、肉はひときれも食べられなかった。どうやら、熱がでてきたらしい。彼は外套《がいとう》と上着をぬぐと、毛布にくるまって、ベッドに横になった。彼はいまいましかった。《こんなときでもやはり健康のほうがいいのか》——こう思って、彼は苦笑した。部屋の中は息苦しかった、ろうそくがぼんやり燃えていた、庭で風が騒いでいた、どこか隅《すみ》のほうでねずみががりがりかじる音がしていた、そういえば部屋中がねずみと何か皮の臭《にお》いがするようだった。彼は横たわったまま、熱にうかされていたらしい。さまざまな想念が次々と入れかわった。彼はどんな想念にでもいいから、すがりつきたくてたまらないらしかった。《この窓の外は、きっと、公園になっているにちがいない》と彼は考えた。《木がざわざわしている。暗い嵐《あらし》の夜更け、木のざわめきを聞くとぞっとする、実にいやな感じだ！》すると、さっきペトロフスキー公園のそばを通りしなに、いやな気持でそれを考えたことが思い出された。すぐに、それにたぐられて、彼はN橋と小ネワ河を思い出し、さっき橋の上に立っていたときのように、また寒くなったような気がした。《おれは生れてから一度も、水というものを好いたことがなかった、風景画の水でさえ嫌《きら》いだ》彼はふとこんなことを考えて、不意にまたある奇妙な考えに苦笑した。《まったく、もういまとなってはこんな美とか好き嫌いなどうでもいいはずなのに、かえって選《え》り好みがひどくなったようだ。野獣は、こんな場合……必ず場所を選ぶというが……さっきペトロフスキー公園へ曲りゃよかったんだ！　おそらく、暗くて、寒いような気がしたんだろうさ、へ！　へ！　快さみたいなものが、ほしくなったんだ！……それはそうと、どうしておれはろうそくを消さないんだろう？（彼はろうそくを吹き消した）。となりも寝たらしいな》さっきの隙間のあかりが見えないので、彼はこう思った。《そうだよ、マルファ・ペトローヴナ、いまこそお出ましにもってこいじゃないか、暗いし、場所はうってつけだし、頃合いはよし。こんなときに来ないなんて……》

彼はどういうわけか不意に、さっき、ドゥーネチカに対する計画を実行する一時間まえに、彼女の保護をラズミーヒンにまかせるようにラスコーリニコフにすすめたことを、思い出した。《たしかに、おれは、ラスコーリニコフに読まれたとおり、むしろ自分の傷をひっかくために、あのとき、あんなことを言ったのかもしれん。しかし、あのラスコーリニコフってやつも、悪党だ！　あんなに重荷を背負って。乳臭さがとれたら、いまに大した悪党になるかもしれん！　だが、いまは生きることに執着しすぎている！　この点ではあいつらは――意気地《いくじ》なしだ！　でも、あんなやつはどうでもいい、好きなようにするさ、おれの知ったことか！》

彼はどうしても眠れなかった。しだいにさっきのドゥーネチカの姿が彼のまえにうかんできた、すると不意に、ふるえが彼の全身を走った。《いけない、こんなものはもう捨ててしまわなきゃ》彼ははっとして、こう思った。《何かほかのことを考えるんだ。不思議な気もするし、おかしいとも思うんだが、おれはこれまで誰も憎くてたまらないと思ったことはなかったし、特に復讐《ふくしゅう》してやろうなんて考えたこともなかった、たしかにこれは悪い徴候なんだ、悪い徴候だ！　口論も好かなかったし、かっとしたこともなかった、——これも悪い徴候だ！　それにしても、さっきは彼女にずいぶん約束を並べたもんだ、ばからしい！　もしかしたら、彼女はおれをどうにか叩き直してくれたかもしれん……》彼はまた黙りこんで、歯をくいしばった。またしてもドゥーネチカの姿が彼のまえにうかんできた。さっき、一発射って、はっとして、拳《けん》銃《じゅう》をだらりと下げて、死んだようになって彼に目を見はっていた、あのときそのままの彼女だった。あのときは、こちらが言ってやらなければ、両手を突き出して防ごうとしなかったのだから、二度つかまえるチャンスがあったはずだ。あの瞬間彼女がかわいそうになって、胸がしめつけられたような気がしたことを、彼は思い出した……《え！　くそ！　またそんなことを、これはもう忘れるんだ、捨てるんだ！……》

彼はうとうとしかけた。熱のふるえはおさまりかけていた。不意に毛布の下で手と足の上を何かが走りぬけたような気がした。彼はびくっとした。《くそ、いまいまい、ねずみらしいぞ！》と彼は思った。《子牛の肉をテーブルの上にうっちゃっておいたからだ……》彼はどうしても毛布をはねて、起きて寒い思いをする気にはなれなかった、ところがまた不意に何か気持の悪いものが足の上をすりぬけた。彼は毛布をはねのけて、ろうそくをつけた。ぞくぞくするような寒さにふるえながら、彼は屈《かが》みこんでベッドの上をしらべたが、――何もいなかった。彼はつかまえようとしてとびかかった。不意にシーツの上にねずみが一匹とびだした。彼は毛布をふるった、するとところがねずみはベッドの上から逃げようとしないで、あちらこちらへちょろちょろとジグザグに逃げまわり、彼の指の下をすりぬけて、腕の上を走りぬけ、不意に枕《まくら》の下へもぐりこんだ。彼は枕をはねのけた、と同時に何かが懐《ふとこ》ろの中へとびこんで、ちょろちょろと背中のほうへまわり、シャツの下にはいこんだのを感じた。彼はぞくぞくッとふるえて、目をさました。部屋の中は暗かった。彼はさっき寝たときのように、毛布にくるまってベッドの上に横になっていた。窓の下で風が唸《うな》っていた。《なんていやな気持だ！》と彼はむかむかしながら考えた。

彼は起き上がると、窓に背を向けて、ベッドのはしに坐った。《もうこうなったら眠らぬほうがましだ》と彼は腹をきめた。しかし、窓のあたりから寒いじめじめした空気が流れてきた。彼は坐ったまま毛布をひきよせて、すっぽりかぶった。ろうそくはつけなかった。彼は何も考えなかった、それに考えたくもなかった。しかし幻覚が次々とあらわれ、はじめも終りもない、何のつながりもない想念の断片が、ちらちらと浮んでは消えた。半分夢を見ているような気持だった。寒さか、闇《やみ》か、しめっぽい空気か、窓の下に唸り、木々をゆすっている風か、彼の内部にある執拗《しつよう》な幻想に対する傾きとあこがれを呼びさますものがあった、——しかし彼のまえにはたえず花があらわれるようになった。やがて、素晴らしい風景が彼の空想に描き出された。明るい、あたたかい、あついくらいの日で、ちょうど三位《さんみ》一体祭《いったいさい》の日だった。村の華麗な英国風の別荘、家のまわりを取り巻いている花壇には花が一面に咲き匂《にお》っている。つたがからみ、バラの花壇をめぐらした玄関。ぜいたくなじゅうたんを敷き、陶器の鉢《はち》に植えた珍しい花を両側に置きならべた階段。窓辺の水盤にいけてある、鮮やかなみどり色のみずみずしい長い茎を傾けさせるほどに、白い優美な花をつけて、強い香りを放っている水仙《すいせん》の花束が、特に彼の目をひいた。彼はそのそばをはなれたくないような思いだったが、階段をのぼって、天井の高い大きな広間に入った。するとそこもまた、窓も、テラスに出るドアのあたりも、テラスにも、一面の花だった。床には刈り取ったばかりのみずみずしい香りの強い草がまいてあった。窓は開け放されて、さわやかな、涼しいそよ風が部屋へ吹き通い、窓の下で小鳥がさえずっていた。ところが、広間の中央には、白繻子《しろじゅす》の掛布でおおわれた卓の上に、一つの柩《ひつぎ》がおいてあった。その柩には白い絹布がかけられて、その絹布には白い縁飾りがこまかく縫いつけられていた。柩のまわりには花冠が一面に飾られ、その中に花に埋まるようにして一人の少女が、白い薄絹の衣装を着て、大理石で刻んだような両手をしっかり胸に組んで、横たわっていた。しかし、少女のとかれた明るいブロンドの髪は、濡《ぬ》れていた、そしてバラの花冠が頭を飾っていた。もうかたく冷えてしまったきびしい横顔も、大理石で刻み上げられたようであったが、蒼白《あおじろ》い唇《くちびる》に凍りついたうすい笑いは、何か子供らしくない、限りない悲しみと深いうらみにみたされていた。スヴィドリガイロフはこの少女を知っていた。この柩のそばには聖像もなければ、ろうそくもともっていないし、祈禱《きとう》の声も聞えなかった。この少女は自殺者だった、――川に身を投げて死んだのだった。少女はわずか十四だったが、心はもう傷つききっていた、そしておさない子供の意識をおびえさせ、おののかせた屈辱にさいなまれつくしたその心が、天使のような清らかな魂におぼえのない恥ずかしい罪を着せられ、雪どけのじめじめした寒い闇の中で、誰にも聞かれぬ、はげしい呪《のろ》いにみちた絶望の最後の叫びを、真っ暗い夜に投げつけながら、自分の身を亡《ほろ》ぼしたのだった。その夜も風が唸っていた……

スヴィドリガイロフははっと目がさめて、ベッドから起き上がると、窓のそばへ行った。彼は手さぐりでかんぬきをさがして、窓を開けた。風が怒り狂ったようにせまい部屋に吹きこみ、彼は顔やシャツ一枚の胸に冷たい氷をはりつけられたような気がした、窓の下は、たしかに公園のようなものになっているにちがいなかった、そして、これもおそらく遊園地らしく、昼間は歌手たちが歌をうたったり、小さなテーブルに茶がはこばれたりしていたにちがいない。いまは木々や茂みからしぶきが窓に吹きつけていた、そして墓穴の中のように真っ暗で、何かあるらしい真っ黒い点々がかすかに見分けられるだけだった。スヴィドリガイロフは身を屈めて、窓台に両肘をついたまま、もう五分ほど、じっとこの黒い靄《もや》の中をにらみつづけていた。夜更けの闇の中に砲声がひびきわたった、つづいてまた一発聞えた。

《あ、警報だ！　水かさが増したんだな》と彼は考えた。《明け方には水がでて、低いところは通りも、地下室も、穴蔵も水びたしになるぞ。さぞねずみどもが流されるこったろう。雨と風の中で人間どもがびしょぬれになって、ののしりちらしながら、がらくたを二階に運び上げるさ……ところで、何時かな？》こう考えたとたんに、どこか近くで、せかせかと、まるであわてふためくように、柱時計が三時を打った。《へえ、一時間もすると明るくなるぞ！　ぐずぐずしちゃおれん！　すぐにここを出て、まっすぐペトロフスキー公園へ行こう。そしてどこでもいい、大きな茂みを見つけるんだ、雨をいっぱいにふくんだ、ちょっと肩をふれただけで、無数のしずくが頭におちてくるような……》彼は窓をしめて、窓のそばをはなれると、ろうそくをつけて、上着と外套を着て、帽子をかぶり、ろうそくを手にもって廊下へ出た。どこかの小さな部屋のがらくたやろうそくの燃えかすの間で眠っているぼろ服の男をさがし出して、勘定をすまし、宿を出るつもりだった。《うってつけの時刻だ、これ以上の時刻は選ぼうったって無理だ！》

彼はややしばらく細長いせまい廊下を歩きまわったが、誰も見つからないので、じりじりして大きな声でどなろうとした。そのとたんに、暗い隅のほうの古い戸棚《とだな》とドアの間に、何か妙なものがごそごそしているのが目についた。どうやら生きもののようだ。屈みこんで、ろうそくの光をあてて見ると、一人の子供だった。五つになるかならないくらいの女の子が、おしめみたいにぐっしょり濡れたぼろぼろの服を着て、ぶるぶるふるえながら、泣いていた。少女はスヴィドリガイロフに別におびえた様子はなかったが、大きな黒い目ににぶいおどろきを浮べて彼を見つめながら、泣きつかれた子供が、もう泣きやんで、おさまってしまったのに、ときどき思い出しては、急にまたしゃくり上げるように、ときどきしゃくり上げていた。少女の顔は蒼白く、やつれていた。寒さですっかり凍《こご》えていた。《だが、どうしてこんなところへ来たんだろう？　きっと、ここにかくれていたんだ、そして一晩中眠らなかったにちがいない》彼は少女にいろいろと尋ねはじめた。少女は急に元気がでて、子供言葉で何やらせかせかとしゃべりだした。聞いていると、《母ちゃん》がどうしたとか、《母ちゃんがぶった》とか、《こわちた》茶わんがどうとか、いうことだった。少女はとめどなくしゃべった。その話からどうやら次のようなことが察しられた。この少女は好かれない子で、この宿屋で料理女をしているらしい母親は、年中酒を飲んでいるような女で、この少女をしょっちゅう叱《しか》ったり、ぶったりしていた。少女は母の茶わんをこわしたので、すっかりおびえてしまって、まだ宵《よい》のうちから逃げ出した。そして長い間庭のどこかに、雨にうたれながらかくれていて、やっとここまで逃げこみ、戸棚のかげにかくれて、寒さと、暗さと、今度こそこっぴどく折檻《せっかん》されるにちがいないという恐ろしさから、泣きながらぶるぶるふるえて、一晩中この隅っこにちぢこまっていた。大体こういうことらしかった。彼は少女を抱き上げて自分の部屋へはこび、ベッドにかけさせて、服をぬがせはじめた。素足にはいた穴だらけの靴《くつ》は、一晩中水たまりの中につけておいたみたいに、ぐしょぐしょに濡れていた。服をぬがせると、ベッドの上にねかせて、頭からすっぽり毛布でつつんでやった。少女はすぐに眠ってしまった。世話がすっかり終ると、彼はまた憂欝《ゆううつ》そうに考えこんだ。

《まだこんなことにかかりあう気だ！》と彼は重苦しい自己嫌悪《けんお》を感じながら、考えた。《なんてばかばかしい！》彼は今度こそどうしてもぼろ服の男をさがし出し、一刻も早くこの宿を出ようと思って、むしゃくしゃしながらろうそくを取り上げた。

《ええ、いまいましい少女だ！》彼はもうドアを開けてから、呪わしそうにこう思ったが、気になって、もう一度少女の様子を見に引き返した。眠っているだろうか、どんなふうに眠っているだろう？　彼はそっと毛布をもちあげた。少女は気持よさそうにぐっすり眠っていた。毛布にあたためられて、もう赤味が蒼白い顔にさしていた。だが、妙なことに、その赤味が普通の子供の赤さにしては、色が鮮やかで濃すぎるような気がした。《これは熱病の赤さだ》とスヴィドリガイロフは考えた。それは——酒に酔ったような赤さだった、まるでコップ一杯の酒を飲まされたようだ。真っ赤な唇は燃えて、あえいでいるようだ、しかし、これはどうしたというのだ？　不意に、少女の長い黒い睫毛《まつげ》がひくひくッとふるえて、すこしもちあがり、その下からずるそうな、きらッと光る、何か子供らしくない目がのぞいて、パチッとウィンクしたような気がした。少女は眠ってはいないで、眠ったふりをしていたらしい。たしかに、そのとおりだった。唇に微笑がみなぎりはじめた。まだ堪《こら》えようとしているらしく、唇のはしがひくひくふるえている。だが、少女はもう堪えるのをすっかりやめてしまった。これはもう笑いだった。明らかな笑いだった。そのまるで子供らしくない顔には、何かずるいそそるようなものがきらきらしていた。それは淫蕩《いんとう》だ、娼婦《しょうふ》の顔だ、フランスの淫売婦のあつかましい顔だった。もう少しもかくそうとしないで、二つの目がぱっちりと開いた。そしてその目は恥じらいを知らぬ燃えるようなまなざしで彼を見まわし、彼を誘い、彼に笑いかけている……その笑いには、その目には、少女の顔にあるそのいやらしさには、何かしら限りなくみにくい、痛ましいものがあった。《どういうのだ！　わずか五つくらいの少女が！》スヴィドリガイロフは腹の底からぞうッとして、呟《つぶや》いた。《これは……これはいったいどうしたことだ？》だが、少女はもうその小さな顔をすっかり彼のほうへ向けて、両手をさしのべているではないか……《あ、このけがらわしいやつめ！》と、手を少女の上に振り上げながら、スヴィドリガイロフはぎょッとして叫んだ……そのとたんに、目がさめた。

彼は先ほどと同じベッドの上に、同じように毛布にくるまって横になっていた。ろうそくはともっていないが、窓はもうすっかり明るくなっていた。

《一晩中悪夢にうなされた！》彼は全身に綿のような疲れを感じながら、苦りきった顔で起き上がった。身体中の骨がずきずきした。外は一面に濃い霧で、何も見分けることができない。もう五時になろうとしている。寝すごした！　彼はベッドを下りて、まだしめっぽい上着と外套を着た。彼はポケットの拳銃を手さぐりでとり出し、雷管を直した。それから腰を下ろして、ポケットから手帳をとり出し、そのいちばん目につきやすい表紙裏に大きな字で数行書いた。それを読み返すと、彼はテーブルに肘杖《ひじづえ》をついて、もの思いにしずんだ。拳銃と手帳は肘のすぐそばに無造作においてあった。目をさました蠅《はえ》が、やはりテーブルの上においてあった手をつけない子牛の肉にたかっていた。彼はややしばらくその蠅を見ていたが、とうとう、自由な右手でそのうちの一匹をつかまえにかかった。ややしばらく骨を折ってみたが、どうしてもつかまえることができなかった。とうとう、こんなたわいないことに夢中になっている自分に気がつくと、はっとして、びくっと身体をふるわせ、立ち上がって、しっかりした足どりで部屋を出て行った。一分後に彼は通りに出ていた。

ミルクのような濃い霧が町の上にたれこめていた。スヴィドリガイロフは泥がついてつるつるすべる板敷きの歩道を、小ネワ河のほうへ歩きだした。彼の目先には、一夜のうちに高くもり上がった小ネワ河の流れや、ペトロフスキー島や、濡れた小道、濡れた草、濡れた木々や茂み、そして最後に、あの茂みが、ちらちら浮んだ……ほかのことは何も考えまいとして、彼は腹立たしげに家々をながめはじめた。通りには一人の通行人も、一台の馬車も見えなかった。派手な黄色を塗った木造の家々が、鎧扉《よろいど》を下ろして、ものうげにきたならしく見えた。寒さとしめっぽさが彼の身体中にしみわたって、またぞくぞくと悪寒《おかん》がしはじめた。ときどき小店や青物屋の看板が目につくと、彼はひとつひとつていねいに読んだ。もう板敷きの歩道がつきた。彼は大きな石造《いしづくり》の家のまえへ来ていた。泥まみれの凍えきった小犬が、しっぽをまいて彼のまえを横切った。泥酔《でいすい》した男が一人、外套のままうつ伏せに歩道に倒れて、道をさえぎっていた。彼はそれをちらと見て、そのまま通りすぎた。高い望楼が左手のほうにちらと見えた。《あれだ》と彼は思った。《うん、あそこがいい。ペトロフスキーまで行くまでもない！　少なくともその筋の証人がいてくれるわけだ……》彼はこの新しい考えに思わず苦笑しそうになって、S通りへ曲った。すぐに望楼のある大きな家があった。閉った大きな門のまえに、灰色の兵隊外套を着て、アキレスのような鉄帽をかぶったあまり大きくない男が、片方の肩を門にもたれかけるようにして立っていた。彼はねむそうな目で、近づいてくるスヴィドリガイロフに気のない横目をなげた。その顔には、すべてのユダヤ人に例外なくにがく刻みつけられている、永遠に消えることのないねじけた悲しみが見られた。スヴィドリガイロフとアキレスの二人は、しばらくの間、黙って、互いに相手を見まわしていた。アキレスには、ついに、酔ってもいない男が、自分の三歩ばかりまえに突っ立って、ものも言わずしつこくじろじろ見ているのが、無礼に思われてきた。

「あ、ここになんの用があるんだね？」と彼はやはり身体も動かさず、姿勢も変えずに、言った。

「いや、別に、きみ、機嫌《きげん》はどうだね！」とスヴィドリガイロフは答えた。

「ここは来るところじゃない」

「わたしはね、きみ、外国へ行くんだよ」

「外国へ？」

「アメリカだよ」

「アメリカ？」

スヴィドリガイロフは拳銃を出して、撃鉄を上げた。アキレスは目をつり上げた。

「あ、何をする、そんなもの、ここじゃいかん！」

「どうしてここじゃいかんのかね？」

「つまり、ここはそんな場所じゃないからだ」

「いや、きみ、そんなことはどうでもいいんだよ。いい場所じゃないか。もしきみが聞かれるようなことがあったら、アメリカへ行くと言ってた、とそう答えなさい」

彼は拳銃を自分の右のこめかみに当てた。

「あ、ここじゃいかん、ここは場所じゃない！」と、アキレスはますます大きく目を見ひらきながら、ふるえ上がった。

スヴィドリガイロフは引鉄《ひきがね》を引いた。

7

その同じ日、といってももう夕暮れの六時すぎだったが、ラスコーリニコフは母と妹の住居《すまい》の近くまで来ていた。それはラズミーヒンが世話をしてくれたバカレーエフのアパートにある例の住居だった。階段の入り口は直接通りに面していた。ラスコーリニコフは、入ろうか、入るまいか、と迷っているらしく、まだ足をしぶらせながら、近づいて行った。しかし彼はどんなことがあっても引き返しはしないはずだった。彼は固く決意していたのである。《それにどうせ同じことだ、二人はまだ何も知らないんだし》と彼は考えた。《おれを変人と思うことには、もう慣れているんだから……》

彼はひどい服装をしていた。一晩中雨にうたれていたために、すっかり泥《どろ》にまみれて、かぎ裂きやらほころびやらでぼろぼろになっていた。彼の顔は疲労と、悪天候と、肉体的な衰弱と、ほとんど一昼夜もつづいた自分自身とのたたかいのために、醜悪なまでに変っていた。昨夜一夜、彼はどことも知れぬ場所で、一人ですごした。しかし、とにかく、彼は決意したのである。

彼はドアを叩《たた》いた。開けてくれたのは母だった。ドゥーネチカはいなかった。ちょうど女中まで留守だった。プリヘーリヤ・アレクサンドロヴナは最初うれしいおどろきのあまりぽかんとしてしまったが、すぐ彼の手をとって、部屋の中へ連れて行った。「やっと、来てくれたねえ！」とうれしさに口ごもりながら、彼女は言いだした。「わたしをおこらないでおくれね、ロージャ、せっかく来てくれたのに、ばかだねえ、泣いたりなんかして。泣いているんじゃないんだよ、笑っているんだよ。おまえは、わたしが泣いていると思うかえ？　いいえ、わたしは喜んでいるんだよ。どうしてこんなばかな癖がついたものか、うれしいとすぐに涙がでてきてねえ。これはおまえのお父さんが亡《な》くなったときからなんだよ、何かというとすぐ泣けてくるんだよ。さあ、お坐《すわ》り、疲れたでしょう、そうでしょうとも。まあ、ひどい汚れ方だねえ」

「昨日雨の中にいたんだよ、母さん……」とラスコーリニコフは言い出しかけた。

「いや、いいんだよ、いいんだよ！」と彼をさえぎりながら、プリヘーリヤ・アレクサンドロヴナは大きな声で言った。「おまえは、わたしが婆《ばあ》さんのいままでの癖で、いろんなことをうるさく尋ねはじめると思ったんでしょう。心配しなくていいんだよ。わたしはわかってるんだよ、すっかりわかってるんだよ、いまはもうこちら風のものの考え方をおぼえてねえ、たしかに、自分でも思うけど、こちらのほうが利口だよ。わたしはね、どうせおまえの考えていることなんかわかりっこないんだから、聞いたってしようがないと、きっぱりと心に決めたんだよ。おまえの頭には、わたしなんかの知らない事業や計画みたいなものがあるんだろうし、思想とかいうものが生れたりするんだろうからねえ。とてもわたしには、何を考えてるの？ なんて、手をひっぱってやることはできやしないよ。わたしはね……おや、まあ！ なんだってわたしはこうちょこちょこ話を変えるんだろう、頭がどうかしたみたいに……わたしはね、ロージャ、雑誌にのったあのおまえの論文を、いま三度目の読み返しをしてるんだよ。ドミートリイ・プロコーフィチが貸してくれたんでねえ。読んでみて、ほんとにびっくりしたよ。わたしはなんてばかだったんだろう、あの子はこんなことを考えていたのか、これで謎《なぞ》がとけた！ あの子はあの頃《ころ》新しい思想というものを考えて、頭を痛めていたにちがいない、それを知らずに、苦しめたり、困らせたりして、と思ってねえ。読んでもね、そりゃもう、わからないとこだらけなんだよ。でも、それがあたりまえ、どうせわかりっこないんだから」

「どれ、見せて、母さん」

ラスコーリニコフは雑誌を手にとって、ちらと自分の論文を見た。それがいまの彼の状態と心境にどんなに矛盾していても、彼は、はじめて自分の書いたものが活字になったのを見たときに作者が経験する、あの異様な甘苦いような気分を感じた、まして二十三歳の若さだった。それもちょっとの間だった。数行読むと、彼は眉《まゆ》をしかめた。おそろしい憂愁が彼の心をしめつけた。この数カ月の心の中のたたかいがすっかり一時に思い返された。彼はいやな顔をして、いまいましそうに、論文をテーブルの上にほうり出した。

「でもねえ、ロージャ、わたしはどんなにばかでも、おまえが近い将来に、わが国の学界で一番とはいかないまでも、第一級の人々の中にかぞえられるような人になってくれることだけは、わかるような気がするんだよ。ほんと、あの人たちったら、おまえが発狂したなんて、よくもそんなことが言えたもんだよ。は、は、は！　おまえは知らんだろうが、——あの人たちはそんなことを考えていたんだよ！　まったく、あきれたうじ虫どもだねえ、あんなやつらに、天才ってどんなものか、わかってたまるものかね！　それがおまえ、ドゥーネチカまでもう危なく本気にするところだったんだよ、——ほんとに、どういうんだろう！　おまえの亡くなったお父さんも雑誌に二度投稿したことがあったっけ、——最初は詩で（ノートがちゃんとしまってあるから、そのうちに見せてあげるよ）、二度目はもうちゃんとした小説だった（わたしは無理にお父さんに頼んで、清書させてもらったっけ）、そして二人で、採用になるように神さまにお祈りしたんだけど、——だめだった！　わたしはね、ロージャ、六、七日まえには、おまえの着ているものや、生活ぶりや、食べているものや、履いているものなどを見て、死ぬほどがっかりしたけど、いまはもう、そんな心配をしたわたしがやっぱりばかだったことが、わかったんだよ。だって、おまえがその気になれば、頭と才能でなんでもすぐに手に入るんだものねえ。おまえはきっと、ここ当分はそんなことは考えないで、もっともっと大切なしごとにうちこんでいるんだよ、ねえ……」

「ドゥーニャはいないの、母さん？」

「いないんだよ、ロージャ。このごろはでかけてばかりいて、さっぱりわたしをかまってくれないんだよ。でもありがたいことに、ドミートリイ・プロコーフィチがしょっちゅう寄ってくれて、いつもおまえの話を聞かせてくれるのでねえ。あのひとはおまえを好いて、尊敬している、ほんとにいい方だよ。でも、何もドゥーニャが、わたしをひどく粗末にするようになったなんて、そんなことを言ってるのじゃないんだよ。ぐちなんかこぼさないよ。あれはああいう気性《きしょう》だし、わたしはわたしで性分が別だから。あれには何かかくしごとがあるらしいんだよ、でもわたしは、おまえたちに何もかくしごとなんてありませんよ。そりゃむろん、ドゥーニャが頭がよすぎて、それに、わたしとおまえを愛していてくれることは、わたしはかたく信じてますがね……でも、わたしにはさっぱりわからないんだよ。こんなことをしていていったいどういうことになるんだろうねえ。ロージャ、いまはおまえがこうして寄ってくれて、わたしを喜ばせてくれたけど、あれはどっかでぶらぶらしている。もどって来たら、わたしは言ってやりますよ、おまえの留守に兄さんが来てくれたんだよ、おまえはいったいどこで遊んでいたんだえ？　ってね。でもね、ロージャ、あんまりわたしを甘やかさないでいいんだよ、おまえの都合がよかったら——寄っておくれ、わるきゃ——しかたがない、こうして待っているから。わたしだってやっぱり、おまえが愛していてくれることを、知りたいものねえ、わたしはそれで十分なんだよ。こうしておまえの書いたものを読んだり、みんなからおまえの話を聞いたり、そのうちに——おまえが様子を見に寄ってくれる、こんないいことってある？　現にいまだって、わたしを慰めに寄ってくれたじゃないの、そうだろう……」

ここまで言うと、プリヘーリヤ・アレクサンドロヴナは急に泣き出した。

「わたしったらまた！　こんなばかなんか見ないでおくれ！　あ、ほんとにわたしったら、どうしたんだろう、ぼんやり坐りこんでいて」と、あわてて席を立ちながら、彼女は大きな声を出した。「コーヒーがあるのに、おまえにご馳走《ちそう》しようともしないで！　これが婆さんの身勝手というものだねえ。いますぐいれるからね！」

「母さん、いいんですよ、ぼくはすぐ帰りますから。ぼくはそんなつもりで来たんじゃないんです。どうか、ぼくの言うことを聞いてください」

プリヘーリヤ・アレクサンドロヴナはおずおずと彼のそばへ寄った。

「母さん、どんなことが起っても、ぼくのことでどんなことを聞いても、ぼくのことでどんなことをおしえられても、母さんは、いままでのようにぼくを愛してくださいますか?」彼は胸がいっぱいになって、言葉を考えて、その意味のもつ重さをはかる余裕もないらしく、いきなりこう尋ねた。

「ロージャ、ロージャ、どうしたというの？ え、どうしてそんなことがわたしに聞けるの！ それに、誰《だれ》がおまえのことをとやかくわたしに言うの？ いいよ、わたしは誰も信じやしない、誰が来《こ》ようと、すぐに追いかえしてやるから」

「ぼくは、いつも母さんを愛していたことを、母さんにはっきり知ってもらうために来たのです、そしていま、二人きりでよかったと思います、ドゥーネチカがいなかったことが、かえって嬉《うれ》しいんです」と彼はやはり激情のほとばしりをおさえかねるようにつづけた。「ぼくは、たとえ母さんが不幸になるようなことがあっても、やはりあなたの息子はわが身以上にあなたを愛していることを、知っていていただきたいのです、それから母さんがこれまで、ぼくのことを冷酷な人間で、母さんを愛していない、と考えたことがあったとしたら、それはみなまちがいです、このことを母さんにはっきりと言いに来たんです。ぼくは母さんをいつまでも愛しつづけます……これで、もういいでしょう。ぼくは、こうして、ここからはじめなければならない、そう思ったんです……」

プリヘーリヤ・アレクサンドロヴナは黙って彼を胸に抱きしめながら、声を殺して泣いていた。

「どうしたというの、ロージャ、わたしにはわからないけど」と、やがて彼女は言った。「わたしはずっと、わたしたちはおまえにうるさがられているのだとばかり思っていたけど、さっきから様子を見ていると、きっと、おまえには何か大きな悲しみがあって、そのために苦しんでいるのだねえ。わたしにはもうまえまえからそれがわかっていたんだよ、ロージャ。こんなことを言い出して、許しておくれね。いつもそれが気になって、夜も眠れないんだよ。昨夜はおまえの妹も一晩中うなされて、おまえのことばかり口走っていましたよ。少しは聞きとれたけど、何のことやらわけがわからなかった。今朝はずっと、まるで刑場にひかれるまえみたいに、そわそわと落ち着かなく、何かありそうな気がして、心待ちしていたんだけど、やはり甲斐《かい》があったねえ！　ロージャ、ロージャ、いったいどこへ行くの？　どこか、遠いところへでも行くのかえ？」

「ええ」

「わたしもそんな気がしてたんだよ！　おまえさえよければ、わたしもいっしょに行っていいんだよ。ドゥーニャも。あれはおまえを愛してますよ、ほんとに心から愛してますよ。それから、よかったら、ソーフィヤ・セミョーノヴナもいっしょに連れて行きましょう。わたしはね、あのひとを喜んで娘代りにしたいとさえ思っているんだよ。わたしたちがいっしょに集まって暮せるように、ドミートリイ・プロコーフィチが骨を折ってくれますよ……おや……おまえはどこへ……もう出かけるの？」

「さようなら、お母さん」

「え！　今日すぐ！」と、このまま永久に息子を失ってしまうかのように、彼女は叫んだ。

「こうしていられないのです、もう出かけなければ。どうしてもすまさなければならない用事があるのです……」

「じゃ、わたしはいっしょに行けないの？」

「いけません、どうか、ひざまずいて、ぼくのために祈ってください。母さんの祈りなら、とどくかもしれません」

「どれ、じゃ十字を切らしておくれ、祝福してあげますよ！　そうそう、これでいいよ。おや、わたしたちは何をしているんだろう！」

そうだ、彼は嬉しかった、母と二人きりで、ほかに誰もいないのが、たまらなく嬉しかった。彼はこの恐ろしい何日かの後、心が一時に楽になったような気がした。彼は母のまえに突っ伏して、母の足に接吻《せっぷん》した、そして二人は、抱き合って、泣いた。彼女ももうおどろかなかったし、うるさく尋ねなかった。息子の身に何かおそろしいことが起ろうとしていて、いまそのおそろしい瞬間が近づいたことが、彼女にはもうとっくにわかっていた。

「ロージャ、わたしのかわいい、かけがえのないロージャ」と、声を上げてすすり泣きながら、彼女は言った。「おまえはちっちゃいときも、ちょうどこんなだったよ。こんなふうにわたしのところへ来て、こんなふうに抱きついて、わたしに接吻してくれたっけ。まだお父さんが生きていて、貧しかった頃、おまえがいてくれるということだけで、わたしたちは慰められたものだった。そしてお父さんが亡くなってからは——何度わたしとおまえは、お父さんのお墓のまえで、こんなふうに抱き合って泣いたことか。わたしがもうかなりまえからすっかり涙っぽくなったのは、母親の心が不幸の来るのを見ぬいていたんだねえ。わたしはあの晩、おぼえてるかい、ほら、わたしたちがこちらへ着いたあの晩だよ、はじめておまえに会ったとき、おまえの目を一目見てすべてを察し、胸がどきッとしたんだよ。今日は、ドアを開けて、おまえを一目見たとき、いよいよ運命のときが来たんだな、と思いましたよ。ロージャ、ロージャ、おまえはいますぐ行くんじゃないだろうね？」

「ちがいます」

「また来てくれるね？」

「え……来ます」

「ロージャ、怒らないでおくれね、どうせこまごまと聞くなんて、わたしにはできやしないんだから。できないのは、わかってるけど、一言だけ聞かせておくれね、おまえはどこか遠くへ行くのかえ？」

「ひじょうに遠いところです」

「じゃそちらに何か、勤め口か、いい話でもあるというの？」

「わかりません……ただぼくのために祈ってください……」

ラスコーリニコフはドアのほうへ行きかけた。彼女は息子にすがりついて、必死のまなざしで息子の目を見た。顔は恐怖でゆがんだ。

「もういいですよ、お母さん」とラスコーリニコフは、来る気になったことを深く後悔しながら、言った。

「これっきりじゃないね？　ほんとに、まだ、これっきりじゃないんだね？　まだ来てくれるね、明日来てくれるね？」

「来ます、来ますよ、さようなら」

彼はついに振りきって出て行った。

さわやかな、あたたかい、晴れた宵《よい》だった。空は朝のうちから晴れわたっていた。ラスコーリニコフは自分の家のほうへ歩いていた。彼は急いでいた。太陽がおちるまでにすっかりかたをつけてしまいたかった。それまでは誰とも会いたくないと思った。階段をのぼりながら、彼は、ナスターシヤがサモワールのそばをはなれて、じっと彼を見つめて、そのままいつまでも見送っているのに気付いた。《はてな、誰か来てるのかな？》彼はふとこう思った。ポルフィーリイの顔をちらと思いうかべて、彼はいやな顔をした。だが、部屋のまえまで来て、ドアを開けて見ると、ドゥーネチカだった。彼女は一人ぽつんと坐って、深いもの思いにしずんでいた。もう大分まえから彼のかえりを待っていたらしい。彼はしきいの上に立ちどまった。彼女ははっとしてソファから腰をうかすと、きっとした様子で彼のまえに立った。じっと彼に注がれたその目には、恐怖といやされぬ深い悲しみがあらわれていた。その目を見ただけで、彼はとっさに、彼女がすべてを知っていることをさとった。

「どう、入ってもいい、それともこのまま出て行く？」と彼はためらいながら尋ねた。

「わたしは一日中ソーフィヤ・セミョーノヴナの部屋にいました。二人で兄さんの来るのを待っていたんです。わたしたちは、兄さんがきっと寄ると思っていました」

ラスコーリニコフは部屋に入ると、ぐったりと椅子《いす》に腰を下ろした。

「なんだかだるいんだよ、ドゥーニャ。疲れすぎているんだね。せめてここちょっとの間だけでも、気をしっかりもっていたいと思うんだが」

彼は疑《うたぐ》るような目をちらと彼女に投げた。

「一晩中いったいどこにいたの？」

「よくおぼえていない。ねえ、ドゥーニャ、ぼくは完全に解決してしまおうと思って、ネワ河のほとりを何度も歩きまわった。それはおぼえている。ぼくはそこで解決してしまいたかった、が……思いきれなかった……」と、また疑るようにドゥーニャを見ながら、彼は低声《こごえ》で言った。

「よかった！　わたしたち、わたしとソーフィヤ・セミョーノヴナは、どんなにそれを恐れたでしょう！　つまり、兄さんは生命《いのち》というものをまだ信じているんだわ。よかった、よかったわ！」

ラスコーリニコフは苦々しく笑った。

「ぼくは信じちゃいないよ。いま母さんといっしょに、抱き合って、泣いてきたんだ。

ぼくは信じはしないが、母さんに、ぼくのために祈ってくれるように頼んだ。どんなふうになっているのかは、誰もわかりゃしない、ドゥーネチカ、こういうことになると、ぼくはぜんぜんわからないんだよ」

「母さんのところへ行ったの？　じゃ、兄さんは、母さんに話したの？」と、ドゥーニャはぎょっとして叫んだ。「ほんとに、思いきって、話したの？」

「いや、話さなかった……言葉では。でも、母さんはいろいろとさとっていたよ。夜おまえがうなされているのを、聞いたんだよ。もう大体はわかっていると思うよ。寄ったのは、まずかったかもしれない。まったく、なんのために寄ったかさえ、ぼくにはわからないんだよ。ぼくは下劣な人間だよ、ドゥーニャ」

「下劣な人間、だって苦しみを受けようとしてるじゃありませんか！　ほんとに、行くのね？」

「行くよ。いますぐ。ぼくはこの恥辱を逃れるために、川へ身を投げようとしたんだよ、ドゥーニャ、だが橋の上に立って水を見たときに、考えたんだ、いままで自分を強い人間と考えていたのじゃないか、いま恥辱を恐れてどうする」と彼は先まわりをして、言った。「これが誇りというものだろうな、ドゥーニャ？」

「誇りだわ、ロージャ」

彼のどんよりした目に一瞬火花がきらめいたようだった。まだ誇りがあることが、嬉しくなったらしい。

「水を見て怯気《おじけ》づいただけさ、なんて思わないだろうね、ドゥーニャ？」と彼はみにくいうす笑いをうかべて、彼女の顔をのぞきこみながら、尋ねた。

「おお、ロージャ、よして！」とドゥーニャは悲しそうに叫んだ。

二分ほど沈黙がつづいた。彼は坐ったままうなだれて、じっと床を見つめていた。ドゥーネチカはテーブルの向う側に立って、痛ましそうに彼を見つめていた。不意に彼は立ち上がった。

「もうおそい、行かなくちゃ。ぼくはいま自分を渡しに行くんだよ。だが、なんのために自分を渡しに行くのか、ぼくにはわからない」

大粒の涙が彼女の頬《ほお》をつたった。

「おまえは泣いてくれるんだね、ドゥーニャ、ぼくの手をにぎってくれる？」

「どうしてそんなことを言うの？」

彼女はかたく彼を抱きしめた。

「だって兄さんは、苦しみを受けに行くことで、もう罪の半分を償ってるじゃありませんか？」と、彼女ははげしく彼を抱きしめ、接吻をくりかえしながら、叫ぶように言った。

「罪？　どんな罪だ？」と彼は不意に、発作的な狂憤にかられて叫んだ。「ぼくがあのけがらわしい、害毒を流すしらみを殺したことか。殺したら四十の罪を赦《ゆる》されるような、貧乏人の生血を吸っていた、誰の役にも立たぬあの金貸しの婆《ばば》ぁを殺したことか。これを罪というのか？　おれはそんなことは考えちゃいない、それを償おうなんて思っちゃいない。どうしてみんな寄ってたかって、《罪だ、罪だ！》とおれを小突くんだ。いまはじめて、おれは自分の小心の卑劣さがはっきりとわかった、いま、この無用の恥辱を受けに行こうと決意したいま！　おれが決意したのは、自分の卑劣と無能のためだ、それに更にそのほうがとくだからだ、あの……ポルフィーリイのやつが……すすめたように！」

「兄さん、兄さん、なんてことを言うんです！　だって、あんたは血を流したじゃありませんか！」とドゥーニャは絶望的に叫んだ。

「誰でも流す血だよ」と彼はほとんど狂ったように言った。「世の中にいつでも流れているし、滝みたいに、流れてきた血だよ。シャンパンみたいに流し、そのためにカピトーリーの丘（訳注　古代ローマの七丘の一つ）で王冠を授けられ、後に人類の恩人と称されるような血だよ。もっとよく目をあけて見てごらん、わかるよ！　ぼくは人々のために善行をしようとしたんだ。一つのこの愚劣の代りに、ぼくは数百、いや数百万の善行をするはずだったんだ。いや、愚劣とさえ言えないよ。ただの手ちがいさ。だって、この思想自体は、たとい失敗した場合でも、いま考えられるような愚劣なものでは、決してなかったんだ……(失敗すれば何でも愚劣に見えるものさ！)この愚劣な行為によって、ぼくはただ自分を独立の立場におきたかった、そして第一歩を踏み出し、手段を獲得する、そうすれば比べようもないほどの、はかり知れぬ利益によって、すべてが償われるはずだ……ところがぼくは、ぼくは、第一歩にも堪えられなかった、なぜなら、ぼくは——卑怯者《ひきょうもの》だからだ！　これがすべての原因なのだ！　それでもやはりぼくは、おまえたちの目で見ようとは思わん。もし成功していたら、ぼくは人に仰ぎ見られただろうが、いまはまんまとわなに落ちたよ！」

「でも、それはちがうわ、ぜんぜんちがうわ！　兄さん、あんたはなんてことを言うの！」

「あ！　形がちがうというんだね！　それほど美学的にいい形じゃないというんだね！　それが、ぼくにはまったくわからんのだよ。どうして人々を爆弾で吹っとばしたり、正確な包囲で攻め亡《ほろ》ぼしたりするほうが、より尊敬すべき形なんだろう？　美しさを危《あや》ぶむというのは無力の第一の徴候だ！　これをいまほどはっきりと意識したことは、これまでに、一度もなかった。だからいままでのいつよりも、いまが、ぼくは自分の罪が理解できんのだ！　ぜったいに、一度も、ぼくはいまほど強く、そして確信にみちたことは、ない！……」

彼の蒼白《あおじろ》くやつれた顔に赤味さえさした。しかし、この最後の言葉を叫んだとき、彼は何気なくちらとドゥーニャの目を見た、そしてその目の中に彼の身を思いわずらう限りない苦悩を見てとって、はっとわれにかえった。彼は、何はともあれこの二人のかわいそうな女を不幸にしたことを、感じた。やっぱり彼が原因なのだ……

「ドゥーニャ！　ぼくがまちがっていたら、許しておくれ（まちがっていたら、許すことなんてできないだろうけど）、さようなら！　議論はよそう！　もう時間だ、こうしてはいられない。ついて来ないでくれ、お願いだ、もう一カ所寄るところがあるんだよ……おまえは早くもどってお母さんのそばにいておくれ。頼むからそうしてくれ！　これはおまえに対する最後の、もっとも大きなぼくの頼みだよ。ずっと離れないでそばについていてやってくれ。ぼくは母さんを堪えられそうもない不安の中にのこして来たんだ。母さんは死ぬか、さもなきゃ気が狂ってしまうよ。いっしょにいてやってくれ！　ラズミーヒンがおまえたちの力になってくれるはずだ。ぼくは彼に頼んだんだ……ぼくのことは泣かないでくれ。ぼくはたとえ殺人犯でも、終生、男らしい誠実な人間になるように努めるよ。もしかしたら、おまえはいつかぼくの名前を聞くようなことがあるかもしれない。ぼくはおまえたちに恥をかかせるようなことはしないよ。見ていてくれ、ぼくはいまに証明するよ……じゃ当分、おわかれだ」彼の最後の言葉と約束を聞くと、ドゥーニャの目にまたいまにもくずれそうな妙な表情があらわれたのに気付いて、彼は急いでこう結んだ。「いったいどうしたんだね、そんなに泣いたりして？　泣かなくていいんだよ、泣かないでくれ、もう会えないというわけじゃないんだから！……あッ、そうそう！　ちょっと待ってくれ、忘れていた！……」

彼はテーブルのそばへ行って、一冊の厚い埃《ほこり》をかぶった本を手にとり、それを開くと、ページの間にはさんであった小さな肖像をとり出した。象牙《ぞうげ》に水彩絵具で描いた肖像だった。それは彼のかつての許嫁《いいなずけ》で、熱病で死んだ下宿の娘、修道院に行きたがっていたあの風変りな娘の肖像だった。彼はしばらくの間その何か言いたげな弱々しい顔を見つめていたが、やがてその肖像に接吻して、ドゥーニャに渡した。

「ぼくはね、この女といろいろ話し合ったんだよ、あのことも、この女にだけは話したんだ」と彼は感慨深そうに言った。「彼女の心に、ぼくは、あとでこんなみにくい結果になったことを、いろいろと知らせたんだよ。心配はいらんよ」と彼はドゥーニヤのほうを向いた。「彼女は同意しなかったよ、おまえみたいに。彼女がもういてくれなくて、よかったよ。要は、要は、いまからすべてが新しい道をたどるということだ。真っ二つに折れてしまうということなんだ」と、またやるせない気持にもどりながら、彼は不意に叫んだ。「何もかも、すっかり。ぼくにその覚悟ができているだろうか？ ぼくは自分でそれを望んでいるだろうか？ それは、ぼくの試練のために必要だという！ 何のためだ、こんな無意味な試練が何のためなのだ？ そんなもの何になるんだ、そんなものはいまよりも、二十年の徒刑が終って、苦痛とばかげた日常におしひしがれ、すっかり老衰しきってしまってから、自覚したほうがいいのではないのか。それなら何のために生きる必要があるのだ？ なぜぼくはいまこんな生き方に同意してるのだ？ おお、ぼくは今日、夜明けに、ネワ河の上に立っていたとき、ぼくが卑怯者だということが、はっきりわかったんだ！」

二人は、ついに、外へ出た。ドゥーニャは苦しかった、が、彼女は彼を愛していた！ 彼女は歩きだしたが、五十歩ほど行くと、振り向いてもう一度彼のほうを見た。彼はまだ見えていた。そして、曲り角まで来ると、彼も振り返った。二人は最後に目と目を見交わした。しかし、彼女がこちらを見ているのを知ると、彼は苛々《いらいら》して、かえって怒ったように、片手を振って行けという合図をすると、いきなり角を曲ってしまった。
《おれは悪いやつだ、自分でもわかってるんだ》彼はすぐにドゥーニャに対して怒ったように手を振ったことを恥じながら、ひそかにこう思った。《しかし、いったいどうしてあの人たちはおれをこんなに愛してくれるんだろう、おれにはそんな価値はないのに！　ああ、おれが一人ぼっちで、誰もおれを愛してくれず、おれも決して誰も愛さなかったら、どんなにいいだろう！　こんなことがいっさいなかったら！　だがおもしろいな、果してこの十五年か二十年の間に、おれの心がすっかり馴《な》らされて、何かと言えば自分を強盗でございますと言いながら、人まえで神妙に泣いてみせたりするようになるのだろうか？　そうだ、きっとそうなるんだ、たしかにそうだ！　そのために、やつらはいまおれを流刑地《るけいち》へ送るのだ、それがやつらには必要なのだ……いまみんな通りをぞろぞろ行ったり来たりしているが、こいつらはどれもこれも生来腹の底は卑怯者で強盗なのだ、いや、もっと悪い——白痴だ！　もしおれが流刑をまぬがれでもしたら、やつらはみな義憤を感じて気ちがいみたいに騒ぎ立てるだろう！まったく、いやなやつらだ！》
彼は深く考えこんだ。《いったいどういう経過をたどれば、おれがこいつらのまえに文句も言わずに屈服する、心から屈服するなんてことに、なることができるのだ！

じゃ何だ、ちがうというのか、なぜ？　もちろん、そうなるにきまっている。まさか二十年間のたえまない圧迫が目的を達しないはずがないじゃないか？　雨だれだって石をうがつんだ。それならなぜ、何のために、そんなことをしてまで生きなければならんのだ、すべてがまちがいなくそうなる、本に書いてあるとおりになる、それ以外にはなり得ない、と承知していながら、なぜおれはいま行くのだ！》
彼は昨日の夕方から、おそらくもう百度もこの疑問を自分にあたえていたにちがいない、しかし、それでもやはり彼は歩いて行った。

8

彼がソーニャの部屋へ入って行ったときは、もううす暗くなりかけていた。ソーニャは一日中おそろしい興奮につつまれて彼を待ちつづけていたのだった。彼女はドゥーニャといっしょに待っていた。ドゥーニャは、ソーニャが《それを知っている》というスヴィドリガイロフの言葉を思い出して、まだ朝のうちから訪ねて来た。二人の女の詳しい会話や、涙、それからどれほど親しい仲になったか、というようなことは述べまい。ドゥーニャはこの会見から少なくとも、兄は一人ではない、という一つの安心を得た。誰《だれ》よりもまず、このソーニャのところへ、兄は懺悔《ざんげ》に来た。人間が必要になったとき、兄は彼女の中に人間を求めた。彼女なら運命が兄を送るところへ、どこまでも追って行くことだろう。ドゥーニャは別に聞きはしなかったが、そうなるにちがいないことがわかっていた。ドゥーニャはある敬虔《けいけん》な気持をさえ感じてソーニャを見まもった。そして自分によせられたこのような敬虔な気持に、ソーニャははじめおろおろしたほどだった。ソーニャは危なく涙が出そうにさえなった。彼女は、反対に、ドゥーニャに目を上げるのさえもったいないと思っていたのだった。ラスコーリニコフのところではじめて会ったとき、実に思いやりのある態度で丁重に会釈《えしゃく》してくれたドゥーニャの美しい姿が、それ以来いつまでもソーニャの心の中に、これまでの生涯《しょうがい》に見たもっとも美しい神聖なものの一つとして刻みつけられたのだった。

ドゥーネチカは、とうとう、がまんができなくなって、兄の部屋へ行って待とうと思って、ソーニャと別れた。それでもやはり、兄があちらへ先に寄るような気がしてならなかった。一人きりになると、ソーニャはすぐに、ほんとうに彼が自殺してしまうのではあるまいかと考えて、恐ろしさのあまりいても立ってもいられない気持になってきた。それをドゥーニャも恐れていたのだった。二人はほとんど一日中、そんなことはあり得ないというようないろんな理由をあげあって、互いに相手の疑心を消しあっていたのだった。だから、いっしょにいた間は、まだよかった。いま、別れてみると、とたんに二人ともこのことばかりが気になりだした。ソーニャは昨日スヴィドリガイロフが言った言葉を思い出した――ラスコーリニコフには二つの道しかない、あるいはウラジーミルカ行きか、あるいは……それに彼女はラスコーリニコフが虚栄心が強く、傲慢《ごうまん》で、自尊心が強く、そして神を信じていないことを知っていた。《いったい、小心と死の恐怖だけで、あの人を生きさせることができるかしら？》彼女はとうとう絶望にしずんで、こんなことを考えてみた。そうこうするうちに、太陽はもうしずみかけていた。彼女はしょんぼりと窓辺に立って、じっと窓の外を見つめていた、――だが窓からは隣家の荒壁が見えるだけだった。とうとう、不幸な彼はもう死んでしまったのだと思いこんで、さびしくあきらめようとしたとき、――彼が部屋へ入って来た。

喜びの叫びが彼女の胸からほとばしった。だが、じっと彼の顔を見たとき、彼女は不意に蒼《あお》ざめた。

「うん、そうだよ！」とラスコーリニコフは、にこにこ笑いながら、言った。「きみの十字架をもらいに来たんだよ、ソーニャ。自分でぼくに十字路に行けと言ったくせに、いよいよそのときが来たら、恐《こわ》くなったのかい？」

ソーニャは茫然《ぼうぜん》と彼を見つめていた。この口調が彼女には異様に思われた。冷たい戦慄《せんりつ》が彼女の全身を走りぬけた。がすぐに、この口調も言葉も――無理につくったものだ、とさとった。彼は話をするのにも、妙に隅《すみ》のほうばかり見て、彼女の顔をまともに見るのをさけるようにしていた。

「ぼくはね、ソーニャ、こうするほうが、とくかも知れない、と考えたんだよ。それにはある事情があったんだが、――でも、話せば長くなるし、話してもしようがないよ。ぼくはね、ただたまらないのは、あのばかなけだものみたいなやつらが、ぼくを取りかこんで、まともにぼくの顔をじろじろのぞきこみ、いろんなばかばかしいことをぼくに聞く、それに一々ぼくが答えなきゃならん、ということだよ。それを考えると、むかむかするんだ。やつらにうしろ指をさされる……くそッ！　いいかい、ぼくはポルフィーリイのところへは行かんよ、あいつにはもううんざりだ。それよりも、親愛なる火薬中尉のところへ行く。唖然《あぜん》とするだろうな、これも一つの演出効果というやつさ。だが、もっと冷静にならなきゃ。最近は苛立《いらだ》ちがひどすぎた。信じられるかい、妹が最後に一目見ようとして振り返ったというだけで、ぼくはいま危なく拳骨《げんこつ》でおどしつけようとしたんだよ。豚だよ、なさけないねえ！　まったく、おれはどこまで浅ましい気持になったんだ？　よそう、で、十字架はどこにあるの？」

彼は自分で何を言っているのかわからない様子だった。彼は同じところに一分とじっとしていられず、一つのことに注意を集中することができなかった。考えが互いにとび越し合って、話は支離滅裂だった。手が小刻みにふるえていた。

ソーニャは黙って箱から糸杉《いとすぎ》と銅の二つの十字架をとり出し、自分も十字を切り、彼にも十字を切ってやって、それから糸杉の十字架を彼の胸にかけてやった。

「これが、つまり、十字架を背負うということのシンボルか、へ！　へ！　まるでこれまでぼくが苦しみ足りなかったみたいだ！　糸杉の十字架、つまり民衆の十字架か。銅の――それがリザヴェータのか、きみが自分でかけるんだね、――どれ、見せてごらん？　じゃあの女はこれをかけていたのか……あのとき？　ぼくはこれと同じような二つの十字架を知ってるよ、銀のとちっちゃな聖像だった。あのとき老婆の胸の上に捨ててきたんだ。うん、そう言えば、あれをいま、そうだ、あれをいまつけりゃいいんだ……それはそうと、ばかなことばかりしゃべって、用件を忘れている。どうも気が散っていかん！……実はね、ソーニャ、――ぼくは、きみに知っておいてもらおうと思って、わざわざ寄ったんだよ……なに、それだけさ……それで寄っただけなんだ（フム、しかし、もっと話すことがあったような気がしたが）、だってきみは自分ですすめたじゃないか、自首しろって、だからいまからぼくが監獄に入り、きみの願いがかなえられるってわけだよ。いったいどうしてきみは泣いてるんだ？　きみまで？　よしてくれ、もういいよ。ああ、こういうことがぼくにはたまらなく辛《つら》いんだ！」

しかし、ふびんに思う気持が彼の中に生れた。ソーニャを見ていると、彼は胸がつまった。《この女が、この女が、何を？》と彼はひそかに考えた。《おれがこの女の何なのだろう？　この女はどうして泣いているのだ、どうしておれの世話をするのだ、母かドゥーニャみたいに？　おれのいい乳母《うば》になるだろうよ！》

「十字をお切りになって、せめて一度でもいいからお祈りになって」とソーニャはおどおどしたふるえ声で頼んだ。

「ああ、いいとも、何度でもきみのいいだけ祈るよ！　素直な心で祈るよ、ソーニャ、素直な心で……」

彼は、しかし、何か別なことを言いたかった。

彼は何度か十字を切った。ソーニャはショールをとって、頭にかぶった。それはみどり色のうすい毛織物のショールで、いつかマルメラードフが《家中の兼用》と言っていた、そのショールらしい。ラスコーリニコフはちらとそれを考えたが、別に聞きもしなかった。実際に彼は、自分がおそろしくうかつで、見苦しいほどうろたえているのを、自分でも感じはじめていた。彼はそれを恐れていたのだった。ソーニャがいっしょに行こうとしているのに気付いて、彼ははっとした。「どうしたんだ！　どこへ？　いけない、家にいなさい！　ぼくは一人で行く」と彼は負け犬がかみつくような声で叫ぶと、怒ったような顔をしてドアのほうへ歩きだした。「ごそごそついて来たって、どうもならんよ！」と、彼は外へ出ながらつぶやいた。

ソーニャは部屋のまん中にとりのこされた。彼は別れの言葉もかけなかった。ソーニャのことは、もう忘れていた。ただ毒のある、反逆する疑惑だけが、彼の心の中にたぎっていた。

《だが、これでいいのだろうか、あのすべてのことがこんなことになっていいのだろうか？》彼は階段を下りながら、またしてもこんなことを考えた。《まだ踏みとどまって、もう一度すっかりやり直すわけにはいかないだろうか……そうなれば、行くことはないわけだ？》

しかし、彼はやはり歩いて行った。彼は不意に、こんな問いを自分に発することの無意味を、はっきりと感じた。彼は通りへ出ると、ソーニャに別れの言葉をかけなかったことと、彼女はみどり色のショールをかぶったまま、彼にどなられたために動くこともできずに、部屋のまん中にとりのこされていることを思い出して、一瞬立ちどまった。その瞬間、まるで彼に決定的な打撃をあたえようと待ち構えていたように、不意に一つの考えが、はっきりと彼の頭を照らした。

《いったい何のために、いったいなぜ、おれはいまあの女のところへ行ったのだ？　用があって、とおれはあの女に言った。じゃ、どんな用だ？　用などぜんぜんなかったのだ！　いまから行くと、ことわりにか。それでどうだというのだ？　そんな必要があるのか！　おれは、あの女を、愛しているとでもいうのか？　まさか、そんなばかな？　だっていま犬ころみたいに、追っぱらったじゃないか。じゃ、ほんとにあの女から十字架をもらわねばならなかったのか？　へえ、おれもずいぶん落ちたものだ！　いやちがう、――おれにはあの女の涙が必要だったのだ、あの女のおどろきを見ることが、あの女の心が痛み、苦しむさまを見ることが、必要だったのだ！　せめて何かにすがって、時をかせぐことが、人間を見ることが、必要だったのだ！　そんなおれが、あんなに自分に望みをかけたり、自分を空想したりできたとは。おれは乞《こ》食《じき》だ、ゴミだ、おれは卑怯者《ひきょうもの》だ、卑怯者だ！》

彼は運河ぞいの道を歩いていた、そしてもうあといくらもなかった。ところが、橋まで来ると、彼はちょっと立ちどまって、急に橋のほうへ曲った。彼は橋を渡ると、センナヤ広場のほうへ歩きだした。

彼はむさぼるように左右を見まわして、目に力をこめて一つ一つのものを凝視したが、何にも注意を集中することができなかった。何もかもすべりぬけて行った。《一週間か、一カ月後に、おれは囚人馬車にのせられてこの橋の上をどこかへ護送されて行くことだろう。そのときおれはこの運河をどんな気持で見るだろう、――これをおぼえておくんだな？》こんな考えがちらと彼の頭にうかんだ。《そら、この看板、そのときおれはどんな気持でこの文字を読むだろう？　ほら、〈商会〉と書いてある、よし、このAだ、このAという文字をおぼえておこう、そして一カ月後にこのAという文字を見るんだ。どんな気持で見るだろうなあ？　何か感じたり、考えたりするだろうか？……チエッ、こんなことは、おれがいま……気にしているようなことは、きっと実にくだらないことなんだ！　そりゃむろん、こうしたことは、興味あることにはちがいないが……それなりに……（は、は、は！　おれは何を考えてるんだ！）おれは子供にかえったのかな、自分で自分に大きなことを言ってりゃ世話ないよ。でも、どうして自分を恥ずかしがるんだ？　へえ、ひどい人出だ！　おや、このビヤ樽《だる》め――きっと、ドイツ人だな――おれに突きあたったぞ。何者に突きあたったか、まさか知るまい？　子供をつれた女が物乞いをしている。あの女はおれを自分より幸福だと思っているから、おもしろいよ。どれ、お笑い草にひとつ恵んでやろうか。おや、

ポケットに五コペイカ銅貨がのこっているぞ、どこから？　さあ、さあ……これをあげるよ、お母さん！》

「神さまのお加護がありますように！」と乞食女の涙声が聞えた。

彼はセンナヤ広場へ入った。彼は人ごみの中へ入るのがいやだった、いやでたまらなかった。しかし彼はいちばん群衆のむらがるところへ、わざわざ歩いていった。彼は一人きりになれるなら、どんなものでも投げ出したい気持だった。しかしこれからはもう一分も一人ではいられないことを、彼は自分でも感じていた。人ごみの中で一人の酔っぱらいが騒いでいた。しきりに踊ろうとするのだが、ひょろひょろよろけて、すぐに転んでしまう。群衆がまわりを取り巻いていた。ラスコーリニコフは人垣《ひとがき》をわけてまえへ出ると、しばらく酔っぱらいを見ていたが、不意にけたたましい声で、短くとぎれとぎれに笑った。一分後に彼はもう酔っぱらいのことを忘れていた、そちらを見てはいたが、目に入りもしなかった。彼は、やがて、自分がどこにいるのかさえ忘れて、その場をはなれた。だが、広場の中央まで来たとき、不意に彼はそわそわしだした。一つの感じが一時に彼を支配し、彼の肉体と意識のすべてをとらえてしまったのだ。

彼は不意にソーニャの言葉を思い出したのである。

《十字路へ行って、みんなにお辞儀をして、大地に接吻《せっぷん》しなさい。だってあなたは大地に対しても罪を犯したんですもの、それから世間の人々に向って大声で、〈わたしは人殺しです！〉と言いなさい》彼はこの言葉を思い出すと、わなわなとふるえだした。彼はこの間からずっとつづいてきた、特にこの数時間ははげしかった出口のないさびしさと不安に、すっかりうちひしがれていたので、この新しい、そこなわれない充実した感じが出口になりそうな気がして、夢中でとびこんで行った。それは何かの発作のように不意に彼をおそって、心の中に一つの火花がポチッと燃えたかと思うと、たちまち一面の火となって、すべてをのみつくしてしまった。彼の内部にしこっていたものが一時に柔らいで、どっと涙があふれ出た。彼は立っていたそのままの姿勢で、いきなりばたッと地面に倒れた……

彼は広場の中央にひざまずき、地面に頭をすりつけ、愉悦と幸福感にみちあふれて汚れた地面に接吻した。彼は立ち上がると、もう一度お辞儀をした。

「どうだい、酔っぱらいやがって！」と彼のそばで一人の若者が言った。

どっと笑いが起った。

「なに、こいつはエルサレムへ行くんだとよ、がきどもや祖国に別れの挨拶《あいさつ》だ、そこらじゅうにお辞儀してさ、首都サンクト・ペテルブルグとその石に接吻してるんだよ」と一人のほろ酔いの町人がつけ加えた。

「まだ若い男だぜ！」と三人目の男が口を入れた。

「いいとこの息子だぜ！」と誰かが大きな声を出した。

「いまどきァ見分けがつかねえよ、貴族も平民もわかりゃしねえ」

こうした叫び声や話し声がラスコーリニコフをひきとめた、そして彼の口からとび出しかけていたにちがいない《わたしは人殺しです》という言葉が、そのまま舌の上に凍りついてしまった。彼は、しかし、平静にこれらの叫びを堪えた、そしてあたりを見もせずに、横丁を越えてまっすぐに署のほうへ歩きだした。歩きながら、一つの幻がちらと彼のまえにうかんだ、しかし彼はそれにおどろかなかった。彼はもうそうなるのが当然であることを、予感していた。彼がセンナヤ広場で、左のほうを向いて二度目に頭を地面にすりつけたとき、彼は五十歩ほどはなれたところにソーニャの姿を見た。彼女は広場にある木造のバラックの一つのかげにかくれていた。すると、彼女は彼の痛ましい行進にずうっとついて来たわけだ！　ラスコーリニコフはその瞬間、はっきりと、ソーニャがもう永遠に彼のそばを離れないで、たとい地の果てであろうと、運命が彼をみちびくところへ、どこまでもついて来てくれることを感じ、そしてさとった。彼は胸がじーんとした……だが、——彼はもう宿命の場所まで来ていた……

　彼はかなり元気よく庭へ入って行った。三階までのぼらなければならなかった。《まだのぼる間がある》と彼は考えた。なんとなく彼は、宿命の瞬間まではまだ遠くて、まだたくさんの時間がのこっており、まだいろんなことを考え直してみることができるような気がした。

　またらせん状の階段には、またあのときのようにごみや殻《から》などがちらばっていた、また部屋部屋の戸がいっぱいに開け放され、また方々の台所から炭酸ガスや悪臭がもれていた。ラスコーリニコフはあれから一度も来《こ》なかった。足の力がなくなって、膝《ひざ》ががくがくした、それでも彼は歩いて行った。彼は一息入れて、姿勢を正し、人間らしく入って行くために、ちょっと立ちどまった。《でも、何のために？　なぜ？》彼は自分の動作の意味を考えて、不意にこう思った。《どうせこの盃《さかずき》を飲みほさねばならんとしたら、そんなことどうでもいいじゃないか？　なるべくみっともないほうが、かえっていいんだ》その瞬間彼の脳裏に火薬中尉イリヤ・ペトローヴィチの姿がちらとうかんだ。《いったいおれは、ほんとにあの男のところへ行くつもりなのか？　他《ほか》の者ではいけないのか？　ニコージム・フォミッチは？　すぐに引き返して、直接署長の家へ行こうか？　そうすれば少なくとも形式張らずにすむわけだ……いやいや、い

けない！　火薬中尉だ、火薬中尉だ！　どうせ飲むなら、ひと思いに飲もう……》

彼は血を凍らせて、わずかに意識を保ちながら、警察署のドアを開けた。今度は署内には人がごく少なく、庭番らしい男が一人と、町人風の男が一人いただけだった。守衛は仕切りのかげから顔も出さなかった。ラスコーリニコフは次の部屋へ入って行った。《ひょっとしたら、まだ言わなくてもいいかもしれない》と、彼はちらと考えた。そこには私服を着た書記らしい男が一人、机のまえで何やら書きものの用意をしていた。隅《すみ》のほうにもう一人の書記が坐《すわ》りこんでいた。ザミョートフはいなかった。ニコージム・フォミッチも、もちろんいなかった。

「誰もいませんか？」とラスコーリニコフは机のそばの書記のほうを向いて、尋ねた。

「どなたにご用です？」

「あ、あ！　声も聞えず、姿も見えないが、ロシア人の匂《にお》いがする……とかいうのがなんとかいう物語にありましたな……忘れたが！　ようこそ、いらっしゃい！」と不意に聞きおぼえのある声が叫んだ。

ラスコーリニコフはぎくっとした。彼のまえに火薬中尉が立っていた。とつぜん隣の部屋から出てきたのだ。《これが運命というものだ》とラスコーリニコフは考えた、《どうして彼がここにいたろう？》

「ここへ？　何の用で？」とイリヤ・ペトローヴィチは大声で言った。（彼はどうやらたいへんな上機嫌《じょうきげん》で、おまけにちょっと興奮しているらしかった）。「用件なら、まだちょっと早すぎましたな。わたしはたまたま……でも、わたしで間に合うことなら。実はあなたに……ええと？　ええと？　失礼ですが……」

「ラスコーリニコフです」

「ああ、そう、ラスコーリニコフさんでしたっけ！　わたしが忘れたなんて、思いもよらなかったでしょうな！　でも、どうか、わたしをそんな人間だと思わないでください な……ロジオン・ロ……ロ……ロジオヌイチ、でしたかな？」

「ロジオン・ロマーヌイチです」

「そう、そうでしたっけ！　ロジオン・ロマーヌイチ、ロジオン・ロマーヌイチ！　これはやっとおぼえたんですよ。何度も調べましてな、苦労しましたよ。実は、白状しますが、あのとき以来えらく気に病みましてな、あなたとあんなことをしてしまって……あとで聞かされて、わかったんですよ、あなたが青年文学者で、しかも学識が豊かで……いわば、その第一歩として……そうですとも！　まったく、文学者や学者で最初に独創的な第一歩を踏み出さなかったなんて、およそいませんからな！　わたしと家内は――そろって文学愛好家でしてな、家内ときたら気ちがいですわ！……文学と芸術にね！　人間は高尚《こうしょう》でありたいですな、そうすれば才能と、知識と、理性と、天分で、他のものは何でも得られますよ！　帽子——そんなもの、例えてみたら、いったい何でしょう！　帽子なんてプリンみたいなものですよ、ツィンメルマンの店で買えます。ところが帽子の下に守られて、帽子でつつまれているもの、これは買うわけにはいきませんよ！——わたしは、実は、あなたのところへ釈明に行こうとまで思ったんですよ、気になりましてね、もしかしたら、あなたが……それはそうと、まだ聞かずにいましたが、ほんとに何かご用がおありですか？　家族の方が見えられたそうですね？」

「ええ、母と妹です」

「妹さんには幸いにも拝顔の栄に浴しましたよ、——教養のある美しい方ですなあ。白状しますが、あのときあなたに対してあんなに逆上したのが、実に悔まれましたよ。どうしてあんなことになったのか！　あなたの卒倒されたことにからんで、あのときわたしはある疑惑をあなたに感じたわけですが、——それは後でもののみごとに解決されましたよ！　狂信と熱狂！　あなたの憤慨はわかります。で、お家族がいらしたので、どこかへお移りになりますかな？」

「い、いいえ、ぼくはただ、……聞きたいと思って……ザミョートフ君がいると思ったもので……」

「ああ、そう！　あなた方は友だちになられたんでしたな、聞きましたよ。でも、ザミョートフはここにいませんよ、――残念でしたな。そうなんです、われわれはアレクサンドル・グリゴーリエヴィチを失いました！　昨日からここに席がありません。転任ですよ……しかも、転任に当って、一同としたたか罵《ののし》り合いまでやりましてな……実に見苦しかったですよ……軽薄な若僧、その域を出ませんな。ものになるかと思いましたがねえ。そうですな、あの連中、輝かしきわが青年諸君たちと、ちょっとつき合ってみるといいですよ！　何か試験を受けるとか言ってましたが、わが国ではちょっとしゃべって、駄《だ》ぼらをふきさえすれば、それで試験は終りですからな。まったく、あなたとか、ほら、あなたの友人の、ラズミーヒン君などは、できがちがいますよ！　あなたの専門は学問ですから、失敗に迷わされるようなことはありません！　あなたには生活の美しさなんてものは、いわば――nihil est（無）ですからな、なにしろ禁欲主義者、修道僧、隠者ですもの！……あなたには書物、耳にはさんだペン、学問上の研究――ここにあなたの精神は高く羽ばたいているわけですからな！　わたしも少しは……リヴィングストンの手記（訳注『ザンベジ紀行』）をお読みになりましたか？」

「いや」

「わたしは読みましたよ。しかし近頃《ちかごろ》は、ニヒリストがふえましたなあ。でも、それもわからんこともありませんな、なにしろ時代が時代です、そうじゃありません？　しかし、あなたにこんなことを言って……あなたは、むろん、ニヒリストじゃないでしょうな！　遠慮なくおっしゃってください、率直に！」

「い、いいや……」

「いやいや、どうぞ率直に、遠慮しちゃいけませんよ、自分お一人のつもりで！　もっとも、職務《スルージバ》になると別ですがね、それは別問題ですよ……わたしが友情《ドルージバ》と言いたかった、とお思いでしょう、残念ですな、外れましたよ！　友情じゃありません、市民として、人間としての感情、万人に対する博愛人道の感情ですよ。わたしは職務に際しては、公的な人間にもなれます、しかし市民として、人間としての感情を常にもつことを義務と心得、反省しているわけです……あなたはいまザミョートフと言いましたね。ザミョートフはね、いかがわしい場所に出入りして、一杯のシャンパンかドン産のぶどう酒を飲んで、フランス人並みの醜態を演じようという男です、――ザミョートフとはそんな男です！　だが、わたしは、いわば忠誠と高潔な感情に燃えていた、わけでしょうな。それに地位も名誉もあり、りっぱな職責もあります！　妻子もいます。市民として、人間としての義務も果していますが、ところが、おうかがいしますが、あの男は何者です？　教養あるりっぱな人間としてのあなたに、おうかがいしたいですな。ところで話は別ですが、近頃はあの産婆《さんば》ってやつが実にふえましたなあ」

ラスコーリニコフはけげんそうに眉《まゆ》をもたげた。どうやら食事がすんだばかりらしいイリヤ・ペトローヴィチの言葉は、たいていは空《むな》しい音となって彼のまえにこぼれおちていたのだった。しかし少しは彼もわかった。彼はけげんそうな顔をして相手を見ていた、そしてこれがどういうことに終るのか、見当がつかなかった。

「わたしが言うのは、あの断髪の娘どものことですよ」と話好きなイリヤ・ペトローヴィチはつづけた。「産婆というあだ名はわたしがつけたんだがね、われながら実にうがったあだ名だと思いますよ。へ！　へ！　大学へもぐりこんで、解剖学かなんかを習ってるんですよ。どうです、わたしが病気になったら、あんな娘っこを呼べますかね？　へ！　へ！」

イリヤ・ペトローヴィチは自分のしゃれにすっかり満足して、声をはり上げて笑った。

「そりゃまあ、啓蒙《けいもう》に対する行きすぎの渇望《かつぼう》としてもですよ、啓蒙されたんだから、もういいじゃありませんか。なんで悪用する必要があります？　なんで高潔な人々を侮辱する必要があるんです、ろくでなしのザミョートフみたいに？　おうかがいしますが、なぜザミョートフはわたしを侮辱したんです？　それからもう一つ、自殺が実に多くなりましたな、――まったく、あなたには想像もできんほどですよ。みな最後の金をつかいはたして、この世におさらばというケースですわ。小娘や子供から、年寄りまで、――つい今朝も、こちらへ来て間もないなんとかいう紳士の自殺の報告がありましたよ。ニール・パーヴルイチ、おい、ニール・パーヴルイチ！　なんと言ったかな、あの紳士は、先ほど報告のあった、ほら、ペテルブルグ区で拳銃《けんじゅう》自殺をした？」

「スヴィドリガイロフです」と誰かが隣の部屋から、かすれた声で気のないような返事をした。

ラスコーリニコフはぎくっとした。

「え！　スヴィドリガイロフ！　スヴィドリガイロフが自殺した！」と彼は叫んだ。

「ええ……知ってます……最近こちらへ来たばかりです……」

「うん、そう、最近出て来たんです、妻を亡《な》くして、女関係のだらしのない男で、とつぜん拳銃自殺をした。それも考えられないような、見苦しい死にざまだ……手帳に簡単に、完全な正気で死ぬんだから、死因については誰も疑わないでほしい、というようなことが書きのこしてありました。この男は金を持っていたそうですよ。あなたはいったいどうしてご存じなのです？」

「ぼくは……知り合いなんです……妹が家庭教師として住み込んでいたので……」

「え、こりゃどうも……そうですか。じゃ、あの男のことを何か聞かせてもらえますね。どうです、何かあやしいと思った点はありませんか？」

「昨日会いました……彼は……酒を飲んでました……ぜんぜん知りませんでした」

ラスコーリニコフは何かが上から落ちてきて、圧《お》し付けられたような気がした。

「あなたはまた顔色が悪くなったようですね、ここはどうも空気が悪いから……」

「ええ、もう失礼します」とラスコーリニコフはつぶやいた。「すみませんでした、お邪魔して……」

「おや、とんでもない、どうぞごゆっくり！　実に愉快でした、喜んでました……」

イリヤ・ペトローヴィチは手までさしのべた。

「ぼくはただ……ザミョートフ君に……」

「わかってます、わかってます、でも愉快でした」

「ぼくも……ひじょうに嬉《うれ》しく……さようなら……」ラスコーリニコフはにやりと笑った。

彼は部屋を出た。よろよろしていた。頭がくらくらした。彼は、自分が立っているのかどうかさえ、感じがなかった。彼は右手で壁につかまりながら、階段を下りはじめた。帳簿を手にした庭番らしい男が下からのぼって来て、出会いがしらに彼に突き当ったような気がした。どこか下のほうで小犬がけたたましく吠《ほ》え立て、どこかの女がめん棒を投げつけて、大声でしかりつけたのを、聞いたような気もした。彼は階段を下りきって、庭へ出た。すると庭の、出口からあまり遠くないところに、死人のような真《ま》っ蒼《さお》な顔をしたソーニャが、なんともいえないけわしい目でじいっと彼を見つめていた。彼はソーニャの前に立ちどまった。ソーニャの顔には何か痛々しい、苦悩に疲れ果てたような、絶望の表情がうかんだ。彼女はぱちッと両手をうちあわせた。みにくい、放心したようなうす笑いが彼の唇《くちびる》に押しだされた。彼はしばらく立っていたが、にやりと自嘲《じちょう》の笑いをのこすと、くるりと振り向いて、また警察署へのぼって行った。

イリヤ・ペトローヴィチは席について、何かの書類をひっかきまわしていた。そのまえに、いま階段の途中でラスコーリニコフに突き当ったばかりの百姓が立っていた。

「あ、ああ、あなたですか？　何か忘れものでも？……おや、どうなさいました？」

ラスコーリニコフは唇を蒼白《そうはく》にし、動かぬ目をじっとすえて、そろそろと彼のほうへ近づいていった。そして、机のすぐまえまで来ると、片手を机について、何か言おうとしたが、言えなかった。何かとりとめのない音が聞えただけだった。

「気分が悪いんですね、おい椅子《いす》だ！　さあ、椅子にかけなさい、おかけなさい！　水を持って来《こ》い！」

ラスコーリニコフはくたくたと椅子にくずれたが、実に不愉快そうなおどろきをうかべているイリヤ・ペトローヴィチの顔から目をはなさなかった。二人は一分ほどにらみあって、相手の言葉を待っていた。水がはこばれて来た。

「あれはぼくが……」とラスコーリニコフが言いかけた。

「水をお飲みなさい」

ラスコーリニコフは片手で水を押しのけて、しずかに、間をおいて、しかし聞きとれる声で言った。

「あれはぼくがあのとき官吏未亡人の老婆と妹のリザヴェータを斧で殺して、盗んだのです」

　イリヤ・ペトローヴィチはあッと口を開けた。四方から人々がかけ集まってきた。

ラスコーリニコフは自供をくりかえした……

……………………………………………………………………………………

……………………………………………………………………………………

エピローグ

1

シベリア。荒涼とした大河の岸に一つの町がある。ロシアの地方行政の中心地の一つである。この町に要塞《ようさい》があって、要塞の中に監獄がある。この監獄の中に第二級流《る》刑囚《けいしゅう》のロジオン・ラスコーリニコフが、十カ月まえから収容されていた。犯行の日からほぼ一年半の歳月が流れていた。

彼の事件の裁判は大した障害もなくすぎた。被告は状況をもつれさせたり、自分の利益のために柔らげたり、事実をゆがめたり、こまかい点を忘れたりすることなく、正確に明瞭《めいりよう》に自分の供述を裏付けた。彼は犯行の全過程をごく些細《ささい》な点まで詳しく述べた。殺された老婆がにぎっていた質草（鉄板をはりつけた板きれ）の秘密も明らかにした。老婆から鍵《かぎ》を奪った状況も詳しく語り、どんな鍵がいくつくらいあったか、長持はどんなふうで、中にどんなものが入っていたかまで説明した。リザヴェータを殺した謎《なぞ》も明らかにした。コッホが来て、ドアをたたいたこと、そしてそのあとから学生が来たことも、彼らの間の会話をすっかり再現して、詳しく語った。彼、つまり犯人がそのあとでどんなふうに階段をかけ下り、どこでミコライとミチカの騒ぎを聞いたか、どんなふうに空室にかくれ、どうして家へ帰ったかを述べ、最後にヴォズネセンスキー通りの門の内側にある石の位置を明示した。石の下から品物と財布が出てきた。要するに、事件は明白となったわけである。検事や裁判官たちは、彼が品物や財布をつかいもしないでかくしていたことには、特におどろいたが、それよりも、彼が自分で盗んだ品物をよくおぼえていないばかりか、その数さえまちがっていたのには、すっかりおどろいてしまった。わけても、彼が一度も財布を開けて見ないで、中に金がいくらあるかさえ知らなかったという事実は、信じられないことのように思われた（財布の中には銀単位で三百七十ルーブリの紙幣と、二十コペイカ銀貨が三枚入っていた。長い間石の下になっていたために上のほうの大きい紙幣が何枚かはひどく痛んでいた）。長い間審査の苦心がこの点に向けられた。被告は他のすべての点は進んで正直に認めているのに、なぜこの一つの事実だけ嘘《うそ》をつくのか？　ついに、ある人々（特に心理学者）は、実際に彼は財布の中を見なかった、だから中に何があったか知らなかった、そして知らないままに石の下にかくした、という事実は考えられないこともないと認めたが、それならば犯行自体は、ある一時的な精神錯乱、いわば、なんらの目的も利害に対する打算もない、強盗殺人の病的な偏執狂の発作、という状態のもとで行われたとしか考えられないという結論になった。そこへ折りよく、最近つとめてある種の犯人たちに適用しようとする傾向のある最新流行の一時的精神錯乱の理論が持ち出された。加えて、ラスコーリニコフのまえまえからのヒポコンデリー症状が、医師ゾシーモフや、以前の学友たちや、下宿の主婦《おかみ》や女中など、多くの証人たちによって証言された。こうしたすべてのことが、ラスコーリニコフは普通の強盗や殺人などの凶悪犯人とはぜんぜんちがって、そこには何か別種のものがあるという結論を、大いに助長した。この意見を擁護する人々をひどく憤慨させたのは、犯人自身がほとんど自分を弁護しようとしなかったことである。何が彼を殺人に傾かせ、強盗を行わせたのか、という決定的な質問に対して、彼は実に明瞭に、乱暴なほど正確に、いっさいの原因は彼の悲惨な、貧しい、頼りのない境遇であり、少なくとも三千ルーブリの助けをかりて出世の第一歩をかためたいと願い、老婆を殺せばそれが奪えると思ったのである、と答えた。彼が殺害を決意したのは、もともとが軽薄で小心な性格が、生活が苦しくものごとがうまく行かないために苛々《いらいら》したためである、と言った。何が彼を自首する気持にさせたのか、という質問に、彼は正直に、心からの悔恨であると答えた。言うことがみな、ほとんどふてぶてしく聞えるほどだった……

判決は、しかし、行われた犯罪から考えて期待されたよりも、ずっと寛大なものだった。そしてそれは、被告が弁明をしようとしなかったばかりか、かえって自分からできるだけ罪を重くしたいという気持が見えたからかもしれない。事件のすべての不思議な特殊事情が考慮された。犯罪をおかすまでの被告の病的な悲惨な状態は少しも疑う余地がなかった。彼が盗品を利用しなかったという事情は、一部は目ざめた悔恨の作用、一部は犯行時の知能が完全な健康状態ではなかったためとされた。思いがけぬリザヴェータ殺害の事情は、第二の理由を裏付ける例にさえなった。二人も殺していながら、ドアが開いているのを忘れているなんて、普通ではないというのである！最後に、気落ちした狂信者（ミコライ）が虚偽の自白をしたために事件が異常にもつれてしまい、しかも、真犯人に対する明白な証拠どころか、嫌疑《けんぎ》さえもほとんどなかったのに（ポルフィーリイ・ペトローヴィチは完全に約束を守った）、自首して出たという事実、こうしたすべてのことが被告の運命の緩和を決定的に助けたのである。加えて、まったく思いがけなく、被告にひじょうに有利な他のいくつかの事情も明らかにされた。元大学生のラズミーヒンがどこからか情報を掘り出してきて、被告ラスコーリニコフは大学在校当時、自分のなけなしの金をはたいて一人の貧しい肺病の学友を助け、ほとんど半年にわたってその生活を見てやったという事実を証言した。その学友が死ぬと、彼はあとにのこされた病身の老父の面倒を見て（亡友は十三の年から働いてこの父を養っていたのだった）、とうとうこの老人を病院に入れてやり、その老人も死んだとき、葬《ほうむ》ってやったというのである。もとの下宿の主婦《おかみ》で、ラスコーリニコフの死んだ許嫁《いいなずけ》の母であるザルニーツィナ未亡人も、まだ五つ角のもとの家に住んでいた頃《ころ》、夜更《よふ》けに火事があったとき、ラスコーリニコフはもう火がまわっていたある部屋から二人の子供を救い出し、そのために自分は火傷《やけど》までした、と証言した。この事実は詳細に調べられ、多くの証人によって十分に立証された。結局、自首して出たことと、罪をやわらげるいくつかの事情を尊重されて、被告は第二級の強制労働の判決を下され、わずか八年の刑期を言い渡されたのだった。

まだ裁判のはじめの頃、ラスコーリニコフの母は病気になった。ドゥーニャとラズミーヒンは裁判が終るまで彼女をペテルブルグから連れ出すことを考えた。ラズミーヒンは裁判の模様をのこらず見守れるし、できるだけひんぱんにアヴドーチヤ・ロマーノヴナに会えるように、ペテルブルグからあまり遠くない鉄道沿線の町を選んだ。プリヘーリヤ・アレクサンドロヴナの病気は何か奇妙な神経の病で、完全にとは言えないにしても、少なくとも多少は、精神錯乱のような症状をともなっていた。ドゥーニャが兄と最後に別れてもどったとき、母はもうすっかり病におかされて、燃えるような顔をして、うわごとを口走っていた。その晩彼女は、母に兄のことをうるさく聞かれたらどう返事をしようかと、ラズミーヒンと相談して、ラスコーリニコフはある人の依頼を受けて、ロシアの国境に近い、ある遠いところへ旅立つことになった、そしてそのしごとが、やがて、彼に富と名声を得させることになるはずだ、というものがたりをいっしょに作り上げたほどだった。ところがおどろいたことに、そのときも、その後も、プリヘーリヤ・アレクサンドロヴナはそのことは何一つ聞こうとしなかった。それどころか、彼女自身が息子のとつぜんの出発についての一つのものがたりを作り上げていたのだった。彼女は息子が別れに来た様子を、涙ながらに語った。そして彼女しか知らない重大な秘密がたくさんあることや、ロージャには多くの強い敵があるために、一時身をかくさなければならないのだということを、それとなくほのめかした。彼の未来についても、いくつかの好ましくない事情がすんでしまえば、きっと輝かしいものになるにちがいない、と思いこんでいた。そして彼女は、息子はいずれは国家的な人物になるだろう、あの論文と輝かしい文学の才能がりっぱにそれを保証している、としつこくラズミーヒンに説き聞かせるのだった。その論文を彼女はたえず読んでいた。ときには声を出して読むことさえあった。手にもったまま寝てしまうこともあった。だがそれでも、ロージャがいまどこにいるのかということは、ほとんど聞こうとしなかった。露骨にその話を避けるようにしていたから、それだけでも彼女に疑心を起させるには十分だったが、彼女はそれだけは聞こうとしなかった。しまいには彼らのほうが、いくつかの点については絶対に語ろうとしない、プリヘーリヤ・アレクサンドロヴナのこの異様な沈黙が、不安になってきた。たとえば、彼女が以前故郷の町に住んでいた頃は、早く愛するロージャから手紙が来るようにと、その望みと期待だけを生《い》き甲斐《がい》にしていたのに、いまは手紙が来《こ》ないことをこぼしもしないことだった。このことはあまりにも不可解で、ドゥーニャをひどく不安にした。もしかしたら、母は息子の運命に何か恐ろしいことを予感していて、それよりももっと恐ろしいことを知らされはしないかと、聞くのをおそれているのではあるまいか、ドゥーニャはこんなことも考えてみた。いずれにしても、ドゥーニャは母の頭が健康な状態でないことを、はっきりと知ったのである。

しかし、二度ほど母のほうから、返事をすれば、どうしてもいまロージャがどこにいるのかということにふれなければならないように、話をもっていったことがあった。そして返事が当然のこととしてやむなく的を外れたうやむやなものとなってしまったとき、母は急にひどく悲しそうな暗い顔になって、黙りこんでしまい、この状態がかなり長い間つづいた。ドゥーニャは結局、欺《だま》したり、作りごとを言ったりするのは難かしいとさとって、こうした問題についてはぜったいに沈黙を守っていたほうがいい、という最後の結論に達した。しかし母が何か恐ろしいことを疑っていることは、しだいにはっきりして、動かせないものになってきた。わけてもドゥーニャは、あの最後の運命の日の前夜、スヴィドリガイロフとあんなことがあったあとで、彼女がうなされているのを母が聞いた、という兄の言葉を思い出した。母にそのとき何か聞かれたのではあるまいか？　ときどき何日か、あるいは一週間も、不機嫌《ふきげん》な暗い沈黙と、黙って泣いている日がつづいたと思うと、病人は急にヒステリックにはしゃぎ出し、だしぬけに息子のことや、自分の望みや未来のことなどを、ほとんど口を休めずにしゃべり出すことがあった……空想がときにはひどく奇妙なものになった。二人は慰めたり、相槌《あいづち》をうったりした。母は、二人がただ気休めに相槌をうったり、慰めたりしていることは、はっきり承知していたらしいが、それでもやはりしゃべりつづけるのだった……

犯人が自首してから五カ月後に判決が下された。ラズミーヒンは許されるかぎり、監獄に彼を訪ねた。ソーニャも同じだった。とうとう、別れるときが来た。ドゥーニャはこの別れが永遠のものでないことを、兄に誓った。ラズミーヒンも誓った。ラズミーヒンの若い情熱に燃える頭には、この三、四年の間にできるだけ、せめて将来の生活の基礎だけでも作り、わずかでも金を貯《たくわ》え、そしてどこを見ても土地が豊かで、強盗も、人間も、資本も少ないシベリアへ行こう、という案がしっかりとかたまった。シベリアへ行って、ロージャのいる同じ町に住み、そして……みんなでいっしょに新しい生活をはじめよう。別れるとき、みんな泣いた。ラスコーリニコフはこの二、三日ひどく考えこんでいることが多くなり、母のことを根掘り葉掘り尋ねて、たえず母の身を案じていた。あまり気に病むので、ドゥーニャは不安になったほどだった。母の病気の様子を詳しく聞かされてからは、彼はますます憂鬱《ゆううつ》そうになった。監獄にいる間中、彼はソーニャとはどういうわけかあまり話したがらなかった。ソーニャはスヴィドリガイロフがのこしてくれた金で、もうとうに、彼もまじる囚人たちの護送班について出発する準備をおわっていた。このことについては彼女とラスコーリニコフの間に一言も交わされなかった。しかしそうなることは、二人とも知っていた。いよいよ最後の別れのとき、出獄後の二人の幸福な未来を祈る妹とラズミーヒンの熱心な言葉に対して、彼は奇妙な笑いをうかべて、母の病気が間もなく不幸な結果に終るだろうと、予言したのだった。彼とソーニャは、ついに、発《た》って行った。二月後《ふたつきご》にドゥーネチカはラズミーヒンと結婚した。結婚式はさびしい、ひっそりしたものだった。だが、招かれた人々の中には、ポルフィーリイ・ペトローヴィチとゾシーモフもまじっていた。この頃のラズミーヒンにはかたく決意した人間らしい様子があった。ドゥーニャは彼が自分の意図をすっかり実行することを、盲目的に信じていたし、それに信じないではいられなかった。この男には鉄の意志が見られた。しかも、彼は大学を卒業するために、また講義を聞きに通いはじめた。二人はたえず未来のプランを話し合った。彼らは五年後には確実にシベリアへ移住できると、かたい計算を立てていた。それまでは向うにいるソーニャが頼みだった……

プリヘーリヤ・アレクサンドロヴナは娘とラズミーヒンの結婚を喜んで祝福した。しかしその結婚後は、それまでよりもいっそう憂鬱そうで、ますます心配そうな様子になった。彼女の気分をすこしでも引き立てようと思って、ラズミーヒンは、わざわざ、学生とその病身の老父の話や、ロージャが自分は火傷をし、そのために身体《からだ》までこわしながら、去年二人の子供を死から救ったという話を、彼女に聞かせた。この二つの話は、そうでなくても頭のみだれているプリヘーリヤ・アレクサンドロヴナを、泣き出さないばかりに感激させた。彼女はたえずその話ばかりして、往来でまでその話をはじめるようになった（ドゥーニャがいつもそばについていたのに）。乗合馬車の中でも、店先でも、彼女は誰彼《だれかれ》かまわずつかまえては、話を自分の息子や、息子の論文へもっていき、息子が学生を援助したことや、火事で火傷をしたことなどを話しだすのだった。ドゥーネチカは母をどうおさえたらいいのか、途方に暮れるほどだった。このように病的にたかぶった気分も危険にはちがいないが、それよりも恐ろしかったのは、誰かがこの間の裁判事件でラスコーリニコフという名前をおぼえていて、それを言い出しはしないかということだった。プリヘーリヤ・アレクサンドロヴナは火事の中から救われた二人の子供の母親の居所まで聞き出して、どうしてもそこへ訪ねて行きたいと言い出した。とうとう、彼女の不安は限界にまで達した。彼女はときどき急に泣き出したり、しょっちゅう寝込んだり、熱にうかされたりするようになった。ある朝、彼女はいきなり、自分の計算だとロージャは間もなくもどるはずだ、と言い出した。別れるとき、ロージャが自分で十カ月後に待っていてくださいと言ったのを、はっきりおぼえているというのである。そして家の中をすっかり片付けて、迎える支度をはじめ、彼にきめた部屋（自分の部屋だが）の飾り付けにとりかかって、家具を拭《ふ》いたり、床を洗ったり、新しいカーテンをかけたり、しきりにばたばたしはじめた。ドゥーニャはハッとしたが、何も言わないで、かえって兄を迎えるための部屋飾りを手伝ってやった。たえず空想したり、嬉《うれ》しい幻を見て涙を流したりして、落ち着かない一日がすぎると、その夜彼女は病みついて、朝にはもうひどい熱が出て、うわごとを言うようになった。熱病がはじまったのである。三週間後に彼女は死んだ。熱にうかされて口走った言葉から、彼女ははたで考えていたよりもはるかに多く、息子のおそろしい運命を察知していたことがわかった。

ラスコーリニコフは、シベリアに落ち着いた当初からペテルブルグとの通信が行われてはいたが、それでも長い間母の死を知らなかった。通信はソーニャを通じて行われていた。彼女は毎月きちんとペテルブルグのラズミーヒン宛《あて》に手紙を送り、毎月きちんとペテルブルグから返事を受け取っていた。ソーニャの手紙がはじめのうちはドゥーニャとラズミーヒンにはなんとなく素気《そっけ》ないようで、もの足りない気がした。しかしそのうちに二人とも、これよりうまくは書けないことがわかった。なぜならこれらの手紙から、結果としては、やはり彼らの不幸な兄の生活の模様がもっとも完全に正確に受け取られたからであった。ソーニャの手紙はごくありふれた日常のこと、ラスコーリニコフの獄中生活の周囲のごく簡単で明瞭な描写でみたされていた。そこには彼女自身の希望も書いてなければ、未来の予想も、自分の気持も書いてなかった。彼の心境とか、なべて彼の内的生活の解明をこころみる代りに、そこには事実だけが、つまり彼自身の言葉や、彼の健康状態の詳しい知らせや、いついつ会ったときこういうことを望んでいたとか、こういうことを頼んだとか、こういうことを話したとか、そういうことだけが書いてあった。これらの報告はびっくりするほど詳細だった。結局、不幸な兄の姿がひとりでに浮き出してきて、正確に明瞭に描き出された。そこにはまちがいのあろうはずがなかった。なぜならすべてが正確な事実だからである。

しかしドゥーニャとその良人《おっと》はこれらの知らせから、特にはじめのうちは、あまり喜びを汲《く》みとることができなかった。ソーニャはたえず、彼がいつも気むずかしくて、あまりしゃべりたがらず、そして手紙をもらうたびに伝える知らせにも少しの関心も示してくれない、と知らせてきた。また、彼がときどき母のことを聞くので、もうほんとうのことを察しているのだろうと思って、とうとう思いきって、母の死を知らせたところ、おどろいたことに、母の死の知らせさえ彼にはそれほど強くはこたえなかったらしい、外から見ただけでは少なくともそんなふうに思われた、とも書いていた。特に、彼は自分の中に沈みこんで、誰にも殻《から》をとざしているように見えるが、でも自分の新しい生活に対してはひじょうに率直で素直な態度をとっている。彼は自分の状態をはっきり理解していて、近い将来に何かいいことがあろうなどとは少しも期待していないし、軽薄な希望などはぜんぜんもっていない（彼の立場では当然のことだが）。これまでとは似ても似つかぬ新しい環境の中にいても、別に何にもおどろいている様子はない、とのことだった。彼女は彼の健康は心配がないと知らせてきた。彼は労働に通っているが、いやがりもしないし、無理にそれを願うというふうもない。食物にはほとんど無関心だが、ここの食物は、日曜と祭日以外は、あまりにもひどいので、とうとう彼は進んで彼女、つまりソーニャから少しばかりの金を受け取り、自分の監房で毎日茶を飲むことにした。そのほかのことについては、いろいろ気をつかわれるとかえって苛々《いらいら》するばかりだから、いっさい心配しないでほしいと彼女に頼んだ。更にソーニャは、彼の監房はみんなといっしょで、内部は見たことがないが、狭くて、汚なくて、身体によくないらしい、彼は毛布を一枚しいて板床の上に寝ているが、ほかに何も整えようとしない、と知らせてきた。しかし彼がこんなに見苦しく、貧しく暮しているのは、決して何かの偏見から生れたプランや意図によるものではなく、単に自分の運命に対する不注意と外面的な無関心によるもののようだ。ソーニャは正直にこんなことも書いていた。彼は、特にはじめのうちは、彼女が訪ねて行くことに関心を持たなかったばかりか、かえって腹を立てたりして、ろくに口もきかず、乱暴とさえ思われるような態度だったが、しまいにはこの面会が習慣になって、ほとんど要求のようなものにさえなり、彼女が二、三日病気で訪ねられなかったりすると、彼はひじょうにさびしがるようにまでなった。彼女は祭日ごとに監獄の門のそばか、哨舎《しょうしゃ》内で彼と会っていた。哨舎のときは、彼が呼ばれてわずか数分の面会が許された。平日には彼がしごとをしているところへ立ち寄って、作業場や、煉瓦《れんが》工場や、イルトゥイシュ河畔《かはん》の小舎《こや》などで会った。自分のことについてソーニャは、町に何軒かの知り合いや、相談にのってくれる親切な人々までできたことや、仕立物などをさせてもらっているが、町にはほとんど洋裁店らしいものがないので、方々の家で重宝がられていることなどを知らせてきた。ただ彼女の骨折りで、ラスコーリニコフも長官の保護を受け、労働が軽減されたというようなことだけは、知らせなかった。とうとう、よくない知らせがきた（ドゥーニャは最近の二、三通の手紙に何かいままでにない動揺と不安がでているのに気付いてはいたが）。彼はみんなを避けるので、獄舎内で囚人たちに嫌《きら》われるようになり、何日も何日も黙りこんでいて、顔色がひどく悪くなった、というのである。とつぜん、最後の手紙に、ソーニャは彼がひどく重い病気にかかり、監獄内の病院に収容されていると書いてよこした……

2

彼はもう長い間病臥《びょうが》していた。しかし彼をくじいたものは、獄中生活の恐ろしさでも、労働でも、食物でも、剃《そ》られた頭でも、ぼろぼろの服でもなかった。おお！　こんな苦痛や苛責《かしやく》が彼に何であったろう！　それどころか、彼は労働を喜んだほどだ。労働で肉体を苦しめぬけば、少なくとも何時間かの安らかな眠りを得ることができた。また彼にとって食物が何であったか——油虫のういた実のないシチーが？　かつて学生の頃《ころ》はそれすらないことがしばしばだった。彼の着ていたものはあたたかくて、彼の生活方法にあっていた。彼は足枷《あしかせ》などは感じもしなかった。剃られた頭と囚人服が恥ずかしかったのか？　だが誰《だれ》に？　ソーニャにか？　ソーニャは彼を恐れていた、だからそのソーニャに対して彼が恥じる必要があったろうか？

では何だろう？　彼はソーニャにさえ恥ずかしかった。だから彼はさげすむような乱暴な態度で彼女を苦しめたのである。しかし剃られた頭や足枷を、彼は恥じたのではない。彼の自尊心がはげしく傷つけられたのである。彼が病気になったのも、傷つけられた自尊心のせいであった。ああ、自分で自分を罰することができたら、彼はどれほど幸福だったろう！　そうしたら彼は恥辱であろうと屈辱であろうと、どんなことにでも堪えられたにちがいない！　彼はきびしく自分を裁いた、しかし彼の冷酷な良心は、誰にでもあるようなありふれた失敗を除いては、彼の過去に特に恐ろしい罪は何も見出《みいだ》さなかった。彼が恥じたのは、つまり、彼、ラスコーリニコフが、ある一つの愚かな運命の判決によって、愚かにも、耳も目もふさぎ、無意味に身を亡《ほろ》ぼしてしまい、そしていくらかでも安らぎを得ようと思えば、この判決の《無意味なばからしさ》のまえにおとなしく屈服しなければならぬ、ということであった。

現在は対象も目的もない不安、そして未来は何の実りももたらさぬ、たえまないむだな犠牲、――これがこの世で彼のまえにあるすべてだった。八年すぎてもまだやっと三十二だから、まだ生活のやり直しができるといったところで、それが何の慰めになろう！　何のために生きるのか？　何を目標におくのだ？　何に突き進むのだ？　存在するために、生きるのだ？　だが彼はこれまでも、もう千回も、思想に、希望に、空想にまで、自分の存在を捧《ささ》げようとしたのではなかったか。一つの生命だけではいつも彼には足らなかった。彼はいつももっと多くの生命がほしかった。あるいは、自分の願望の強さだけから判断して、彼はあの頃、自分を他の人々よりも多くのものが許される人間であると考えたのかもしれない。

ああ、せめて運命が彼に悔恨をあたえてくれたら――心をひきちぎり、夢を追い払う、焼けつくような悔恨、その恐ろしい苦痛のために首吊《くびつ》り縄《なわ》や深淵《しんえん》が目先にちらつくような悔恨！　おお、彼はそれをどれほど喜んだことだろう！　苦痛と涙――これも生活ではないか。しかし、彼は自分の罪に悔恨を感じなかった。

少なくとも彼はまえに自分を監獄にまで追いやった醜悪な愚劣きわまる行為にむし

ゃくしゃしたように、自分の愚かさに腹を立てることができるはずだった。ところがいま、獄に入れられて、自由になってみると、彼は改めてこれまでの自分の行為をすっかり吟味し、考察してみたが、あの宿命の日に思われたほど愚劣で醜悪であるとは、どうしても思えなかった。

《どこが、どこがおれの思想は》と彼は考えた。《創世以来世の中にうようよとひしめき合っている無数の思想や理論よりも、愚劣だったのだ？　ぜんぜん束縛されぬ、日常の影響から解放された広い目で、この事件を見さえすれば、もちろん、おれの思想は決してそれほど……おかしなものには見えない。おお、五コペイカ程度の値打ちしかない否定論者や賢者どもよ、なぜきさまらは中途半端《ちゅうとはんぱ》なところに立ちどまっているのだ！》

《だが、なぜおれの行為が彼らにはそれほど醜悪に思えるのだろう？》と彼は自分に問いかけるのだった。《それが――悪事だからか？　悪事とはどういう意味だ？　おれの良心は平静だ。もちろん、刑法上の犯罪が行われた。もちろん、法律の文字が破られ、血が流された。じゃ法律の文字の破損料としておれの首をとるがいい……それでいいじゃないか！　だが、そうすれば、もちろん、権力を継承によらず自分の力で奪い取った多くの人類の恩人たちは、その第一歩において処刑されていなければならぬはずだ。しかしその人々は自分の一歩に堪えた、だから彼らは正しいのだ。だがおれは堪えられなかった、だから、おれには自分にこの一歩を許す権利がなかったのだ》

この一事、つまり自分の一歩に堪えられずに、自首したという一点に、彼は自分の罪を認めていた。

彼は、どうしてあのとき自殺をしなかったのか？ という問題にも苦しめられた。あのとき河の上に立ちながら、なぜ自首を選んだのか？ 生きたいという願望の力がそれほど強く、克服がそれほど困難なものなのか？ 死を恐れていたスヴィドリガイロフでさえ克服したではないか？

彼は苦しみながらしきりにこの疑問を解こうとしてみたが、もう河の上に立ったあのときに、自分自身と自分の信念の中に深い虚偽を予感していたのかもしれない、ということがわからなかった。彼は、この予感が彼の生活における未来の転換、彼の未来の更生、彼の未来の新しい人生観の前触れであったかもしれない、ということがわからなかった。

彼はむしろそこに本能のにぶく重い束縛だけを認めて、彼にはそれを断ち切る力がなかったし、それを踏み越えることは例によってできなかったのだと考えていた（自分が弱くつまらない人間であるために)。彼は仲間の囚人たちをながめて、びっくりした。彼らもみんなどれほど生活を愛し、そして尊重していたことだろう！　たしかに、獄中にいるときのほうが自由な世間にいた頃よりも、もっともっと生活を愛し、大事にし、そしてもっともっと尊重しているように、彼には思われたのだった。彼らのある者、たとえば浮浪者たちなどは、どれほど恐ろしい苦痛や苛責に堪えてきたことだろう！　彼らにとってわずか一条の太陽の光線や、深い森や、どことも知れぬ茂みの中の冷たい泉などが、信じられないほどありがたいものなのだ。浮浪者たちは茂みの泉に二年もまえから目印をつけておいて、その泉に出会うことを、まるで恋人とでも会うように空想し、泉のまわりの緑の草、藪《やぶ》にさえずる小鳥などを夢にまで見るのだ。彼は更にながめているうちに、ますます説明のつかないいくつかの例にぶっつかった。

監獄内の彼の周囲には、彼の気がつかないことがたくさんあったことは、いうまでもないし、それに彼は見ようという気がまるでなかった。彼は目を伏せるようにして、暮していた。見るのが嫌《いや》で、堪えられなかったのである。ところがそのうちに多くのことが彼をおどろかすようになった。そして彼は、しぶしぶ、まえには考えもしなかったようなことに目を向けはじめた。中でももっとも彼をおどろかしたのは、彼と他のすべての囚人たちの間にある、踏みこえることのできない恐ろしい深淵だった。彼と彼らは人種がちがうようだった。彼と彼らは互いに不信の目で、敵意をもってにらみ合っていた。彼はこのような分裂の一般的な原因は知っていたし、理解もしていた。しかし彼はこの原因がこれほど深く根強いものだとは、これまで一度も考えたことがなかった。監獄内にはやはり流刑囚《るけいしゅう》としてポーランド人の政治犯たちもいた。彼らはこうした民衆たちを頭から無学な農奴ときめてかかって、軽蔑《けいべつ》していた。しかしラスコーリニコフはそんなふうに見ることができなかった。彼はこの無学な連中のほうが多くの点でそんなポーランド人たちよりもはるかに聡明《そうめい》であることを、はっきりとさとったのである。そこにはまた、やはりこの民衆を極度に軽蔑しているロシア人もいた――一人の元士官と二人の神学生だった。ラスコーリニコフは彼らのまちがいもはっきりと認めていた。

そういう彼自身が、みんなに好かれず、避けられていた。しまいには憎まれるようになった。なぜだろう？　彼にはそれがわからなかった。彼よりもはるかに重い罪を犯した連中が、彼をさげすみ、嘲笑《あざわら》い、彼の罪を笑うのだった。

「おめえは旦那《だんな》だよ！」と彼らは言った。「斧《おの》を持って歩きまわる柄《がら》かよ。旦那のすることじゃねえよ」

大斎期《たいさいき》（訳注　復活祭前の精進の期間）の第二週に、同房の囚人たちといっしょに斎戒する番が彼にまわってきた。彼は囚人たちと教会へ祈りに通った。どういうことからか、彼は自分でもわからなかったが、――あるとき口論が持ち上がった。みんなが一時にものすごい剣幕で彼にくってかかった。

「この不信心者め！　きさまは神を信じねえんだな！」と彼らはわめいた。「叩《たた》ッ殺してやる」

彼は神や信仰について一度も彼らと話をしたことがなかったのに、彼らは不信心者として彼を殺そうとした。彼は口をつぐんで、言葉を返そうとしなかった。一人の囚人がすっかり逆上してしまって彼にとびかかろうとした。ラスコーリニコフは黙ってしずかに彼に殴られるのを待っていた。眉《まゆ》がぴくりともせず、顔の筋肉一筋うごかなかった。看守が危うく彼と殺人犯の間にとびこんだが、さもなければ血が流れていたろう。

彼はもう一つの疑問が解決できなかった。なぜ彼らがあれほどソーニャを愛するようになったのか？　彼女が彼らの機嫌《きげん》をとったわけではなかった。彼らは彼女をたまにしか見なかったし、それも彼女がほんの一目彼に会いに作業場に来たようなとき、ちらと見るくらいだった。ところがもう誰でも彼女を知っていた。彼女が彼を追って来たことも、どこにどんな暮しをしているかというようなことも、知っていた。彼女は彼らに金をやったわけでもないし、特別に何かしてやったわけでもなかった。一度だけ、クリスマスの日に、囚人全部にピローグ（訳注　ロシア風のパイ）と白パンの差入れを持ってきてやったことがあった。ところがしだいに彼らとソーニャの間にあるもっと親しい関係が結ばれていった。彼女は彼らのために家族への手紙を書いて、送ってやった。彼らの身内の者たちは、町へ来ると、彼らに言われて、彼らに渡す品物や金までソーニャにあずけていった。彼らの妻や恋人たちがソーニャのことを聞いて、訪ねてきた。そして彼女がラスコーリニコフに会いに作業場に行くか、あるいは作業に行く囚人たちと途中で出会ったりすると――みな帽子をとって会釈《えしゃく》をしながら、《やあ、ソーフィヤ・セミョーノヴナ、おめえさんはおらたちのおふくろだよ、やさしい、思いやりの深いおふくろだよ！》と言うのだった。烙印《らくいん》を押された粗暴な囚人たちがこの小さな痩《や》せた女にこんなことを言うのである。彼女はにこにこ笑って会釈を返す、そして彼らはみな、彼女に笑ってもらうのが好きだった。彼らは彼女の歩く格好まで好きで、あとを振り返って、彼女が歩いて行く姿をながめては、口々にほめるのだった。彼女があんなに小柄だと言ってはほめ、もう何をほめてよいか、わからない有様だった。彼女のところへ病気を治《なお》してもらいに行く者さえあった。

彼は大斎期の終りから復活祭週いっぱい病院に寝ていた。もうよくなりかけた頃、彼は熱にうかされていた頃に見た夢を思い出した。彼は病気の間にこんな夢を見たのである。全世界が、アジアの奥地からヨーロッパにひろがっていくある恐ろしい、見たことも聞いたこともないような疫病《えきびょう》の犠牲になる運命になった。ごく少数のある選ばれた人々を除いては、全部死ななければならなかった。それは人体にとりつく微生物で、新しい旋毛虫のようなものだった。しかもこれらの微生物は知恵と意志を与えられた魔性《ましょう》だった。これにとりつかれた人々は、たちまち凶暴な狂人になった。しかも感染すると、かつて人々が一度も決して抱《いだ》いたことがないほどの強烈な自信をもって、自分は聡明で、自分の信念は正しいと思いこむようになるのである。自分の判決、自分の理論、自分の道徳上の信念、自分の信仰を、これほど絶対だと信じた人々は、かつてなかった。全村、全都市、全民族が感染して、狂人になった。すべての人々が不安におののき、互いに相手が理解できず、一人一人が自分だけが真理を知っていると考えて、他の人々を見ては苦しみ、自分の胸を殴りつけ、手をもみしだきながら泣いた。誰をどう裁いていいのか、わからなかったし、何を悪とし、何を善とするか、意見が一致しなかった。誰を有罪とし、誰を無罪とするか、わからなかった。人々はつまらないうらみで互いに殺し合った。互いに軍隊を集めたが、軍隊は行軍の途中で、とつぜん内輪もめが起った。列は乱れ、兵士たちは互いに躍りかかって、斬《き》り合《あ》い殴り合いをはじめ、嚙《か》みつき、互いに相手の肉を食い合った。町々で警鐘を鳴らし、みんなを招集したが、誰が何のために呼び集めたのか、それが誰にもわからず、みんな不安におののいていた。めいめいが勝手な考えや改良案を持ち出して、意見がまとまらないので、ごくありふれた日常の手工業まで放棄されてしまって、農業だけがのこった。そちこちに人々がかたまり合って、何かで意見を合わせて、分裂しないことを誓い合ったが、——たちまち何かいま申し合せたこととまったくちがうことが持ち上がり、罪のなすり合いをはじめて、つかみ合ったり、斬り合ったりするのだった。火事が起り、饑饉《ききん》がはじまった。人も物ものこらず亡《ほろ》びてしまった。疫病は成長し、ますますひろがっていった。全世界でこの災厄《さいやく》を逃れることができたのは、わずか数人の人々だった。それは新しい人種と新しい生活を創《つく》り、地上を更新し浄化する使命をおびた純粋な選ばれた人々だったが、誰もどこにもそれらの人々を見たことがなかったし、誰もそれらの人々の声や言葉を聞いた者はなかった。

このばかばかしい夢がこれほど悲しく苦しく彼の思い出の中にあとを引いていて、この熱病の悪夢の印象からいつまでもぬけきれないことが、ラスコーリニコフを苦しめた。もう復活祭後の第二週になっていた。あたたかい、明るい春の日がつづいた。

監獄の病院でも窓が開けられた（鉄格子《てつごうし》の窓で、その下を見張りが歩いていた）。ソーニャは、彼の病気の間、わずか二度病院に見舞いに行っただけだった。一度ごとに許可をもらわなければならなかったし、それが容易なことではなかった。しかし彼女はよく、殊に日暮れどきなど、病院の庭に来て窓の下に立っていた、ときにはただちょっと庭に来て、遠くから病室の窓を見るだけで立ち去ることもあった。ある日の夕暮れ、もうほとんどよくなったラスコーリニコフは眠りからさめると、何気なく窓辺へ寄った。すると彼は思いがけなく、遠くの病院の門のそばにソーニャの姿を見た。彼女は佇《たたず》んで、何かを待っているふうだった。その瞬間彼は、何かが彼の心を貫いたような気がした。彼はぎくっとして、急いで窓をはなれた。次の日はソーニャは来《こ》なかった。その次の日も同じだった。彼は自分が心配しながら彼女を待っていることに気がついた。とうとう、彼は退院した。監房へもどると、彼は囚人たちからソーニャが病気になって、どこへも出ないで家にねていることを聞かされた。

彼はひじょうに心配して、使いの人に容態をきいてもらった。間もなく彼は、彼女の容態が危険なものでないことを知らされた。今度は、彼が自分のことをこんなにさびしがって心配してくれていることを知ると、ソーニャは鉛筆で書いた手紙を彼に送って、自分の病気は彼のよりもずっと軽く、ただのちょっとした風邪《かぜ》だから、間もなく、もうじき、作業場に会いに行けるでしょう、と知らせた。

また明るいあたたかい日だった。早朝六時頃、彼は河岸《かし》の作業場に出かけた。そこの小舎《こや》には雪花《せっか》石膏《せっこう》を焼くかまどがあって、それを焼くのが彼らの作業だった。いっしょに出かけたのは全部で三人だった。囚人の一人は看守を連れて、要塞《ようさい》に何かの道具をとりに行った。もう一人は薪《まき》を用意して、かまどの中に並べはじめた。ラスコーリニコフは小舎から河岸へ出て、小舎のそばに積んである丸太に腰を下ろし、荒涼とした大河の流れをながめはじめた。高い岸からは周囲の広々とした眺望《ちょうぼう》がひらけていた。遠い向う岸から歌声がかすかに流れてきた。その向うには、あふれるほどに陽光をあびたはてしない曠野《こうや》に、見えないほどの黒い点々となって遊牧民の天幕がちらばっていた。そこには自由があった、そしてこちらとはぜんぜんちがう別な人々が住んでいた。そこでは時間そのものが停止して、まるでアブラハムとその畜群の時代がまだ過ぎていないようであった。ラスコーリニコフは腰を下ろしたまま、目をはなさずに、じっとながめていた。彼の想念は幻想へ、そして観照へと移っていった。彼は何も考えなかったが、何ものとも知れぬ憂愁が彼の心を波立て、苦しめるのだった。

不意に彼のそばにソーニャがあらわれた。彼女は足音を殺してそっと近よると、彼のよこに腰を下ろした。まだひじょうに早く、朝の冷たさがまだやわらいでいなかった。彼女は古いみすぼらしい外套《がいとう》を着て、緑色のショールをかぶっていた。顔にはまだ病後のやつれがのこっていて、痩せて、蒼白《あおじろ》く、頬《ほお》がこけていた。彼女は愛想よく嬉《うれ》しそうに、にっこり彼に微笑《ほほえ》みかけたが、いつもの癖で、おずおずと手をさしのべた。

彼女はいつも彼におずおずと手をさしのべた。ときには払いのけられるのではないかとおそれるように、ぜんぜん手を出さないことさえあった。彼はいつもさも嫌《いや》そうにその手をとり、いつも怒ったような顔をして彼女を迎え、どうかすると、会ってもはじめから終りまでかたくなに黙りこんでいることもあった。彼女はすっかり彼におびえて、深い悲しみにしずみながらもどって行ったことも、何度かあった。しかしいまは二人の手は解けなかった。彼はちらと素早く彼女を見ると、何も言わないで、俯《うつむ》いてしまった。彼らは二人きりだった。誰も見ている者はなかった。看守はそのとき向うをむいていた。

どうしてそうなったか、彼は自分でもわからなかったが、不意に何ものかにつかまれて、彼女の足もとへ突きとばされたような気がした。彼は泣きながら、彼女の膝《ひざ》を抱きしめていた。最初の瞬間、彼女はびっくりしてしまって、顔が真《ま》っ蒼《さお》になった。

彼女はぱっと立ち上がって、ぶるぶるふるえながら、彼を見つめた。だがすぐに、一瞬にして、彼女はすべてをさとった。彼女の両眼にははかり知れぬ幸福が輝きはじめた。彼が愛していることを、無限に彼女を愛していることを、そして、ついに、そのときが来たことを、彼女はさとった、もう疑う余地はなかった……

二人は何か言おうと思ったが、何も言えなかった。涙が目にいっぱいたまっていた。二人とも蒼ざめて、痩せていた。だがそのやつれた蒼白い顔にはもう新生活への更生、訪れようとする完全な復活の曙光《しょこう》が輝いていた。愛が二人をよみがえらせた。二人の心の中には互いに相手をよみがえらせる生命の限りない泉が秘められていたのだった。

二人はしんぼう強く待つことをきめた。彼らにはまだ七年の歳月がのこされていた。それまでにはどれほどの堪えがたい苦しみと、どれほどの限りない幸福があることだろう！　だが、彼はよみがえった。そして彼はそれを、新たに生れ変った彼の全存在で感じていた。では彼女は——彼女は彼の生活をのみ自分の生きる糧《かて》としていたのだった！

その夜、監房の戸がもう閉ざされてから、ラスコーリニコフは板床に横になって、彼女のことを考えていた。その日は、彼の敵だったすべての囚人たちが、もう彼を別な目で見るようになったような気がした。彼は自分から話しかけてもみたし、彼らの返事にも親しさがあった。彼はいまそれを思い出した、しかしそうなるのが当然なのだ、いまこそすべてが変るはずではないのか？

彼は彼女のことを考えていた。彼はたえず彼女を苦しめ、彼女の心をさいなんだことを思い出した、彼女の蒼ざめた、痩せた顔を思い出した、だがいまはこれらの思い出もほとんど彼を苦しめなかった。彼は、自分がこれからどのような限りない愛で彼女のすべての苦しみを償おうとしているか、知っていたのである。

それにこのすべての、過去のすべての苦しみがなんであろう！　いっさいが、彼の罪でさえ、判決と流刑でさえ、いまはこの最初の感激で、外部の不思議なできごとのような気がして、何か他人事《ひとごと》のようにさえ思われるのだった。彼は、しかし、その夜は長くつづけて何かを考え、何かに考えを集中することができなかった。それに彼は意識の上では何も解決できなかったにちがいない。彼はただ感じていただけだった。弁証法の代りに生活が前面へ出てきた。そして当然意識の中にはぜんぜん別な何ものかが形成されるはずであった。

彼の枕《まくら》の下に福音書がおいてあった。彼はそれを無意識に手にとった。この福音書はソーニャのもので、いつか彼女がラザロの復活を読んでくれたあの本だった。この監獄へ来た当時、彼は、彼女が宗教で悩まし、福音書の話をもち出して、彼に本を押しつけるものと思っていた。ところが、おどろいたことに、彼女は一度もそれを口にしないばかりか、福音書をすすめたことさえなかった。病気になる少しまえに彼のほうから頼んで、彼女が黙ってそれを持って来てくれたのである。彼はまだそれを開けて見もしなかった。

彼はいまもそれを開きはしなかったが、一つの考えがちらと頭にうかんだ。《いまは、彼女の信念がおれの信念でないなんて、そんなことがあり得ようか？　少なくとも彼女の感情、彼女の渇望《かつぼう》は……》

彼女もこの日は一日興奮していた。そして夜更《よふ》けにまた風邪をぶりかえしたほどだった。しかし彼女はあまりに幸福すぎて、自分の幸福が恐《こわ》いような気がした。七年、たった七年！　自分たちの幸福のはじめ頃、ときどき、二人はこの七年を七日と思いたいような気持になった！　彼は、新しい生活が無償で得られるものではなく、もっともっと高価なもので、それは今後の大きな献身的行為であがなわれなければならぬことに、気がついていないほどだった……

しかしそこにはもう新しいものがたりがはじまっている。一人の人間がしだいに更生していくものがたり、その人間がしだいに生れ変り、一つの世界から他の世界へしだいに移って行き、これまでまったく知らなかった新しい現実を知るものがたりである。これは新しい作品のテーマになり得るであろうが、――このものがたりはこれで終った。

解　説

工藤精一郎

ドストエフスキー　人と作品

ドストエフスキーは、トルストイと並んで一九世紀のロシア・リアリズム文学の最高峰であり、ロシアが世界に誇る大作家である。トルストイが現実の客観的描写を重視したのに対して、ドストエフスキーは文学は人間の研究であるとして、主観的色彩の濃い独自の文学心理的リアリズムを創造し、近代文学にひとつの道を開いた。

彼は一八二一年にモスクワのマリア貧民病院の官舎で医師ミハイルの次男として生まれた。母は商家の出で、気立てのやさしい、信仰心の篤《あつ》い女だったが、父は気むずかしい癇癪《かんしゃく》もちで、子供たちには厳しかった。家長制度、厳格な規律、宗教的かつ因襲的な生活は、小貴族というよりは、むしろ商人階級の生活だった。

彼は十歳まではモスクワを離れたことがなく、兄ミハイルと薄暗い玄関脇《わき》の部屋で過した。十歳の時両親がトゥーラ県のダロヴォエに小さな農園を買い、母と子供たちは夏をここで過すことになった。そこが子供たちにとっては閉ざされたモスクワの生活からの解放であり、父の厳しい支配からの解放であった。そしてドストエフスキーにとっては、これが田園生活の最初のものであり、最後のものとなった。近所の子供たちと遊ぶことを禁じられていた彼は、十二歳頃《ごろ》の夏ここでスコットの作品に少年の夢をふくらませた。

一八三四年、兄ミハイルと彼は当時の有名私塾チェルマーク寄宿学校にやられ、一日八時間授業の厳しい生活を三年間送らされた。ここでも彼はほとんど友だちをつくらず、自分の片隅《かたすみ》をつくり、兄と二人だけで過した。そのためにこの兄弟の愛は異常なまでに強まり、一卵性双生児といわれるまでに至った。一八三七年、彼が十五歳の時に母が死んだ。その頃モスクワはプーシキンの血闘と死の噂《うわさ》でもちきりになっていて、兄弟は母の死よりも、プーシキンの死に強い衝撃を受けたほどだった。

翌一八三八年彼はペテルブルグの陸軍工科学校へやられたが、ここでも学校の明るい面の生活を避けて、宿舎の暗い片隅で読書に耽ったり、少数の気の合った友だちと人生問題を論じたりしていた。当時のロシア文学界はロマン主義の熱病にとりつかれていた。彼はモスクワにいた頃からスコットとプーシキンを耽読《たんどく》していたが、ペテルブルグでは父の知人でロマン派詩人のシドロフスキーの影響を受けて、シェークスピア、ホフマン、シラー、バルザックに熱中し、後にはゴーゴリを絶賛し、自分でもプーシキン風の『ボリス・ゴドゥノフ』とシラー風の『マリア・スチュアート』の二つの詩劇を書いた。彼は卒業後陸軍中尉として工兵局に勤めたが、一年足らずで退職し、文学活動に専念することになった。彼の最初の出版はバルザックの『ウジェニー・グランデ』の翻訳である。

彼の文壇へのデヴューは稀《まれ》に見る華々しいものだった。一八四六年の『貧しき人々』によって彼は一夜にして文壇の寵児《ちようじ》になった。彼はこの書簡体の小説で貧しい老官吏と薄幸の少女の不幸な恋を物語りながら、社会の陽《ひ》のあたらぬ片隅に住む無力な人々の孤独と屈辱を訴え、彼らの人間的自負と社会的卑屈さの心理的相克をえぐり出した。当時の批評界の大御所ベリンスキーは、ゴーゴリの『外套《がいとう》』につらなる写実的ヒューマニズムの傑作として絶賛した。この成功によって彼の前に方々の文学サロンの扉《とびら》が開かれ、ツルゲーネフなどの有名作家と交際することになったが、病的なまでに強い自意識と非社交性と抑制のきかぬロシア的性質が、激励を追従、友情を傾倒ととらせ、文壇が自分の足下にひれ伏したと思い上がらせた。このために彼は「文学の吹出物」という綽名《あだな》をつけられ、かげで嘲笑《ちようしよう》された。編集者は彼を雑誌につなぎとめておくために前貸しし、借金のために書くという苦しい生活がはじまった。こうした中で彼は『分身』『家主の妻』『白夜』など十数編の作品を発表したが、ベリンスキーはそこに異常心理への病的な関心とリアリズムからの逸脱を見て手きびしく批判した。彼はベリンスキー派を離れて、フーリエの空想社会主義を信奉する革命思想家ペトラシェフスキーのサークルに加わった。一八四八年のフランスの二月革命に怯《おび》えた当局は、一八四九年四月このサークル員たちを一斉《いっせい》検挙した。当局は見せしめのために残酷な死刑執行の芝居を演出した。銃殺の寸前に、皇帝の特赦と称して実際の判決を示したのである。彼はシベリア流刑となり、クリスマスの夜に馬橇《ばそり》に乗せられてペテルブルグを発《た》ち、シベリアへ向った。

彼は吹雪の中のウラル越えなど言語に絶する苦しい二カ月の旅ののちにオムスク監獄に着いた。この監獄での四年間については、亡《ほろ》び去った民衆に関する覚書《おぼえがき》と彼がいう体験的小説『死の家の記録』に詳しく述べられている。この獄中で、囚人たちにかこまれて、長い苦しい内省ののちに、空想社会主義者からキリスト者へと、彼の内部で価値の転換が行われたのである。

一八五四年彼は刑期を終えて、中央アジアのセミパラチンスクの守備隊に一兵卒として送られた。読むものは聖書一冊しかなかった監獄生活に比べて、ここの生活は大きな救いだった。彼はここでシベリアの地方都市の生活に取材した『伯父様の夢』と『ステパンチコヴォ村とその住人』を書いた、この時期に彼は人妻マリア・イサーエワに「わが人生航路で出会った神の使者」と称して熱烈に恋し、夫の死後一八五七年二月に結婚した。しかしこの結婚は彼に苦しみをあたえただけだった。

一八五九年彼はやっとペテルブルグに帰ることができた。クリスマスの晩に馬橇で発ってから十年の歳月が流れていた。今はアレクサンドル二世の治世に入り、農奴解放を間近にひかえて、改革の新たな時代が始まろうとしており、国民精神が昂揚《こうよう》していた。彼は処女作以来の人道主義を基調としたメロドラマ風の作品『虐《しいた》げられた人々』、つづいて『死の家の記録』を発表した。これは西欧派からはシベリア監獄の写実的な暴露として、スラヴ派からはロシア民衆に対する信頼のために、高く評価された。彼は兄ミハイルと共に雑誌『時代』を発行し、西欧派とスラヴ派のいずれにも与《くみ》せず、教育ある社会と民衆の結合を説き、いわゆる土壌主義を唱えた。彼は政治犯としての十年の流刑生活で、四十にもならぬのに疲れ果てた老人のような外貌《がいぼう》に変り、頻発《ひんぱつ》する癲癇《てんかん》の発作に悩まされながら、芸術家の至高の義務は政治的・道徳的な指導性であるとする自分の主張に異常なまでの情熱を見せ、急進的な青年読者層に熱狂的に迎えられた。

彼は一八六二年の六月から八月末までかねてからの願望であった外国旅行を実現した。ロンドンでゲルツェンを訪ね、ジュネーヴでストラーホフに会い、イタリー各地をまわったが、あまり感激も興味もおぼえなかった。帰国後まもなく旅行記『夏象冬記』を発表した。一八六三年初めのポーランド蜂起《ほうき》に関連して雑誌『時代』は発行停止処分を受けた。これは彼にとって大きな打撃だったが、この頃彼は当時のロシアの典型的な新しい女性ポーリナ（アポリナーリヤ・スースロワ）と熱烈な恋に落ちていて、雑誌復刊に狂奔する兄を残して、彼女を追って欧州へ旅立った。彼はポーリナに翻弄《ほんろう》され、バーデン・バーデンの賭博場《とばくじょう》で一切を失い、心身ともに疲れ果ててペテルブルグにもどってきた。しかし彼はポーリナによって愛と憎悪《ぞうお》がいかに微妙に織りなされているかを教えられ、また残虐と苦痛の渇望《かつぼう》が性的衝動の交互的なあらわれであることを悟らされたのだった。

週に二度も発作を起す弱りきった彼を待っていたものは、肺病の妻の死と、連れ子の目にあまる放蕩《ほうとう》と、兄がやっと発行した『世紀』の倒産と、兄の死と、兄の遺族たちの扶養と、莫大《ばくだい》な借金だった。この苦しい状態の中で、彼は理性による社会改造の可能性を否定し、人間の本性は非合理的なものであると訴える、彼の転機を示す重要な作品『地下室の手記』を書き上げ、二つの恋愛事件を起している。流浪と淪落の数奇な運命をたどったマルタ・ブラウンとの恋と、二十歳の文学少女アンナ・クルコフスカヤとの恋であるが、いずれも結婚には至らず、失敗に終っている。

彼はこの苦しいペテルブルグの生活から逃れようとして、ある出版社と身を売るような無謀な契約をして、ようやく三千ルーブリの前借りをすることができた。そして彼は急場の借金を整理してヴィスバーデンに急ぎ、ポーリナと落合った。しかし彼はわずか五日で賭博ですっかりすってしまい、ポーリナには去られ、宿では食事をとめられた。こうした八方ふさがりの中で彼は方々に金を無心して辛うじて急場をしのぎながら、『罪と罰』の執筆に着手した。十月に友人の助けでやっとヴィスバーデンを離れて、ペテルブルグにもどることができた。そして他の作家なら発狂しそうな追いつめられた生活条件の中で『罪と罰』は一八六六年一月から雑誌『ロシア報知』連載が開始され（『戦争と平和』第一回と同時）、十二月に完結した。その間出版社と約束した長編は、破滅のどたん場で速記者アンナ・スニートキナの協力でわずか二十六日間で書き上げることができた。この作品が『賭博者』である。

これが機縁となって、一八六七年二月アンナは彼の二度目の妻となった。そして四月彼は債権者の執拗《しつよう》な追及を逃れ、落着いて創作に没頭するために、妻といっしょに外国へ旅立った。しかしまたすぐに賭博場に入りびたって一切を失っては、妻の足もとにひれ伏して泣くというような生活がつづき、最初の子を死なせるという悲運にも会った。しかし書かなければ国に帰れないし、多勢の扶養家族を養うことができない。

彼は創作意欲を奮い立たせて、四年半の外国滞在の間に『白痴』と『永遠の良人《おっと》』を書き上げ、『偉大な罪人の生涯《しょうがい》』のノートをとり、『悪霊《あくりょう》』の最初の数章を書いた。ネチャーエフ事件に着想を得て、革命家とニヒリストを攻撃した『悪霊』ははげしい論争を招いた。

一八七一年七月ドストエフスキー夫妻はペテルブルグに帰った。これから死までの十年間は、ドストエフスキーの波瀾《はらん》に富んだ生活も漸《ようや》くおさまり、生涯でもっとも平穏で正常な時期であった。妻の事務的手腕によって、彼は金銭上のわずらわしさから離れ、執筆生活に落着くことができた。一八七二年十二月に『悪霊』が完結した。一八七〇年代には彼の一流作家としての盛名が国の内外にとどろきわたり、一八七五年には彼の作品系列からはいささか外れる長編『未成年』を発表した。一八七六年から月刊個人雑誌『作家の日記』を発表しはじめた。そして一八七九年には彼の思想の総決算ともいうべき重要な作品『カラマーゾフの兄弟』を発表した。

ドストエフスキーの生涯の最後を飾る花道は、一八八〇年六月のプーシキン記念碑除幕式における彼の講演である。彼はロシアの偉大な運命と、人類の世界的結合に果たすロシアの使命に対する信念を述べ、熱狂的な大喝采《だいかっさい》をあびた。ロシアの人々は彼が真の国民的作家であり、比類のない芸術家であることをあらためて認識したのである。彼は一八八一年一月二十八日に死んだ。宿痾《しゅくあ》の肺気腫《はいきしゅ》の悪化によるものと思われるが、死因は明らかでない。遺骸《いがい》はペテルブルグのアレクサンドル・ネフスキー寺院に葬《ほうむ》られた。

『罪と罰』について

これはいろんな要素をもつ作品である。まず推理小説的な要素。これは犯人ラスコーリニコフと予審判事ポルフィーリイの知的対決という形をとる。犯人は読者にはわかっており、それを予審判事が追いつめてゆくという『刑事コロンボ』の原図である。対決は三度あり、緊迫した腹の探り合いの場面がくりひろげられる。次に社会風俗画的な要素。この小説の主人公はペテルブルグであるという社会学者もいるほどで、一八六〇年代の夏のペテルブルグの下町の様子とそこに住む人々の風俗がリアルに描かれ、その面からも貴重な資料となっている。更に愛の小説の要素。これは殺人犯ラスコーリニコフと聖なる娼婦《しょうふ》ソーニャの、愛を奥底に秘めた、信念の対決という形をとる。更に絶望的ニヒリスト、スヴィドリガイロフと、ラスコーリニコフの妹ドゥーニャの愛憎、微妙な心理の葛藤《かっとう》もある。次に当然のことながら思想小説の要素である。こうしていろんな読み方ができるために、読み進むうちに異常な熱気に感染し、ひきこまれて読み終ると、思わず考えこませられてしまう。これはそういう小説である。

構成。はじめに言葉ありきで、これは作品の途中で明らかにされるのだが、まずラスコーリニコフの理論がある。これは人類は凡人と非凡人に大別され、大多数は凡人で現行秩序に服従する義務があるが、選ばれた少数の非凡人は人類の進歩のために新しい秩序をつくる人々で、そのために現行秩序を踏みこえる権利をもつというのである。この理論にしたがってラスコーリニコフは、終極的に人類の福祉に貢献するならば、しらみのような金貸しの老婆を殺すことぐらい罪ではない、自分にはその権利があると妄信《もうしん》する。しかし理論だけでは殺人はできない。彼を殺人に追いつめるいくつかの要因が重なる。彼の病気と孤独、社会の不正の化身のような酔いどれマルメラードフ一家のものがたり、妹の犠牲的結婚を知らせる母の手紙、良心の最後の抵抗といえる少年の日の馬の夢、そしてそれも空《むな》しく帰途はじめて通った横町で偶然に耳にした古着商人と老婆の妹の会話、これが決定的となって彼は何者かの見えない力によって殺人の決行へと追いこまれてゆく。そして偶然の重なり合いによって完全犯罪に近い殺人を犯す。これが第一部である。あとの五部とエピローグは彼の闘いと苦悩のものがたりである。これは先述の知的対決、信念の対決、すこしおくれてスヴィドリガイロフとの対決の三つの線が同時進行の形でものがたりは展開される。

知的対決。予審判事ポルフィーリイは論理的で直感力が鋭く、賢明で狡猾《こうかつ》、慎重で大胆、冷笑的で相手をじらしながら相手の失言を誘い出すというタイプである。彼は辛抱強く偶然的な些細《ささい》なことの中に意味をさぐり、捜査の輪をしぼってゆき、ここぞという瞬間に決定的な打撃を加えようとする。ラスコーリニコフの警察署での失神、部下ザミョートフとの対話、ラスコーリニコフの書いた犯罪論の末尾の凡人・非凡人論、殺人現場の訪問、町人の密告など、心証はあるのだが、肝心の物証がない。ラスコーリニコフを犯人と確信する彼は結局自白をすすめる。この対決は引分けに終るが、ラスコーリニコフ敗北の一つの要因になった。

信念の対決。予審判事ポルフィーリイとの知的対決からラスコーリニコフの思想の輪廓《りんかく》が推察される。それは理論によって正当化された殺人によって金を獲得し、その金によって権力を握る。権力によって新しいエルサレムをつくり、民衆を幸福にしてやる。つまり殺人は権力掌握の手段であり、目的は新しいエルサレム、つまり空想社会主義のファランステールをつくることである。ソーニャの信念とは何か。彼女は国家宗教である正教を信じない。ソーニャが娼婦《しょうふ》になったために追われて移った仕立屋カペルナウモフの家が彼女の信仰の秘密を語ってくれる。この奇妙な姓は、キリストが故郷ナザレを追われて移り住み、「自分の町」と呼んで布教活動をしたガリラヤ湖西岸のカペナウムからとられたと考えられる。ソーニャはカペナウムの人々と同じ信仰、つまり支配者たちの国家宗教に転ずる以前の貧しき者、病める者、不幸な女や子供たちを救ってくれるキリスト教を信じたのである。ソーニャは一度死んだ、自分の意志で自分を殺した、だが「ラザロの復活」を信じることによって、キリストに生命をあたえられた、だからキリストの教え、愛による救いをひろめることが、自分の生きる道であると素朴《そぼく》に信じた。「ラザロの復活」朗読の場面で、ラスコーリニコフはソーニャの秘密を見ぬいた。愛と自己犠牲によって身近の人間を自分の道へひきこみ、自分のまわりに正義を広める。ソーニャが無意識に目ざしていた理想社会は富も権力もない兄弟愛の世界である。二人は逆方向から同じ目的を目ざしていたのである。彼は唯一人《ただひとり》の道連れであるソーニャ、自分が救わねばならぬ哀れな人々のシンボルであるソーニャを失うことはできない。彼はソーニャの愛に負けて、自白する。そしてシベリアの流刑地で、囚人たちの間に身をおいて、ついにソーニャの信念に負けるのである。

スヴィドリガイロフは現在を否定し、未来に展望をもたぬ絶望的なニヒリストである。悪徳の化身のようなこの男は、われわれは同じ木から落ちたりんごだ、ただあなたにはシラーの残りかすがくっついてるだけだ、とラスコーリニコフを嘲《あざけ》る。ラスコーリニコフはこの男に自分の思想の反映を見て動揺する。彼を人間にもどすことができるのはドゥーニャの愛だけだが、彼はこの愛に破れ、女心の微妙な揺れに一瞬人間の心をとりもどして、彼女を解放する、そして心はまた真の闇《やみ》にとざされてしまう。それはもはや死である。彼は拳銃《けんじゅう》自殺する。ニヒリズムの行き着く先が暗示される。

この作品は、思想による殺人者の告白、一人称の小説として構想された。出獄後の兄や友人たちへの手紙に「告白」についての知らせが何度も出てくる。生涯《しょうがい》の代表作、文壇復帰を決定させる作品となるはずで、ロシアへ帰って自分の目で社会の状況をたしかめてからじっくり取組みたいと書いている。獄中で構想が芽生えたことはこれらの手紙からもうかがえる。ペトラシェフスキー会員の頃《ころ》、彼は過激な仲間と七人組の秘密結社をつくった。そして農奴解放を語り合った際、宣伝と啓蒙《けいもう》を主張したが、もし暴力による蜂起《ほうき》以外に手段がなかったらと問われて、その手段によってもだとはっきり言明している。思想による殺人を決意したのである。これを実現しなかったのは、逮捕という偶然の結果にすぎない。彼は獄中で内省の長い苦しい時間をもち、自分のこれまでの生活と思想を再点検した。こう見てくると、これはどうしても書かなければならなかった作品で、彼の前半生の総括といえよう。

トルストイとドストエフスキーの両巨匠は、一八六〇年代の改革に浮かれさわぐ若い世代に、いかにも両者らしいやり方で警告をあたえた。トルストイは『戦争と平和』でロシアのあるべき理想の姿を教え、ドストエフスキーは『罪と罰』で人間の本性を忘れた理性だけによる改革が人間を破滅させることを説いたのである。

（昭和六十二年四月）

年譜

一八二一年（文政四年）十月三十日（新暦十一月十一日）、モスクワのマリヤ貧民施療病院の官舎（現在はドストエフスキー博物館）に、同病院の医師ミハイル・アンドレーヴィチの次男として生れた。母マリヤ・フョードロヴナはモスクワの商家の出。兄ミハイルは一八二〇年生れ。

一八三一年（天保二年）十歳　父がトゥーラ県にダロヴォエ、チェルマシニャ両村からなる領地を購入、夏、作家はここを訪れ、『百姓マレイ』のエピソードを体験。シラーの『群盗』の芝居に感銘。

一八三三年（天保四年）十二歳　一月、兄とともにドラシューソフの塾に通いはじめる。

一八三四年（天保五年）十三歳　秋、文学教育で有名なモスクワのチェルマーク寄宿学校に入学。

一八三七年（天保八年）十六歳　一月、文学的熱中の対象であったプーシキンの死に衝撃を受ける。二月、母死去。五月、兄とともにペテルブルグに移り、コストマーロフ大尉の予備校にはいる。夏、のちの作家グリゴローヴィチを知り、詩人シドロフスキーから感化を受ける。

一八三八年（天保九年）十七歳　一月、工兵士官学校に入学。ホフマン、バルザック、ゲーテ、ユゴーなどを耽読《たんどく》。十月、進級試験に落第。

一八三九年（天保十年）十八歳　六月、父ミハイル持村の農奴に惨殺《ざんさつ》さる。

一八四〇年（天保十一年）十九歳　シラー、ホメーロス、フランス古典悲劇などを読み、劇作を試みる。

一八四一年（天保十二年）二十歳　二月、兄の家で自作の戯曲『マリヤ・スチュアルト』『ボリス・ゴドゥノフ』を朗読。八月、工兵少尉補に任官。

一八四二年（天保十三年）二十一歳　八月、試験に及第、少尉となる。

一八四三年（天保十四年）二十二歳　八月、工兵士官学校を卒業、ペテルブルグ工兵局製図課勤務となる。九月、医師リーゼンカンプと同居、困窮して高利貸より借金。十二月、バルザック『ウージェニー・グランデ』の翻訳にかかる。

一八四四年（弘化元年）二十三歳　二月、少額の一時金で領地の相続権を放棄。六―七月、「レパートリーとパンテオン」誌に『ウージェニー・グランデ』の翻訳発表。九月、退職願を提出。『貧しき人びと』執筆。十月、中尉に昇進して退官、グリゴローヴィチと同居する。

一八四五年（弘化二年）二十四歳　四月、『貧しき人びと』を完成。五月、グリゴローヴィチとネクラーソフ、この原稿を読んで感動、朝の四時に作者を訪ね、「新しいゴーゴリ」の出現を祝福する。ベリンスキーに紹介され、彼からも絶讃《ぜっさん》を受ける。夏、レーヴェルの兄のもとで『分身』起稿。十一月、ツルゲーネフを知り、パナーエフ家のサロンに通う。

一八四六年（弘化三年）二十五歳　一月、『貧しき人びと』を掲載した「ペテルブルグ文集」刊行。春、ペトラシェフスキーとめぐり合い、関心を惹《ひ》かれる。十一月、ネクラーソフの雑誌「現代人」同人と決裂。この年、アポロン・マイコフ、ワレリヤン・マイコフ、「祖国雑記」編集長クラエフスキーらを知る。

二月、『分身』十月、『プロハルチン氏』

一八四七年（弘化四年）二十六歳　一―四月、ベリンスキーと不和になり、ペトラシェフスキーのサークルに通いはじめる。

一月、『九通の手紙にもられた小説』四―六月、『ペテルブルグ年代記』十―十一月、『主婦』『貧しき人びと』（十一月、プラッ社刊）

一八四八年（嘉永元年）二十七歳　一月、「現代人」誌でベリンスキー『貧しき人びと』を書評、三月には『一八四七年のロシア文学概観』で『主婦』を酷評。五月、ベリンスキー死す。秋、スペシネフを知り、プレシチェーエフ宅でペトラシェフスキー会と別の集まりをもつ。

一月、『人妻』二月、『弱い心』『ポルズンコフ』四月、『苦労人の話』（後に『正直な泥棒』と改題）九月、『クリスマス・ツリーと結婚式』十二月、『白夜』『やきもち焼きの夫、異常な事件』

一八四九年（嘉永二年）二十八歳　一月、スペシネフ、ドゥーロフらと近づき、秘密出版所設置計画にも加担。四月、ペトラシェフスキー会でベリンスキーのゴーゴリへの手紙を朗読。四月二十三日、早朝逮捕され、ペトロパヴロフスク要塞《ようさい》に監禁。五月、予審取調べ。九月、ペトラシェフスキー会員公判開始（十一月結審、死刑判決）。十二月二十二日、セミョーノフ練兵場で処刑の直前に特赦、懲役四年、刑期終了後一兵卒として勤務の判決を受ける。二十四日、シベリアへ護送。

一―二月、『ネートチカ・ネズワーノワ』

一八五〇年（嘉永三年）二十九歳　一月九日、トボリスク到着、デカブリストの妻たちから福音書を贈られる。一月二十三日、オムスク監獄に到着、以後一八五四年二月までここで服役。

一八五四年（安政元年）三十三歳　三月、セミパラチンスク守備隊に一兵卒として編入。春、地方官吏イサーエフとその妻マリヤを知り、夫人に恋する。十一月、ヴランゲリ男爵《だんしゃく》、検事として着任、作家と親交を結ぶ。

一八五五年（安政二年）三十四歳　三月、イサーエフ一家、クズネツクへ移転、八月、イサーエフ死去。『死の家の記録』の執筆を始める。

一八五六年（安政三年）三十五歳　三月、トトレーベン宛《あ》てに兵役免除、出版許可の嘆願書。十月、下士官に昇進。

一八五七年（安政四年）三十六歳　二月、クズネツクでマリヤ・イサーエワと結婚、帰途、強度の癲癇《てんかん》の発作を起す。四月、士族の称号回復。

八月、『小英雄』

一八五八年（安政五年）三十七歳　一月、軍務免除、モスクワ居住許可を求めた嘆願書を書く。

一八五九年（安政六年）三十八歳　三月、少尉として退官、トヴェリ居住許可さる。七月、トヴェリに出発（八月半ば到着）。十一月、ペテルブルグ居住を許可され、十二月、首都に帰る。

三月、『伯父さまの夢』　十一―十二月、『ステパンチコヴォ村とその住人』

一八六〇年（万延元年）三十九歳　九月、兄ミハイルと共同編集の雑誌「時代」の発刊広告。九月、『死の家の記録』を「ロシア世界」に連載。

一八六一年（文久元年）四十歳　一月、「時代」誌創刊。オストロフスキー、グリゴーリエフ、ドブロリューボフらと知り合う。

一―七月、『虐《しいた》げられた人々』

一八六二年（文久二年）四十一歳　六月、最初の国外旅行に出発、パリ、ロンドン、ケルン、スイス、イタリアを訪れ、その間ゲルツェン、バクーニンと会う。年末、アポリナリヤ・スースロワと交際。

一―十二月、『死の家の記録』　十一月、『けがらわしい逸話』

一八六三年（文久三年）四十二歳　年初より「現代人」誌の「時代」誌批判激化。五月、「時代」誌発禁。八月、海外旅行に出発、パリでスースロワと落合い、イタリア旅行。九月、バーデン・バーデンで賭博《とばく》にふけり、ツルゲーネフから借金。十月帰国。

二―三月、『冬に記《しる》す夏の印象』

一八六四年（元治元年）四十三歳　三月、新雑誌「世紀」創刊。四月十五日、妻マリヤ死去。七月十日、兄ミハイル死去。この年、「現代人」誌への反論を「世紀」誌に執筆。

三―四月、『地下室の手記』

一八六五年（慶応元年）四十四歳　三―四月、アンナ・コルヴィン・クルコフスカヤをしばしば訪問、求婚して拒絶される。六月「世紀」廃刊。七月、国外旅行に出発、ヴィスバーデンで賭博にふけり、一文なしの身で『罪と罰』の構想をまとめ、「ロシア報知」編集長カトコフに売りこむ。十月帰国、十一月、『罪と罰』の第一稿を焼却。

二月、『異常な事件、またの名は勧工場の椿事《ちんじ》』

『ドストエフスキー全集』第一、二巻（年末、ステロフスキー刊）

一八六六年（慶応二年）四十五歳　四月、カラコーゾフの皇帝暗殺未遂事件に衝撃を受ける。夏、リュブリノの別荘で姪《めい》ソフィヤ・イワノワと親しくなる。十月、速記者アンナ・スニートキナに『賭博者』を口述筆記。十一月、アンナに結婚申込み。

一―十二月、『罪と罰』

『ドストエフスキー全集』第三巻（年末、ステロフスキー刊）

一八六七年（慶応三年）四十六歳　二月十五日、アンナ・スニートキナとの結婚式。四月、国外旅行（四年余にわたる）に出発。ドレスデンで「シスチナのマドンナ」を見る。六月、バーデンでツルゲーネフと喧嘩《けんか》。八月、バーゼルの美術館でホルバインの「イエス・キリストの亡骸《なきがら》」に衝撃を受ける。ジュネーヴでガリバルジ、バクーニンらの「平和・自由連盟」の第一回大会を傍聴。九月、『白痴』起稿。

一八六八年（明治元年）四十七歳　姪《めい》のソフィヤに『白痴』では「真に美しい人間」を書きたいと手紙。二月、長女ソフィヤ誕生（五月死亡）。八月ヴェーヴェ、九月ミラノ、十一月フローレンスに滞在。十二月、アポロン・マイコフへの手紙で『無神論』の構想を語る。

一—十二月、『白痴』

一八六九年（明治二年）四十八歳　八月、ドレスデン到着。九月、次女リュボフィ誕生。十一月二十一日、「国民制裁協会」のネチャーエフ、ペトロフスキー大学の学生イワノフを裏切り者として殺害、作家の異常な関心をそそる。十二月、大長編『偉大なる罪人の生涯《しょうがい》』のノートを取る。

一八七〇年（明治三年）四十九歳　三月、マイコフ宛ての手紙で、ニヒリスト批判の『傾向的な作品』（『悪霊《あくりょう》』の原型）と『偉大なる罪人の生涯』の構想を知らせる。八月、姪ソフィヤに『悪霊』の難航、新しい構想による書き直しを知らせる。十月、『悪霊』の最初の部分を「ロシア報知」に送る。カトコフ、マイコフ宛ての手紙で作品のテーマを詳述。

一—二月、『永遠の夫』

『ドストエフスキー全集』第四巻（十月、ステロフスキー刊）

一八七一年（明治四年）五十歳　三—五月、パリ・コミューンに関心を惹かれる。七月、国外滞在中の手稿を焼却。七月一日、ネチャーエフ事件の裁判はじまる。七月帰国。長男フョードル誕生。

一—十一月、『悪霊』

一八七二年（明治五年）五十一歳　冬、国家評議員ポベドノースツェフを知る。五—九月、スターラヤ・ルーサに滞在。十二月、週刊誌「市民」の編集長となる。

十一—十二月、『悪霊』（第三部）

一八七三年（明治六年）五十二歳　一月、「市民」創刊、同誌に『作家の日記』を連載。アレクサンドル皇太子に『悪霊』献呈。二月、『悪霊』についてミハイロフスキーの批評が出、「市民」でドストエフスキーが反論。

一八七四年（明治七年）五十三歳　一月、「市民」編集長辞任。五月よりスターラヤ・ルーサに住む。十月、ネクラーソフの「祖国雑記」に『未成年』掲載を約束。

一八七五年（明治八年）五十四歳　八月、次男アレクセイ誕生。九月、ペテルブルグへ帰る。十一月、『作家の日記』刊行の準備にかかる。十二月、孤児問題に関心をもつ。

一―十二月、『未成年』

一八七六年（明治九年）五十五歳　一月より『作家の日記』を刊行。十一月、アレクサンドル皇太子に『作家の日記』を献呈。

一月、『キリストの樅《もみ》の木に召された少年』（『作家の日記』）二月、『百姓マレイ』（『作家の日記』）『百歳の老婆』（『作家の日記』）十一月、『おとなしい女』（『作家の日記』）

一八七七年（明治十年）五十六歳　七月、ダロヴォエ村訪問。十二月、アカデミー通信会員に選出。ネクラーソフ死去、墓前で演説。

二月、『アンナ・カレーニナ論』（『作家の日記』）四月、『おかしな男の夢』（『作家の日記』）

一八七八年（明治十一年）五十七歳　三月、ザスリッチ裁判を傍聴。五月、次男アレクセイ死亡。六月、哲学者ソロヴィヨフとともにオプチナ修道院を訪れ、『カラマーゾフの兄弟』の構想を語る。この年、長編の執筆を開始。

一八七九年（明治十二年）五十八歳　夏、一家スターラヤ・ルーサに住み、コルヴィン・クルコフスカヤと交際。七―九月、ドイツの鉱泉地エムスで療養。

一―十一月、『カラマーゾフの兄弟』

一八八〇年（明治十三年）五十九歳　二月、スラヴ慈善協会副会長に選ばる。六月、プーシキン記念像除幕式に参加、記念講演を行い、感銘を与える。八月より『作家の日記』復刊。

一―十一月、『カラマーゾフの兄弟』六月、『プーシキンについて』

一八八一年（明治十四年）六十歳　一月二十六日、咽喉部《いんこうぶ》より出血、意識を失う。二十八日、家族に別れを告げ、午後八時三十八分永眠。二月一日、アレクサンドル・ネフスキー寺院で葬儀。

江川　卓　編

本作品中には、今日の観点からみると差別的表現ととられかねない箇所が散見しますが、作品自体のもつ文学性ならびに芸術性、また訳者がすでに故人であるという事情に鑑み、原文どおりとしました。

（新潮文庫編集部）

ドストエフスキー
江川卓訳
悪霊（上・下）
無神論的革命思想を悪霊に見立て、それに憑かれた人々の破滅を実在の事件をもとに描く文豪の、文学的思想的探究の頂点に立つ大作。

ドストエフスキー
工藤精一郎訳
死の家の記録
地獄さながらの獄内の生活、悽惨目を覆う笞刑、野獣のような状態に陥った犯罪者の心理――著者のシベリア流刑の体験と見聞の記録。

ドストエフスキー
小笠原豊樹訳
虐げられた人びと
青年貴族アリョーシャと清純な娘ナターシャの悲恋を中心に、農奴解放、ブルジョア社会へ移り変わる混乱の時代に生きた人々を描く。

ドストエフスキー
工藤精一郎訳
未成年（上・下）
ロシア社会の混乱を背景に、「父と子」の葛藤、未成年の魂の遍歴を描きながら人間の救済を追求するドストエフスキー円熟期の名作。

ツルゲーネフ
神西清訳
はつ恋
年上の令嬢ジナイーダに生れて初めての恋をした16歳のウラジミール――深い憂愁を漂わせて語られる、青春時代の甘美な恋の追憶。

ツルゲーネフ
工藤精一郎訳
父と子
古い道徳、習慣、信仰をすべて否定するニヒリストのバザーロフを主人公に、農奴解放で揺れるロシアの新旧思想の衝突を扱った名作。

新潮文庫最新刊

芦沢央著
神の悪手
棋士を目指し奨励会で足掻く啓一を、翌日の対局相手・村尾が訪ねてくる。彼の目的は一体。切ないどんでん返しを放つミステリ五編。

望月諒子著
フェルメールの憂鬱
フェルメールの絵をめぐり、天才詐欺師らによる空前絶後の騙し合いが始まった！ 華麗なる罠を仕掛けて最後に絵を手にしたのは!?

午鳥志季・朝比奈秋
春日武彦・中山祐次郎
佐竹アキノリ・久坂部羊著
遠野九重・南杏子
藤ノ木優
夜明けのカルテ
―医師作家アンソロジー―
その眼で患者と病を見てきた者にしか描けないことがある。9名の医師作家が臨場感あふれる筆致で描く医学エンターテインメント集。

霜月透子著
祈願成就
創作大賞（note主催）受賞
幼なじみの凄惨な事故死。それを境に仲間たちに原因不明の災厄が次々襲い掛かる――日常を暗転させる絶望に満ちたオカルトホラー。

大神晃著
天狗屋敷の殺人
遺産争い、棺から消えた遺体、天狗の毒矢。山奥の屋敷で巻き起こる謎に満ちた怪事件。物議を呼んだ新潮ミステリー大賞最終候補作。

カフカ
頭木弘樹編訳
カフカ断片集
―海辺の貝殻のようにうつろで、ひと足でふみつぶされそうだ―
断片こそカフカ！ ノートやメモに記した短く、未完成な、小説のかけら。そこに詰まった絶望的でユーモラスなカフカの言葉たち。

Title : ПРЕСТУПЛЕНИЕ И НАКАЗАНИЕ (vol. II)
Author : Фёдор М. Достоевский

罪《つみ》と罰《ばつ》（下）

新潮文庫 ト－1－19

昭和六十二年六月五日発行
平成二十二年六月十五日四十二刷改版
令和六年五月三十日五十六刷

訳者 工《く》藤《どう》精《せい》一《いち》郎《ろう》
発行者 佐藤隆信
発行所 株式会社 新潮社
郵便番号 一六二―八七一一
東京都新宿区矢来町七一
電話 編集部（〇三）三二六六―五四四〇
読者係（〇三）三二六六―五一一一
https://www.shinchosha.co.jp

価格はカバーに表示してあります。

乱丁・落丁本は、ご面倒ですが小社読者係宛ご送付ください。送料小社負担にてお取替えいたします。

印刷・錦明印刷株式会社　製本・株式会社植木製本所

ISBN978-4-10-201022-8 C0197